milano europa 2000

ANTEPRIMA BOVISA

milan europe 2000

BOVISA PREVIEW

milano europa 2000

fine secolo. I semi del futuro

milan europe 2000

the end of the century. The seeds of the future

NTEPRIMABOVISA

BOVISAPREVIEW

Electa

Mostra posta sotto l'Alto Patronato
del Presidente della Repubblica Italiana
Carlo Azeglio Ciampi

Milano Europa 2000
Fine secolo. I semi del futuro
PAC e La Triennale di Milano
19 maggio-16 settembre 2001

Con il patrocinio di

Viviane Reding membro
della Commissione Europea
responsabile dell'Istruzione
e della Cultura

Ministero per i Beni e le Attività
Culturali

Regione Lombardia

Comune di Milano
Cultura e Musei
Settore Musei e Mostre

Sindaco
Gabriele Albertini

Assessore Cultura e Musei
Salvatore Carrubba

Direttore del Settore
Musei e Mostre
Alessandra Mottola Molfino

Consulente esterno
autore del progetto
Giorgio de Marchis

Segretario Generale
Alessandra Mottola Molfino

Vice Segretario Generale
Lucia Matino

Organizzazione
Davide Colombo
Alessandra Melandri
Christina Schenk
Sara Valmacco

Ricerche
Marina Pugliese

Sito Web
Michela Marcellino

Amministrazione
Roberto Marchesi
Sonia Santagostino

Organizzazione Premio Milano
Museo del Presente
Raffaella Poletti
Melissa Martinelli

Progetto allestimento
Studio Andrea Nulli
& Silvana Sermisoni
e Barbara Camocini
Edoarda de Ponti

Realizzazione allestimento
Progetto Lissone

Grafica della comunicazione
e della mostra
Italo Lupi con
Marina del 5

Audiovisivi
Stand By

Supervisione audiovisivi
Davide Sgalippa

Video reportages
Giampaolo Penco

Trasporti
YorK Fine Transport

Assicurazioni
Assitalia, Milano
AXA Nordstern, Milano

Relazioni con gli sponsor
Burson & Marsteller

Ufficio stampa mostra
Studio Esseci
Sergio Campagnolo

Ufficio stampa
Maria Grazia Vernuccio,
Comune di Milano
Electa

Visite guidate
Ad Artem

Custodia
Cooperativa La Madonnina
Operatori Museali del
Comune di Milano

Web site
www.milano.artecontemporanea.org
hosted by Torre Informatica srl
www. torreinformatica.com

Traduzioni dall'italiano
e dall'inglese
Doriana Comerlati
James Davis
Globe, Foligno

Civiche Raccolte d'Arte
PAC Padiglione d'Arte
Contemporanea di Milano

Direttore
Maria Teresa Fiorio

Coordinamento
Lucia Matino

Organizzazione
Maria Trivisonno
Luciano Cantarutti
Monica Abbiati

Conservazione delle opere
Marina Pugliese

Amministrazione
Anna Bagarini
Sonia Santagostino

Ufficio stampa
Luciano Cantarutti
Maria Trivisonno

Web site
www.pac-milano.org
hosted by Torre Informatica srl
www. torreinformatica.com

Un ringraziamento particolare a
– Fondazione "La Triennale di Milano" e il Presidente Augusto Morello
– Istituto di Cultura Austriaco, Milano
– Consolato Generale del Belgio, Milano
– Centre Culturel Français de Milan
– British Council, Milano
– Consolato generale di Islanda, Milano
– Moondrian Foundation, Amsterdam
– Ambasciata del Regno dei Paesi Bassi, Roma
– Consolato Generale del Portogallo, Milano
– Consolato Generale della Federazione Russa a Milano
– Consolato Generale di Spagna, Milano
– Ufficio Federale della Cultura, Berna
– Pro Helvetia, Zurigo
– CCS Centro Culturale Svizzero, Milano
– Consolato Generale di Ungheria, Milano
– Goethe Institut Mailand
– Consolato Generale della Repubblica Federale di Germania, Milano
– IASPIS- International Artists' Studio Program, Sweden
– Consolato Generale di Finlandia, Milano
– Ministero degli Affari Esteri della Polonia, Varsavia
– Consolato Generale di Polonia, Milano
– Consolato Generale di Danimarca, Milano
– Finnair
– Lufthansa
– Accademia di Belle Arti di Brera

Si ringraziano inoltre
Silvio Accomando
Laura Agnesi
Alessandro Cammarata
Andrea Cancellato
Barbara Casavecchia
Fabio Castelli
Roberta de Lazzari
Ferruccio Dilda
Andrea Lissoni
Maria Loglisci
Biagio Longo
Federica Molteni
Silvano Oldani
Laura Piermattei
Pierantonio Ramaioli
Paolo Ranieri
Claudio Sacchi
Roberta Sommariva

Gli studenti dell'Accademia di Belle Arti di Brera per l'assistenza agli artisti:
Chiara Amendola
Laura Banfi
Romano Baratta
Laura Beltramelli
Valentina Biraldello
Andrea Bonomo
Marco Broggi
Paolo Cavinato
Valentina Ciocchi
Riccardo Conti
Bruno Dalia
Annalisa De Gaetani
Stefano De Ponti
Francesco Di Nardo
Eleonora Emma
Antonella Grieco
Sara Marini
Rossana Marolda
Anna Merici
Alessandro Nassiri
Piergiorgio Paba
Paola Restelli
Moira Ricci
Carlotta Rio
Jacopo Rovida
Roberto Sarlo
Kristina Scheube
Lucia Stipari
Marco Zanuso

Si ringraziano i prestatori
Henie Onstad Art Center, Høvikodden (Oslo)
Gianni Aglietta, Biella
Moderna Galerija Ljubljana, Lubiana
DAP, Parigi
Galerie Alain Gutharc, Parigi
Anthony Reynolds Gallery, London
Ars Futura Galerie, Zurigo
Gallery M.Guelman, Mosca
Galeria Pedro Oliveira, Porto
Galleria Giorgio Persano, Torino
Raffaella Cortese, Milano
Fundação de Serralves, Porto
Galerie Cent 8, Parigi
National Centre for Contemporary Art, Mosca
Galerie Velge et Noirhomme, Bruxelles
Institute of Contemporary Art, Budapest
Paksi Képtár, Budapest
Galerie Hauser & Wirth & Presenhuber, Zurigo
Lisson Gallery, Londra
Galerie Albert Baronian, Bruxelles
Mamco, Ginevra
Serge Ziegler Galerie, Zurigo
Magyar Nemzeti Galéria, Budapest
Groninger Museum, Groningen
Galleri Nicolai Wallner, Copenhagen
Galleria Kari Kenetti, Helsinki
Galerie Voges+Deisen, Helsinki
Andréhn-Schiptjenko, Stoccolma
Studio Guenzani, Milano
Galerie Anton Weller, Parigi
Paulina Kolczynska Fine Art, New York
Fri Art, Fribourg and Mutations/Arc en Rêve, Bordeaux
Galeria Visor, Valenza
Frith Street Gallery, London
Zavod Projekt Atol, Lubiana
Monica Menini, Roma
Galeria Elba Benitez, Madrid
Rosa Sandretto, Milano
Galerie Emmanuel Perrotin, Parigi
Galerie Helga de Alvear, Madrid
Sammlung Hauser und Wirth, San Gallo
Artesia Contemporary Art Collection, Bruxelles
Galerie Nelson, Paris
Wilfried & Yannick Cooreman, Puurs, Belgio
Maureen Paley Interim Art, Londra
Foksal Gallery, Varsavia
Fondazione Sandretto Re Rebaudengo per l'Arte, Torino

e tutti i prestatori che hanno preferito mantenere l'anonimato

Main sponsor

BIPOP CARIRE GROUP
The Next Economy

Media sponsor

CORRIERE DELLA SERA

Sponsor

ATM
AZIENDA TRASPORTI MILANESI S.p.A.

Bayer

gruppo e.Biscom

AKZO NOBEL
sikkens
Sotheby's
3M

*"Milano Europa 2000" è più che una semplice mostra.
Essa infatti rappresenta il pieno rientro di Milano nel circuito internazionale dell'arte contemporanea dal quale la città del Futurismo si era autoesclusa.
Per farlo, Milano si è data in questi anni obiettivi impegnativi, come l'individuazione della nuova sede per le raccolte d'arte contemporanea e il progetto Museo del Presente.
La prima sarà nell'Arengario, oggetto dell'intervento di Italo Rota, proclamato da poco vincitore del concorso internazionale d'architettura che era stato indetto ad hoc.
Il secondo doterà finalmente Milano di una sede, da troppo tempo invocata, che presenti gli sviluppi dell'arte contemporanea a noi e a chi ci seguirà.
La mostra "Milano Europa 2000" vuole, tra gli altri obiettivi, proprio presentare queste ambizioni e questi progetti. Si tratta di un'iniziativa importante, innovativa, che porta a Milano artisti di tutta Europa nati dopo il 1950.
Essi sono stati scelti da commissari nazionali, per sottolineare il legame che Milano ha voluto ristabilire con l'Europa, le cui nazioni sono state coinvolte a livello ufficiale per l'organizzazione di questo appuntamento.
Il progetto messo a punto in questi mesi da Giorgio de Marchis, al quale esprimo qui particolare gratitudine per l'entusiasmo dimostrato, costituisce il primo appuntamento di una serie che consentirà un confronto permanente tra Milano e l'Europa, nella quale la nostra città continua a svolgere un ruolo importante anche in campo artistico.
Le acquisizioni rese possibili dalla mostra riprenderanno inoltre ad alimentare il patrimonio delle raccolte civiche.
"Milano Europa 2000" dunque è destinata a diventare una tappa essenziale nel panorama degli appuntamenti culturali del Paese. Milano deve perciò essere grata a chi ne ha reso possibile la realizzazione, a partire da Alessandra Mottola Molfino e Lucia Matino.
L'Amministrazione civica è particolarmente lieta di aver voluto la realizzazione di questo appuntamento che, inserito nel più vasto progetto che ho indicato, sottolinea lo sforzo di recuperare un colpevole ritardo della città e di dotarla di quelle occasioni e di quelle sedi che la sua stessa vitalità richiede e impone.*

Salvatore Carrubba
Assessore Cultura e Musei

"Milano Europa 2000" is more than a simple exhibition.
It does in fact constitute the full return of Milan to the international contemporary art scene from which the city of Futurism had excluded itself of its own accord. In order to achieve this, Milan has set itself ambitious goals in recent years, such as selecting a new site for contemporary art collections and creating the Museo del Presente.
The former will be in Arengario and designed by Italo Rota who was recently proclaimed the winner of an international architecture competition held specially for the purpose.
The second will finally provide Milan with the site, called for for too long now, in which we and those who come after us may observe developments in contemporary art.
One of the objectives of the exhibition "Milano Europa 2000" is precisely that of announcing these ambitions and these projects. It is an important, innovative initiative which brings artists born after 1950 to Milan from the whole of Europe. They have been chosen by national commissioners to emphasise the links that Milan wishes to re-establish with Europe by involving individual nations at an official level in the organisation of this event.
The idea for the exhibition, conceived of and developed in recent months by Giorgio de Marchis to whom I must express my gratitude for the enthusiasm he has shown, constitutes the first of a series of appointments to provide a continuous comparison between Milan and Europe in which our city continues to play an important role in art as in other things.
The acquisitions made possible by the exhibition will also further enrich the city's art collections.
"Milano Europa 2000" is thus destined to become one of the most important appointments in the country's cultural calendar. Milan must therefore be grateful to those who have made this possible and first of all to Alessandra Mottola Molfino and Lucia Matino.
The city administration is particularly pleased with its decision to organise this event, which as part of the much broader project that I mentioned shows how much effort the administration has made to make up for lost time and to provide events and sites worthy of such a vital city.

Salvatore Carrubba
City Councillor Responsible for Culture and Museums

SOMMARIO CONTENTS

IL MUSEO DEL PRESENTE A MILANO. UN NUOVO MUSEO PER UN NUOVO MILLENNIO

THE MUSEO DEL PRESENTE IN MILAN. A NEW MUSEUM FOR A NEW MILLENNIUM

Alessandra Mottola Molfino

La scelta di una struttura "non museale" e non munumentale a Milano per l'arte contemporanea è nata dall'esigenza di non ripetere un modello che ha seminato l'Europa degli ultimi decenni del XX secolo di cattedrali-museo; soprattutto in una città che di monumenti e musei è straricca.
Se ogni epoca ha avuto il suo modello di museo, quale è stato quello del secolo che finisce? E quali quindi sono stati i musei veramente rappresentativi del XX secolo? La risposta potrebbe far riferimento a tutti i moltissimi nuovi musei costruiti in Germania, in Francia, in Giappone e negli USA negli anni ottanta e novanta; gli anni del grande boom dei nuovi musei. Ma, a ben guardare, per la grande maggioranza di essi si tratta di musei che riprendono in forme nuovissime modelli appartenenti al XIX secolo.
I nuovi musei, firmati da grandi architetti, appaiono opere d'arte museografica ben inserite nella tradizione dei musei-capolavoro, dei musei Gesamtkunstwerk creati all'inizio del XIX secolo da Leo von Klenze e da Karl Friedrich Schinkel a Monaco e a Berlino. Anche questi nuovi sono infatti musei-opera-chiusa; dove tutto è pensato fino nei minimi dettagli e dove le collezioni esposte si integrano con gli edifici. Visitarli, e venerarli, è ormai diventato un obbligo per gruppi estatici di architetti e di intellettuali. Il pellegrinaggio era iniziato negli anni ottanta da Francoforte e dalla sua "Museumsufer" (la riva dei musei lungo il fiume Meno).
E se tornassimo con umiltà alle parole di Beuys? "Il museo è solo un edificio, potrebbe anche essere una chiesa o una stazione; dipende da ciò che ci mettiamo dentro".
L'arte contemporanea non ama infatti gli spazi museali tradizionali, spazi spesso formalmente troppo forti e troppo connotati dall'immagine

The choice of a "non museum" and non monumental site for contemporary art in Milan was the result of wishing to avoid repeating a model which scattered cathedral-like museums over Europe during the last decades of the 20th century, especially in a city that is bursting with monuments and museums.
If each period has its own typical museum, what is the museum of the century that has just ended? And which museums are truly representative of the 20th century? The answer might lie in the large numbers of new museums built in Germany, France, Japan and the United States in the 1980s and 1990s, the years of the great boom in new museums.
But if we look carefully, the great majority of these are museums based on extremely new forms of models belonging to the 19th century. The new museums, designed by great architects, have the appearance of museographical works of art firmly set in the tradition of museum masterpieces, of the Gesamtkunstwerk museums created at the beginning of the 19th century by Leo von Klenze and by Karl Friedrich Schinkel in Munich and Berlin. Even these new museums are in fact also closed museum works, where everything is thought out down to the smallest detail and where the collections exhibited fit neatly into the buildings. To visit and venerate them has become obligatory for ecstatic groups of architects and intellectuals. The pilgrimage began in the 1980s to Frankfurt and its "Museumsufer" (the museum bank of the river Main).
And if we went humbly back to the words of Beuys? "A museum is only a building. It could be a church or even a station. It depends what we put inside it".
Contemporary art has in fact no love for traditional museum spaces, spaces that are often formally too heavy and associated too closely with the image of the architect who created them. Younger artists love

dell'architetto creatore. Gli artisti più giovani amano spazi modesti e destrutturati che essi possono plasmare a loro piacimento; il pubblico stesso, soprattutto i giovani, frequenta più volentieri spazi non istituzionali. Se il museo del XX secolo è stato un'opera chiusa, questo museo del presente e del futuro sarà una forma aperta, disponibile.
Per il suo nuovo museo Milano ha fatto una scelta molto diversa: ha privilegiato il legame con la propria storia, con la rivoluzione industriale, con la "città che sale" (Boccioni l'aveva già detto), con la memoria del lavoro, della periferia operaia. Milano ha scelto di collocare la propria Kunsthalle per l'arte contemporanea nei gasometri e negli edifici archeo-industriali della Bovisa. Nel paesaggio desolato e nebbioso di questa periferia la grande epopea figurativa della città produttiva d'inizio secolo era proseguita negli anni trenta e cinquanta con le periferie dipinte di Sironi, Treccani, Mucchi, Tettamanti (e più recentemente con quelle di Jonathan Guaitamacchi e con le fotografie lunari di Luigi Bussolati); il paesaggio milanese delle fabbriche della Bovisa cantato nelle tragedie urbane di Giovanni Testori e nei commossi ricordi di Ermanno Olmi, con i gasometri tra i prati e gli edifici industriali di mattoni rossi dell'inizio del secolo e i grandi alberi anch'essi ormai secolari, sarà presto aperto agli artisti come oggi lo è già agli studenti del Politecnico (quasi settemila al giorno) che vi arrivano con il passante ferroviario.
Ha scritto Giorgio Fiorese nel catalogo della mostra (a cura del Politecnico) sul concorso internazionale per la nuova Bovisa: "Per nessuno, oggi, Bovisa è il luogo dei *vecchi ruderi da abbattere*; si presenta piuttosto come un vasto territorio, ad un tempo fisico e intellettuale (abitato dal mito), dove sperimentare nuovi modi di studiare, produrre, abitare".

modest and destructured spaces that they can mold at their pleasure and the public itself, young people above all, much prefers non institutional spaces.
If the museum of the 20th century has been a closed work, this museum of the present and of the future will be an open, free form.
Milan has made a very different choice for its new museum. It has given priority to a link with its history, with the Industrial Revolution, with the "city that rises" (Boccioni had already said it), with the memory of work, of the outlying working-class districts. Milan has chosen to locate its Kunsthalle for contemporary art in gasometers and in the old industrial buildings of Bovisa. A great epic figurative work inspired by this industrial city set in the desolate and foggy landscape of these outlying districts at the beginning of the century and was continued in the 1930s and the 1950s with paintings by Sironi, Treccani, Mucchi and Tettamanti (and more recently by Jonathan Guaitamacchi and with lunar photographs by Luigi Bussolati); the Milanese landscape of the factories of Bovisa, celebrated in Giovanni Testori's urban tragedies and in the touching memories of Ermanno Olmi, with gasometers between the meadows and the redbrick industrial buildings of the beginning of the century and the great trees, those too centuries old now, will soon be open to artists as it is already to Polytechnic students (almost 7000 a day) on the urban link railway line.
Speaking of the international competition for the "new Bovisa", Giorgio Fiorese wrote in the exhibition catalogue (edited by the Polytechnic): "Nobody today considers Bovisa a place of *old ruins to be knocked down.* It is rather a vast territory, both physical and intellectual (inhabited by myth), where people can experience new ways of studying, producing, living".

Dove sperimentare dunque anche l'arte contemporanea.
Milano ha fatto una scelta antimonumentale: ha deciso per un'idea che le corrispondesse; ha scelto un sentimento, una memoria di sé.
Spazi così fortemente strutturati come sono quelli di Palazzo Reale e dell'Arengario dove sarà collocato il Museo del Novecento (il CIMAC) non si prestano ad accogliere l'arte del presente: il CIMAC conserverà quindi l'arte del XX secolo fino alla svolta epocale del Sessantotto e ai primi anni settanta; ciò che viene dopo (e che spesso è rappresentato da grandi installazioni bisognose di spazi vasti e "anonimi") andrà a formare il nuovo Museo del Presente, alla Bovisa.
Nei gasometri AEM e nei vicini edifici archeo-industriali della Bovisa nascerà dunque un agglomerato di spazi liberi e variati nei quali ospitare in futuro mostre temporanee e ricorrenti che aggiornino ogni cinque anni il panorama dei giovani artisti europei e delle opere di nuovissima produzione o prodotte *ad hoc* per questi spazi.
Le mostre intitolate "Milano Europa", ricorrenti a scadenze fissate (ogni cinque anni), nelle quali compartecipano venti paesi europei (il numero dei partecipanti è destinato a crescere) non prevedono sezioni nazionali, ma un unico grande crogiolo nel quale gli artisti sono mescolati e accostati per affinità interne alle opere stesse.
Una Europa senza confini amministrativi; una Europa con una rinnovata identità culturale unitaria, senza suddivisioni di singole nazioni in singole mostre, senza una gara tra nazioni.
Da queste mostre il Comune di Milano sceglierà opere da acquistare per le raccolte del Museo del Presente; segnalerà con il Premio Milano - Museo del Presente (50.000 Euro per quest'anno) per ogni

Where people can also experience contemporary art.
Milan has made an anti-monument choice. It decided on an idea that suited it. It chose a sentiment, a memory of itself.
Such heavily structured spaces as those of the Palazzo Reale and the Arengario where the Museo del Novecento (the CIMAC) is to be located are not suitable for housing the art of the present. The CIMAC will therefore be host to the art of the last century up to the 1968 historical turning point and the early 1970s. What came afterwards (and which often consists of large installations which need vast and "anonymous" spaces) will go to form the new Museo del Presente, at Bovisa.
An agglomeration of free and varied spaces will therefore be created in the gasometers AEM and the nearby old industrial buildings of Bovisa, which will host in the future temporary and periodical exhibitions that will update portrayals of the panorama of young European artists and their latest works or works produced specially for these exhibition spaces.
The exhibitions entitled "Milano Europa" to be held at regular intervals (every five years), in which twenty European countries will take part (the number of participants is destined to grow), will not have national sections, but will be one large crucible in which artists will be mixed and grouped on the basis of the internal affinities of the works themselves.
A Europe without administrative borders, and a Europe with a renewed unitary cultural identity, without subdivisions of individual nations in individual exhibitions and with no competition between nations.
The City of Milan will choose works from these exhibitions to purchase for its collections in the Museo del Presente; it will select a winning

mostra un artista vincitore; stanzierà fondi (150.000 Euro per la prima mostra "Milano Europa 2000") per far crescere le collezioni del Museo del XXI secolo. Banche, imprese, mecenati pubblici e privati aggiungeranno propri premi specifici.
Prevedere la durata nel tempo di un organismo museale così sperimentale non è fattibile con i metri di giudizio della museologia tradizionale. Difficile dire che un tale museo potrà avere durata secolare.
È più probabile (come è stato fatto anche da Sandra Pinto per il progetto di Centro delle Arti Contemporanee di Roma) che esso possa compiere pienamente le sue funzioni in un quarto di secolo o poco più. Dopo trent'anni è verosimile pensare a una storicizzazione del patrimonio accumulato (o di parte di esso) e quindi al suo trasferimento in una sede più tradizionale e alla costruzione di un nuovo museo destinato alla seconda metà del XXI secolo.
È anche per questa ragione che si è preferito un recupero di edificio industriale aperto a tutte le possibilità allestitive piuttosto che un museo-capolavoro che presto potrebbe rivelarsi inutile cattedrale nel deserto, oppure più un museo del XX secolo che del XXI.

artist from each exhibition to be awarded the Premio Milano - Museo del Presente (50,000 euros this year); it will allocate funds (150,000 euros for the first exhibition, "Milano Europa 2000") to add to the collections of the Museum of the 21st Century. Banks, companies and public and private sector benefactors will add their own specific prizes.
Trying to predict how long such an experimental museum will last cannot be done using traditional museological yardsticks. It is difficult to imagine that such a museum will last for centuries.
It is more probable (as was done by Sandra Pinto for the Centro delle Arti Contemporanee project in Rome) that it will have fully achieved its objectives within a quarter of a century or a little more.
It is reasonable to think that after thirty years the stock of works that have accumulated (or part of it) will pass into history and therefore be transferred to a more traditional site, while a new museum for the second half of the 21st century will be built. That is another reason why it was preferred to convert an industrial building, open to very flexible layouts, rather than build a museum masterpiece which may soon turn out to be a useless cathedral in the desert or more of a 20th-century than a 21st-century museum.

FINE SECOLO. I SEMI DEL FUTURO

END OF THE CENTURY. THE SEEDS OF THE FUTURE

Giorgio de Marchis

Sono molto grato al Comune di Milano per avermi offerto l'occasione di progettare questa mostra internazionale d'arte contemporanea su richiesta di Alessandra Mottola Molfino, che era stata appena nominata direttore centrale della Cultura nell'estate del 1998, a Salvatore Carrubba assessore alla Cultura per la fiducia accordatami e infine all'intera Giunta Comunale per aver fatto proprio il progetto assumendosene l'onere della realizzazione.
La mostra si propone di essere uno strumento di verifica sullo stato dell'arte in Europa alla fine del XX secolo. Ha dunque un orizzonte geografico e un orizzonte cronologico. L'orizzonte geografico è costituito dalle venti nazioni europee invitate a partecipare, inclusa l'Italia.
Il criterio secondo cui è stata fatta la scelta dei paesi ha tenuto conto della presenza e dell'attività, in ognuno di essi, di componenti socio-culturali specificamente concernenti l'arte contemporanea, non solo l'attività di artisti e di critici ma anche quella di gallerie private, musei, istituzioni culturali, fondazioni, archivi, editori d'arte, riviste, librerie, biblioteche, spazi espositivi, spazi alternativi, fiere d'arte, scuole d'arte, associazioni artistiche, collezionisti.
L'orizzonte cronologico è quello della data di nascita degli artisti, dal 1950 in poi, e di esecuzione delle opere, dal 1980 in poi: dunque l'attività delle ultime due generazioni di artisti nell'ultimo ventennio del secolo, che ogni paese potrà rappresentare con una campionatura esauriente di massimo quindici artisti con un'opera ciascuno.
L'aver compreso il progetto dell'esposizione dentro questi due orizzonti, geografico e cronologico, non è tanto un assunto critico quanto una delimitazione di campo di carattere metodologico, affinché dentro tale delimitazione si possano svolgere una

I'm very grateful to the City of Milan for offering me the chance to plan this international exhibition of contemporary art and in particular to Alessandra Mottola Molfino, appointed General Director of Culture in the Summer of 1998 and to Salvatore Carrubba, the City Councillor with responsibility for culture, for having placed their trust in me and finally to the whole city council for having decided to hold this exhibition.
This exhibition is intended as a tool with which to assess the state of art in Europe at the end of the 20th century. It has both a geographical and a chronological dimension. The geographical dimension consists of the twenty European countries, Italy included, invited to participate.
The criterion employed for selecting countries to invite took account of the presence and activity of people specifically involved in contemporary art, not just artists and critics, but also private galleries, museums, cultural institutions, foundations, archives, art publishers, magazines, book shops, libraries, exhibition spaces, alternative spaces, art fairs, schools of art, artistic associations and collectors.
The chronological dimension was the date of birth of the artists, from 1950 onwards, and the date of creation of the works, from 1980 onwards, thereby comprising the work of the last two generations of artists in the last two decades of the century.
Each country may present a broad sample of one work each from up to a maximum of fifteen artists.
Limiting the scope of the exhibition within these two dimensions, geographical and chronological, was not so much a critical act as a methodological means of marking out the field so that a survey and critical investigation of what lies within it may be conducted on the state of art in Europe and so that the exhibition may draw the figure of that art.

ricognizione e una indagine critica sullo stato attuale dell'arte in Europa e disegnarne, attraverso la mostra, una figura.
Per cogliere lo spirito del tempo nelle sue componenti attuali, non si è considerato solo quello che di nuovo, o creduto tale, è apparso appena ieri, quello che si dice l'ultima moda, ma si è voluto considerare l'attualità come un periodo storico: gli ultimi venti anni, intesi come la fine del secolo nella fondata ipotesi che il 1980 rappresenti una chiara cerniera tra due periodi. Perciò è stato scelto come preciso termine dopo il quale si apre una fase diversa dalla precedente, fase che matura tra il 1985 e il 1995 sfociando per diversi rami nell'ultimo quinquennio del secolo e di cui è protagonista la volontà artistica delle ultime due generazioni di artisti, cioè degli artisti nati dopo il 1950. Anche questa data è una cerniera tra diverse generazioni.
Delimitato il campo, e sgombrato il terreno dai rimasugli di opere ritardate, ripetitive, riesumative, sopravvissute anche al decennio concettuale, un dato di fatto che si presenta all'osservazione immediata è la compresenza simultanea di una varietà di generi, di tipologie, di linguaggi, di tecniche artistiche senza punti di riferimento generali o preminenti e senza indicazioni direzionali.
Gli ismi dell'arte si intitolava un album straordinario pubblicato nel 1925 da Arp e Lissitskij: oggi il secolo degli ismi sembra chiudersi senza ismi. Un periodo durante il quale, non emergendo alcuna tendenza, non appare, ovviamente, nemmeno alcuna controtendenza. L'impressione che se ne potrebbe ricavare è di trovarsi di fronte a un panorama eclettico e alquanto ipertrofico dove tutto è uguale a tutto, in cui convivono le più diverse formulazioni artistiche ed estetiche soprattutto attraverso la pluralità delle tecniche. Ma forse non è così

In order to grasp the spirit of the time in its current components, the term current was taken to comprise not just new phenomena, or what is believed to be new, that has just appeared yesterday, the latest fashion, but a historical period, the last twenty years intended as the end of the century, based on the fairly well established belief that 1980 was a clear turning point between two periods. It was therefore chosen as a precise endpoint after which a new phase, different from the previous, began, a phase which reached maturity between 1985 and 1995 breaking out into different branches in the last five years of the century. The protagonist of this phase was the artistic will of the last two generations of artists, those born after 1950. This date also represents a turning point between different generations.
Having marked out the field and cleared the ground of the remnants of late, repetitive, exposing works, survivors of the conceptual decade, one immediately evident fact is the simultaneous presence of a variety of genres, of languages and artistic techniques with no general or pre-eminent points of reference and with no indications of direction.
The isms of art was the title of an extraordinary album published in 1925 by Arp and Lissitsky: today the century of isms seems to the closing without isms. A period in which, since no tendencies have emerged, obviously no counter tendencies have emerged. The impression one might draw is that of finding oneself facing an eclectic and fairly hypertrophied panorama in which everything is the same as everything else and in which extremely different artistic and aesthetic formulations exist side by side by means, above all, of a plurality of techniques. But perhaps it is not so simple. Seen as a whole the current situation appears like a mass

semplice. L'attualità si presenta nel suo insieme come una congerie di frammenti non riducibili a sistema, frammenti come di uno specchio infranto. Sembra quasi che, di fronte alla narcosi dei consumi omologati e alla mistificazione della comunicazione visiva globale offerta senza scampo dalla tecnologia, la volontà artistica si volga a privilegiare l'irriducibile frammento di verità particolare e individuale, comunicabile da solo a solo in modi e con procedimenti di caso in caso diversi e particolari.
Molte opere, che abbiano come tema di indagine conoscitiva o di rappresentazione la persona stessa dell'artista, o la sua singola percezione del mondo che lo circonda o il suo stesso agire in quanto artista, sembrano avere un carattere soggettivo acontestuale senza rotture ma anche senza riferimenti a un sentire generale, a una comunicazione generale, a un linguaggio generale.
Dunque l'esperienza artistica come esperienza singolare ed eccezionale. Qui è forse l'origine dell'uso indifferenziato di qualsiasi tecnica, dalla fotografia alla pittura (che sembra in procinto di recuperare il suo carattere di "cosa mentale"), dall'assemblaggio oggettuale all'informatica (dove il linguaggio non ha più spessore), dalla performance all'installazione (decadute troppo spesso al rango di pubblico entertainment), nessuna di esse essendo riconosciuta come mezzo esclusivo o egemonico di comunicazione e dunque ognuna di esse potendo essere un mezzo di comunicazione particolare la cui giustificazione necessaria è l'opera stessa.
Non basta infatti saper usare un video per fare videoarte, né un pennello per fare pittura.
L'orizzonte geografico è l'Europa, nell'ipotesi tutta da dimostrare che esista ancora una identità e una capacità propositiva della cultura europea di cui l'arte rappresenti un momento alto. Non c'è storia

of fragments which, like the fragments of a broken mirror, cannot be reduced to a system. It seems almost that faced with the narcosis of standardised consumerism and with the mystification of global visual communication provided mercilessly by technology, the artistic will gives priority to an irreducible fragment of a particular and individual truth, that can be communicated from the alone to the alone in ways and with procedures that are different and particular from case to case.
Many of the works that investigate or represent the person of the artist or the artist's singular perception of the world that surrounds him or his action as an artist seem to have an acontextual subjective character without breaks but without references to a general sentiment, to a general communication, a general language. Artistic experience, then, as a singular and exceptional experience. Perhaps we find here the origin of the undifferentiated use of any technique, of photography, or painting (it seems about to recover its character of being a "mental thing"), object assembly, or computers (where language no longer has substance), performance, or installation (which too often falls to the level of public entertainment), and since none of these are recognised as an exclusive or dominating means of communication, consequently each of them may be a particular means of communication for which the necessary justification is the work itself.
It is not enough to know how to use a video camera to do video art or a paintbrush to do painting.
The geographical horizon is Europe, in the hypothesis that remains to be demonstrated that European culture still has an identity, a capacity to point the way of which art is one of its high points. There is no history without geography, *je regrette l'Europe aux anciens parapets.*

senza geografia: *je regrette l'Europe aux anciens parapets*. Ma c'è ancora una storia? e quale? L'arte del XX secolo, dopo vent'anni di transizione modernista, è stata inventata tutta e solo in Europa tra il 1910 e il 1920, in una Europa dai molti cuori: Parigi, Milano, Roma, Monaco, Berlino, San Pietroburgo, Mosca, Amsterdam, da cui si è irradiata nei decenni successivi colonizzando anche paesi lontani. Allo scadere del secolo sembra inevitabile una domanda: esisterà un'arte europea del XXI secolo? Quali ne saranno i caratteri? Quali i centri di irraggiamento? Se siamo ancora una volta in un periodo di transizione, verso che cosa? Nessuno di noi è un profeta. Dunque solo una ricognizione metodica e una analisi critica dell'attualità potrebbe, forse, metterci davanti agli occhi uno o più indizi del futuro e forse anche, almeno in qualche caso, un nuovo oggetto mentale, un segno che ci faccia trattenere il respiro e battere più forte il cuore, senza il quale una mostra d'arte serve a poco. Un'attuale grande mostra d'arte europea che fosse solo riepilogativa e non contenesse una rivelazione, una scoperta, sarebbe priva di un punto essenziale.

Vorrei aggiungere due considerazioni personali. Una riguarda il piacere di trovarmi di nuovo a collaborare con Sandra Pinto, soprintendente come lo fui io alla Galleria Nazionale d'Arte Moderna di Roma e commissario per l'Italia su nomina del Comune di Milano in questa mostra. Di esposizioni insieme ne abbiamo fatte più di una, ma qui vorrei ricordare quella intitolata "Due decenni di eventi artistici in Italia, 1950-1970" (Prato, 1970), che è ancora un punto di riferimento.

La seconda considerazione personale è il mio rimpianto, almeno per quanto riguarda l'Italia, del mirabile trentennio 1948-1978 quando l'arte

But is there still a history, and which history? The art of the 20th century, after twenty years of Modernist transition, was invented totally and only in Europe between 1910 and 1920, in a Europe with many hearts, Paris, Milan, Rome, Munich, Berlin, Saint Petersburg, Moscow and Amsterdam from which it radiated outwards in the decades that followed to colonise even distant countries. At the end of the century one question seems inevitable: will there be a European art of the 21st century? What character will it have? What centres will it radiate from? Towards what, if we are once again in a period of transition? None of us are prophets. Only methodical survey, then, and a critical analysis of the current period could, perhaps, bring to light one or more clues to the future and perhaps also, at least in some cases, bring to light a mental object, a sign that makes us hold our breath and makes our hearts beat faster, without which an art exhibition is of little use. A large exhibition of current European art which merely catalogued the situation and contained no revelations, no discoveries would have no point.

I would like to add two personal considerations. One concerns the pleasure of working again with Sandra Pinto, now Superintendent, as I once was, of the Galleria Nazionale d'Arte Moderna of Rome and national commissioner for Italy in this exhibition appointed by the City of Milan.

We have certainly worked together on more than one exhibition, but here I would like to recall the one entitled "Due decenni di eventi artistici in Italia, 1950-1970", at Prato, 1970, which is still considered a key event today.

The second personal consideration concerns how much I miss, at least as far as Italy is concerned, the wonderful thirty year period between 1948 and 1978,

era tesa a essere esperienza conoscitiva
e non prodotto, dal gesto svincolato dalla materia
teorizzato da Lucio Fontana nel 1947
fino al concettualismo degli anni settanta.
A un periodo così ricco di esperienze non poteva
non seguire un periodo di prodotti "neo", "post" e "ri".
Tutto questo rimasticare, rigurgitare e rinfronzolare,
quale perlopiù si è visto finora, è deprimente.
O molto pragmaticamente ci si è aggregati a ciò
che in una vasta gamma di offerte è stato premiato
dal mercato negli ultimi mesi, per non dire nelle
ultime settimane, oppure si sono riattualizzate,
in una attualità senza storia, formule e modi del ricco
panorama degli anni sessanta e settanta: riprese
senza i fermenti ideologici di allora, senza lo spirito
sperimentale di allora, senza la necessità storica
di allora, senza la capacità inventiva e propositiva
di allora, gravate di simbolismi ingombranti
e raffazzonati e di ridondanti preziosismi
e virtuosismi esecutivi fine a se stessi.
Il meglio reperibile in questo diffuso e trasversale
alessandrinismo è forse l'opera di pochi
artisti particolarmente colti, in cui la citazione
rielaborata, la reminiscenza occulta, la sofisticazione
tecnica non sono mere imitazioni o goffe riprese
o epigonismi impotenti ma processi mentali
ed esercizi di stile apprezzabili e godibili da una
ristretta cerchia di conoscitori, il che in questi
tempi allegramente conformisti di globale
ignoranza – tutti naïf – è già qualcosa.
Pure io credo, e voglio credere, che da qualche
parte, in qualcuno, lo spirito soffi ancora.

from the action freed from matter, theorised by Lucio
Fontana in 1947, through to the conceptualism
of the 1970s, when art strived to be an experience
of knowledge and not a product.
All that could follow a period so rich in experiences
is one of neo, post and re products. Most of all this
churning out, regurgitating and dressing up that we
have seen so far is depressing. Or perhaps more
pragmatically it has been aggregated to a vast range
of products that has been rewarded by the market
in the last few months, not to mention in the last few
weeks. Or yet again, the formulas and fashions of
the rich panorama of the sixties and seventies have
been revived, reproduced without the ideological
ferment, without the spirit of experimentation,
without the historical necessity, without the capacity
to invent and show the way of that period, but loaded
with cumbersome and refurbished symbolism
and with redundant affectations and displays of skill,
an end unto themselves, in a present with no history.
The best that can be found among this widespread
and transverse Alexandrian mimicry is perhaps the
work of a few particularly cultured artists, in which
elaborate reproduction, hidden reminiscence
and technical sophistication are not mere imitations
or clumsy copies or impotent epigonism, but mental
processes and exercises in style appreciated
and enjoyed by a small circle of connoisseurs, which
in these happy times of people who conform
to global ignorance – all naive – is at least something.
And yet I believe, and I want to believe, that a spirit
still breathes, in someone, somewhere.

CRONACA DI UNA MOSTRA THE DIARY OF AN EXHIBITION

Lucia Matino

Le regole del gioco

Mescolare le carte. Rinunciare alla divisione per nazionalità, alla logica dei padiglioni, destinare le opere d'arte a uno spazio comune superando e, anzi, scardinando l'eventuale coerenza interna delle singole scelte curatoriali. E, nel contempo, consentire a ogni curatore nazionale la massima libertà di scegliere gli artisti da presentare, senza l'imposizione di orientamenti precostituiti. Questo è stato lo spirito – e la lettera – del regolamento di questa mostra, pubblicato più avanti in questo catalogo, riletto nel corso di due incontri preliminari con i diciotto curatori incaricati di selezionare gli artisti dei venti paesi europei coinvolti nel progetto. Una scelta, certo non facile e consapevolmente avventurosa, dettata dal bisogno di uno sguardo sulla complessità e l'articolazione dell'arte d'Europa all'inizio del nuovo secolo che sfidasse il timore del disordine, dell'irrazionalità, del disorientamento, confidando nella fecondità dell'incontro non preordinato tra poetiche e linguaggi.

Sul piano metaforico, il progetto ha qualche analogia con il processo di unificazione europea, e ha prodotto nel suo itinerario organizzativo, in scala ridotta, molte dinamiche in tutto simili a quelle che, sul piano politico, sono ascrivibili all'ambivalenza dei sentimenti verso l'unificazione, al timore di perdere potere sul piano politico ed economico e identità sul piano culturale. Così, mentre l'adesione allo spirito del regolamento è stata dibattuta ma unanime, più laboriosa si è rivelata nel tempo la sua effettiva "digestione", appesantita da bisogni protezionistici e separatisti, ingombranti ma comprensibili, espressi, non senza sottigliezze critiche, nelle relazioni tra lo staff organizzativo e i curatori, tra questi e gli artisti. Il negoziato, base di composizione del conflitto, ha avuto come obiettivo comune la salvaguardia della

The rules of the game

Let's shuffle the cards, abandon national groupings and the logic of Pavilions. Let's place works of art in a common space and go beyond, or rather completely shatter, any internal consistency in the selections of individual curators. And at the same time let's allow each national curator complete freedom in the choice of artists to present without imposing any preconceived guidelines. This was the spirit – and the letter – of the regulations for this exhibition, which are published later in this catalogue. The regulations were discussed in two preliminary meetings with the eighteen curators charged with selecting artists from the twenty European countries involved in this project. A choice, certainly not easy and knowingly adventurous, that was dictated by the requirement to take a look at the complexity and variety of European art at the beginning of this new century, a choice which challenged the fear of disorder, of irrationality, of disorientation, and put its trust in the fecundity of a meeting between poetics and languages that was not preconceived.

On a metaphorical level there are analogies to be drawn with the process of European unification and, although on a smaller scale, the process of organising the project produced many dynamics very similar to those attributable, on a political level, to ambivalent feelings towards unification, the fear of losing power on a political and economic level and identity on a cultural level. So, while adhesion to the spirit of the regulations was debated but unanimously agreed, its actual "digestion" in terms of relations between organising staff and curators and between these and the artists turned out to be more laborious as time went on, hindered by cumbersome, but understandable, protectionist and separatist

qualità delle opere nell'indispensabile rispetto dei limiti di spazio, di risorse finanziarie e di tempo disponibili. Spazio, tempo e denaro, sacra triade della realtà, sono elementi che, a dispetto dei loro connotati oggettivi, sono fortemente investiti dal carico della percezione individuale che ne mette a dura prova l'ancoraggio.
Se un critico come Harald Szeemann afferma che ai giovani artisti non interessa più di essere definiti in base alla loro provenienza nazionale, ma in base ad altri parametri interpretativi – forse ancora da definire, ma diversi comunque dalla semplice e presunta appartenenza a singole culture nazionali – allora l'impostazione di fondo di questa mostra va in direzione di un comune sentire, benché questa sorta di ecumenismo, o di globalismo, debba sempre coniugarsi – miracolosamente – con aspettative ed esigenze individuali comunque forti.
Tutto quanto premesso sta a dire la difficoltà delle "regole del gioco" decise per questo progetto, tanto più in quanto la numerosità degli attori coinvolti – venti paesi, diciotto curatori, centoventi artisti – ha naturalmente agito come moltiplicatore di variabili.
A venti di questi centoventi artisti – uno per ogni paese europeo partecipante alla rassegna – è stato espressamente richiesto di realizzare, con il sostegno finanziario del Comune di Milano, un'opera *ad hoc* per la mostra, e ciò con lo scopo di aggiornare, fino al momento dell'inaugurazione, l'arco cronologico di indagine con una committenza diretta nei confronti degli artisti. Mantenendo quindi, coerentemente, l'impostazione di cui si è detto, i lavori citati, uno per paese, sono presentati assieme nella sede del PAC, con l'eccezione dell'opera *White Bus* del polacco Pawel Althamer che, essendo un autobus dell'ATM (Azienda Trasporti Milanesi), benché molto speciale, effettuerà, dopo

needs and expressed not without some degree of critical subtlety. The common objective of the negotiation, which resolved the conflict, was to safeguard the quality of the works while necessarily keeping within constraints imposed by limited space, finance and time. Space, time and money, the sacred triad of reality, are elements which, despite their objective characteristics, are strongly affected by the hard impact of individual perception which puts great strain on their anchor chains.
If a critic like Harald Szeemann states that young artists are no longer interested in being defined on the basis of the nation they come from but on the basis of other parameters – which perhaps still remain to be defined, but which are in any case different from the mere and presumed belonging to individual national cultures – then the basic idea of this exhibition is in tune with a common feeling, even if this sort of ecumenism, or of globalism, must always be compatible – miraculously – with individual expectations and demands which are in any case strong.
What all this means is that the "rules of the game" decided for this project were difficult, especially considering the number of people involved – twenty countries, eighteen curators, one hundred and twenty artists – which naturally had a multiplier effect on the variables.
Twenty of these one hundred and twenty artists – one for each European country taking part in the review – were specifically requested to produce a work of art, funded by the City of Milan, specially for the exhibition. The purpose was to ensure that the time period covered by the exhibition went right up to the date of the inauguration, by commissioning works directly from artists. This was then done in line with the general plan of the exhibition, and the

i giorni della pre-vernice, un regolare servizio pubblico inserendosi come un ospite alieno nelle normali linee urbane. Ma non sarà l'unica opera a uscire dai confini del museo. La diaspora riguarda anche altri lavori, come quello di Jens Haaning, danese, che dal cortile del PAC si moltiplicherà lungo le strade di Milano con repliche dei suoi cartelloni pubblicitari dai quali uno dei tanti nuovi immigrati in città ci dirà qualcosa della sua vita. E fuori dallo spazio del museo espone, se così si può dire, il suo lavoro anche l'artista inglese Cornelia Parker che, con i suoi fuochi artificiali sparati presso il PAC e la Triennale la sera dell'inaugurazione, scriverà in dieci irripetibili minuti ciò che potremmo interpretare come l'*incipit* della mostra.

Un meteorite cade su Milano

Il titolo dell'opera, appunto *A Meteorite Lands on Milan*, non ha in realtà alcunché di minaccioso e dialoga con l'eterno ciclo della morte e della vita all'interno di uno spettacolo innocente. La composizione chimica dei fuochi artificiali di Parker comprende qui la polvere di un meteorite caduto sulla Terra secoli fa, dunque morto allora polverizzandosi e perdendo nell'impatto la propria forma originaria. Lo spettacolo pirotecnico gli restituisce vita sotto nuova forma: una luminosa pioggia meteoritica che dolcemente cala su Milano. Nei precedenti lavori dell'artista, l'esplosione che dissolve la forma di un oggetto è colta nell'attimo in cui la deflagrazione ne sparge nello spazio i frammenti in una costellazione già portatrice di nuove forme e nuova vita. Ogni frammento porta con sé la memoria del tutto di cui è parte, e allo stesso tempo la propria singolarità, è reperto e testimonianza. L'atomizzazione è portatrice di nuove forme possibili.

resulting works, one from each country, are being presented together at the PAC, with the exception of the *White Bus* by the Polish artist Pawel Althamer which, since it is in fact a bus belonging to the Milan Public Transport Company, will provide a normal public transport service as an alien guest among the normal city buses, after the period prior to the inauguration. But it will not be the only work of art to move outside the museum walls. Many other works are involved in this diaspora, such as that by the Danish artist, Jens Haaning, which will multiply through the streets of Milan from the courtyard of the PAC, with copies of his advertising posters from which one of the many new immigrants in the City will tell us something about his or her life. And the English artist Cornelia Parker is also showing her work, if that is the right term, outside the museum with her firework display to be set off at the PAC and the Triennale on the evening of the inauguration. In ten unrepeatable minutes she will write what we may interpret as the *incipit* of the exhibition.

A meteorite lands on Milan

In actual fact there is nothing menacing about the title of this work: *A Meteorite Lands on Milan*. It is a dialogue with the everlasting cycle of life and death in an innocent show. The chemical composition of Parker's fireworks include some powder from a meteorite which fell to earth centuries ago, when it therefore died having been pulverised and having lost its original form in the impact. The fireworks show brings it back to life in a new form, a luminous meteoritic rain which falls gently on Milan. In previous works by this artist, the explosion that dissolves the shape of an object is caught at the moment in which the deflagration spreads the fragments through space in a constellation which

Se, dunque, sul piano delle relazioni umane la preparazione della mostra si è metaforicamente dipanata attraverso giochi di ruolo analoghi a quelli della politica europea – non senza contributi alla barzellettistica europea – così l'esplosione dei fuochi artificiali si offre come metafora dell'ordinamento della mostra, come idea della forma che questa può prendere, dopo la polverizzazione – voluta, ricercata e, speriamo, non troppo traumatica – delle appartenenze nazionali.

Un puzzle

L'ipotesi che sottende il progetto della mostra è che, dalla panoramica offerta dalle molteplici scelte curatoriali, possa emergere una nuova figura, un disegno dell'arte attuale in Europa. O un segnale, un indizio, che ci consentano di rispondere alle domande che Giorgio de Marchis, autore del progetto, propone: "esisterà un'arte europea del XXI secolo? Quali ne saranno i caratteri? Quali i centri di irraggiamento? E se siamo ancora una volta in un periodo di transizione, verso che cosa?". Rompere il puzzle dell'Europa può servire a superare letture irrigidite e scontate sulle specificità nazionali, ma quali figure possono emergere da questo esperimento? Evidentemente, il nostro progetto iniziale prevedeva alcuni effetti di un mutato clima culturale europeo e mondiale. E tuttavia, di fronte all'impianto progettuale, sarà necessario recuperare distanza e lucidità per considerare il potenziale di informazione praticamente convogliato nella rassegna
Ciò nonostante, man mano che le informazioni sulle scelte sono pervenute, con gli inevitabili ritardi che sono nella fisiologia di ogni progetto impegnativo, sono emerse possibili letture, risultato dell'incontro

already bears new forms and new life. Each fragment carries with it the memory of everything that it is part of and at the same time of its own individuality, it is a scientific exhibit a piece of evidence. Atomisation carries with it the possibility of new forms.
While the preparation of the exhibition at a human relations level metaphorically unwound with people playing role games similar to those of European politics – not without additions to our store of European jokes – the explosion of fireworks can be seen as a metaphor of the design of the exhibition, as an idea of the form that it may take, after the pulverisation – wanted, sought for and, we hope, not too traumatic – of national groupings.

A jig-saw puzzle

The hypothesis behind the idea for this exhibition is that a new figure, a new outline of current art in Europe might emerge from the panorama provided by the many different choices of the curators.
Or a signal, a clue that will provide answers to the questions posed by Giorgio de Marchis, who conceived of the project: "Will there be a European art of the 21st century? What character will it have? What centres will it radiate from? Towards what, if we are once again in a period of transition?".
It may be useful to break up the jig-saw puzzle of Europe in order to overcome rigid and stereotyped interpretations of national specificities, but what figures might emerge from this experiment?
Obviously, our initial plan took into account some of the effects of a changed European and world cultural climate. And yet faced with this basic idea, we will need to sit back and be very lucid if we are to give proper consideration to the potential of the information actually conveyed by this review.

tra progetto e proposta, tra idea e prassi. Ciò che in altre mostre e, inizialmente anche nella nostra, solitamente è il disegno critico sotteso al progetto, ha assunto di necessità – ma non sgradita – l'aspetto narrativo di un giornale di bordo, di un bollettino.
La compresenza simultanea della grande varietà di tecniche artistiche, a cui de Marchis accenna nel suo testo, è sicuramente confermata dalla panoramica delle opere. E tuttavia, non è sul piano delle tecniche o dei media che si stabiliscono le affinità, e neppure su quello formale, secondo le istanze moderniste. Le analogie riguardano l'atteggiamento che gli artisti hanno nei confronti del mondo e del proprio agire e nell'interpretazione di questo.
Così, in questa indagine "sentimentale" sull'attenzione al mondo – che in un certo senso apparirebbe quasi contenutistica, se esistesse ancora un contrasto con la "forma" – si configurano alcuni filoni, sui quali molte opere pur nella molteplicità di riferimenti e messaggi, si concentrano.
Una problematica è quella che riguarda il convergere di tendenze sociali e scientifiche verso una trasformazione fisica e psichica dell'essere umano. La prospettiva della possibilità di reinvenzione del corpo attraverso l'ingegneria genetica e le biotecnologie e, accanto, la parallela crescita di nuovi modi di percezione virtuale, portatori potenziali di nuove strutture di pensiero, finisce per elaborare una serie di lavori latamente "politici" e volutamente scioccanti.
L'evoluzione artificiale proietta la visione degli artisti in un futuro da *science fiction* di cui indagare le ipotetiche logiche, mentre la biotecnologia si presta alla cultura del sensazionalismo che tanto

Despite this, as news of the selections arrived with the inevitable delays inherent in all demanding projects, potential interpretations emerged, as a dialogue between design and proposal, idea and practice. What in other exhibitions, and initially also in ours, is usually the critical issue behind a project, in our case it took on the semblance – but not unpleasantly – of the narrative of a ship's log, of a news bulletin.
The simultaneous presence of a great variety of artistic techniques which de Marchis mentions in his text is certainly confirmed by the panorama of the works of art. And yet it isn't on the level of technique or media that affinities are established, nor on the formal plane according to modernist demands. The analogies concern the attitude of the artists to the world and to how they act and their interpretation of this.
Thus in this "sentimental" investigation into the attention artists pay to the world – which in a certain sense would almost appear to be an investigation into the contents, if there still existed a contrast with the "form" – a few tendencies appear around which many of the works of art are concentrated, though with a great variety of references and messages.
One area of interest is the convergence of social and scientific tendencies on the physical and psychic transformation of human beings. The prospect of the possible reinvention of human beings by means of genetic engineering and biotechnologies and, alongside that, the parallel growth in new modes of virtual perception, potential vehicles of new thought structures, has resulted in the elaboration of a series of "political" creations, in the broad sense of the term, that are deliberately shocking.
Artificial evolution projects the vision of the artists into a science-fiction future where they investigate

fa gioco alla riuscita massmediatica dell'arte contemporanea.
Se dunque l'opera dell'artista svizzera Silvie Fleury indaga la cultura da *beauty farm* del corpo nella società della comunicazione, su un versante opposto l'olandese Lidy Jacobs canta le lodi del sex appeal dei *Willies* di peluche.
In un versante complementare a questo, che pure si presta a elaborazioni ironiche e disincantate, o ammonitrici e problematiche, si snoda un filone di contenuti che ricolloca la natura al centro della priorità, al centro della vocazione artistica.
Ne è un esempio, spinto fino ai limiti di una lucida utopia, il lavoro dell'Atelier van Lieshout, che realizza nel cortile del PAC un sistema bagno/doccia con riciclaggio delle acque bianche e nere, in linea con l'intero progetto che l'atelier sta producendo per AVL-Ville – la città dell'Atelier van Lieshout – nei pressi di Rotterdam. Queste tecnologie, semplici o sofisticate, sono sempre "nature friendly" o sintoniche con l'equilibrio naturale e, perciò, attengono contemporaneamente a un più ampio atteggiamento politico di impegno militante.
Impegno militante, che si avvicina sempre più agli aspetti tradizionalmente e drammaticamente politici della storia recente europea, e non, nelle opere di artisti personalmente o culturalmente coinvolti in avvenimenti tragici: ne è un esempio il lavoro di diversi artisti dei territori della ex Iugoslavia, declinato non solo sulle problematiche del controllo ambientale ecocompatibile, ma anche dell'autodifesa dal potere repressivo dello Stato, o della difesa dai meccanismi del mercato, o dell'affermazione dei diritti delle donne.
La stessa sensibilità politica trova espressioni diverse, ad esempio, in artisti nordeuropei fino al sofisticato lavoro dello svedese Kristoffer Nilson

hypothetical systems of logic while biotechnology lends itself to cultural sensationalism which plays so much on the mass media success of contemporary art. While the work of the Swiss artist, Silvie Fleury, investigates the *beauty farm* culture of the body in the communications society, from an opposing viewpoint the Dutch artist, Lidy Jacobs, sings the praises of the sex appeal of the teddy-bear like *Willies*.
To complement this, which also lends itself to ironic and disenchanted or warning and problematic interpretations, there is one tendency which in terms of content relocates nature at the centre of priorities, at the centre of artistic vocation. One example, at the limits of a lucid utopia, is the work of the Atelier van Lieshout, which has created a toilet/shower system in the courtyard of the PAC which recycles both the waste water and the sewage in line with the entire design that the studio is producing for AVL-Ville – the City of the Atelier – near Rotterdam. These technologies, simple or sophisticated, are always "nature friendly" or in tune with nature and therefore they simultaneously express a wider political attitude of militant commitment.
Militant commitment, extremely close to the traditionally and dramatically political aspects of recent European and non-European history, is seen in the works of artists personally or culturally involved in tragic events. Examples are found in the works of various artists from ex-Yugoslavian countries which examine not only the problems of ecologically compatible control of the environment, but also those of self defence against the repressive power of the state, or defence against market mechanisms, or standing up for women's rights.
The same political sensitivity is expressed differently, for example, by Northern European artists and in

che allude al controllo dello Stato in delicati disegni a graffite su un fondo bianco di gesso che trasfigurano in griglie di segni l'impianto geometrico dei moduli delle tasse.
Un altro ambito di ricerca si concentra su una realtà testuale e metatestuale che riguarda la narrazione. Il racconto di sé, o il reportage, la propria identità o le cosiddette "storie vere", come quelle raccontate dal video di Richard Billingham, inglese, che riprende i propri familiari, o, con lo stesso soggetto, l'opera di Emmanuelle Antille, svizzera, sono in questi casi il supporto contenutistico di un lavoro che indaga in realtà i modi del racconto, il linguaggio, verbale e visivo, che si fa portatore di stratificazioni di senso. Su questo versante è anche il lavoro dell'austriaco Rainer Ganahl: la sua opera *Portraits, the Language of Emigration* (*Ritratti, il linguaggio dell'emigrazione*) consiste in una serie di interviste a immigrati ebrei di origine italiana che vivono nei dintorni di New York. Oltre ai videoritratti, le foto delle persone e delle case in cui vivono, assieme a oggetti posti su un tavolo contestualizzano il racconto addensando attorno al suo contenuto testuale suggestivi elementi di supporto visivo, con ciò mixando componenti narrative diverse.
Di qui a ciò che potremmo chiamare esperienza estetica relazionale il passo è breve: il racconto di sé sfocia nella relazione con un altro racconto, che può essere quello di un altro artista, ma che più spesso è quello del pubblico, non più considerato come genere indistinto, ma come insieme di individui dotati di una singola personalità e, soprattutto, di una singola storia degna, come tutte le "storie vere", di essere raccontata, di essere messa sotto i riflettori della scena dell'arte, in questo caso travestita da "vita vera". L'analisi delle strutture della narrazione se, da un lato, si può risolvere nel racconto

particular in the sophisticated work of the Swedish artist Kristoffer Nilson who alludes to State control in delicate pencil drawings on a plaster white background that depict the geometrical gridwork of tax forms.
Another area of work is concentrated on a text and meta-text reality that concerns narration: a story of oneself, a journalist's report, one's own identity or the so-called "true stories", like those told by the videos of the English artist Richard Billingham who films members of his family, or, with the same subject, the work of the Swiss artist Emmanuelle Antille. In these cases the content is a support for works which in reality investigate ways of telling stories and verbal and visual language; they hold several layers of meaning. The work of the Austrian artist, Rainer Ganahl, also lies on this plane. His work *Portraits, the Language of Emigration* consists of a series of interviews of Jewish immigrants from Italy who live in or near New York. In addition to the video portraits, there are the photos of people and of the homes in which they live, together with objects set on a table to give a context to the story, to concentrate suggestive elements of visual support around the text content and thereby mix different narrative components.
It is but a small step from here to what we might call aesthetic relational experience: the story of oneself branches out to become a relation with another story, which can be that of another artist, but which is more often that of the public, no longer considered an indistinct kind, but a set of individuals each with their own personality and, above all, with their own story worthy, like all "true stories", of being told, of being put under the spotlight of the art stage, dressed up in this case as "true life". While in some cases the analysis of narrative structures is resolved

diaristico, dall'altro diventa spettacolo dichiarato, in cui coesistono l'azione e la riflessione su di esso, la sua costruzione e la sua contemporanea decostruzione, in un gioco linguistico più scoperto e quindi paradossalmente più vero di quello messo in atto nel racconto di sé.
Il dispositivo video assume in questo tipo di lavori un ruolo cruciale, quello di documentare e presentare microstorie la cui banalità difficilmente si presterebbe ad altri media.
Il lavoro della danese Gitte Villesen "dà voce a muti eroi culturali": uomini che tentano di abbordarla oppure un suo amico mentre fa il dj a una festa. Altrettanto il francese Joël Bartoloméo mette in scena un suo tentativo di seduzione, una "piccola scena della vita ordinaria", per dirla con il titolo di un suo video.
Naturalmente, in una concatenazione di passaggi ideali, che trascolorano l'uno nell'altro senza un confine ben definito, ma contaminandosi a vicenda, non si può dimenticare che l'azione dell'arte – che nel nostro caso deriva quasi interamente dalla considerazione e dall'interpretazione del mondo – ha un "luogo" d'azione, dove agisce e viene agita, che sempre è la metafora del mondo, e qualche volta tende a sovrapporre la metafora alla realtà, assumendo quest'ultima come luogo ambivalente, come cerniera tra realtà e sua interpretazione: è in questo senso che vanno considerati i lavori che hanno come oggetto lo spazio, che quasi sempre è spazio architettonico (non inteso però come progetto disciplinare preciso, ma come "luogo dell'abitare", "spazio dell'esistenza"). Anche qui, la tendenza è alla destrutturazione del dato reale, all'accentuazione di un processo ormai abbastanza evidente nelle società evolute, e che può assumere aspetti fortemente drammatici, come anche toni

by a diary type account, in others it becomes a clearly announced show in which action and reflection on that action, its construction and its simultaneous de-construction coexist in a play of languages which is more exposed and therefore paradoxically more true than that produced in the stories of oneself.
The video device takes on a crucial role in these types of work, that of documenting and presenting micro stories which would be little suited to other media because of their banality.
There is the work of the Dane, Gitte Villesen, "gives voice to mute cultural heroes": men making advances to her or a friend of hers while he acts as a DJ at a party. Similarly the French artist, Joël Bartoloméo, stages an attempt at seduction, a "small scene from ordinary life", as he puts it in the title of his video.
Naturally, in a concatenation of ideal passages, where one thing shades into the next without any clear borderline, but where each contaminates the next one after the other, one cannot forget that the action of art – which in our case derives almost entirely from consideration and interpretation of the world – has a "place" of action, where it acts and is acted on, which is always a metaphor of the world, and sometimes tends to superimpose that metaphor on reality, taking the latter as an ambivalent place, as a hinge between reality and its interpretation. It is in this sense that one must consider works of art that have space as their object, which is almost always architectural space (not intended, however, as a precise disciplinary design, but as "a place of living", "space of existence"). Here too, the tendency is to destructure given reality, to accentuate a process which is now fairly evident in developed societies and which may take on strong dramatic aspects

di ineluttabilità cui ci si deve adeguare serenamente e quasi con gioia. Ai due poli di queste possibilità si situano ad esempio il portoghese Pedro Cabrita Reis con l'opera *Cidades Cegas (Città cieche)*, un assemblaggio potenzialmente infinito di volumi e superfici che non accolgono, non contengono, sono intransitabili, insondabili, e l'italiano Mario Airò, che estrae una cella dal contesto della Certosa di Pavia e la propone al nostro sguardo, nella sua austera perfezione, come *Unité d'habitation* nel mezzo di una galleria o nella sala di un museo.

Fin qui la mostra. I temi ideali che abbiamo riscontrato e tentato di ricondurre a filoni identificabili sono quelli "globali" e "globalizzati", cioè comuni a queste generazioni di giovani artisti: semmai, ciò che resta ancora inespresso – in questo testo, ma speriamo non in mostra... – è una caratterizzazione continentale, se esiste. Di fatto, gli estremi opposti della globalità di certi atteggiamenti e della forte individualità di molti sentimenti appaiono più evidenti di questo impalpabile contrassegno, che pure sentiamo esistere, nascosto in gran parte di questi lavori: è forse il sentimento della storia – con tutto ciò che esso porta con sé, dall'idea di tempo a quella di passato e quindi anche di futuro – che può ancora essere la *différence*.

or alternatively tones of ineluctability to which we must adapt ourselves calmly and almost with joy. At the opposite extremes of these two possibilities we find, for example, the Portuguese artist Pedro Cabrita Reis with his work *Cidades Cegas (Blind cities)*, a potentially infinite assembly of volumes and surfaces that do not take in, that do not contain, that are intransitable and unfathomable and the Italian artist Mario Airò, who extracts a cell from the context of the Certosa di Pavia and offers it to our eyes, in its austere perfection, like *Unité d'habitation* in the middle of a gallery or in the hall of a museum. That is the exhibition. The themes that we have encountered and attempted to breakdown into identifiable tendencies are those of the "global" and "globalised", common to these generations of young artists: what, if anything, remains unexpressed – in this text, but not, we hope, in the exhibition – is a continental character, if one exists. In reality, the opposing extremes of the globality of certain attitudes and the strong individuality of many sentiments appear more evident than this impalpable identity, which we nevertheless feel exists hidden in most of these works: perhaps a feeling of history – with all that which it entails, the idea of time, of the past and therefore also of the future – may still be the *différence*.

[Translation from Italian: Jim Davis]

ELENCO DEI CURATORI
LIST OF CURATORS

Zdenka Badovinac Countries of Former Yugoslavia
Director of Ljubljana Modern Art Gallery, Ljubljana

Leonid A. Bazhanov Russia
Artistic Director of National Centre for Contemporary Art, Moscow

Bart Cassiman Belgium, Flemish Community
Independent Curator

Catherine De Croës Belgium, French Community
Plastic Art Adviser at the International Relations Commissariat of the French Community of Belgium

Maria Hirvi Finland
Curator at Kiasma - Museum of Contemporary Art, Helsinki

Gavin Jantjes Norway, Sweden, Denmark
Director of Henie Onstad Art Centre, Høvikodden

Edelbert Köb Austria
Director of Kunsthaus, Bregenz

Ulrich Krempel Germany
Director of Sprengel Museum, Hannover

Olga Malá Czech Republic, Poland
Chief Curator of City Gallery Prague, Prague

Alexandre Melo Portugal
Independent Curator

Michelle Nicol Switzerland
Independent Curator

Thorgeir Ólafsson Iceland
Head of Section, Ministry of Education, Science and Culture, Reykjavík

Santiago Olmo Spain
Independent Curator

Sandra Pinto Italy
Superintendent of Galleria Nazionale d'Arte Moderna, Rome

Dominique Stella France
Art Historian and Director of Visual Art at the Centre Culturel Français in Milan

György Szûcs Hungary
Art Historian and Curator of Hungarian National Gallery, Budapest

Kees van Twist Holland
Director of Groninger Museum, Groningen

Jonathan Watkins Great Britain
Director of Ikon Gallery, Birmingham

ELENCO DEGLI ARTISTI
LIST OF ARTISTS

Mario Airò Italy
Pawel Althamer Poland
Birgir Andrésson Iceland
Hedevig Anker Norway
Emmanuelle Antille Switzerland
Siegrun Appelt Austria
Stefano Arienti Italy
ART PROTECTS YOU (Jochen Traar) Austria
Halldór Ásgeirsson Iceland
Atelier van Lieshout Holland
Brigitte Aubignac France
Maja Bajević Bosnia-Herzegovina
Miroslaw Balka Poland
Joël Bartoloméo France
Rolf Bier Germany
Richard Billingham Great Britain
Olaf Breuning Switzerland
Alexander Brodsky Russia
Veronika Bromová Czech Republic
Marie José Burki Belgium, Flemish Community
Gerardo Burmester Portugal
Pedro Cabrita Reis Portugal
Catarina Campino Portugal
Eugenio Cano Spain
Ulf Verner Carlsson Norway
Monica Carocci Italy
Filipa César Portugal
Rui Chafes Portugal
Gor Chahal Russia

Hervé Charles Belgium, French Community
Olga Chernysheva Russia
Attila Csörgö Hungary
Jonas Dahlberg Sweden
Federico Díaz Czech Republic
Milena Dopitová Czech Republic
Vladislav Efimov and Aristarkh Tchernyshev Russia
Paula Ervamaa Finland
Bruna Esposito Italy
Sylvie Fleury Switzerland
Ceal Floyer Great Britain
Michel François Belgium, French Community
Michel Frère Belgium, French Community
József Gaál Hungary
Rainer Ganahl Austria
Katharina Grosse Germany
Graham Gussin Great Britain
Fabrice Gygi Switzerland
Jens Haaning Denmark
Nic Hess Switzerland
Heli Hiltunen Finland
Edgar Honetschläger Austria
Mariann Imre Hungary
IRWIN (Dušan Mandić, Miran Mohar, Andrej Savski, Roman Uranjek, Borut Vogelnik) Slovenia
Frans Jacobi Denmark
Lidy Jacobs Holland
Henrik Plenge Jakobsen Denmark
Ann Veronica Janssens Belgium, French Community
Johnny Jensen Denmark
Ivan Kafka Czech Republic
András Kapitány Hungary
Pertti Kekarainen Finland
Anna Kleberg Sweden
Paco Knöller Germany
Peter Kogler Austria
Laila Kongevold Norway
Elke Krystufek Austria
Mischa Kuball Germany
Luisa Lambri Italy
Andrea Lange Norway
Fabien Lerat France
Jenö Lévay Hungary
Isabelle Lévénez France
Zbigniew Libera Poland
Anna Líndal Iceland
Jenny Magnusson Sweden
Vlado Martek Croatia
Pierre Lionel Matte Norway
Bas Meerman Holland
Jean-Luc Moulène France
Johan Muyle Belgium, French Community
Irina Nakhova Russia
Kristoffer Nilson Sweden
Hans Ulrich Obrist Switzerland
Anton Olshvang Russia
João Onofre Portugal
Julian Opie Great Britain
Ana Teresa Ortega Spain
Cornelia Parker Great Britain
Marko Peljhan Slovenia
Paul Michael Perry Holland
Cristiano Pintaldi Italy
Jaume Plensa Spain
Bernard Quesniaux France
Heli Rekula Finland
Lois Renner Austria
Christian Riebe Germany
Guia Rigvava Russia
Francisco Ruiz de Infante Spain
Ilkka Sariola Finland
Hrafnkell Sigurdsson Iceland
Antoni Socias Spain
Rickard Sollman Sweden
The Icelandic Love Corporation (Sigrun Hrolfsdottir, Dora Isleifsdottir, Joni Jonsdottir, Eirun Sigurdardottir) Iceland
Thorvaldur Thorsteinsson Iceland
Grazia Toderi Italy
Milica Tomić Serbia
Patrick Tosani France
Pedro Tudela Portugal
Javier Vallhonrat Spain
Jan Van Imschoot Belgium, Flemish Community
Gyula Várnai Hungary
Angel Vergara Santiago Belgium, French Community
Gert Verhoeven Belgium, Flemish Community
Gitte Villesen Denmark
Kateřina Vincourová Czech Republic
Tamás Waliczky Hungary
Gillian Wearing Great Britain
Vadim Zakharov Russia
Alicja Żebrowska Poland
Artur Źmijewski Poland

CATALOGO CATALOGUE

Mario Airò esordisce, come Arienti e tanti altri, all'epoca degli ultimi sprazzi della Milano da bere, vale a dire dell'allegra stagione fine anni ottanta. Quando il crollo delle ideologie investe anche il sistema artistico, la nuova generazione, per salvarsi dallo sbaraglio, si organizza nell'autogestione e nella ricerca di figure di sostegno diverse dal mercante imprenditore o del critico padre-padrone (sto citando liberamente dal testo di Alessandra Mammì nel catalogo *Premio del Centro 2000*). Allievo di Fabro a Brera, adepto nel 1989 del gruppo di via Lazzaro Palazzi e della rivista "Tiracorrendo", nell'ultimo decennio del secolo Airò ha già conquistato la prima maturità, e il modello di lavoro (del 1994) con il quale si presenta a questa esposizione è segnato da una sorta di lieta fiducia nell'arte e di quel fair play a tutto campo che prende evidenza nella mitezza e nella gentilezza, comune a buona parte delle nuove generazioni in Italia, in controtendenza con la trasgressività conclamata di buona parte degli artisti più giovani nel resto del mondo. "Vivo una dimensione da vagabondo, sono un ospite sulla terra. Ritengo che ogni volta che uno fa una cosa poi sia tenuto a lasciare vuoto, la cosa successiva

non deve ricalcare la cosa precedente. È una questione di rispetto". Posto che ogni installazione – è anche come esponente esemplare di questo "genere" che Airò viene qui presentato – si pone in soluzione di continuità, in ordine agli aspetti formali, con le azioni precedenti e le successive, dov'è che troviamo il significato intrinseco di *Unité d'habitation*? Nella citazione lecorbusieriana presente nel titolo? O in quella morfologica della cella proveniente dalla Certosa di Pavia? O in quella di "arte abitabile" trasposta dal mondo del design a quello di una Galleria d'Arte (di Massimo De Carlo) dove il lavoro sarà visto per la prima volta? O nello spaesamento del trovarci all'esterno della cella nell'interno della Galleria oppure all'interno della cella il cui esterno è la Galleria? Oppure, oppure? L'arte, ci dice Airò, è un "campus nel quale fare un viaggio". L'artista ce ne dà il viatico, da pratico di vagabondaggi, e da buon compagno ci avverte dei termini della propria esplorazione; orizzontarci poi tra gli infiniti elementi della percezione (sapori, odori, rumori, immagini, temperature, spazi ecc.) e della acculturazione (cinema, letteratura, storia dell'arte ecc.) di volta in volta suggeriti dall'artista sarà affar nostro.
Sandra Pinto

Mario Airò started out like Arienti and many others, at the time of the last flashes of a wassailing Milan, or in other words in the gay times at the end of the 1980s. When the collapse of ideologies also invested the art world, in order to save itself from complete defeat the new generation started to manage its own affairs in search of sponsors who were not business merchants or father figures, boss-type critics (I am quoting freely from the text by Alessandra Mammì in the catalogue *Premio del Centro 2000*). As a pupil of Fabro at Brera and a member of the via Lazzaro Palazzi group and the "Tiracorrendo" magazine in 1989, Airò had already achieved a degree of maturity by the last decade of the century and the model of work (of 1994) with which he presents himself at this exhibition is marked by a sort of contented trust in art, by that fair play in everything that is seen in the moderation and the kindness common to large part of the new generations in Italy, which runs counter to the transgression proclaimed by most young artists in the rest of the world. "I live in a vagabond dimension, I am a guest on the earth. I feel that each time one does a thing and then is required to leave a vacuum, the next thing must not replicate the previous thing. It is a question of respect". Given that each installation – Airò is also presented here as an excellent practitioner of this "genre" – constitutes a break in formal terms with what went before and what comes afterwards, where is it that we find the intrinsic meaning of *Unité d'habitation*? Is it in the "lecorbusierian" quote in the title or in the morphological quote of the cell from the *Certosa di Pavia*? Or in that of "habitable art" transposed from the world of design to that of an art gallery? Or, or? Art, Airò tells us, is a "campus in which to make a journey". The artist gives us our provisions for the journey, as a practised vagabond, and as a good companion he warns us of the terms of our own exploration; how we get our bearings among the infinite elements of perception (flavours, smells, noises, images, temperatures, spaces, etc.) and of culture (cinema, literature, history of art, etc.), suggested to us from time to time by the artist, is our affair.
Sandra Pinto

***Unité d'habitation*, 1994**
Installation mixed media,
540 × 312 × 375 cm
Courtesy Galleria Massimo De Carlo, Milan

Una delle prime opere di Pawel Althamer è un autoritratto scolpito in legno: una piccola figura, simile a una bambola, con le braccia che pendono lungo i fianchi e lo sguardo fisso sul mondo. Althamer è tornato più volte alla propria raffigurazione scultorea e il suo corpo è diventato il medium principale di numerosi eventi e performance. L'obiettivo primario dell'artista non è infatti la realizzazione di un oggetto solido, ma soltanto l'evocazione di una situazione unica, che può essere così poco appariscente da non essere notata da un osservatore non istruito. Althamer è interessato soprattutto alla rappresentazione di esperienze interpersonali: più si distanzia da se stesso e lavora direttamente sullo spazio, più accessibile diventa la sua opera; più si concentra sulla propria figura, più essa diventa solipsistica. Althamer opera in una sfera in cui l'esperienza soggettiva diventa un'esperienza non soggettiva accessibile a tutti. Il suo equilibrio tra sculture figurative e body art da un lato e installazioni puramente spaziali dall'altro origina dalla dicotomia tra l'interesse per la gestualità corporea e quello per lo spazio bianco e dematerializzato. L'effetto simultaneo di entrambi questi motivi appare evidente nel video intitolato *Dancer* (Kunsthalle, Basilea, 1997), nel quale un gruppo di senzatetto di Basilea ballano nudi in uno spazio bianco. La relazione tra il corpo e il bianco, su cui si basava una delle sue prime performance (*Untitled*, 1991), dove Althamer, con indosso un costume bianco da yeti, restava per parecchie ore nella neve, si manifesta anche nelle sue installazioni puramente spaziali. Una di queste è stata realizzata alla Galeria Foksal di Varsavia (1996), che l'artista ha svuotato completamente per riempirla di sedie bianche e installarvi l'aria condizionata. Attraverso le porte della galleria

One of the oldest works by Pawel Althamer is his wooden sculptural self-portrait: a small, doll-like figure with hands hanging down along the body, watching this world. Althamer has returned to his own sculptural representation several times; his body also became the main medium for the realisation of various events and performances. Althamer, whose primary goal is not a realisation of a solid object, but often only an evocation of a unique situation which can be so inconspicuous that an uninstructed person may not notice it, focuses on expressing experiences that are of an interpersonal nature: the more he becomes distanced from himself and works with direct space, the more accessible his work becomes; the more he concentrates on his own figure, the more solipsistic it becomes. Althamer moves in the area, in which subjective experience becomes a non-subjective experience accessible to anyone else. His balancing between figural sculptures and body realisations on the one hand, and purely spatial installations on the other, stems from the dichotomy of his interest between the body gesture and white, dematerialized space. The simultaneous effect of both motives polarising his work is apparent in the video recording called *Dancer* (Kunsthalle Basel, 1997), for the realisation of which he hired Basel's homeless people whom he left dancing naked in the white space. The relationship of the body and white, based on one of his early performances (*Untitled*, 1991) in which he stayed for several hours in the snow in a white dress as a yeti, manifested itself in his purely spatial installations as well. He produced one of them directly for the Galeria Foksal in Warsaw (1996) which he emptied and filled with white seats, at the same time installing air conditioning. Visitors of the exhibition could pass through

PAWEL ALTHAMER POLAND

Bródno, 2000
Performance

Without Title, 1996
Installation mixed media
Courtesy Galeria
Foksal, Warsaw

Untitled, 1991
Performance

i visitatori potevano passare da questo ambiente sterile e artificiale allo spazio esterno, rappresentato da un piccolo parco dietro la galleria stessa. L'artificialità dello spazio interno accentuava così l'aspetto fantasmatico degli alberi e delle foglie al di là della porta, che nella concezione di Althamer svolgeva la stessa funzione della cornice di un quadro. La seconda installazione completamente bianca è stata realizzata su un autobus urbano. Anche qui l'intento era quello di reinterpretare la realtà quotidiana espandendo la coscienza dei passeggeri che partecipavano a questa esperienza. Nell'opera di Althamer si manifesta inoltre un forte interesse socio-plastico. In questo ambito, ha recentemente riscosso notevole successo la sua performance nel quartiere Brodno di Varsavia, dove gli abitanti di un palazzo hanno acceso le luci delle loro stanze in modo che sulla facciata apparisse il numero 2000. La performance, accompagnata da varie riunioni con uomini politici che tenevano discorsi e da vari festeggiamenti, è stata per gli abitanti del quartiere un'esperienza indimenticabile. L'opera di Althamer diventa facilmente accessibile quando l'osservatore smette di percepire l'oggetto e partecipa a una nuova esperienza sensuale, al tempo stesso molto personale e associata ai temi della spersonalizzazione e del doppio. L'approccio di Althamer è quello di una mente scissa tra il desiderio di far parte di un gruppo di persone a lui affini e quello di lasciarlo per addentrarsi nel proprio spazio interiore, del quale ci mostra soltanto un'opaca membrana bianca.

Olga Malá

the gallery doors from this sterile, artificial environment into the open space, a small park behind the gallery. As a consequence, the artificiality of the interior space heightened the phantom-like appearance of the trees and leaves behind the door, which in Althamer's concept could function as a picture frame. Althamer planned the second completely white installation for a normal city bus. It points out how Althamer re-evaluates the everyday reality when a common bus passenger for a moment becomes a participant in the new type of experience, broadening his/her sensitivity. Althamer's work has a significant socio-plastic focus. Recently, his project for a tower-block apartment building in the Warsaw's neighborhood Brodno, where he made the building's inhabitants create the number 2000 on the facade by switching on the lights in their rooms met with exceptional success. At the time of its realisation, various meetings took place in the neighborhood with politicians making their speeches and people celebrating. The event became an unforgettable experience for the neighborhood's inhabitants. Althamer's work reaches into a wide social context when the viewer ceases to perceive the object and becomes a participant in a new sensual experience; however, at the same time, it is very personal and concerned with depersonalisation and double characters. Althamer's approach represents a polarised mind of a contemporary artist who on the one hand wishes to be in a collective of people in a similar mood, while on the other he/she wants to leave it in order to move within his/her own inner space, of which he/she shows us only a white opaque membrane.

Olga Malá

Feneyjar/Venezia, 1995-2000
Photograph, 47 × 42 cm

París/Paris (Akureyri, Island/Iceland), 1995-2000
Photograph, 47 × 42 cm

Piza/Pisa (Husavik, Island/Iceland), 1995-2000
Photograph, 47 × 42 cm

Cities, countries and regions of the world in Icelandic towns and villages (*Città, paesi e regioni del mondo nelle cittadine e nei villaggi islandesi*) è il titolo collettivo dei lavori che Birgir Andrésson espone in quest'occasione a Milano; si tratta di immagini di case che portano nomi come Parigi, Venezia, Pisa ecc. Queste opere fanno parte della sua ricerca sulla cultura e sulle sue apparenze. Così le spiega il critico d'arte Ólafur Gíslason: "La ricerca di Birgir Andrésson investe il rapporto fra il linguaggio visivo e quello parlato, e il rapporto tra la visione e il pensiero. Esplora anche la natura sociale del linguaggio visivo, come le forme e i linguaggi pittorici si sviluppino fino a diventare caratteristici di un certo gruppo sociale o di una nazione. Andrésson trova i suoi soggetti nel mondo più vicino a lui; il suo lavoro si basa non solo sulla sua esperienza di membro della comunità islandese alla fine del XX secolo, ma anche sull'eccezionale esperienza di essere nato ed essere stato cresciuto da genitori ciechi. Fin dall'inizio della sua esistenza Andrésson ha dovuto fare i conti con il complicato rapporto tra visione, pensiero e linguaggio parlato. Ha presto scoperto da sé che la visione non si limita agli occhi, ma che tutto ciò che vediamo con gli occhi o nella nostra mente viene immediatamente trasformato dal pensiero in simboli e significati che sono soggetti all'interpretazione nel linguaggio parlato. La nostra definizione del significato del linguaggio visivo è in gran parte frutto di un accordo sociale governato dalle circostanze e da un contesto che è essenzialmente di natura sociale".
Qual è la connessione tra una casa in un villaggio islandese che si chiama Parigi e la metropoli omonima? Perché le case sono state chiamate così? Andrésson non dà le risposte a queste domande, ma mette in moto una serie di complesse associazioni e fa cozzare l'una contro l'altra nozioni preconcette sul significato delle parole. Le conclusioni degli osservatori si baseranno sulle loro storie personali e saranno così connesse alla ricerca condotta da Andrésson sulla cultura.
Thorgeir Ólafsson

BIRGIR ANDRÉSSON ICELAND

Cities, countries and regions of the world in Icelandic towns and villages is the collective title of the works which Birgir Andrésson is currently showing here in Milan; these are pictures of houses bearing names like Paris, Venice, Pisa, etc. These works are part of his research on culture and its appearances. This is how Ólafur Gíslason, art critic, explains them: "Birgir Andrésson's research has touched the relationship between visual and spoken language, and the relationship between vision and thought. His research has also touched the social nature of visual language, how pictorial languages and forms develop to become characteristic for a certain social group or a nation. Andrésson has found his subjects in his closest surroundings; his work is based on the experience of being a participant in the Icelandic community in the late twentieth century as well as from the exceptional experience of being born and brought up by parents who were both blind. From the very beginning of his life Andrésson had to deal with the complicated relationships between vision, thought and a spoken language.
He soon discovered on his own that vision is not limited to the eyes, but that everything we see with our eyes or in our mind is immediately transformed by thought into symbols and meanings that are subject to interpretation in the spoken language. Our definition of the meaning of visual language is to a great extent a social agreement ruled by circumstances and context that is to a great extent of a social nature".
What is the link between a house in an Icelandic village which is named Paris and its namesake the metropolis? Why did the houses get these names? Andrésson does not give the answers to these questions, but instead sets of a stream of complex associations and causes preconceived notions on the meaning and reference of words to clash. People's conclusions will be based on their background and thus refer to Andrésson's research on culture.
Thorgeir Ólafsson

HEDEVIG ANKER NORWAY

Le fotografie di Hedevig Anker sono l'esplorazione poetica di una varietà di importanti temi dell'esistenza. Gli aspetti formali dei suoi lavori, come la luce, il colore, lo spazio e il movimento, forniscono la matrice per la sua particolare visione del mondo. Le fotografie della Anker fissano dei ricordi e attirano l'attenzione su aspetti della realtà che convenzionalmente vengono visti come parte dello sfondo. Si è invitati a guardarle come farebbe un investigatore che esamini sulla scena di un delitto ogni singolo dettaglio alla ricerca di un indizio prezioso. Quello che a prima vista sembrerebbe astratto rivela il mondo attraverso piccoli gesti visivi.
Le sue immagini sono prese dalla realtà, non vengono manipolate in alcun modo, salvo che con il processo di sviluppo e stampa della fotografia. Queste immagini sono frammenti di spazio e tempo reali da cui possiamo dedurre la più vasta composizione di cui fanno parte.
L'aspetto sgranato di una sua fotografia non è il risultato di una tecnica portata all'estremo, ma il dettaglio ingrandito di una carta da parati granulosa. La profondità pittorica all'apparenza illusoria è invece reale.
Guardiamo dentro una stanza dallo spiraglio di una porta e questa consapevolezza fa di noi dei *voyeur*. A chi appartengono queste stanze? Cosa vi è accaduto?
Il desiderio di creare illusioni tramite la fotografia, sia che si tratti dell'illusione di uno spazio tridimensionale sulla superficie piatta dell'immagine, sia che si tratti di una narrazione senza illustrazione, ha indotto Hedevig Anker a fotografare le stanze del suo appartamento di studentessa. Era lo spazio che conosceva meglio, lo spazio che rivelava e celava più cose di ogni altro sul suo mondo. In seguito è passata a fotografare le stanze della casa della nonna e di quella dei genitori: stanze piene dei loro ricordi e di quelli della sua infanzia, esse lasciano intravedere un'altra vita, un altro tempo e un altro luogo. Ma le nostre aspettative non sono mai pienamente soddisfatte. Le fotografie scivolano dalla realtà all'arte astratta e viceversa, lasciandoci sospesi nel mezzo della loro incompleta narrazione.
Gavin Jantjes

Untitled, 2000
Photograph, 105 × 100 × 8 cm
Courtesy Henie Onstad Art Center,
Høvikodden (Oslo)

Untitled, 2000
Photograph, 105 × 100 × 8 cm
Courtesy Henie Onstad Art Center,
Høvikodden (Oslo)

The photographs of Hedevig Anker are a poetic investigation of a variety of issues in life. The work's formal aspects such as light, colour, space and movement provide the matrix for her particular vision of the world.
Her photographs meld memories, and focus attention on aspects of reality one conventionally views as background. One is invited to look at them in the way a detective would look at the details of a crime scene to locate a valuable bit of evidence. What at first appears abstract reveals the world through small visual gestures.
Her images are taken from reality.
There is no manipulation other than the developing and printing of the photograph. These images are fragments of real space and time from which we can deduce the larger picture. Graininess in a photograph is not the result of photography pushed to its limit. Here it reveals itself to be the close detail of grainy wallpaper. Illusory pictorial depth is real. One is looking into a room through a crack in a doorway and this recognition makes the viewer a voyeur. To whom do these rooms belong? What has happened in them? Hedevig Anker's desire to create illusions with photography, whether it is the illusion of three dimensional space on the flat surface of the photograph, or a narrative without illustration, led her to photographing the rooms in her student flat. It was the space she knew best that revealed and concealed most about her world.
Later she did the same to the rooms in her grandmother's and her parents' houses. These were rooms filled with their memories and those of her childhood. They offer a glimpse into another life, another time and place. But one's expectation is never fully satisfied.
The photographs slip from reality into abstract art and back again, leaving one suspended in the middle of their incomplete narrative.
Gavin Jantjes

EMMANUELLE ANTILLE SWITZERLAND

Wouldn't it be nice

Larry Clark, Joseph Szabo, Nan Goldin e Wolfgang Tillmans ci hanno insegnato che l'estetica del quotidiano può essere *cool*; che le immagini, catturate in un contesto immediato e personale, in determinate circostanze possono essere inserite nell'archivio delle pratiche esistenziali classificate come *cool*. Al tempo stesso queste immagini sono paradigmatiche di situazioni e sviluppi sociali e diventano così segni e codici. Spesso queste immagini *cool* non sono necessariamente "belle". Scrive Ulf Poschardt che l'atteggiamento del *cool*, nel migliore dei casi camuffato da curiosità narcisistica, è in sé un enigma. Emmanuelle Antille appartiene a quella giovanissima generazione di artisti che ha da lungo tempo assimilato il nesso tra *cool* e quotidianità scoperto dalla Pop Art. La Antille sa che Warhol ha anestetizzato e astratto la propria vita tanto da ottenere uno *status* culturale. È anche consapevole del fatto che l'assoluta contemporaneità è la premessa indispensabile per qualsiasi pratica *cool*. Nel suo video *Wouldn't it be nice*, della durata di 14 minuti, i membri della famiglia dell'artista fungono da interpreti e la casa dei genitori fa da sfondo all'azione. Con questi collaboratori, spesso goffi ed evidentemente emozionati, la Antille mette in scena un teatro dell'intimo e del rituale. L'avvenimento: la riunione familiare per il pranzo domenicale; la partenza a bordo di un'automobile di media cilindrata; l'aperitivo; gli scherzi che consolano e aiutano a non pensare alle pene della vita. Simultaneamente, da attività comuni piuttosto scontate, le figure si isolano e, da sole o in coppie, si perdono in rituali oltremodo intimi, fatti di massaggi e autoerotismo.

Nel mondo dell'iperinformazione il rituale fornisce un orientamento. Emmanuelle Antille propone nuovi rituali al passo coi tempi e ce li offre per farci sentire più sicuri: senza il rituale non esiste comunicazione.

Michelle Nicol

Wouldn't it be nice, 1999 Stills from video projection

Wouldn't it be nice

Larry Clark, Joseph Szabo, Nan Goldin and Wolfgang Tillmans taught us that the aesthetics of everyday life can be *cool*, that images, captured in an immediate and personal context can, in determined circumstances, be inserted in that archive of existential practices classified as *cool*. At the same time these images are paradigmatic of situations and social developments and thus become signs and codes. Often these *cool* images are not necessarily "beautiful". Ulf Poschardt wrote: "the attitude of *cool*, camouflaged at best by narcissistic curiosity, is in itself an enigma".

Emmanuelle Antille is one of a very young generation of artists who have for a long time assimilated the connection between *cool* and everyday life discovered by Pop Art. Antille knows that Warhol anaesthetised and abstracted his own life to the extent that he achieved cultural *status*. She is also aware that being absolutely contemporary is an indispensable premise for any *cool* practice. In her video *Wouldn't it be nice*, lasting 14 minutes, the members of the artist's family are the actors and her parents' home provides the background to the action. With these assistants, often clumsy and clearly excited, Antille stages intimate and ritual theatre. The event: the family gathering for Sunday dinner; the departure in a medium-sized car; the aperitif; the jokes that console and help to distract from the torments of life. The figures become simultaneously isolated and move from rather ordinary, predictable activity to lose themselves alone or in pairs in extremely intimate rituals consisting of massages and auto-eroticism.

Ritual provides orientation in the world of hyper information. Emmanuelle Antille offers new rituals in step with the times and she offers them to us to make us feel more secure: there is no communication without ritual.

Michelle Nicol

SIEGRUN APPELT AUSTRIA

All'inizio l'artista-fotografa Siegrun Appelt rivolgeva il suo interesse soprattutto a motivi inerenti l'effimero, il transitorio, l'instabile. Usando l'alienazione come metodo di lavoro, trasformava gli oggetti delle sue immagini verso forme pittorico-astratte. Nei suoi primi video anche i paesaggi e gli spazi aperti diventavano sequenze di immagini impressioniste, come si può vedere nella documentazione di un viaggio in treno attraverso l'obiettivo di una macchina da presa fissa o nelle riprese in movimento di spazi aperti o urbani.

Successivamente nelle opere della Appelt il mezzo cinematografico ha assegnato sempre maggiore importanza ai rapporti temporali e spaziali.

Gli aspetti formali passano in second'ordine mentre acquista preminenza il contenuto. L'interesse dell'artista non si concentra più sugli oggetti della percezione e sulla loro trasformazione mediatica, ma sulle sensazioni che essi suscitano.

I lavori realizzati dalla Appelt per "Milano Europa 2000" riflettono lo stato attuale della sua arte. I suoi scenari di periferie notturne sono avvolti in un silenzio di piombo.

Gli occasionali passanti e il rumore del traffico che si avvicina e poi si dilegua in lontananza non fanno che rafforzare l'atmosfera di chiusura e di alienazione, la sensazione che il tempo resti immobile nel movimento.

Nella zona di transizione fra gli edifici e la natura, la luce e il buio, la veglia e il sonno, il crepuscolo e la notte, regna un silenzio infido, pieno di aspettative, desideri e minacce.

Edelbert Köb

***Funfhaus#1*, 2000**
Photograph, 77 × 88 cm

Fünfhaus (Kendlerstrasse/
***Schanzstrasse)*, 2000-2001**
Three stills from video

Initially, the photo artist Siegrun Appelt mainly engaged with motifs of the ephemeral, transitory and unstable. Using alienation as a working method, she transformed the objects of her pictures toward more abstract-pictorial shapes. In her first video works landscapes and spaces even became sequences of impressionist images, as can be seen in the documentation of a journey on a train through the lens of a fixed camera or in the moving shots of outdoor or urban spaces. Subsequently, the medium of film lent increasing importance to the relations of time and space in Appelt's work. Formal aspects retreat while density of content comes to the fore. The focus of her interest is no longer on the objects of perception and their medialized transformation but the sensations they trigger off.

The works Appelt produced for "Milano Europa 2000" reflect the current state of her art. Her scenarios of suburbia in the night are wrapped in leaden silence. The occasional passers-by as well as the approaching and subsiding sounds of traffic in the fixed video frame only reinforce the atmosphere of withdrawal and alienation, of time standing still in motion.

In the transitional zone between buildings and nature, light and darkness, waking and sleep, dusk and night, there is treacherous silence, full of expectation, longing and threat.

Edelbert Köb

STEFANO ARIENTI ITALY

Stefano Arienti è, tra tutti gli artisti italiani in questa mostra, in particolare tra i più maturi (Airò, Toderi, Esposito), quello il cui curriculum si intreccia più strettamente con quei percorsi che stanno entrando nella storia dell'arte italiana degli ultimi quindici-vent'anni. La monografia di Angela Vettese, redatta come intervista ad Arienti nel 1997, prima di tutto ci ricostruisce bene il metodo di ascendenza concettuale dell'artista, che sceglie il non-stile, in una sequenza di processi e risultati sempre molto diversi sul piano formale ma sempre coerenti come gesti e riflessioni sull'arte e sul lavoro dell'artista ("elencare, manipolare, cancellare, ripetere la medesima operazione fino ai limiti dell'autoterapia"); poi ci rappresenta in modo penetrante la collocazione culturale di partenza di Arienti in un momento importante per la vita artistica tra Milano e Torino dalla metà degli anni ottanta: la Brown Bovery, l'insegnamento trasgressivo di Corrado Levi, l'esempio di Alighiero Boetti, per un verso, per l'altro via Lazzaro Palazzi, la didattica alternativa di Luciano Fabro, la rivista "Tiracorrendo", tutte esperienze che riportano in primo piano, aggiornandole, le dinamiche del concettualismo.

Difficile e, in certo modo gratuito, scegliere un esempio piuttosto che un altro, di un periodo piuttosto che un altro, nell'attività di Arienti, se si considera che ogni passaggio è semplicemente un nuovo esercizio concettuale "con cambio di abito". Per questo si è scelto di presentare qui due distinti "pensieri", come esempio, al singolare, del trascorrere continuo e ondivago da un'idea a un'altra, da un non-stile a un altro, seguendo oltretutto un'abitudine consolidata di Arienti di esporre contemporaneamente opere nate da tecniche differenti, come ricorda Vettese. "Accademia di pensieri", si sarebbe detto un paio di secoli fa, oggi

Iris, 1990 Plasticine on poster, 95 x 121 cm
Collection Gianni Aglietta, Biella

invece appunti ed elenchi memori degli esercizi di logica di Boetti, realizzati in mille pazienti tecniche del creare e del distruggere: plissé, trafori, puzzle, cancellature, graffi, corrosioni, spray, ricalchi... E dunque qui i "ponghi" e i "polistiroli". Ovvero, i "manifesti", immagini di massmedia dell'universo artistico, messe, se pure ve ne fosse stato bisogno, in caricatura, dalla plastilina che le ispessisce accentuando la banalizzazione e l'involgarimento propri del manifesto, ma facendone ironicamente ogni volta un nuovo originale in contraddizione con la funzione "naturale" del manifesto, riproduttore e moltiplicatore. E le "cartoline" come tante sorelle giganti, riunite in massa a raffigurare incise su fogli di polistirolo come fossero altrettanti cartoncini, ancora immagini mediatiche.
Sandra Pinto

Of the Italian artists in this exhibition and the more mature artists in particular (Airò, Toderi, Esposito) Stefano Arienti is the one whose career is associated most closely with those who have been entering the history of Italian art over the last fifteen to twenty years. The monograph by Angela Vettese, written in the form of an interview with Arienti in 1997, provides us first of all with a good reconstruction of the artist's conceptually based method, which chooses a non-style in a sequence of processes and results that are always very different on a formal level, but are always consistent as actions and reflections on art and on the work of the artist ("list, manipulate, delete, repeat the same operation to the limits of self-therapy"); then she gives us a penetrating depiction of the cultural starting point of the artist at an important moment in the life of art between Milan and Turin in the middle of the 1980s: Brown Bovery, the transgressive teaching of Corrado Levi, the example of Alighiero Boetti on the one hand and via Lazzaro Palazzi on the other, the didactic alternative of Luciano Fabro, the magazine "Tiracorrendo" and all the experiences that bring the dynamics of conceptualism back under the spotlight.
It is difficult, and to a certain extent pointless, to choose one example rather than another, from one period rather than another, of Arienti's work if one considers that each passage is simply a new conceptual exercise "with a change of hat". That is why it was decided to present two distinct "thoughts" here, as an example, in the singular, of his continuous roving from one idea to another and from one style to another, following above all Arienti's established habit of simultaneously exhibiting works created with different techniques, as Vettese reminds us. An "Academy of thought" they would have said a couple of centuries ago. Today, however, they are notes and lists that remind us of Boetti's exercises in logic, performed in a thousand patient techniques of creating and destroying: pleating, drilling, puzzles, erasing, scratching, spraying, copying... And then we have the "plasticines" and the "polystyrenes". Or alternatively there are the "posters", mass media images of the world of art, caricatured, should there have been any need, by the plasticine that thickens them, accentuating the banality and vulgarity inherent to posters, but ironically making a new original poster each time in contradiction of the "natural" function of a poster, to reproduce and multiply. And the "postcards" like so many giant sisters, gathered together en masse to portray yet again media images inscribed in sheets of polystyrenes as if they were just as many cards.
Sandra Pinto

"*Man Made Skies, Milan 2001* (*Cieli fatti dall'uomo, Milano 2001*) si basa su una serie di fotografie concettuali realizzate a Los Angeles nel 1997-1998. A intervalli, nell'arco di un anno, ho scattato fotografie delle scie lasciate nel cielo dal traffico aereo sopra la città. *Man Made Skies, Milan 2001* è una videoinstallazione interattiva creata al computer.
Entrando in uno spazio ben definito, le persone vengono intercettate da una telecamera a raggi infrarossi e i loro segnali sono successivamente trasformati con l'elaborazione al computer in scie aeree digitali. Nella proiezione le scie si sovrappongono l'una all'altra, finendo per disintegrarsi".
Jochen Traar

L'installazione concepita per l'esposizione di Milano fa parte di una serie di opere create dall'artista a partire dal 1989 nell'ambito del progetto concettuale *ART PROTECTS YOU* (*L'arte ti protegge*), progetto a carattere interdisciplinare e multimediale. Il titolo stesso denota una strategia di interventi attivi entro l'ordine complesso dello spazio pubblico che coinvolgono i visitatori. Sovrapponendo due diversi sistemi, quello sociale e quello artistico, Traar può talvolta provocare fastidio, ma riesce a rendere visibili determinate strutture sociali reali.
Le tracce lasciate nel cielo dagli aeroplani non sono solo metafore del movimento, dello spazio e del tempo, ma anche diagrammi di situazioni sociologiche, economiche ed ecologiche (progresso tecnologico, globalizzazione dell'economia, espansione del turismo ecc.). Nel dare essi stessi l'avvio alle scie digitali, i visitatori diventano parte del sistema.
Edelbert Köb

Man Made Skies, Los Angeles, 1998
Photograph

ART PROTECTS YOU AUSTRIA

"*Man Made Skies, Milan 2001* is based on a conceptual photo series made in Los Angeles in 1997-1998. At intervals over the period of one year I took pictures of the dissolving traces of the city's sky traffic. *Man Made Skies, Milan 2001* is a computer-generated interactive video installation.
By entering a defined space individuals are traced by an infrared camera their signals being subsequently transformed into digital jet stream trails by a computer. In the projection the trails overlap, gradually disintegrating"
Jochen Traar

The installation conceived for the exhibition in Milan is part of the series of works which the artist has developed in the framework of his interdisciplinary and multimedia-based conceptual project ART PROTECTS YOU since 1989. The label denotes a strategy of actionist interventions into the complex order of public space, including audience participation. By superimposing two different systems, the social and the artistic, Traar not only causes irritations, he also makes real social structures visible.
Traces left by airplanes are not only metaphors of movement, space and time, but also diagrams of sociological, economic and ecological conditions (technical progress, globalization of business, expansion of tourism, etc.). As the visitors trigger off the digital condensation trails themselves, they become part of the system.
Edelbert Köb

Halldór Ásgeirsson è affascinato dai quattro elementi naturali: terra, aria, fuoco e acqua, elementi che in Islanda sono fortemente presenti allo stato puro. Dal 1992 lavora soprattutto con la roccia lavica, che porta a contatto con altri materiali od oggetti quali fotografie, dipinti e contenitori di vetro pieni di fluidi colorati. Il tema che informa queste opere è l'alchimia. Proprio come gli antichi tentavano di tramutare i metalli comuni in oro, Ásgeirsson trasforma in fluido il fuoco solidificato, e poi di nuovo in materia che brucia. L'artista aggredisce i blocchi di lava con una normale saldatrice, e là dove la roccia diventa fluida si materializzano tanti piccoli oggetti neri di consistenza simile al vetro.

Le installazioni di Ásgeirsson sono spesso testimoni silenziosi di una performance in cui l'artista integra il processo di fusione. Talvolta separate, performance e installazione sono però sempre collegate dalla presenza di elementi naturali, grazie ai quali l'artista non trasmette soltanto la realtà naturale del suo paese ma, per estensione, anche quella dell'intera condizione umana.

Una volta che la lava si è fusa, viene riattivata la natura vulcanica delle pietre, come se agli elementi primari dell'Italia e dell'Islanda fosse dato libero sfogo.

Fondendo insieme le rocce laviche di due dei vulcani più famosi del mondo, l'Hekla in Islanda e il Vesuvio in Italia, Ásgeirsson vuole forse alludere agli elementi positivi che possono risultare dalla fusione di materiali provenienti da luoghi diversi, ossia le forze che si possono sprigionare quando due culture s'incontrano. La lava fusa scorre, unendoli, sul ghiaccio e su riproduzioni di calchi in gesso romani, e si dirige verso uno degli elementi della natura umana: la cultura.

Thorgeir Ólafsson

HALLDÓR ÁSGEIRSSON ICELAND

***Welded Lava*, 2000**
Installation in the House of the Nine Cities, European Parliament, Brussels

Halldór Ásgeirsson is fascinated by the four elements of nature: earth, air, fire and water, elements that are strongly present in their raw form in Iceland. Since 1992, he has worked mostly with lava rock, which he brings into contact with other objects or materials such as photographs, paintings and glass containers of coloured fluids. The underlying theme is alchemy. Much like the ancients trying to transform ordinary metals into gold, Ásgeirsson turns solidified fire into fluid, then into burning matter again. With a simple welding machine he attacks the lava blocks. Where the lava rock becomes fluid small black glass-like objects materialise.

Ásgeirsson's installations are often silent witness of a performance in which the artist integrates the melting process. Sometimes performance and installation are separate, but they are always linked by the presence of elements of nature.

As such Ásgeirsson not only transmits the natural condition of his own country but by extension, also of the global human condition.

When the lava is melted the volcanic nature of the stones is reactivated, as the primary elements of Italy and Iceland were unleashed.

By melting together two of the most famous volcanoes in the world, Hekla in Iceland and Vesuvio in Italy, Ásgeirsson is perhaps hinting at the positive subjects which can be the results of the fusion of elements from different places, i.e. the forces that can be released when two cultures meet. The melted lava runs over and unites ice and reproductions of Roman plasters and bends to one of the elements of the human nature: the culture.

Thorgeir Ólafsson

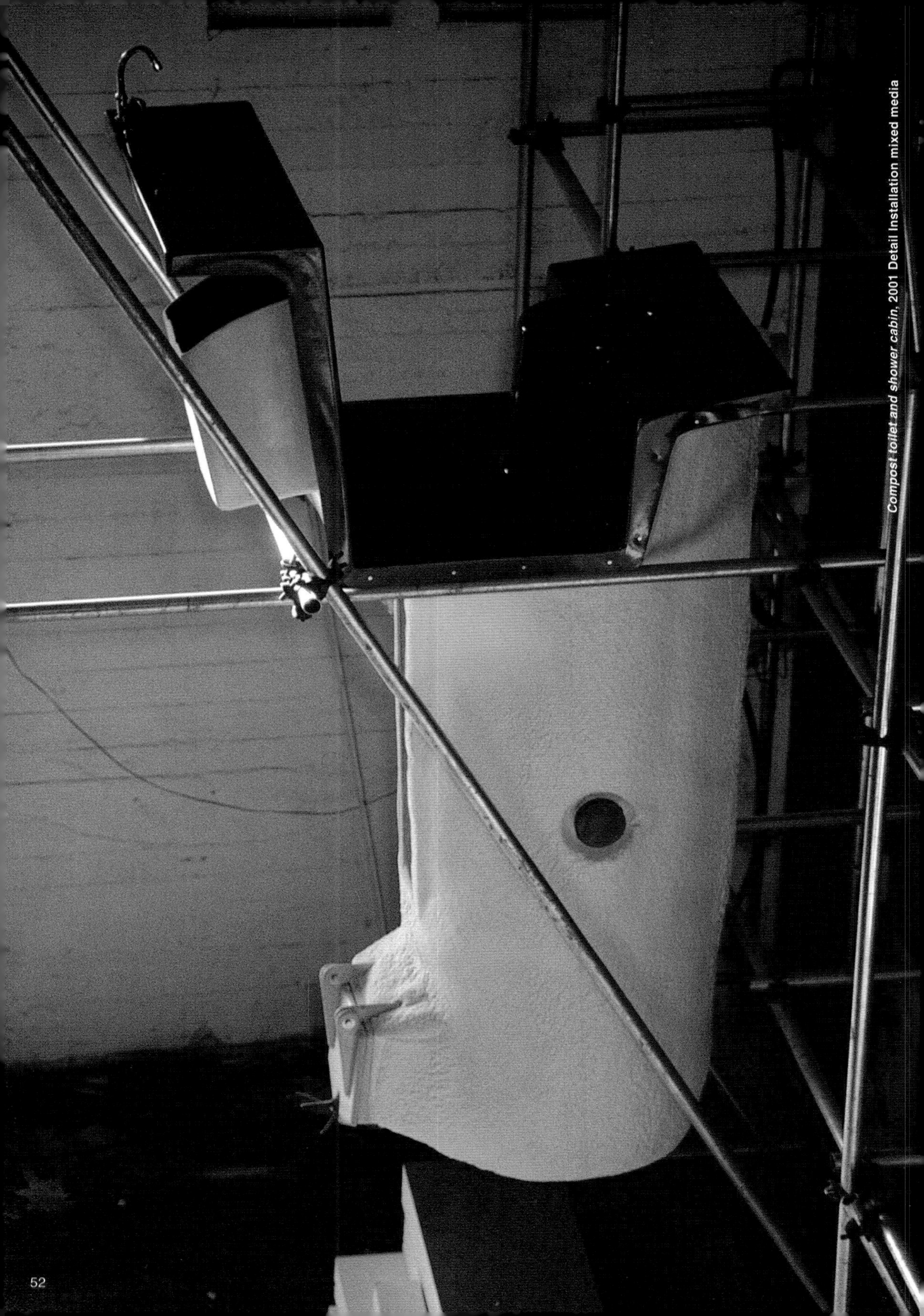

Compost toilet and shower cabin, 2001 Detail Installation mixed media

Compost toilet and shower cabin (cabina e bagno-doccia per compostaggio)
Come molte altre opere dell'Atelier van Lieshout, questa installazione è arte creata per un uso pratico. È arte per rendere la vita più piacevole e per tenere meglio in pugno la propria situazione in un mondo che sta diventando sempre più oppressivamente regolato. Questo bagno-doccia in poliestere allegramente colorato è dotato di due sistemi di riciclaggio biologico. L'acqua che esce dalla doccia viene purificata da un sistema di filtraggio a più stadi: attraverso un filtro a ghiaia raggiunge un contenitore con speciali piante (elofite) che decompongono gli ultimi prodotti di scarto. L'acqua che alla fine del processo si riversa in un secchio è cristallina e potabile. Nel gabinetto per compostaggio (dotato anche di uno specchio) le feci vengono decomposte in concime per le piante (*compost*). Contrariamente ad altri gabinetti per compostaggio esistenti, questo ha un sistema verticale che lo rende molto più facile da usare. Il gabinetto, che deve essere svuotato soltanto una volta all'anno, trasforma il processo di decomposizione in puro divertimento. La costruzione, come molti altri lavori dell'Atelier van Lieshout, è mobile. Può essere facilmente smontata e rapidamente riassemblata, e grazie alla sua precarietà può eludere molte regole e requisiti standard. Il fatto che si tratti di un'Opera d'Arte fa passare questi ultimi in secondo piano.
L'installazione è strettamente collegata ad altre opere infrastrutturali che l'Atelier van Lieshout sta realizzando per clienti privati e per AVL-Ville, il libero stato che l'Atelier sta costruendo a Rotterdam. AVL-Ville, finora la più grande opera realizzata dall'Atelier van Lieshout, è una piacevole miscela tra un santuario e un luogo d'arte che ospita molte creazioni nuove o già note dello stesso Atelier. Una caratteristica di AVL-Ville è che qui tutto è in continua evoluzione, il che non è possibile in un museo.
Dopo questa mostra, la combinazione bagno-doccia troverà presumibilmente una collocazione a AVL-Ville.
Ineke Schwartz

ATELIER VAN LIESHOUT HOLLAND

Compost Toilet and Shower Cabin
Similar to much other work by Atelier van Lieshout, this installation is art that has been created for practical use. It is art to make life more pleasant and to obtain a firmer grip on one's own situation in a world that is becoming over regulated in an increasingly oppressive way.
This shower-toilet combination of gaily-coloured polyester has two individual biological recycling systems. Water from the shower is purified via staggered filtering system: via a gravel filter it reaches a container with special plants (helophytes), which decompose the last waste products. When the water is finally collected in a bucket, it is crystal clear and can be used as drinking water. In the compost toilet (with looking glass), faeces are decomposed into potting compost. In contrast to existing compost toilets, this example has a vertical system, which makes it much simpler to use than the existing types. This toilet requires empting only once a year. It turns the decomposing process into sheer entertainment nature, can elude many rules and standard requirements. And, if these do apply, the fact that this object is a Work of Art makes almost anything possible.
This installation is closely linked to a number other infrastructural art works that AVL is currently building for special customers and for AVL-Ville, the free state that the Atelier is developing in Rotterdam. AVL-Ville, the largest work of art by Atelier van Lieshout up until the present, is a pleasant mixture between a sanctuary and an art site full of both new and already-known work by AVL. A special element is the fact that everything is in full progress – something that cannot be realised in museums.
After this exhibition, the shower-toilet combination may be assigned a place in AVL-Ville.
Ineke Schwartz

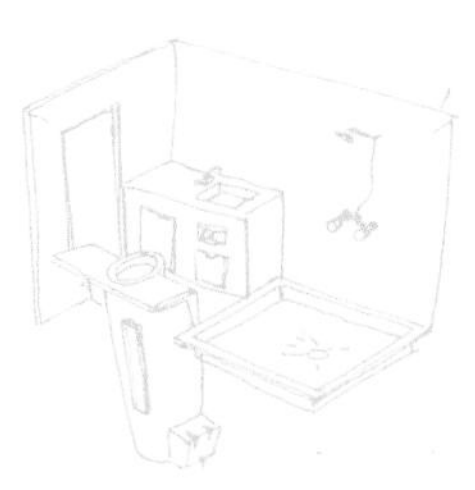

***Compost Toilet and shower cabin*, 2001**
Drawing by Joep van Lieshout

BRIGITTE AUBIGNAC FRANCE

Il lavoro di Brigitte Aubignac riflette la ricerca lenta e appassionata che quest'artista conduce, lontano dall'agitazione del mondo, nel suo atelier nel cuore della campagna della Dordogna. L'elaborazione di questi quadri, che sono quasi delle miniature, somiglia a un gioco di pazienza, dove il tempo si cancella a vantaggio della realizzazione della pittura che l'artista fa nascere dai pigmenti a olio, attraverso una lenta sovrapposizione delle velature e delle tinte che fanno emergere da una semioscurità dei rossi, dei gialli e dei bianchi che impongono la propria luce. Il tema delle opere presentate è Maria Maddalena, di cui l'artista rievoca episodi e scene della vita.
"Maria Maddalena ha deciso di ritirarsi.
È stata la prima di una lunga serie di mistici.
Ha scelto il silenzio per trascendere il fuoco della sua passione, immersa nella conoscenza di se stessa, fuori dal tempo".
È come se l'artista si autorappresentasse, "nel vigile raccoglimento di una vita semplice".
Dominique Stella

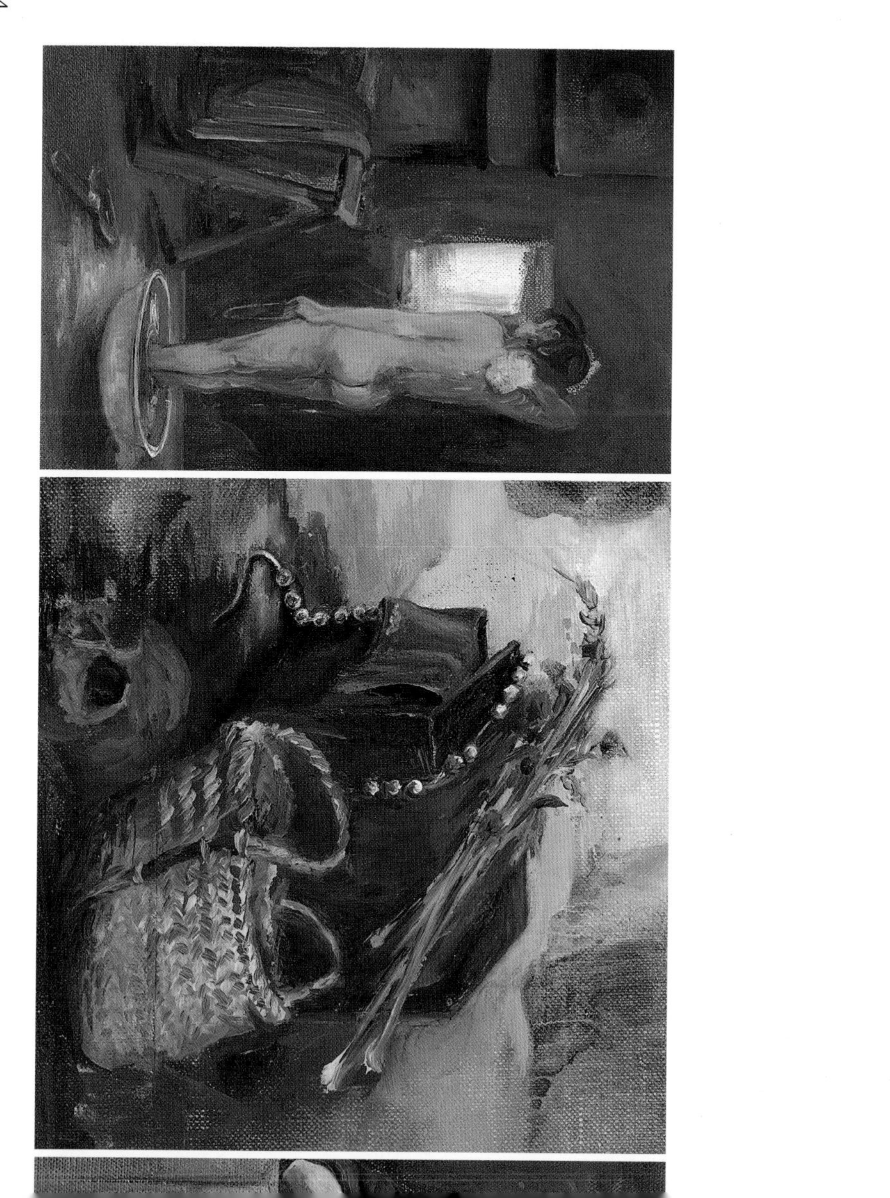

Brigitte Aubignac's work reflects the slow and passionate research that she conducts, far from the hustle and bustle of the world, in her atelier in the heart of the Dordogne countryside. The making of these pictures, which are almost miniatures, is like a game of patience, where the place of time is taken by the painting that the artist brings out of the oil pigments, through a slow overlapping of glazes and tints that makes reds, yellows and whites emerge from the semi-darkness and impose their own light. The subject of the works presented is Mary Magdalene and the artist commemorates episodes and scenes from her life. "Mary Magdalene has decided to withdraw, was the first of a long mystical series.
She chose silence to transcend the fire of passion, immersed in the knowledge of herself outside of time".
It is as if the artist were depicting herself, "in the attentive gathering up of a simple life".
Dominique Stella

***L'Eau Bienheureuse*, 1996**
Oil on canvas,16.7 × 11 cm

***La Prière*, 1996**
Oil on canvas, 12.3 × 12.6 cm

***Le Portrait*, 1996**
Oil on canvas, 14.5 × 13.6 cm

***Le Soir*, 1996**
Oil on canvas, 10 × 13.5 cm

Women at Work (*Donne al lavoro*) di Maja Bajević è stata realizzata nel 1999, quando Sarajevo era ancora deturpata dalle distruzioni della guerra ed erano in corso i lavori di ricostruzione. L'opera venne presentata su un'impalcatura eretta per il restauro della facciata della Galleria Nazionale di Sarajevo. Maja invitò cinque profughe a partecipare al progetto, ed esse passarono quotidianamente cinque ore per cinque giorni a ricamare motivi bosniaci tradizionali sulla rete di protezione della facciata. In questo modo l'artista fondeva diverse dualità. Maja dichiara di aver voluto integrare due storie differenti: quella che sta dietro i muri del museo e quella più recente, tragica, della Bosnia-Erzegovina; di aver voluto combinare la cultura "alta" immagazzinata dentro al museo con le arti e i mestieri tradizionali, e un'attività svolta per eccellenza dalle donne con un lavoro tipicamente maschile (ricamo/edilizia).
In genere, nelle opere d'arte, la cultura popolare è qualcosa che viene assorbito dalla cultura "alta", la più potente delle due. Nel lavoro di Maja, invece, la relazione fra questi due livelli di creatività è molto più alla pari. In una situazione in cui le profughe si sentivano relegate ai margini della società, l'opera d'arte consentiva loro di occupare il centro simbolico della società per almeno cinque giorni. Quando una parte della loro vita privata veniva proiettata nella sfera pubblica, non solo essa occupava un altro spazio e acquisiva di conseguenza – analogamente al ready-made – un contenuto diverso, artistico, ma lo stesso contesto artistico diventava essenzialmente contrassegnato dall'intrusione dell'Altro. Oltre al suo ruolo simbolico, l'arte svolgeva un ruolo prammatico completamente diverso e, per un breve periodo di tempo, la galleria si trasformava in un luogo di lavoro per donne disoccupate.
L'esperienza dell'Altro è uno dei fulcri principali della società globalizzante, ma al tempo stesso essa era violata dalle guerre nazionaliste nei Balcani. Almeno simbolicamente, l'opera di Maja reintegra questa esperienza come forza nuova e impulso creativo essenziale insito nell'Uomo che ci permette di costruire sulle rovine.
Zdenka Badovinac

Women at Work by Maja Bajević was created in 1999, when Sarajevo was still scarred by the ravages of war and fully-fledged restoration was underway. The work was presented on scaffolding set up for the renovation of the facade of the Sarajevo National Gallery. Maja invited five refugee women to participate in the project; they spent five hours a day for five days embroidering traditional Bosnian patterns on the net protecting the facade. In this way the artist merged different dualities. Maja says she wanted to integrate two different histories: the one kept behind the walls of the museum and the recent tragic history of Bosnia-Herzegovina. She combined the high culture stored behind the museum walls with traditional arts and crafts, and an activity typically carried out by women with men's work (embroidering and construction).
In works of art we usually encounter popular culture as something appropriated by high culture as the more powerful of the two. In Maja's work the relationship between these two levels of creativity is much more equal. In a situation where the refugee women felt pushed to the margins of society, the work of art made it possible for them to take hold of society's symbolic centre for at least five days. When part of their intimate life was shifted to the public sphere, it was not only that it occupied an other space, thus acquiring, in analogy to the ready-made, a different, artistic content; but also the artistic context itself became essentially marked by the intrusion of the other. In addition to its symbolic role, art played a completely different pragmatic role and, for a short period of time, the gallery turned into a workplace for jobless women. The experience of the Other is one of the main focuses of globalising society, which at the same time was trampled by the nationalist wars in the Balkans. Maja's work at least symbolically restores this experience as a new force and basic creative drive inherent to Man, which enables us to build on gutted ruins.
Zdenka Badovinac

MAJA BAJEVIĆ BOSNIA-HERZEGOVINA

Women at Work, 1999 Still from video projection

MIROSLAW BALKA POLAND

The Bath, 2000
Details
Installation mixed media,
various dimensions
Courtesy Miroslaw Balka

Miroslaw Balka è uno dei pochi artisti contemporanei la cui arte, che appassiona pubblico e critica, è diventata una "stella fissa" nel "mutevole panorama" delle attuali tendenze, colmando il vuoto tra gli anni novanta e il decennio precedente senza rinunciare per questo alla propria autenticità.
Balka si è rivelato con il progetto presentato per il diploma, *Remembrance of the First Holy Communion* (*Ricordo della Prima Comunione*) del 1985, che inaugura il suo primo periodo "figurativo".
Il ragazzo alle soglie della maturità, vittima passiva e sofferente di una "cerimonia religiosa", ha i lineamenti dell'artista. Balka, che ha proiettato nella santa comunione sia il trauma della cerimonia religiosa sia quello degli esami di diploma (entrambe situazioni imposte dall'esterno all'artista, il quale si trova a fronteggiare una sorta di commissione cui spettano importanti decisioni sulla sua vita), definisce l'opera come "un commento realistico su eventi della mia vita, esperienze profondamente sentite".
L'enfasi sull'esperienza personale è la chiave di volta non soltanto di quest'opera ma anche delle successive. Alcune sue sculture figurative, tematicamente ispirate alle storie dei martiri, come *St. Wojciech* (*Sant'Adalberto*) sono talvolta interpretate come una protesta contro la Chiesa cattolica, ma Balka ha sempre sottolineato la propria identificazione con le sofferenze e le punizioni dei martiri. "In ognuno di questi santi vedo qualcosa di me stesso… in *St. Wojciech* sono io a essere punito".

Alla fine degli anni ottanta Balka realizza opere come *River* (*Fiume*) e *When He Wet the Bed* (*Quando lui bagnò il letto*), che segnano il distacco da una concezione "realisticamente" figurativa. La figura umana viene gradualmente sostituita da oggetti strettamente connessi alla vita e alla morte dell'uomo, come una bara, un letto o un patibolo, che segnalano indirettamente, ma molto suggestivamente, la presenza umana. Nelle sue installazioni l'artista utilizza sempre materiali "organici" quali sale, feltro, sapone e cenere, oggetti ordinari di uso comune che nella sua opera si trasformano in tracce enigmatiche (per esempio, il sapone per pulire il neonato dopo la nascita e il cadavere dopo la morte), che ci ricordano la vulnerabilità e la finitezza della nostra esistenza.
Anche se i suoi oggetti in legno e acciaio degli anni novanta (*Dawn*, *Ramp*) sembrano derivati dall'estetica minimalista, ne differiscono per l'accento che l'artista pone sul loro contenuto. Sotto il freddo e trattenuto minimalismo geometrico, Balka continua a intrattenere un dialogo personale con il proprio passato.
Egli "personalizza" le proprie installazioni usando le sue stesse misure corporee (che talvolta inserisce anche nel titolo dell'opera) e, attraverso le applicazioni di singoli oggetti specifici (pavimento, piastrelle) ispirati dalla casa di Otwock, nei pressi di Varsavia, dove ha trascorso l'infanzia e che ora usa come atelier, introduce elementi della propria "mitologia personale".
Olga Malá

Miroslaw Balka is one of the few contemporary artists whose art, attracting an unheard-of interest of both the public and professional critics, has become a "fixed star" in the "changeable space" of topical trends and without the loss of internal authenticity was able to continuously bridge the visual gap between the 1980s and the 1990s.
Balka made his presence felt by his diploma project *Remembrance of the First Holy Communion* of 1985, which opens his first so-called "figural" period. The figure representing a boy at the verge of maturity, who is a passive and suffering victim of a "religious ceremony", bears autobiographic features of the artist. Balka, who projected into the holy communion both the trauma of the religious ceremony and that of the diploma examination (related situations imposed on him from outside when he had to stand before a kind of commission deciding about important issues of his life), refers to this work as "a realistic commentary on events from my life, very deeply felt experience". In this emphasis on personal experience there is the key not only to this one, but also later works by Balka. Some of his figural sculptures, thematically inspired by martyr stories such as *St. Wojciech* (St. Adalbert), are sometimes interpreted as a protest against Catholic Church, but Balka himself has always stressed out above all his own identification with the suffering and punishment of the martyr: "In each of these saints in some way I saw something of myself – in *St. Wojciech* it was me who was being punished". At the end of the 1980s, works such as *River* and *When He Wet the Bed* came into being, marking Balka's departure from his hitherto "realistically" figural concept. The human figure has gradually been replaced by items signaling the human existence indirectly, albeit all the more suggestively, through items inseparably connected with the life and the death of man such as a coffin, a bed, as well as the gallows. In his installations, Balka continually uses "organic" materials consisting of salt, felt, soap, ashes, which are ordinary items of everyday use, but in Balka's oeuvre they have become enigmatic traces (for example, the soap for cleaning after the birth and the last cleaning after the death) bringing tidings of vulnerability and inevitable finiteness of our existence.
Although Balka's objects of the 1990s made above all of wood and steel (*Dawn*, *Ramp*) seem by their external appearance to be influenced by minimalist aesthetics, they differ from it by emphasis on the content. Under the cold and restrained clothing of geometric minimalist forms, Balka's highly personal dialog with his own past takes place. The autobiographic moment is present all the time. The artist "personalises" his installation by using his own body measurements (which he sometimes incorporates into the very title of the work). Through dimensions and applications of individual specific elements (floor, crooks, tiles), inspired by the house in Otwock near Warsaw in which he spent his childhood and which he now uses as his studio, introducing elements of his "personal mythology".

JOËL BARTOLOMÉO FRANCE

I video di Joël Bartoloméo ci mostrano le esperienze del vissuto, sono delle rappresentazioni della vita di tutti i giorni, come indicano i titoli delle sue sequenze: "le esperienze del *palais de la découverte*", "piccole scene della vita ordinaria", "i grandi momenti della vita in famiglia"... Tuttavia, dai suoi primi video del 1991, dove rappresentava se stesso o la sua cerchia familiare, fino alle realizzazioni recenti sul suo ambiente sociale, la qualità del lavoro di Joël Bartoloméo si misura con la coerenza della sua evoluzione. In effetti egli sembra attraversare, secondo una logica contemporaneamente cronologica e naturale, i generi e i registri della scrittura filmica, dal primo piano al campo lungo, da un cinema primitivo a rappresentazioni più elaborate, con personaggi per i quali crea delle mini-sceneggiature, un'inquadratura e un montaggio. È a quest'ultimo tipo che appartiene il soggetto di "operazione seduzione", che rappresenta l'approccio messo in atto dall'artista, timido, per sedurre una ragazza, artista e pugile. "Avevo voglia di avere un contatto con quella ragazza", dice, "le ho chiesto di darmi un pugno". Questo film trasmette l'atmosfera, il contatto fisico. Rende palpabile quel che entra in gioco tra l'artista, riparato dietro la sua telecamera, e quella ragazza di cui si percepisce il pugno.Gioco di seduzione, contatto. Bartoloméo esplora la sensazione trasmessa attraverso l'onnipresenza del colore rosso, espressione del desiderio. Questa esplosione di sensualità e il ritmo del respiro e degli scoppi di risa, sottolineato da un montaggio rapido e spezzato, trasmettono l'emozione erotica dell'istante.
Dominique Stella

***Opération Séduction*, 1999**
Still from video projection
Courtesy Galerie
Alain Gutharc, Paris

Joël Bartoloméo's videos show us experiences of life, they are depictions of everyday life, as the titles of the sequences indicate: "the experiences of the palais de la découverte", "little scenes of everyday life", "the big moments in family life"...
However, since his first videos in 1991, where he depicted himself or his family circle, up to his most recent creations in his social environment, the measure of the quality of Joël Bartoloméo's work is seen in the consistency of its development. He actually seems to be going through the genres and registers of film writing, following a logic which is at the same time both natural and chronological, from close-ups to long shots, from primitive cinema to more elaborate creations, with characters for whom he creates mini-screenplays, a sequence and editing. It is to this last type that the subject "operation seduction" belongs, which depicts the timid approach employed by the artist to seduce a girl, an artist and woman boxer. "I wanted to have contact with that girl," he said, "I asked her to give me a punch". This film transmits the atmosphere, the physical contact. What comes into play between the artist, sheltered behind his video camera, and that girl, whose punch is perceived, becomes palpable. It is a game of seduction, of contact. Bartoloméo explores the sensation transmitted through the omnipresence of the colour red, an expression of desire. This explosion of sensuality and the rhythm of the breathing and the bursts of laughter underlined by the rapid and broken effect of the editing, transmit the erotic emotion of the instant.
Dominique Stella

ROLF BIER GERMANY

La pittura, la scultura e la fotografia sono gli ambiti in cui si muove questo artista, che è più un ricercatore che un pittore, scultore o fotografo. Tutte le immagini e le situazioni si compongono di svariati elementi, come preziosi cristalli nella pittura, anelli di gomma nella fotografia, coperte, cartone, Styrofoam, nastro adesivo, pietra, giornali e riviste nelle sculture. Le tre arti creano uno spazio comune di informazioni diverse, uno spazio che le riunisce tutte in una struttura comune. Bier si aspetta che l'osservatore, nel guardare e seguire l'informazione visiva di tutti gli elementi, si costruisca una nuova immagine, non predeterminata. L'artista parla della qualità artificiale dell'arte nel fare arte. Non c'è contraddizione in questo processo aperto che include l'osservatore come elemento necessario.

Ulrich Krempel

Painting, sculpture and photography are the media of this artist, who is in all these fields more likely a researcher than painter, photographer or sculptor. All images and situations are composed of different elements, like the precious crystals in his painting, a face and rubber rings in his photography, blankets, cardboard, Styrofoam, tape, stone, newspapers and magazines in his sculpture. All three units create a common space of diverse information, a space that unites all information into a common spacial structure. Bier wishes us to construct in regarding and following the visual information of all the elements a new image, free of predetermination and narrow guidance. Bier talks about the artificial quality of art in doing art. There is no contradiction in that it is just an open process that includes the viewer as a necessary element.

Ulrich Krempel

***Installation view Kunstverein Hannover*, 1999**
Installation mixed media

***Pulse - Human Version*, 1999**
Photograph, 208 × 150 cm

***Bunte Steine*, 2000**
Acrylic on canvas, 65 × 85 cm

***Domino*, 1997-1999**
Installation mixed media, 40 × 342 × 175 cm

RICHARD BILLINGHAM GREAT BRITAIN

Il lavoro di Richard Billingham costituisce un affascinante ritratto della sua vita familiare, insieme tenero, meravigliosamente divertente e malinconico. Riguarda essenzialmente l'impossibilità di colmare i divari, sia temporali che emozionali, e un desiderio più che umano di fuga.
Gli affollati interni rappresentati nella più famosa serie di fotografie di Billingham (1994-1995) costituiscono la scena in cui si svolge un dramma domestico imperniato essenzialmente sulla difficile situazione di Ray, il padre dell'artista, uomo brillante, spiritoso e divertente, ma anche rimasto a lungo senza un impiego e accanito bevitore. Ray ha molto in comune con i suoi due figli, Richard e Jason, compreso un piglio giovanile, ma i quarant'anni che li separano fanno una bella differenza. Ed è soprattutto per dimenticare questo che beve.
L'irreversibile trascorrere del tempo, e il concomitante incombere della morte, sono temi ricorrenti nel lavoro di Billingham. Le sue più recenti fotografie, scattate nella cittadina di Cradley Heath nelle Midlands britanniche, mostrano luoghi che gli si sono stampati nella memoria fin dall'infanzia. La loro atmosfera spoglia rafforza il senso di disperazione provato nel tentativo proustiano di riappropriarsi del passato.
Playstation, una videoproiezione, inquadra in primo piano le mani di Jason impegnato in un gioco al computer. Le sue dita macchiate di nicotina si muovono frenetiche (ed eroticizzate) per provocare o evitare la catastrofe in una guerra virtuale, a noi invisibile. Il gioco fornisce una possibilità di fuga dall'immediata situazione familiare. Accade in un mondo irraggiungibile quanto l'infanzia di Billingham, l'epoca in cui Ray aveva un impiego e il bere non esigeva un pedaggio così pesante.
Jonathan Watkins

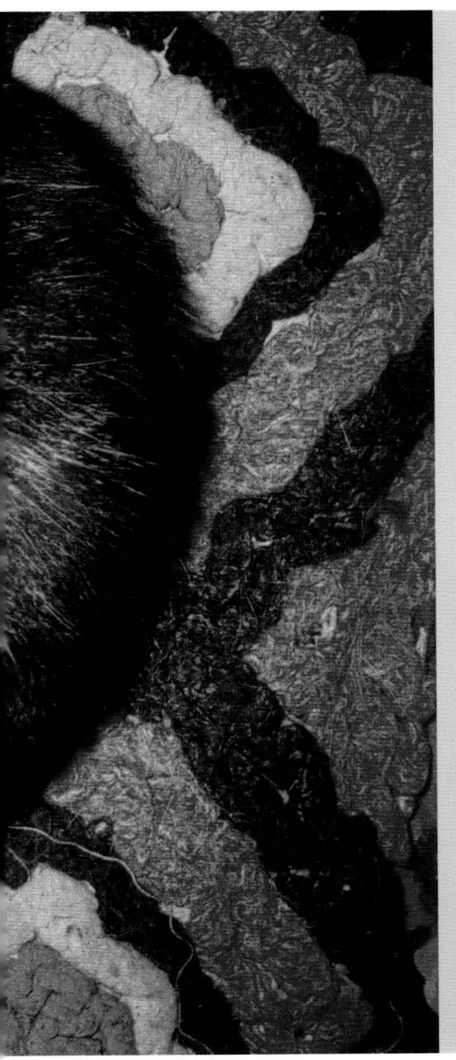

Richard Billingham's work constitutes a fascinating portrait of his family life, at once tender, wonderfully funny and melancholic. It is concerned essentially with the impossibility of closing gaps, both temporal and emotional, and an all-too-human desire for escape.
The crowded interiors depicted in Billingham's most famous series of photographs (1994-1995) provide the setting for a domestic drama. This, essentially, revolves around the predicament of Ray, the artist's father. He is a bright, wry and funny man – also long-term unemployed and drinking too much. He has much in common with his two sons, Richard and Jason, including a laddish impulse, but the difference that forty years makes clear. Above all, he drinks to forget this.
The irreversible passing of time, and concomitant mortality, is a major theme in Billingham's work. His more recent photographs, taken in the British Midlands town Cradley Heath, depict places that have been stuck in his memory since childhood. Their blankness reinforces a sense of hopelessness in a Proustian attempt to apprehend the past.

Playstation, a video projection, focuses close-up on Jason's hands as he plays a computer game. The fingers, bitten and nicotine-stained, are frantic (and eroticised) in moves to wreak or avert disaster in a virtual – to us, invisible – war game. The game provides escape from the family's immediate circumstances.
It happens in a world which is as unreachable as Billingham's boyhood, the time when Ray had a job and drinking didn't take such a toll.
Jonathan Watkins

***Untitled (Coiled Cat)*, 1995**
C-print on aluminium,
50 × 75 × 2,5 cm
Courtesy Anthony Reynolds Gallery, London

***Untitled (Jason Eating)*, 1995**
C-print on aluminium,
158 × 105 × 2,5 cm
Courtesy Anthony Reynolds Gallery, London

***Untitled (Jigsaw)*, 1995**
C-print on aluminium,
120 × 80 × 2,5 cm
Courtesy Anthony Reynolds Gallery, London

Ray, 2000 C-print, 122 × 155 cm Courtesy Ars Futura Galerie, Zurich

OLAF BREUNING SWITZERLAND

King (Re), 2000

Le opere di Olaf Breuning sono macchine di inversione. Al primo impatto esse provocano nell'osservatore un misto di imbarazzo, vergogna ed eccitazione. L'imbarazzo è destato dalla dubbia qualità della confezione (trucchi fatti in casa, scenografie artigianali, illuminazione troppo forte, pose impacciate). La vergogna è per la situazione in cui sono messi gli uomini e le donne ritratti. E tuttavia, queste opere provocano anche una strana eccitazione.

L'installazione *King* consta di un'antica armatura crollata sul pavimento, come se fosse appena tornata da una battaglia, con in pugno una torcia elettrica puntata a caso contro la parete.

Il video narra una storia che si svolge a cavallo tra la cultura trash contemporanea e la cultura "alta" del passato. È una storia costellata di simboli e codici e disseminata di tatuaggi e lattine di birra.

È questo l'universo di Breuning: una totale trasparenza di simulazione ottenuta miscelando i codici estetici di stili, attitudini e culture diverse. Non esiste verità e non esiste realtà. Esiste soltanto l'ambivalenza. Lo stile sovrabbondante di Olaf Breuning è una strategia volta al rifiuto totale della sutura. Una strategia che sbeffeggia il sistema di produzione cinematografica, hollywoodiano o indipendente che sia. Ed è a questo punto che si produce l'inversione e la vergogna si muta in eccitazione. Le opere di Olaf Breuning possono essere viste come un archivio di punti di vista sulla realtà. Al tempo stesso, la sua fascinazione per gli aspetti più squallidi della produzione artistica si inscrive in una ricerca su ciò che distingue l'arte dal "mondo reale". Ciò che mi serve vedere è un film di Olaf Breuning in programma nel cinema dietro l'angolo

Michelle Nicol

King, 2000

Olaf Breuning's artistic products are inversion machines. Remember the first time you gazed at an Olaf Breuning. Your feelings transcending between embarrassment, shame and excitement. You felt embarrassment because of the dubious quality of the work (homemade make-up, cheap props, too luminous lighting, akward posing). You felt shame for the portrayed men and women for being put in such a situation. And yet you felt excitement.

Installation *King*: An old fashioned armor is laying on the floor, as if he had just returned from a battle and then collapsed right there. He is carrying a Beamer which randomly is directed to the wall.

The video: it tells a story taking place between contemporary trash culture and historic high culture. It is a story full of hinting symbols and suggestive codes. Full of tattoos and beer cans.

This is the Breuning universe: total transparency of simulation whilst mixing the aesthetic codes of styles, attitudes and cultures. There is no truth and no reality. Only ambivalence. Olaf Breuning's precise style of embarrassment is a strategy towards the total neglect of suture. A strategy that laughs in the face of the filmic production system. Be it the traditional Hollywood or any independant system. And here is where the inversion sets in and the former shame turns to excitement.

Olaf Breuning's work can be seen as an archive of different views on reality. At the same time there is a glam-trash quality about the work which comes from a fascination with the seedier sides of artistic productions. In that sense Breuning's attempts are also about the production of art and what makes it different to "real world" productions. What I need to see, is an Olaf Breuning movie running in a theatre near you.

Michelle Nicol

Alexander Brodsky ha fatto il suo ingresso sulla scena artistica a metà degli anni ottanta, insieme ai suoi colleghi architetti che all'epoca non erano in grado di soddisfare le loro ambizioni professionali e che investivano il loro talento nella creazione di progetti architettonici in prevalenza visionari, anche se alcuni di essi hanno vinto premi in vari concorsi internazionali. I critici specializzati definivano questi lavori "architettura su carta". La progettazione nell'ambito di un discorso visionario ben delimitato rendeva inevitabilmente popolari lo scetticismo e l'ironia

ALEXANDER BRODSKY RUSSIA

dell'antiutopia fiorita sul fertile terreno della realtà russa. Per tutti gli anni novanta Brodsky ha lavorato come architetto, designer e creatore di arte pubblica, al contempo esponendo con successo le sue suggestive installazioni in varie mostre. Queste installazioni, compresa quella visibile nella presente esposizione, possiedono un sapore arcaico e di decadenza, fondono il pathos della distruzione e dell'archeologia con una poetica che va controcorrente e che è quella coltivata dall'artista. Secondo la critica russa Olga Kabanova, "tutto ciò che Brodsky ha fatto rientra nell'arte contemporanea che risolve i problemi filosofici della società affrontandoli nell'immediato, quella società che da tempo ha cessato di credere nel progresso, ha realizzato l'ignoranza del pensiero ateo e ambientale ed è caduta in un coma, un blocco pericoloso, in equilibrio tra la vita e la morte".
Leonid A. Bazhanov

***Coma*, 2000-2001**
Installation mixed media,
290 × 800 × 400 cm
The project has been realised with the partnership of the Marat Guelman Galerja, Moscow

Alexander Brodsky entered Moscow's artistic stage in the mid-1980s, together with his colleagues – architects, who at that time were unable to satisfy their professional ambitions and spent their talent on creating the architectural projects that were for the most part visionary, but frequently won awards at various international contests. Professional critics referred to these works as "paper architecture". Designing within a localized visionary discourse inevitably made popular the skepticism and irony of anti-utopia, which flourished on the fruitful soil of the Russian reality. Throughout the 1990s, Brodsky worked as an architect, designer, and a creator of public art, being at the same time a successful participant at exhibitions, where he showed his impressive installations. Brodsky's installations, including the one presented at this exhibition, possess a flavour of archaics and decay, blending a pathos of destruction and archeology with poetics that opposes the mainstream and is cultivated by Brodsky. According to Olga Kabanova, a Russian critic, "Everything that has been done by Brodsky is the fact of actual contemporary art that solves the very philosophical problems of the society in facing right now, the society which has long ago ceased to believe in progress and realised the ignorance of atheistic and environmental thinking and found itself in a coma, a dangerous block, balancing between life and death".
Leonid A. Bazhanov

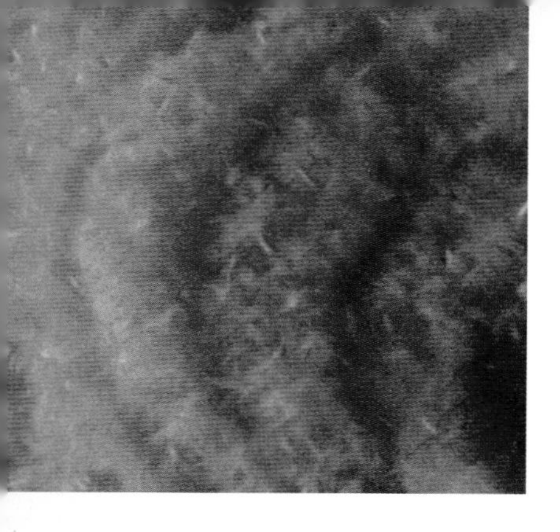

Veronika Bromová è tra i protagonisti della "new wave" dell'arte ceca, la dinamica generazione di giovani artisti degli anni novanta che ha riscosso notevoli successi sia in patria, sia all'estero. I codici visivi e semantici delle loro opere sono parte integrante dei temi contemporanei dell'arte europea, ma al tempo stesso il loro lavoro ha un forte carattere individuale e rispecchia la singolare esperienza del *genius loci* ceco.
La seconda metà degli anni novanta ha segnato la rapida ascesa della Bromová tra gli artisti della sua generazione, e in particolare tra i suoi numerosi esponenti femminili.
Veronika Bromová è una pioniera nel campo della fotografia digitale nella Repubblica Ceca. Nel 1996 ha destato l'attenzione di pubblico e critica con una serie di fotografie di grande formato intitolata *Views* (*Vedute*), in cui esprime apertamente temi sessuali e femministi attraverso

VERONIKA BROMOVÁ CZECH REPUBLIC

provocatorie sezioni trasversali anatomiche. La computer art della Bromová, da lei definita come "dipinti non dipinti", rivela un tema figurativo ricorrente nella sua opera, dove i modelli sono persone vicine a lei e soprattutto lei stessa.
Le sue installazioni si basano su un efficace contrasto tra varie forme di fotografia e oggetti spaziali specifici il cui significato e il cui senso si integrano a vicenda. L'opera esposta a Milano, *Beauty and the Beast* (*La Bella e la Bestia*), è un oggetto fatto di piume, una sorta di "bozzolo diabolico", che sviluppa il tema della sua installazione ZEMZOO, esposta al padiglione ceco dell'ultima Biennale di Venezia: un bianco oggetto cinetico raffigurante un "orso di piume" accompagnato da fotografie del corpo legato dell'artista e da un video del Central Park di New York. Riflessione sugli errori di identità e sui confini tra libertà e prigionia, l'installazione esplora i rapporti tra mondo umano e mondo animale, così infinitamente lontani eppure così vicini, consentendo all'osservatore di invertirne i rispettivi ruoli. Come nell'installazione *Beauty and the Beast* e nel progetto *Metamorphosis*, anche qui non mancano i riferimenti al lavoro precedente della Bromová, che ci presenta la carnalità umana nei suoi vari aspetti senza i tabù che l'avvolgono. La prima preoccupazione dell'artista è la negazione dei pregiudizi contro le altre razze, contro le donne e, su un altro livello, contro le avversioni derivanti dalla "diversità" e dagli inalterabili limiti biologici dell'uomo.
Olga Malá

***Beauty and the Beast*, 1997**
Installation mixed media
Cocoon, kinetic object, 230 × ø 90 cm,
c-print, 105 × 140 cm

Veronika Bromová ranks among the protagonists of the "new wave" in Czech art, the dynamic generation of the 1990s. These young artists have already gained considerable acclaim both domestically and abroad. The visual and semantic codes of their works are an integral part of contemporary themes in European art, yet at the same time their works retain a strong force of individual expression, and reflect the singular experience of the Czech *genius loci*. The second half of the 1990s has seen a steep ascent of Bromová both in the context of her generation as a whole, and in its particularly powerful female core. Bromová is a pioneer in the field of computer photography in the Czech Republic. She attracted a lot of attention in 1996 by a series of large-scale photographs entitled *Views*, in which she openly manifested sexual and feminist themes in irritating anatomic cross sections. The artist's computer art, which she describes as "unpainted paintings", demonstrates her preoccupation with a figurative theme, her favourite models are people close to her but predominantly herself. Her installations are based on an effective contrast of various forms of photography and individual spacial objects which complement one another in terms of their meaning and sense. Her work to be exhibited in Milan, *Beauty and the Beast*, consists of an object made of feathers reminiscent of a "devilish cocoon" and in a sense it follows from the installation *ZEMZOO* which was on display in the Czech and Slovak pavilion at the last Venice Biennale comprising a white kinetic object of a "feather bear" accompanied by photographs of the artist's own bound body and a video record from New York's Central Park. The concept of this work relating to mistaken identities and undermining the accepted boundaries between freedom and bondage further examines the specific relationship between the human and animal worlds, so infinitely remote yet sufficiently close, and offers the possibility of the switching of their roles. Just as in the installation *Beauty and the Beast* and her upcoming project Metamorphosis, we find here connections to Bromová's previous work – the presentation of human carnality and its various aspects observed without their widespread taboos. The artist is primarily concerned with the negation of prejudice against other races, women, and, on another level, also against aversions resulting from human "otherness" and unalterable biological determination.

Olga Malá

Le opere video richiedono inevitabilmente tempo per comunicare l'informazione audiovisiva allo spettatore. E poiché anch'esse si svolgono nel tempo, ci si aspetta una sorta di sviluppo, un'evoluzione o addirittura una narrazione. Non è soltanto quando apprendiamo che l'artista è entrata in contatto con gli assiomi dello strutturalismo fin dagli studi universitari negli anni ottanta che ci aspettiamo dalla sua opera uno stile narrativo disseminato di esperienze private o reminiscenze rivelatorie... e nemmeno quando, come a una recente mostra alla Galerie Nelson di Parigi, ci si trova davanti a pareti interamente coperte d'immagini di prostitute, frutto di una triplice proiezione.
Burki mostra poca predilezione per l'estetica dell'autoespressione, la rivelazione o l'illuminazione, concentrando piuttosto il suo interesse in una personale ricerca sulla "narrazione". Nelle opere in cui utilizza il linguaggio o brani dagli scritti di Diderot o La Fontaine, la narrazione non implica però allestire per l'osservatore il dramma dell'estraneo e del non familiare su un palcoscenico che ha sempre separato lo spettatore, come un ricettore passivo, dalla vitalità inscenata dagli attori.
Le sue opere attraggono *ripetutamente* la nostra attenzione, come se volessero insegnarci qualcosa sul mondo e sulla vita, qualcosa che inevitabilmente dimenticheremo quando il nostro mondo e la nostra vita si saranno depositati nella nostra memoria. Continuiamo a guardare le sue opere perché destano in noi qualcosa, non perché sappiamo, dato che non ne conserviamo memoria. I racconti di Burki sono costruiti per non essere dimenticati. Da questo punto di vista non funzionano come le immagini della cultura dell'intrattenimento visivo, che trovano la loro

Works in the medium of video inevitably demand time to convey the audiovisual information to the viewer. And since all this takes place in time, one comes to expect some kind of development, evolution or even narration. It is not only when we take into account that the artist has been familiar with the axioms of structuralism since her university studies during the 1980s, that we can expect of her work a narrative style filled with private experiences or revelatory reminiscences – not even when, as in a recent exhibition in the Paris Galerie Nelson, prostitutes confronted the viewer with their presence on three projections covering entire walls.
The artist shows little fondness for aesthetics of self-expression, revelation or enlightenment. In view of her works, everyone will understand this immediately. Burki does, however, obviously make a study of "narrative". She has been making a study of this for a long time. But in her many works which directly use language or even excerpts from the writings of Diderot or La Fontaine, narrative does not mean putting on for the viewer the drama of the foreign and the unfamiliar, on a stage which has always superated the viewer, as an uninvolved receiver, from a staged, merely attitudinising vitality.
Would we turn our attention to her works *repeatedly*, if the artist showed an intention of teaching us about the world and about life in such a way that, once our world and our life were stored away in our memory, we would inevitably have to forget them? We keep looking at these works because we experience something, not because we know – for we do not remember. Burki's narratives are, precisely, not intended for our future forgetting. From this point of view, they do not function like the images in the culture

MARIE JOSÉ BURKI BELGIUM, FLEMISH COMMUNITY

***A Dog in my Mind*, 1997**
Video installation
Installation views

raison d'être nell'essere dimenticate il più rapidamente possibile. È forse un tratto tipicamente umano, quello di essere sempre dimenticati, ma non è questo che conta nelle opere di Burki. Esse non intendono assolutamente sostituire con mezzi artificiali ciò che esiste con mezzi naturali. In altre parole, non confermano ciò che è già noto.
Questo intento è reso esplicito nel video del 1989 *Volume*, in cui le pagine di un dizionario sono sfogliate avanti e indietro da una mano invisibile e la loro corporeità è amplificata dal rumore stridulo della carta che promette un sempre rimandato contatto diretto e un accesso immediato alla conoscenza.
O in *Les Chiens* (1994), in cui un cucciolo bastardo ascolta imperterrito una voce umana che sciorina un lungo elenco di nomi di razze, per nulla impressionato dalla mania classificatoria degli uomini.
L'opera di Burki non trasforma prematuramente fresche percezioni in ricordi morti. Né svilisce l'esperienza individuale tramutandola in una proprietà anonima destinata a essere assorbita e prodotta in serie dall'ottuso mercato di una società affamata di sensazioni.
Le immagini e i suoni con i quali l'artista intesse i suoi racconti non ci sono estranei ma familiari per esperienza. Non ci pongono domande esclusive e non ci consentono di appropriarcene o di assimilarli completamente.
Da un lato non ci permettono di ricordare, dall'altro invece ci fanno dimenticare.
E impedendoci di ripeterci, ci consentono di esistere.
Dall'intervento di Daniel Kurjacovic all'inaugurazione della mostra di Marie José Burki al Kunstverein, Salisburgo, 18 giugno 1997

of visual entertainment, which virtually find their *raison d'être* in being forgotten again as quickly as possible. It is probably a human trait, that we are always forgotten, but this is not what counts in these works. On no account are they intended to replace by artificial means anything in existence that takes place by natural means.
In other words, these works do not confirm what is already known. This is made clear by the 1989 video *Volume*, in which the pages of a tightly-packed lexicon are turned back and forth by an invisible hand, their corporeality enhanced by a harsh sound promising direct contact and immediate access to knowledge, which is, however, constantly delayed. Or *Les Chiens* (1994), in which a mongrel pup submits unmoved to a male voice spouting a stream of breed names, not in the least impressed by the human mania for classification. Thus we can understand that Burki's works do not turn fresh perceptions prematurely into dead memories. They do not debase individual experience to the level of anonymous property destined to be absorbed as a mass-produced article by the blunted market of sensation-hungry society. The images and sounds with which Marie José Burki weaves her narratives are not in themselves foreign and unfamiliar, but familiar from experience. However, they are neither of a kind that make exclusive demands on us, not are they of a kind that we can appropriate or completely assimilate. On the one hand, they do not allow us to remember, on the other hand they make us forget. That is, they allow us to exist, because they do not allow us to repeat ourselves.
Part of an Adress given by Daniel Kurjacovic on the opening of the exhibition by Marie José Burki at the Kunstverein Salzburg, June 18, 1997

Il romanticismo è il punto di riferimento di base a partire dal quale è possibile tentare un approccio generale e astratto all'opera di Gerardo Burmester. Chiaramente, però, ogni volta che oggi si pronuncia la parola "romanticismo" bisogna subito passare ad analizzare i molti filtri e cambiamenti di enfasi grazie ai quali (e, davvero, *solo* grazie ai quali) questo tipo di riferimento può continuare ad avere un senso.

Gerardo Burmester è un artista che nella pratica dell'arte attinge al suo senso di insormontabile nostalgia e alla sua altrettanto insormontabile consapevolezza dell'impossibilità di aggiornare gli ideali di bellezza ed emozione insiti nell'idea romantica, nei termini in cui l'abbiamo appena descritta, o dell'impossibilità di renderli reali, effettivi e vitali.

Gerardo Burmester vorrebbe essere un artista con la A maiuscola, secondo il buon vecchio stile romantico. Della libertà eroica degli artisti romantici Burmester conserva per esempio la disinvoltura con cui manipola e varia stili e linguaggi, a seconda di come l'ispira la fantasia, e senza essere sempre attento, o disattento, alle circostanze. Ma Burmester sa che l'atteggiamento pubblico che questo particolare modello d'artista implica è oggigiorno quasi impossibile da sostenere e che, in ogni caso, comporterebbe rischi che sono incompatibili con l'istinto a difendere la privacy di un atto creativo, un aspetto che egli considera altrettanto essenziale.

Vuole che la sua opera sia finita prima che lui finisca il suo lavoro volto a produrre un senso di illusione totale, che potrebbe essere la realizzazione di un'immagine di maggiore perfezione ma anche una rivelazione di maggiore vulnerabilità.

Alexandre Melo

***Sobre o Desenho II*, 1994**
Sculpture, 80 × 275 × 170 cm

Romanticism is the basic reference point from which it is possible to attempt a general and abstract approach to Gerardo Burmester's work. But clearly, whenever the word romanticism is evoked nowadays, we immediately have to begin by analysing the many filters and shifts of emphasis through which (and indeed only through which) such a reference can continue to make any sense.
Gerardo Burmester has based his attitude and experience as an artist on his sense of an insurmountable nostalgia and his equally insurmountable awareness of the impossibility of updating the ideals of beauty and emotion inherent in the romantic ideal, in the terms in which we defined it earlier, or the impossibility of making these ideals real, effective and vital.
Gerardo Burmester would like to be an artist with a capital A, in the good old-fashioned romantic style. He does, for example, retain from the heroic freedom of such an artist the freedom with which he manipulates and varies styles and languages at the whim of a free will that is not always mindful, or unmindful, of circumstances. But Burmester knows that the public stance implied by this particular model of the artist is nowadays almost impossible to maintain and that it would, in any case, involve risks that are incompatible with an instinct for defending the privacy of the creative act, something which he also considers to be essential.
He wants his work to finish before he himself finishes the work of producing a sense of total illusion, which might be the realisation of a greater image of perfection, but would also be a revelation of greater vulnerability.
Alexandre Melo

GERARDO BURMESTER PORTUGAL

PEDRO CABRITA REIS PORTUGAL

Le città sono diventate cieche perché non sono più città. Non hanno né ingressi né uscite. Né inizio né fine. Le porte sono porte. Sono oggetti, oggetti dipinti. Sono pittura e scultura (*Gates*, *Porte*). Occupano un proprio posto nello spazio, ma non vi si può entrare né uscire per andare altrove. Perché non c'è nessun altro posto dove andare. Siamo nell'unico posto esistente, che è il mondo. E le opere d'arte si possono trovare anche nel mondo. Le finestre sono finestre. Non sono aperture attraverso le quali contemplare l'ordine del paesaggio (*Landscape*, *Paesaggio*; *Jardins*, *Giardini*). Soltanto quando guardiamo dal finestrino di un aereo, di notte, siamo consapevoli dell'infinità dello spazio e della luce. Spazio e luce che tengono in vita l'aereo. È questo, il mondo. Le finestre sono oggetti, oggetti dipinti. Sono pittura e scultura (*Windows*, *Finestre*).
Le città non hanno né entrate né uscite, né ordine né paesaggio. Hanno bisogno di manutenzione e riparazioni. Incomplete per natura, devono essere costantemente ricostruite dalle mani dei costruttori, sono sempre non-finite. E i loro frammenti devono essere legati l'uno all'altro, incollati, fissati, rappezzati, improvvisati, inventati affinché non crollino completamente, affinché qualcosa continui a esistere. Le cose che esistono le chiamiamo arte, inoppugnabili proprio in quanto opere d'arte.
E queste cose ci consentono di perpetuare l'idea della città, l'idea della casa. La casa del cuore, la casa del cuore di un uomo.
Alexandre Melo

The cities are called blind because they are no longer cities. They have no entrance nor exit. No beginning nor end. Doors are doors. They are objects, painted objects. They are painting and sculpture (*Gates*). They occupy their place in space. But they are not for entering or exiting to go somewhere else. Because there is nowhere else to go. We are in the only place there is, which is the world. Works of art are also to be found in the world. Windows are windows. They are not openings through which we contemplate the order of the landscape (*Landscape*, *Jardins*). Only at night, in an aircraft, when we look out and, suddenly, we are aware of the infinity of space and light. Space and light that keep the aircraft alive. This is, the world. The windows are objects, painted objects. They are painting and they are sculpture (*Windows*).
The cities have no entrances nor exits, no order nor landscape. They have to be maintained, repaired. Always incomplete, they have to be constantly reconstructed by the hands of the constructors, they are always unfinished. The pieces of cities have to be fastened one to the other, glued, bound, patched, improvised, invented, so that they do not collapse altogether, so that something remains, so that some things continue to exist. The things that exist we call art, impregnable in the plenitude of their presence as works of art. These things enable us to continue to record the idea of the city, the idea of the house. House of the heart, house of the heart of a man.
Alexandre Melo

***Cidades Cegas#5*, 1999**
Details
Installation mixed media
Courtesy Galleria
Giorgio Persano, Turin

Un'altra Scala, Milano, primavera 2001. Cosa occorre per raggiungere l'apoteosi lirica? Occorre la musica, di preferenza musica magniloquente o irresistibilmente ballabile. La stessa cosa vale per l'ambiente o la scena. Se potessimo scegliere opteremmo per un grande teatro, il genere di teatro che ci emoziona solo al varcarne la soglia o al salirne le scale, o solo al vederne il sipario schiudersi per rivelare il palcoscenico. A Milano esiste un teatro così. Dentro al teatro ci sono le luci, le tappezzerie, i tessuti e lo splendore.
Occorrono i corpi, o perlomeno le voci dei corpi, per l'apoteosi lirica: tali voci sono la gloria dei corpi, di tutti i corpi, anche dei nostri corpi impetuosi. Questa è l'opera: è un'altra dimensione, alcuni dicono sia quella più alta.
Noi poveri mortali non possiamo più pretendere di essere dei semidei, eppure ci teniamo stretto il diritto alle nostre apoteosi liriche plebee.
Non disponendo di un vero teatro, possiamo tentare di amplificare la gamma emozionale di una discoteca, come quella simulata nell'installazione *Love is in the Air* (*L'amore è nell'aria*, con Christian Rizzo, 1999). In mancanza di una diva, per esempio, ci concentriamo sul soldato in uniforme che esegue al rallentatore un languido striptease al suono di *Nine out of Ten* di Caetano Veloso, nel video *Private Dancer* (*Ballerino privato*, con Hanno Soans, 1999).
Perché, e in conclusione, ciò che occorre sono la risata e le lacrime, le urla e i baci, eccessi un po' ridicoli. Ciò che soprattutto occorre, ed è la cosa più difficile da ottenere, è essere come i bambini e non provar timore né vergogna per tutto questo.
Alexandre Melo

Making-of "Un'altra Scala" for "Milano Europa 2000", 2000
Photograph of the work in progress

Un'altra Scala, 1999
Stills from video projection of the previous version of this work

CATARINA CAMPINO PORTUGAL

Un'altra Scala, Milan, spring 2001 – What is needed to achieve lyrical apotheosis? Music is needed, preferably grandiloquent or irrepressibly danceable music.
So is a setting or decor. If we had the choice, we would opt for a large theatre, the kind that move us simply because we cross the threshold or climb the staircase, or because the curtain opens to reveal the stage.
In Milan there is such a theatre. Within the theatre are the lights, upholstery, fabric and splendor.
Bodies, or at least the voices of bodies, are needed for lyrical apotheosis: such voices are the glory of bodies, all bodies, including our own impetuous ones.
This is opera: it is another scale, some say the greatest.
We poor mortals can no longer pretend to be demigods, yet we retain the right to our own plebeian lyrical apotheoses.
Lacking a true theatre, we can try to amplify the emotional range of a discotheque, such as the one simulated in the installation work *Love is in the Air* (with Christian Rizzo, 1999). In the absence of a diva, for example, we focus on the uniformed soldier who goes through the slow-motion moves of a languid striptease to the sound of Caetano Veloso's *Nine Out of Ten*, in the *Private Dancer* video (with Hanno Soans, 1999).
Because, and in conclusion, what is needed are laughter and tears, yelling and kisses, excess somewhat ridiculous. What is needed above all, and is the most difficult to achieve, is to be like children and not be afraid or ashamed of any of this.
Alexandre Melo

La casa del corpo del cuore / Il corpo del cuore della casa / Il cuore della casa del corpo

Il lavoro artistico di Eugenio Cano si è sempre situato in uno spazio di frizione e tensione tra opposti, tra idea e formulazione stilistica, concetto e oggetto, pittura e volume. Da qui deriva la riflessione su questioni quali il valore della percezione, il senso dell'opera tra fruizione estetica e pensiero, la funzione simbolica del denaro, il significato dell'arte come tema dell'arte e, più di recente, la funzione della pittura analizzata con un acuto senso critico.

Dopo gli esordi nell'ambito della pittura, Cano è diventato ben presto uno degli artisti più vitali e solidi che fanno capo alle correnti neoconcettuali che hanno dominato la scena spagnola a cavallo tra la fine degli anni ottanta e l'inizio dei novanta. La sua prospettiva si è tuttavia allontanata dal formalismo allora imperante, conferendo alle sue opere un'estrema libertà e una forte densità discorsiva che hanno fatto sì che esse conquistassero una notevole risonanza internazionale. Alcune sue installazioni diventano così potenti revulsivi, come ad esempio *La democracia es divertida* (1990) in cui il tema della transizione politica viene rappresentato con la metafora di un semplice cambio di mobili: in una sala espositiva, che durante la dittatura di Franco ospitava un dipartimento burocratico del Ministero degli Interni, l'artista ha accatastato i mobili del vecchio ufficio dietro alcuni cartelloni lasciando libero e vuoto il resto dello spazio; sul pavimento è appoggiato soltanto un ritratto di re Juan Carlos. D'importanza cruciale anche le installazioni sul tema del rapporto tra denaro e arte.

Black Money (1991), che faceva riferimento al denaro sporco che in quegli anni alimentava il mercato dell'arte, è stata presentata nello stand di una galleria in occasione di ARCO, la fiera d'arte contemporanea di Madrid. L'altro progetto, intitolato *Descubra su interés* (1989), è stato realizzato nella sala Moncada della Fundació "la Caixa", organismo finanziario che a partire dagli anni ottanta è diventato famoso per aver raccolto la collezione privata d'arte contemporanea più importante della Spagna: un milione di pesetas, in monete da una, era racchiuso in una vasca di vetro blindato, mentre gli slogan pubblicitari della banca alludevano "all'interesse" per l'arte contemporanea.

A metà degli anni novanta Eugenio Cano ha iniziato a realizzare opere pittoriche astratte che non sono state comprese da gran parte della critica spagnola.

La pittura si presentava sola, in dipinti indipendenti, ma appariva anche inserita in installazioni in cui era contrapposta a costruzioni materiche di carattere scultoreo. Una certa idea della pittura invade le sue installazioni attraverso il colore e soprattutto a partire dal riverbero e dal dialogo che si instaura tra quadri e oggetti. In questo senso la proposta di Eugenio Cano offre una nuova lettura del pittorico per mezzo delle chiavi fornite dall'installazione e dalla poetica dell'oggetto.

Nell'installazione che ci interessa compaiono tre elementi differenziati (due sculture oggettuali e un dipinto); nucleo e intenzioni dell'opera si evincono dal dialogo tra le diverse parti che la compongono. È stata realizzata in occasione della mostra "The house, the body, the heart. Konstruktion der Identitäten" allestita presso il Museum Moderner Kunst Stiftung Ludwig di Vienna. Pittura, oggetto e installazione acquistano qui un nuovo significato in cui il contrasto tra i colori e l'importanza degli stessi introducono sfide percettive e mettono in risalto gli aspetti più decisamente sensuali e simbolici della fruizione estetica.

Santiago B. Olmo

***La casa del cuerpo del corazon. El cuerpo del corazon de la casa. El corazon de la casa del cuerpo*, 1998-1999**
Installation mixed media
Collection of the artist

EUGENIO CANO SPAIN

The house of the body of the heart / The body of the heart of the house / The heart of the house of the body

The artistic work of Eugenio Cano has always been located in a space of friction and tension between opposites, between the idea and stylistic formulation, concept and object, painting and volume. This is where the reflection comes from on questions such as the value of perception, the sense of his works between aesthetic fruition and thought, the symbolic function of money, the meaning of art as a subject of art and, more recently, the function of painting analysed with an acute critical understanding.

After his first paintings, Cano soon became one of the most vital and solid artists in the neo-conceptual schools that dominated the Spanish scene between the end of the 1980s and the beginning of the 1990s. His perspective is nevertheless distant from the formalism which then reigned, conferring an extreme freedom and strong density of discourse on his works and this made them a resounding international success. Some of his installations became so powerful as to produce revulsion, such as for example *La democracia es divertida* (1990) in which the subject of political transition is represented by the metaphor of a simple change of furniture: in an exhibition room, which during Franco's dictatorship housed a bureaucratic department of the Ministry of the Interior, the artist stacked the furniture of the old office behind a few posters leaving the rest of the space free and empty; all that rests on the floor is a portrait of King Juan Carlos. His installations on the subject of the relationship between money and art are also of crucial importance. *Black Money* (1991), which is about the dirty money which supplied the art market during those years, was presented in the stand of a gallery at arco, the contemporary art fair of Madrid. The other project, entitled *Descubra su interés* (1989), was put on in the Moncada della Fundació "la Caixa" room, a financial institution which became famous at the beginning of the 1980s because it had acquired the most important collection of contemporary art in Spain: one million pesetas, in one-peseta coins, was enclosed in a bullet-proof glass tank, while the advertising slogan of the bank alluded to "interest" for contemporary art.

Halfway through the 1990s Eugenio Cano started to do abstract paintings which were not understood by most Spanish critics. The painting was presented alone, in separate pictures, but it also appeared in installations in which it was set against material constructions with a sculptural character. A certain idea of painting invades his installations through the colour, starting above all with the reverberation and the dialogue that is set up between the paintings and the objects. In this sense Eugenio Cano's proposal gives us a new interpretation of painting through the keys furnished by the installations and the poetics of objects.

Three differentiated elements (two object sculptures and a painting) appear in the installation that interests us; the core and intentions of the work can be seen in the dialogue between the different parts that compose it. It was performed in the exhibition "The house, the body, the heart. Konstruktion der Identitäten" held at the Museum Moderner Kunst Stiftung Ludwig in Vienna. Painting, objects and installation acquire new meaning here, where the contrast between the colours and the importance of them introduce perceptual challenges and bring out the more decidedly sensual and symbolic elements of aesthetic fruition.

Santiago B. Olmo

ULF VERNER CARLSSON NORWAY

"Arte significa lavorare con i millimetri", ripeteva sempre il mio vecchio insegnante d'arte delle scuole superiori. All'epoca non ero rimasta particolarmente colpita dalla sua visione eccessivamente timida delle cose, ma quando mi sono imbattuta nei lavori di Ulf Verner Carlsson quelle parole mi sono risuonate nelle orecchie. Forse è stato a causa dell'apparente timidezza del suo approccio, l'accurata, lenta e piuttosto ostinata esplorazione di piccolissime differenze all'interno di un gruppo limitato di elementi. La mia attenzione è stata prima di tutto catturata da una serie di delicati quadrati monocromi, in giallo brillante, arancione, verde, azzurro e rosso, con bordi lievemente arrotondati, disposti l'uno accanto all'altro in una fila orizzontale. Il fatto che tutto questo fosse collocato all'estremità della parete, e tendesse verso l'angolo pur non essendo ancora pronto a un gesto spaziale più radicale, contribuiva a creare una sensazione di fluidità e instabilità che sembrava strana per un'immagine-oggetto così chiara e concreta.
Un esame ravvicinato rivelava un grado alquanto toccante d'imperfezione attentamente calcolata. I quadrati non erano delle stesse dimensioni: l'uno accanto all'altro, le loro misure non combaciavano. Questo fatto faceva inoltre notare che essi erano stati messi troppo vicini tra di loro.
Era come se fossero stati ammucchiati l'uno contro l'altro per proteggerli dagli sguardi scrutatori degli osservatori, e questa immagine di "raggruppamento" attirava l'attenzione sui loro difetti individuali. E poi c'erano ovviamente i lievissimi effetti d'ombra che s'intravedevano sulla parete dietro ai quadrati: piccoli aloni a malapena percepibili che cambiavano a seconda della luce e del movimento e che rafforzavano la vaga impressione di movimento comunicata dal fitto e intervallato raggrupparsi dei quadratini. Qui la chiave sembrava essere l'indeterminatezza: un certo grado di concretezza non veniva rispettato in modo coerente.
Pareva tuttavia ci fosse dietro una buona dose di irrequieta emozione, ma anche qui non proprio, non veramente.

Ina Blom, "NU, The Nordic Art Review", n. 3, 1999

***Ulf Verner Carlsson*, 2000**
Plasticine on wall
"Momentum Park", Moss
Installation view

The piece is a site specific painting made out of plasticine applied on a wall. It was made for the exhibition "Momentum Park" 2000. The room is just outside the exhibition-structure built for the show that took place in a sports arena and the park around.

This image shows the backside of the structure and the passage in-between the spaces (180 degrees from the colour fields). The blue floor is the authentic floor of the sports arena. The room itself has been somewhat restored and the lighting is set to draw attention to the room in order to form a coexistence/unit with the piece and the space so that the spectators presence and the location/situation of the room in relation to the rest of the exhibition accentuates.
Ulf Verner Carlsson

”Art means moving millimetres” my old high-school art teacher used to repeat. At the time I was not impressed with his overly timid view of things, but when I encountered the work of Ulf Verner Carlsson, these words resounded in my ears. Perhaps this was because of the seeming timidity of his approach, the careful, slow and rather obstinate exploration of very small differences within a limited range of elements. What first caught my attention was a series of delicate monochrome squares in bright yellow, orange, green, blue and red, with slightly rounded edges, placed close to one another as a horizontal series. The fact that the whole thing was placed at the far end of the wall, tending towards the corner yet not quite ready for a more radical spatial gesture, contributed to a feeling of fluidity and instability which seemed strange for such a clear and concrete image-object.

Closer looking revealed a rather touching degree of finely calculated imperfection. The squares were far from equal in size: they measured rather unfairly against one another. This, again, drew attention to the fact that they had really been placed too close together. It was as if they actually huddled against each other for protection from the scrutiny of the spectator, and this image of “huddling together” called attention to their individual deficiencies. And then there were of course also the very slight shadow-effects that could be traced on the wall behind the squares: barely perceptible little halos which shifted with light and movement and which supported the vague impression of movement, given by the tense grouping and regrouping of the little squares. Vagueness seemed to be the key here: a certain degree of concreteness was not followed through in any consistent manner. Yet there seemed to be a certain amount of high-strung emotion, but then again not quite, not really.

Ina Blom, “NU, The Nordic Art Review”, no. 3, 1999

***Ulf Verner Carlsson*, 1998**
Plasticine on wall
KPUV, Galleri 21/25, Oslo
Installation view

The painting was made for the group show “KPUV 8-21” (conducted by Dag Erik Elgin at Oslo Academy of Fine Arts) late 1998 in Galleri 21/25 in Oslo.

The painting is made of plasticine applied on the wall in approximately 3 mm thick layers.
Ulf Verner Carlsson

MONICA CAROCCI ITALY

L'opera di Monica Carocci, *Il bagno 2*, cinque fotografie e video del 1995, è stata individuata anch'essa come significativo momento dell'arte italiana dell'ultimo decennio; il momento, cioè, in cui fotografia e video trovano, trasposti nel linguaggio artistico, un impiego estensivo, al limite dell'abuso. Nel folto di questa produzione sembrano scarseggiare i documenti sui quali costruire uno schema in grado di affrontare in modo attendibile la verifica della storia. L'esperienza di Monica Carocci appare in questo senso come eccezione attesa.

Infatti l'uso che l'artista fa di entrambi i supporti merita di essere osservato per la sua particolarità, rispetto per esempio all'uso del video di Grazia Toderi e della fotografia da parte di Luisa Lambri, le altre due esponenti di questo stesso ambito di ricerche incluse nella rassegna, e sotto l'aspetto generazionale l'una a monte, l'altra a valle di Carocci.

Prima di tutto per Carocci il supporto – video, e foto tratte da video, tutto assemblato in un'unica installazione – non conta in quanto tale, non viene sfruttato cioè per le sue qualità specifiche e intrinseche; al contrario è impiegato simulando un approccio amatoriale al mezzo, con effetti che, giocando a perdere con le potenzialità di questo, vengono raggiunti grazie a una ricercata trascuranza nella ripresa, nello sviluppo e nella stampa.

Come molti sperimentatori, anche Monica Carocci sceglie una sua via rischiosa di giungere all'arte, a quel traguardo di autenticità e di lirismo che costituisce il filo conduttore della selezione italiana di questa mostra. Nel caso emblematico di *Il bagno 2* l'autoripresa dell'artista nella vasca da bagno, lenta, precaria, mossa, come fosse stata realizzata da una telecamera spia, riesce a esprimere efficacemente attraverso uno schermo, che in qualche modo è due volte tale, tutta la fragilità di una ricerca di identità ancora sfuggente, scopertamente femminile sì, ma non disposta a essere confessata senza riserve.

È stato già detto, e troverà ampie conferme in sede di casistica (Monica Carocci è un caso, emblematico come una Neshat) che il video, come è avvenuto in passato per altre tecniche artistiche (miniatura, pastello, acquerello), resterà nella storia come tornasole dello specifico femminino.

Sandra Pinto

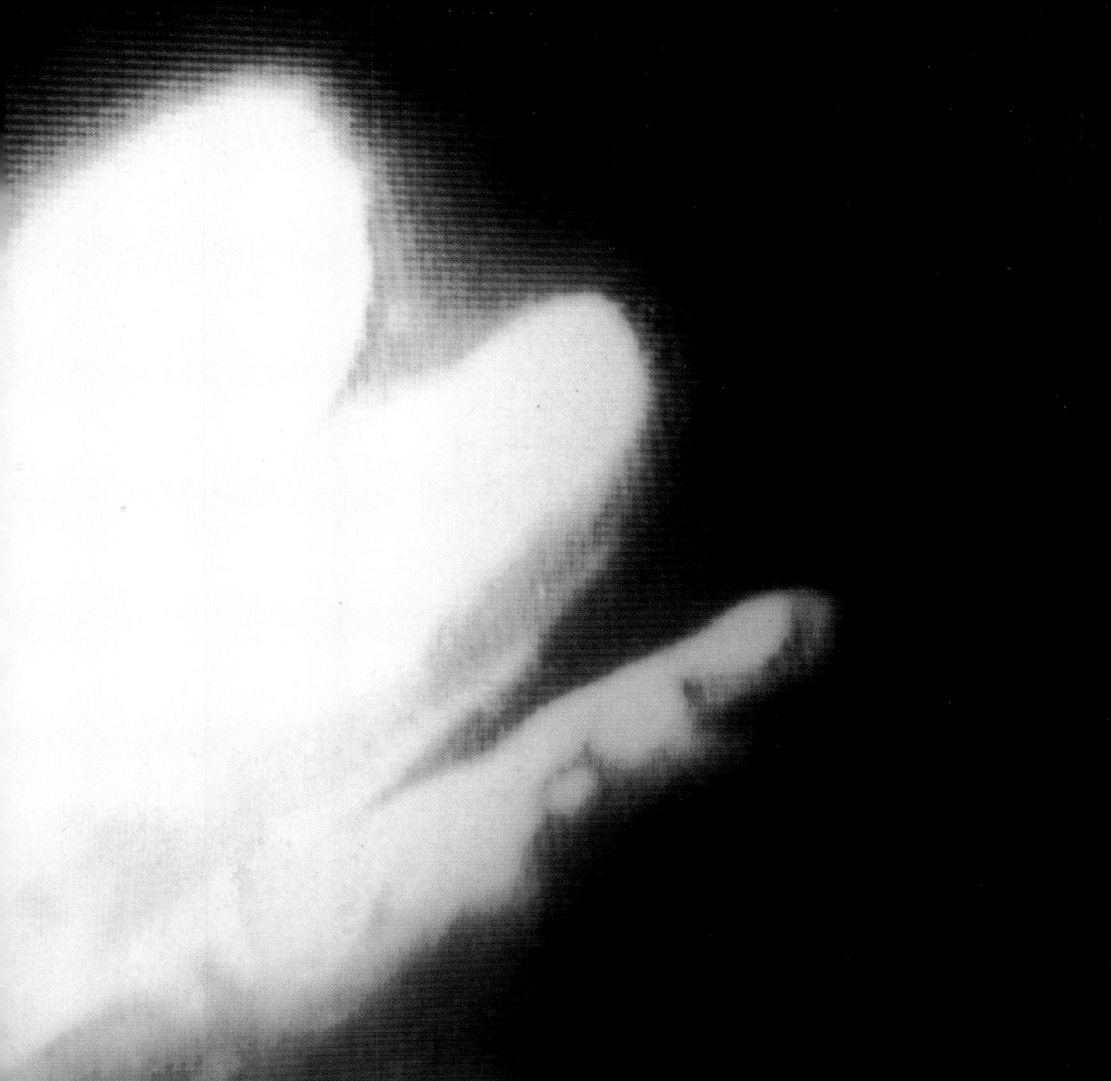

Il bagno 2, 1995 Photograph, 70 × 100 cm Courtesy Raffaella Cortese, Milan Collection Guido Carbone, Turin

The work by Monica Carocci *Il bagno 2* (*Bath 2*), five photographs and video of 1995, was also identified as a significant moment in the Italian art of the last decade, the moment, that is, at which photography and video, transposed into the language of art, were used extensively to the limit of abuse. In the thick of this production there seems to be a lack of documents on which to construct a scheme by which the history might be reliably verified. In this sense Monica Carocci's experience appears to be an expected exception.

In fact the particular use that this artist makes of both supports deserves observation, compared, for example, to Grazia Toderi's use of video or Luisa Lambri's use of photography, the other two artists in the exhibition using the same media; the generation factor is also of interest, one being older, the other younger than Carocci.

First of all, for Carocci the support – video, and photos taken from videos, all assembled in a single installation – does not count as such, that is, it is not exploited for its specific and intrinsic qualities; on the contrary it is employed to simulate an amateur approach to the medium, with effects that, by deliberately not using its potential, are achieved thanks to a studied negligence in the filming, developing and printing.

Like many experimenters, Monica has also chosen a risky path to achieve art, to reach that goal of authenticity and lyricism that constitutes the common denominator of the Italian selection in this exhibition. In the emblematic case of *Il bagno 2*, the artist filming herself in the bath, slow, precarious, moved, as if it had been taken by a hidden camera, manages to effectively express through a screen, which in some ways is twice that, all the fragility of a search for identity that is nevertheless not found. It is clearly a feminine identity, but not willing to be confessed without reserves.

It has already been said, and the data will confirm (Monica Carocci is a particular case, emblematic like a Neshat) that video, as has occurred with other artistic techniques in the past (miniatures, pastels, water painting), will find its place in history as a technique that distinguishes what is specifically feminine.

Sandra Pinto

È uno dei momenti più piacevoli ed eccitanti vissuti da uno spettatore in una sala cinematografica.
Il momento in cui, in cima alle scale, si apre una porta e stiamo per scoprire che cosa c'è dietro. O una porta si sta lentamente schiudendo in fondo a un corridoio. O la macchina da presa irrompe in una stanza con la promessa di rivelarne tutti i preziosi segreti.
Immaginiamo che questo particolare momento di suspense continui per un tempo indeterminato, in un'infinita successione di situazioni in cui si ha accesso a degli spazi dei quali però non scopriamo niente perché nel momento in cui vi guardiamo dentro stiamo già entrando in un altro spazio.
È questo che Filipa César ha immaginato nel suo *Twirler* (*Giro vorticoso*). Ha usato un montaggio ad anello per mostrare una serie di sequenze tratte da vari film, esprimendo in tal modo l'eternità dell'attesa, come in *Letters* (*Lettere*, 2000, videoinstallazione), in cui dei personaggi anonimi si succedono l'un l'altro in un ufficio postale, imbucando le loro lettere e lasciandoci soltanto la possibilità di inventare la loro destinazione, una storia, un film.
La durata infinita di questa suspense comincia col produrre un effetto ritmico, a tal punto che la nostra percezione è turbata da un che di allucinatorio.
Incominciamo ad avere dubbi, facciamo ipotesi su quello che dovrebbe accadere, però non sappiamo se davvero sta accadendo qualcosa nell'inarrestabile successione di luoghi che ci sfilano davanti.
Provocando un effetto allucinatorio, il ritmo genera una metamorfosi. Gli spazi prendono a trasformarsi l'uno nell'altro. Nel video *Waiting Citizen* (*Cittadino in attesa*) i corpi della gente che sta aspettando l'autobus si tramutano l'uno nell'altro.
Non sappiamo più dove siamo: tutto è attesa, minaccia, ritmo, metamorfosi.
Alexandre Melo

***Untitled (Twirler)*, 1999**
Stills from video projection

FILIPA CÉSAR PORTUGAL

It is one of the most delicious and exciting moments felt by a filmgoer in a cinema. The moment when, at the top of the stairs, a door opens and we are about to find out what is inside. Or a door swings slowly open at the end of a corridor. Or the camera suddenly breaks into a room with the promise of revealing all its precious secrets.

Let us imagine that this particular moment of suspense goes on indefinitely, with a never ending succession of entrance situations, into spaces wherein we discover nothing, because we are by then already entering another space. This is what Filipa César imagined in *Twirler*. She used a loop assembly to show a series of sequences taken from various films, thus marking the eternality of expectation, as in *Letters* (2000, video installation), in which anonymous characters succeed and replace each other in a post office, dropping off their letters and leaving us only the possibility of inventing a destination for them, a story, a film.

The eternality of such suspense begins by provoking a rhythmic effect, insofar as our perception is disturbed by hallucinatory effects. We begin to have doubts, to invent hypotheses about what should be happening, yet we do not know whether anything at all is happening in the unstoppable succession of places parading before us.

Rhythm as an inducer of hallucination generates a metamorphosis effect. Spaces begin to transform themselves into each other. In the *Waiting Citizen* video the bodies of people waiting for a bus are transformed into each other.

We no longer know where we are: everything is waiting, threat, rhythm, metamorphosis.

Alexandre Melo

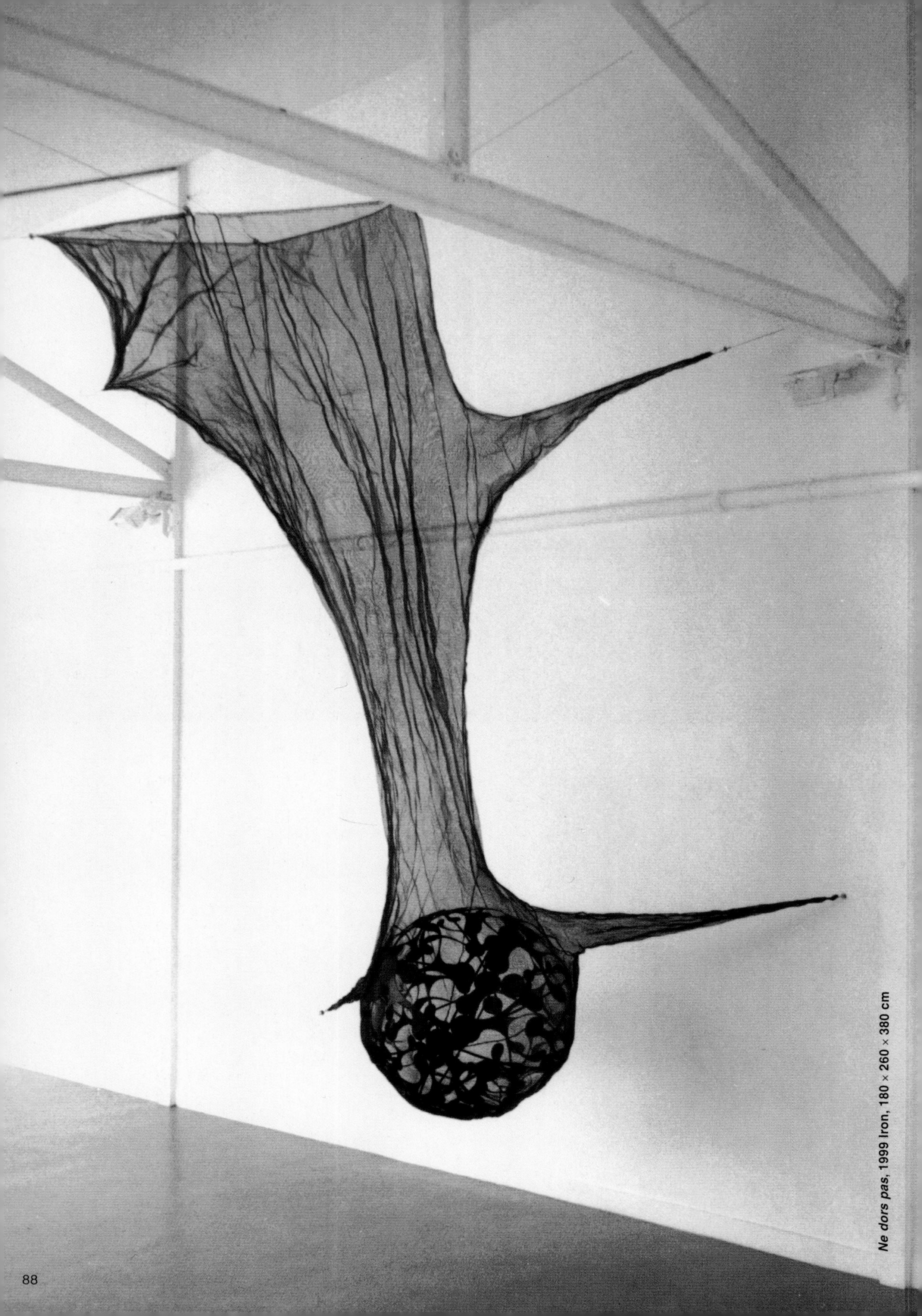

Ne dors pas, 1999 Iron, 180 × 260 × 380 cm

Le prime mostre di Rui Chafes negli ultimi anni ottanta proponevano delle installazioni: sculture/costruzioni che parevano suggerire una primitiva origine organica. Occupavano sale intere, sovvertivano le proporzioni e si spingevano oltre i limiti dello spazio ospitante, distruggendo così la stabilità di un ambiente o il bozzolo protettivo.
In seguito Chafes ha incominciato a creare sculture che suggeriscono capsule di creature nate morte o protesi di macchine umane smantellate. Ogni serie è accompagnata da un disegno e da una lettura. I riferimenti della riflessione e della scrittura sono gli autori del romanticismo tedesco, una presenza costante che definisce la natura radicale e, oggi, l'estrema originalità dell'atteggiamento concettuale di Rui Chafes.
Le opere degli anni novanta si distinguono per la disciplina e l'austerità formale: innanzitutto nell'adozione esclusiva del ferro dipinto di nero e grigio, ma anche nella simmetria come principio di base nella costruzione e nella presentazione delle opere.
I corpi – umani, vegetali, animali – e gli strumenti – di guerra, tortura, aggressione – nella loro fisicità organica sono sempre più posti a distanza. Vengono invece accentuate le linee di forza che li definiscono, gli assi di tensione che li caricano di energia, il disegno segreto dei filamenti di pura violenza che li anima.
Linee di forza, assi di tensione, fili di violenza: questi diventano il vero materiale che informa le sculture di Rui Chafes.
Alexandre Melo

RUI CHAFES PORTUGAL

Rui Chafes's first exhibitions in the late 1980s were in the form of installations – sculpture/constructions seeming to imply a primitive organic origin. They took up entire exhibition halls, subverting scales, going beyond the limits of the host space to thus destroy the stability of an ambience or protective cocoon.
Chafes subsequently began work on sculptures that suggest capsules of dead stillborn babies or protheses from wrecked human machines.
Each series is accompanied by a drawing and a reading, reflection and writing whose references are the authors of German romanticism – a constant reference that marks the radical nature and, nowadays, the extreme originality of the conceptual attitude of Rui Chafes.
Discipline and formal austerity stand out in the 1990s artworks – from the start in the adoption of black or grey painted iron, the only material, and in symmetry as the basic principle of construction and presentation of the works.
The bodies – human, vegetable, animal – and the instruments – of war, torture, aggression – in their organic physicality, are increasingly placed at a distance.
What is accentuated are the lines of force that define them, the axes of tension that energise them, the secret design of the filaments of pure violence animating them. Lines of force, axes of tension, threads of violence: these become the true design material of the sculptures by Rui Chafes.
Alexandre Melo

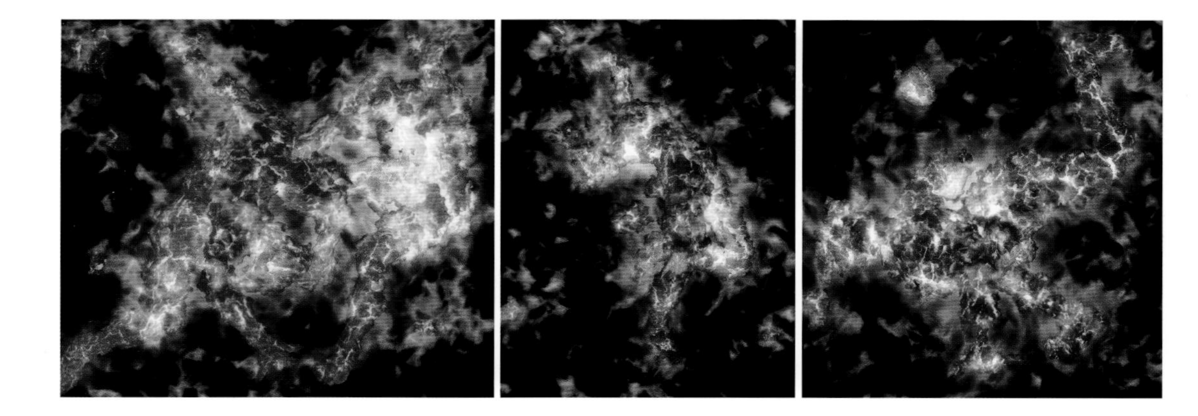

Artista che si è evoluto durante gli anni novanta, Gor Chahal ha lavorato con la tecnica del collage; alla ricerca della sua identità di artista, ha creato vari oggetti e installazioni; concentrandosi sulla propria persona, si è avvalso della fotografia. Si è presentato al pubblico come se lui stesso fosse un'opera d'arte. In anni recenti, tuttavia, ha usato con incredibile perseveranza le tecnologie multimediali, ritornando costantemente a una serie di temi e motivi che a suo parere sono connessi con i fondamenti dell'esistenza. Negli ultimi tempi ha fatto ricorso alle tecniche della scultura: ha creato figure antropomorfe, le ha fotografate con l'apparecchio digitale, elaborate al computer, stampate su svariati tipi di supporto e quindi presentate al pubblico con accompagnamento musicale e animazioni sul monitor. Oggi questo faticoso procedimento tecnologico non è affatto inconsueto, ma inconsueta è l'intenzione che soggiace all'arte di Gor: un essere umano entro la cultura dell'ipostasi. Gor Chahal guarda al mondo attraverso un dispositivo ottico per la visione notturna che avvolge di luce le figure umane contro uno sfondo nero. L'occhio "armato" crea una breccia nella prigione del corpo, rivelando lo spirito, le emozioni, i sentimenti. Questa liberazione è incarnata dalla danza sfrenata di *Joy* (*Gioia*). Secondo l'autore, importante nell'arte è l'atteggiamento di un artista interessato non a ciò che è nuovo nel mondo, ma a ciò che è permanente.
Leonid A. Bazhanov

Evolving as an artist all through the 1990s, Gor Chahal has worked in the technique of collage; trying to find his identity as an artist, he created various objects and installations; concentrating on his own person, he used photography. He camouflaged himself by his artistic ways, presenting himself to the audience as if he himself were a work of art, etc. In recent years, however, Gor has been using, with impressive perseverance, the multimedia technologies, and constantly returns to a simple set of themes and tunes that are connected, in his opinion, with the foundations of existence. Gor has recently begun using sculpture technologies, creating anthropomorphous figures which he then photographs using digital technique, then treats the photographs using a computer, then uses a printer to bring the images onto various surfaces, and presents them to the viewer with sound accompaniment and animations on the monitor.

GOR CHAHAL RUSSIA

Nowadays, however, this labour-consuming technological process does not seem unusual at all. What is much more unusual, however, is the connotative intention of Gor's art – a human being within the culture of hypostasis.

Gor Chahal looks at the world through a night vision optical device that highlights human figures blazing on the black background. The "armed" eye "breaks" the prison of body, revealing the spirit, emotions, and feelings. The liberation is embodied in the unrestricted dance of *Joy*. Important in art, the author thinks, is the attitude when an artist is interested not in what is new in the world, but in what is permanent.

Leonid A. Bazhanov

***Joy*, 2000**
Video installation
Stills from video projection

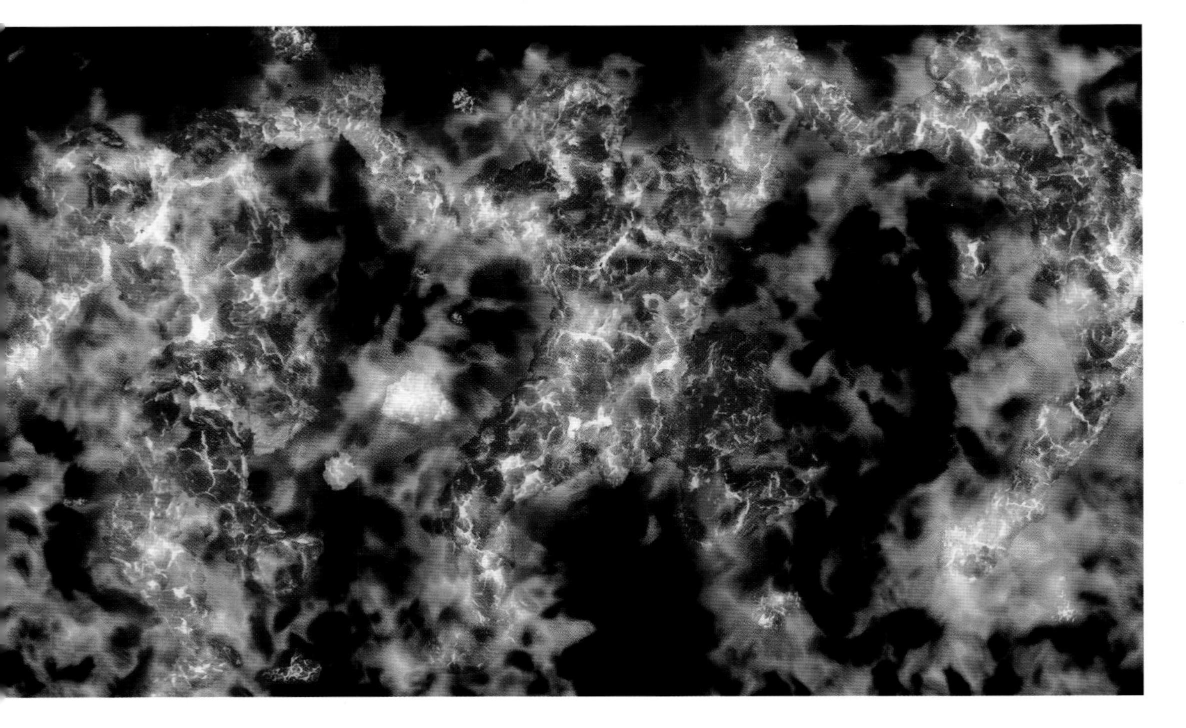

Vulcani
Nella serie di fotografie a colori dell'Etna, di Vulcano e di Stromboli presentate da Hervé Charles possiamo cogliere la sua visione di un mondo in costante cambiamento. Nelle immagini i colori hanno una dimensione autenticamente organica, con l'incandescente rosso sangue della lava, il giallo monocromo dello zolfo e, in netto contrasto, la tonalità nerastra dell'ambiente circostante.
L'avventurosa impresa di Hervé Charles non è immune da pericoli, si tratti della forza bruta della natura, dell'umore imprevedibile di un vulcano o dell'incerto risultato di un originale approccio artistico alla natura con la sua diversità e il suo eterno movimento.
Il suo lavoro va ben oltre la tradizione fotografica orientata a documentare scientificamente o a fornire un resoconto giornalistico. Charles ci offre delle gigantesche fotografie a colori che fanno pensare più alla pittura che alla fotografia vera e propria.
Il punto di vista da cui è scattata la foto, letteralmente *dentro* l'elemento stesso, senza nessun'altra struttura di riferimento, e specialmente la trasparenza dell'immagine catapultano il visitatore in un mondo tridimensionale. La particolare modalità d'esposizione – le grandi immagini trasparenti sono appese a una distanza di pochi centimetri dalla parete – assegna una qualità scultorea a questi lavori altrimenti bidimensionali. È stata eliminata la cornice costrittiva, lasciando all'artista la libertà di creare un mondo virtuale di luce: tratti distintivi che fanno delle opere d'arte di Hervé Charles un contributo personalissimo.
Claire Martin

HERVÉ CHARLES BELGIUM, FRENCH COMMUNITY

Volcanoes
In his series of coloured photographs of Etna, Vulcano and Stromboli, we can feel Hervé Charles's vision of a world in perpetual change. In the images the colours have a truly organic dimension with the incandescent blood-red of lava, the monochrome yellow of sulphur, and, standing in stark contrast, the blackish tint of the surroundings.
Hervé Charles's adventuresome endeavour is not without danger, whether it be the brute force of nature, the unpredictable mood of a volcano or the uncertain outcome of a novel artistic approach to nature with its diversity and perpetual movement.
His work goes far beyond photographic tradition which has tended to either scientifically document or journalistically report. He gives us huge coloured photographs that remind us more of the pictural tradition than of photography.
The way the picture is taken, literally within the element itself, with no other frame of reference, and especially the transparency of the image plunge the viewer into a three-dimensional world. A unique way of hanging a huge transparent picture a few centimetres out from the wall lends sculptural quality to an otherwise two-dimensional image. The imprisoning frame has been done away with, leaving the artist free to create a virtual world of light, the signature traits of the unique, contemporary works of art of Hervé Charles.
Claire Martin
[Translation from French: Sally Petrequin]

Etna 1206, 2000 Print on diasec, 152 × 152 cm

OLGA CHERNYSHEVA RUSSIA

Whenever a modern critic writes about a female artist, his article unavoidably contains hints related to feminism in contemporary art (probably, this is not the case with Italian critics). In Russia, too, feminism became somewhat actualised in the 1990s. However, in spite of the pronounced "feminine" motive in Olga Chernysheva's presented work, *Garden*, it does appear to me constructive to refer to feminism when discussing her works. What draws attention in *Garden* is in the first place a visual conjugation, within the single subject installation, of photographs presented in light-boxes (women's head in hats) with their surroundings (plants).

Interest to purely feminine materials and subjects one can notice in all works by Olga Chernysheva – pastry, cakes-objects, and landscapes made to look like cakes and chocolates. Gradually, Olga Chernysheva ceased being an artist-creator, who transfers the world modeling it from pastry, and became an observer armed with a pencil, camera, or video-camera. A striking feature in her vision is its ability to catch, in the things that are usual, ordinary, passing, and repeating themselves, not only an intrigue, but a chain of unexpected associations. A lot of her recent projects are links in one chain: "world from the back" has become the main subject of her photographs. Fishermen sitting motionless by the ice-holes in sleeping lakes turn into trees, stiff from anabiosis, muffled by a gardener's hand, winter downy women's hats, secretly photographed in trolley-buses – into southern cactuses, downy and prickly.

Leonid A. Bazhanov

Ogni volta che un critico moderno parla di un'artista donna, il suo articolo contiene inevitabilmente degli accenni al femminismo nell'arte contemporanea (probabilmente i critici italiani fanno eccezione). In Russia il femminismo è diventato attuale negli anni novanta. Tuttavia, malgrado il pronunciato motivo "femminile" dell'opera della Chernysheva presente in mostra, *Garden* (*Giardino*), mi sembra costruttivo fare riferimento al femminismo quando si parla del suo lavoro. Quello che in *Garden* richiama l'attenzione è innanzitutto una coniugazione visiva, all'interno dell'installazione a soggetto unico, di fotografie presentate in light-boxes (teste di donne con cappelli) con la loro ambientazione (piante).

In tutte le opere dell'artista si può notare un interesse per materiali e soggetti squisitamente femminili: pasticcini, biscotti-oggetti, torte e cioccolatini modellati in modo tale da suggerire paesaggi. La Chernysheva si è però gradualmente allontanata da questo ruolo di artista-creatore che traduce il mondo in dolciumi, ed è diventata un'osservatrice armata di matita, apparecchio fotografico o videocamera. Un lato peculiare della sua visione è l'abilità di cogliere, nelle cose consuete, normali, momentanee e ripetitive, non soltanto un intreccio, ma una sequenza di associazioni inaspettate. Molti dei suoi progetti recenti sono come anelli di una catena: il "mondo visto da dietro" è diventato il soggetto principale delle sue fotografie. Pescatori seduti immobili accanto a fori tagliati nel ghiaccio su laghi addormentati si trasformano in alberi, irrigiditi dall'anabiosi, amorosamente coperti dalla mano di un giardiniere; invernali cappelli femminili di lana, furtivamente fotografati sui tram, diventano cactus del sud, lanosi e pungenti.

Leonid A. Bazhanov

Garden n° 2, 2000
Details
Installation mixed media
Collection of the artist

Attila Csörgö è un equilibrista, un artista che si regge in equilibrio fra illusione e rivelazione, concettualismo e tecnicismo, gravità e ironia. A volte gli ci vogliono dei mesi, persino anni, perché un tema gli si maturi dentro, dopodiché passa ad analizzare con mondana naturalezza le connessioni della geometria del piano e dello spazio – *Peeled Spaces* (*Spazi sbucciati*, 1995) – o a disegnare e assemblare, con l'onniscienza di uno che sa fare un po' di tutto, le necessarie costruzioni con cui mette in discussione gli elementi di base del pensiero filosofico, come per esempio in *Platonic Love* (*Amore platonico*, 1997), modellando forme geometriche regolari. La serie chiamata *Event-Curve* (*Evento-Curva*) è costituita da una macchina quasi minimalista che applica il principio dei rasters della televisione (bande orizzontali luminose che si formano sullo schermo quando non si riceve alcun segnale); grazie al movimento delle due piastre, linee apparentemente casuali diventano forme regolari – cerchi, quadrati – e nastri interminabili (simbolo dell'infinito). Senza alcun dubbio, le opere di Csörgö manifestano un'irriverenza per le narrative "sacre" dell'arte e della scienza, oltre a una timida audacia nel sovvertire le leggi. L'opera si costruisce e decostruisce letteralmente davanti ai nostri occhi in un processo che viene volutamente sottolineato, e il risultato finale costituisce tanto un'esperienza facile come bere un bicchier d'acqua, quanto uno spettacolo divertente. Gli oggetti simultaneamente reali e virtuali di Csörgö possono essere definiti "geometria operativa" (Gábor Andrási) in riferimento alla costruzione materiale delle opere stesse, oppure, guardando ai segni o alle forme spirituali che scaturiscono alla fine del processo, "geometria divina" (András Zwickl). In ogni caso il risultato è lo stesso: l'azione impersonale del meccanismo non cela l'artista; dietro le quinte, ne percepiamo l'ammiccamento ironico.
György Szücs

ATTILA CSÖRGÖ HUNGARY

Attila Csörgö is an equilibrist, an artist balancing between delusion and disclosure, conceptuality and technicality, graveness and irony. It often takes him months, even years, to let a theme mature in himself, after which he goes on to analyse with mundane naturalness the connections of the geometry of plane and space (*Peeled Spaces*, 1995), or to design and assemble with the omniscience of an Eastern European jack-of-all-trades the necessary constructions whereby he questions the basic elements of philosophical thought, as for example in *Platonic Love* (1997) modelling the inter-formation of regular geometric shapes. The series called *Event-Curve* is constituted of an almost minimalist machine applying the principle of the transmitting rasters of television; as a result of the movement of the two plates, lines seemingly accidental become regular shapes, circles, squares, and infinite ribbons (infinity symbol). No doubt, the works of Csörgö manifest an irreverence for the "sacred" narratives of art and science as well as a meek cheekiness in subverting laws. The work literally constructs and de-constructs itself before our very eyes, the process being stressed, and the final result providing both an easy-as-pie experience and an amusing spectacle. Whether we call Csörgö's simultaneously real and virtual objects "operative geometry" (Gábor Andrási) to refer to the material construction of the works themselves, or, in approaching from the finally realised spiritual signs or forms, "divine geometry" (András Zwickl), the result is all the same: the impersonal operation of the mechanism does not conceal the artist; we sense his ironic wink from behind the screens.
György Szücs

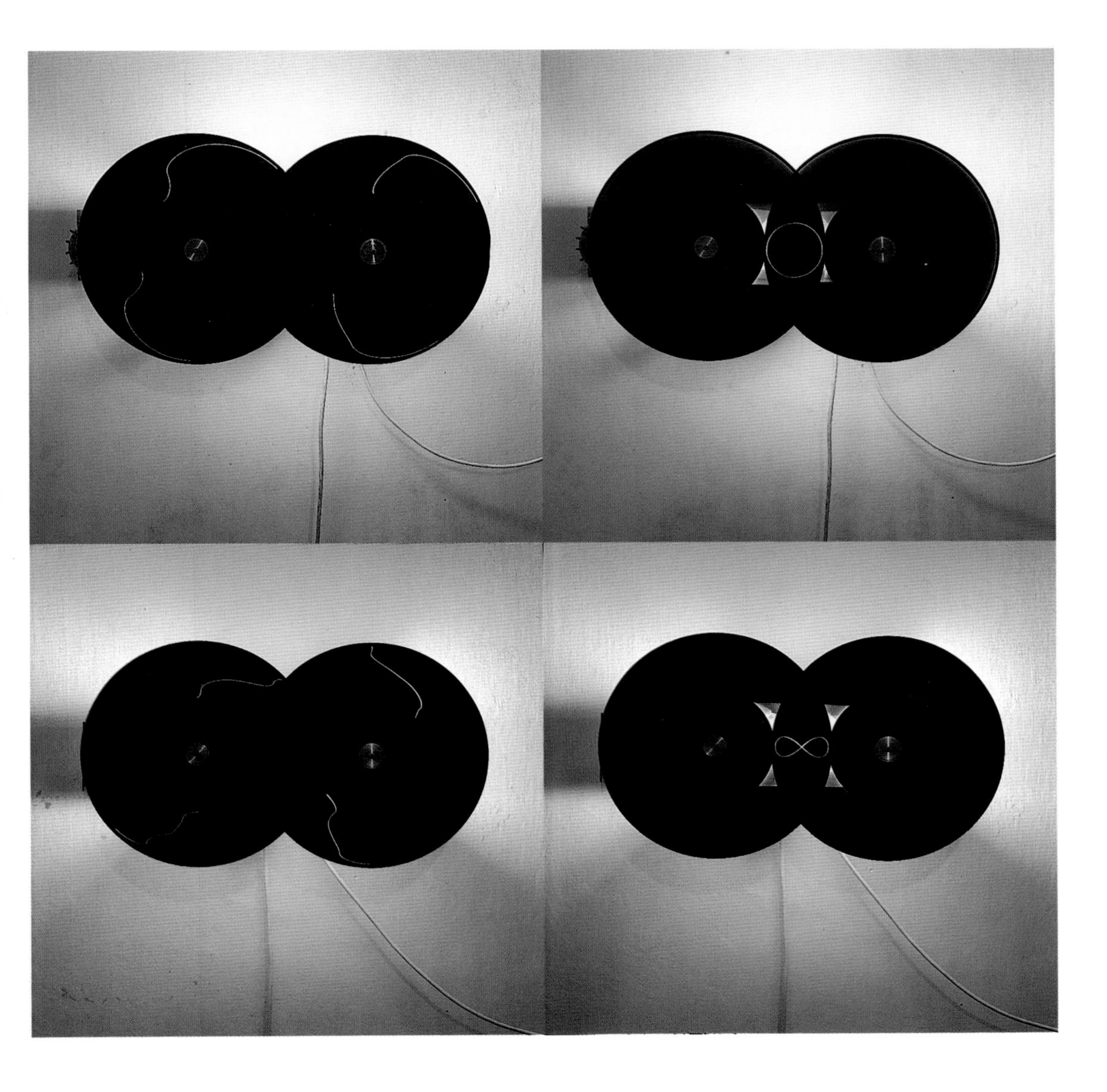

Event-Curve I, 1988,
static
Installation mixed
media, 67 × 35 × 23 cm
Courtesy Institute of
Contemporary Art,
Ounaùzvaros

Event-Curve II, 1988,
static
Installation mixed
media, 67 × 35 × 23 cm
Courtesy Paksi Keptar

Event-Curve I, 1988,
kinetic
Installation mixed
media, 67 × 35 × 23 cm
Courtesy Institute of
Contemporary Art,
Ounaùzvaros

Event-Curve II, 1988,
kinetic
Installation mixed
media, 67 × 35 × 23 cm
Courtesy Paksi Keptar

***Untitled (Scene 7 of 12)*, 2001 Still from video projection**

La sensazione di andare da qualche parte, per poi rendersi conto che non ci si è mossi di un passo, è un leitmotif dell'opera di Franz Kafka, che nei suoi libri ci descrive la tensione e l'assurdità della futile lotta dell'individuo contro la burocrazia.
Le videoinstallazioni di Jonas Dahlberg ricordano in certo modo questa frustrazione. La sua attenzione non è volta tuttavia alla lotta, ma all'interpretazione dello spazio architettonico e della concezione postmoderna di un mondo fluttuante dove l'inizio e la fine sono indefiniti; un'epoca in cui le interpretazioni moderniste, a lungo imperanti, non valgono più. Non è mai chiaro dove ci porterà la prossima svolta artistica. Ciò che è chiaro è che oggi l'arte vuole liberarsi dei vecchi condizionamenti modernisti. Nei lavori di Dahlberg c'è una forte carica di suspense che accompagna i lenti movimenti della videocamera da una stanza all'altra. In ogni stanza c'è una porta che si apre su un altro spazio. E lo spazio della casa prolifera incessantemente mentre la videocamera prosegue il suo viaggio. Concettualmente è come trovarsi nell'edificio più grande del mondo, e non è una bella vista. Le stanze desolate e completamente vuote sembrano appartenere a un edificio senz'anima. La luce è artificiale e non ci sono né finestre né uscite. Ci si aspetta che ogni nuova stanza riveli qualcosa di diverso, ma la loro uniformità architettonica è rotta soltanto dal modo in cui sono illuminate. Nessun rumore di traffico penetra in questi spazi, nelle stanze regna un silenzio mortale. L'illuminazione, che ricorda i *film noir*, evoca una burocrazia inflessibile. Potrebbe quasi essere il Ministero della Verità di *1984* di Orwell prima dell'arrivo del personale. Ma le immagini suggeriscono un tempo diverso, in cui restano poche alternative a uno stato onnipotente. Dobbiamo riempire questo spazio con le nostre idee e le nostre verità.
L'installazione consta di due stanze. In una c'è una videoproiezione su grande schermo, nell'altra una scultura lignea su un basso zoccolo. La scultura è il modello usato per realizzare il video. Mostrandoci gli strumenti della sua arte Dahlberg sottolinea un altro assioma postmoderno: non c'è alcun misticismo nell'arte e nella vita.
Gavin Jantjes

***Untitled (Scene 3 of 18)*, 2001 Still from video projection**

JONAS DAHLBERG SWEDEN

The sense of getting somewhere only to realise that one has not made any progress at all was a leitmotif in Franz Kafka's writing. He recognised the tension and absurdity of the individual's futile struggle against institutionalised bureaucracy. Jonas Dahlberg's video installations harbour something of this frustration. His intentions are however not rooted in this struggle but in the interpretation of architectural space and the post modern acceptance that culturally, we are in a floating world where beginnings and endings are undefined; a time in which long accepted modernist interpretations of the world no longer hold sway. It is never clear just where art's next step finally leads. What is evident is that art today wants to step out of the old modernist frame of reference. Dahlberg's videos fill one with suspense as the camera smoothly shifts through the walls of one room into another. Each room has a vista into yet another space through doors leading off from it. The space of the house grows endlessly as the camera continues its journey. Conceptually one is in the largest building in the world and it's not a pretty sight. The bleak and totally empty rooms construct a soulless building. The light is artificial and there are neither windows nor exits. One expects each new room to reveal something different but their architectural similitude is only broken by the way they are lit. There is no footfall or traffic noise to disrupt the space. The rooms are filled with a deadly silence. The *film noir* look of his videos underlines a thoughtless bureaucracy. This could be the ministry of truth in Orwell's *1984*, before the staff moved in. But the work reflects a different time in which we have few alternatives to an omnipotent state. We have to fill the space with our own ideas, our own truths.

The installation has two rooms. One holds a large-scale video projection, the other a wooden sculpture on a low plinth. This sculpture is in fact the model used to make the video. By showing the instruments of his art, Dahlberg underscores another post-modern axiom: there should be no mysticism in art and life.

Gavin Jantjes

FEDERICO DÍAZ CZECH REPUBLIC

Le più recenti opere di Federico Díaz sono tutte direttamente o indirettamente collegate con il progetto architettonico *E-Area*, al quale l'artista si è dedicato per parecchi anni. Si tratta di un grande centro educativo, energeticamente autosufficiente, una unità cosmica chiusa il cui aspetto deriva da un lato dalle possibilità della tecnologia contemporanea e dall'altro dalle nuove scoperte sulle origini dell'uomo e del mondo.

Sulla scorta delle più recenti concezioni biogenetiche e cosmogenetiche, e alla luce delle ultime scoperte scientifiche, Díaz ha messo a punto un progetto, apparentemente semplice ma estremamente difficile da realizzare, il cui scopo è quello di ri-costruire la sensibilità umana. L'attenzione di Díaz non si focalizza sull'opera d'arte in quanto manufatto tangibile, ma sull'uomo, la cui esperienza deve essere purificata da tutto ciò che ha accumulato nel corso dei secoli. Per raggiungere il suo obiettivo Díaz si è servito fin dall'inizio di mezzi d'espressione fino a ora poco utilizzati dall'arte ceca: ha lavorato con l'animazione al computer, utilizzato campi interattivi, materiali plastici insoliti, e non ha esitato a sperimentare e frequentare aree mai usate prima nella sfera dell'espressione visiva. I visitatori delle sue installazioni si trovano all'improvviso catapultati in un ambiente globale, una cornice di luce e suono che interagisce con i loro movimenti.

Le opere di Díaz successive al progetto *E-Area* sono caratterizzate quasi ossessivamente da due concezioni scultoree che influenzano il suo processo di visualizzazione: il buco nero cosmico, espresso da un corridoio, e una sfera, il cui spazio interno, equidistante da tutti i lati, circonda i visitatori. Il fondamento archetipico della sua arte è quindi da rintracciare in alcune antiche strutture rituali in cui i fedeli raggiungevano un santuario sferico a volta dopo aver percorso un lungo e oscuro corridoio. Díaz, secondo il quale il passaggio attraverso il corridoio deve produrre un mutamento nel visitatore, sottolinea la necessità della metamorfosi interiore: i suoi ambienti artificiali sono soltanto stimolatori, selettori e regolatori di emozioni. Sarà la percezione subconscia a modificare il comportamento dell'osservatore senza che questi se ne renda conto.

La sua nuova opera *Flower* (*Fiore*, 2001), realizzata appositamente per questa mostra, è una meditazione sul centro, sulla sua apparizione e la sua scomparsa, sulla solidità e la mutabilità. La simbologia mitologica del fiore come inizio della vita diventa qui una riflessione astratta sul presente e sulle origini delle forme elementari. Al pari di un moderno alchimista, Díaz collega macro e microcosmo, cercando le leggi della geometria nella mutevole e sensuale ricchezza della natura.

Olga Malá

What are the Introsphere and the introspherical cell? The Introsphere is a hyperspace where in-formation is generated and cultivated. The Introsphere is not only the source of physical-chemical reactions, but is especially the place where the outer appearance of other cells, organisms and people occur, which, as a propagator, recognises, interprets and evaluates based on its internal structure and other stimuli from its surroundings. Hyperconstruction of the Introsphere. The construction of an Introsphere disassociated with outer and inner space is proposed with sensors in the walls, ceilings, floor and material, which are not merely static and supporting components, but as direct intelligence, networking, a superorganism, a transducer and plasmatic sensor, which registers the movement of people, their surface tensions; it lives off the chaotic movement molecules, thoughts of people and the flux inside the global ecosystem of planet Earth. Such an organism is equipped with all introspherical cells, which are placed throughout the planet, they communicate together and self-generate the hyperconstruction, thus an empathetic field arises in parallel. The Introsphere is the network of the brain in the superorganism which self-generates its thoughts. The building of the hyperconstruction of the Introsphere is in fact an artificial organism, which recalls its sensory perception, a mimicry of nature and space. It is morphological architecture.
Federico Díaz

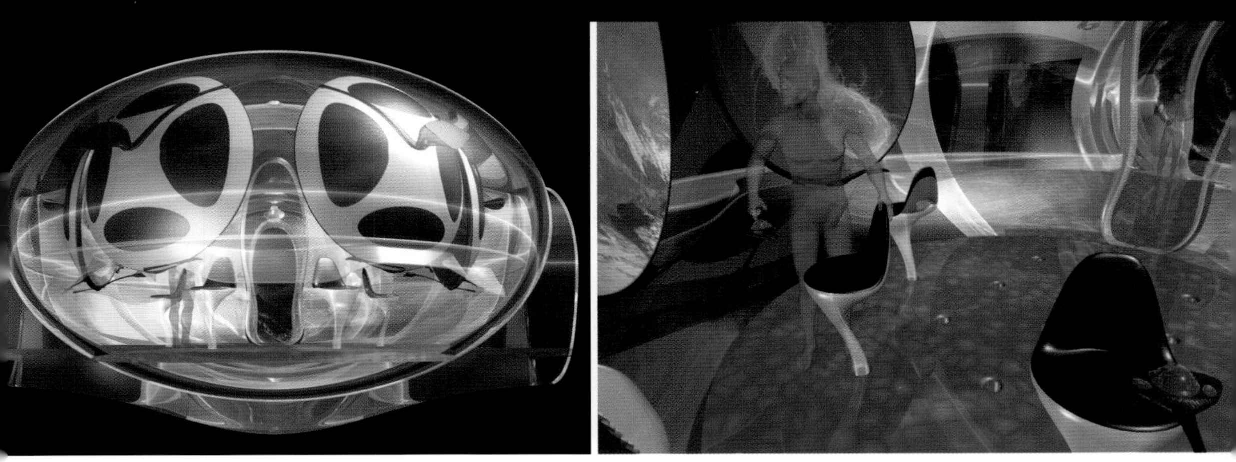

Every one of Federico Díaz's recent realisations is either directly or indirectly connected with his architectural project *E-Area*, which he had been planning for several years; it is a large educational centre with a self-sufficient energy source, a closed cosmic unit, the appearance of which stems on the one hand from the possibilities of contemporary technology, and on the other the newest knowledge concerning the beginning of man and the world. Díaz, who is trying to couple the biogenetic and cosmogenetic ideas and the latest scientific discoveries, has set up a seemingly simple, albeit hard to realise plan to re-construct human sensibility, which is to take place at the background of the up-to-date research into the state of contemporary man and the world. Díaz's interest focuses not on the work of art as a tangible artifact, but man whose experience needs to be purified of all that it has collected over the centuries. To accomplish that, Díaz has from the very beginning used means of expression which has been hitherto uncommon for Czech art: he has worked with computer animation, utilised inter-active fields, unusual plastic materials, and he has not hesitated to experiment and enter areas up to then never used in the sphere of visual expression. Visitors of his installation suddenly find themselves in a global environment, a light and sound frame, reacting to changes of their movements. Díaz's work, as follows from *E-Area* project, is almost obsessively permeated by two sculptural ideas which affect his process of visualisation: the cosmological black hole, expressed by a passageway and corridor, and a sphere, the inner space of which surrounds the visitors in the equal distance from all sides. His effort thus has a clearly archetypal foundation corresponding to some ancient ritual structures in which one reaches a spherically vaulted sanctuary after passing through a long dark corridor. Díaz, who does not want the viewer to remain the same person after passing through as before entering it, stresses the necessity of inner metamorphosis: his artificial environments are only stimulators, directors and regulators of emotions. In this respect, Díaz counts on subconscious perception, the ability to influence the behaviour of his viewers without their knowledge. His new realisation *Flower* (2001), especially designed for the current exhibition in Milan, is a meditation about the centre, its appearance and disappearance, about solidity and mutability. It connects mythological ideas about the unfolding flower as a symbol of the beginning of life with an abstract reflection of the present pertaining to the origins of elementary forms. As if Díaz were led on his journey by an old alchemistic notion interconnecting the macro- and microcosms, searching for laws of geometry in the internally changing, sensual richness of nature.
Olga Malá

MILENA DOPITOVÁ CZECH REPUBLIC

Milena Dopitová inizia la sua attività artistica nei primi anni novanta, imponendosi subito come una delle protagoniste dell'arte ceca e come la prima forte personalità femminile del decennio. Nei suoi progetti concettuali, strutturati con estrema precisione, la Dopitová lavora soprattutto con oggetti e fotografie reciprocamente collegati da associazioni polisemantiche.
Le sue prime opere ad attrarre l'attenzione del pubblico sono state un doppio ritratto fotografico dell'artista e della sorella gemella – *Twins* (*Gemelle*, 1991) – e la monumentale installazione *Four Masks* (*Quattro maschere*), con la quale la Dopitová ha affrontato il tema dell'identità umana.
È proprio con quest'opera che ottiene il riconoscimento della critica per aver "addomesticato" un tema che nel corso degli anni novanta era diventato molto popolare presso i giovani artisti cechi. Anche se la Dopitová non può essere considerata una seguace del femminismo radicale, è stata lei a introdurre nell'arte ceca temi femministi e i cosiddetti "studi di genere": *Masculine, Feminine and Neuter Genders* (*Maschile, femminile e neutro*, 1993), *Easy Connection, "Machines for Weight Reduction" - Follow Me* (*Connessione facile, "Macchine per ridurre il peso" - Seguimi*, 1994). A queste opere, che costituiscono il punto di partenza della sua riflessione, fa seguito una serie di fotografie, *Come, I'll Show You the Way Through Paradise* (*Vieni, ti mostrerò la strada attraverso il Paradiso*, 2000), che originariamente doveva essere esposta al padiglione ceco dell'Expo 2000 di Hannover ma alla fine è stata rifiutata dagli organizzatori.

Milena Dopitová entered the Czech visual art scene in the early 1990s and soon asserted herself as a prominent protagonist and the first strong female personality of the 1990s.
In her precisely structured conceptual projects, Dopitová works above all with objects and photographs which are mutually interconnected by open polysemantic links.
The first works by Dopitová which attracted public attention were a photographic double-portrait, that of her and her twin sister (*Twins*, 1991), and a monumental installation of *Four Masks* in which she worked with the issue of human identity. As a consequence, she gained recognition for "domestication" of this theme which had become in the course of the 1990s very popular with the young Czech generation. Even though Dopitová cannot be considered as a follower of the radical feminism, she has introduced into the discourse which has been taking place in contemporary Czech art since the beginning of the decade feminist and above all the so-called "gender study" topics (*Masculine, Feminine and Neuter Genders*, 1993, *Easy Connection*, "*Machines for Weight Reduction*" - *Follow me*, 1994). These points of departure are followed by her last series of photographs from 2000 *Come, I'll Show You the Way Through Paradise*, which should have been originally shown in the Czech Pavilion at the Hannover Expo 2000, but was rejected in the end.
Since the late 1990s, Dopitová seems to be more and more attracted by the theme of the death. In her art, she reflects the finiteness of human existence and the related feeling of vanity and uselessness of our actions both in the stylised concept and the form of almost

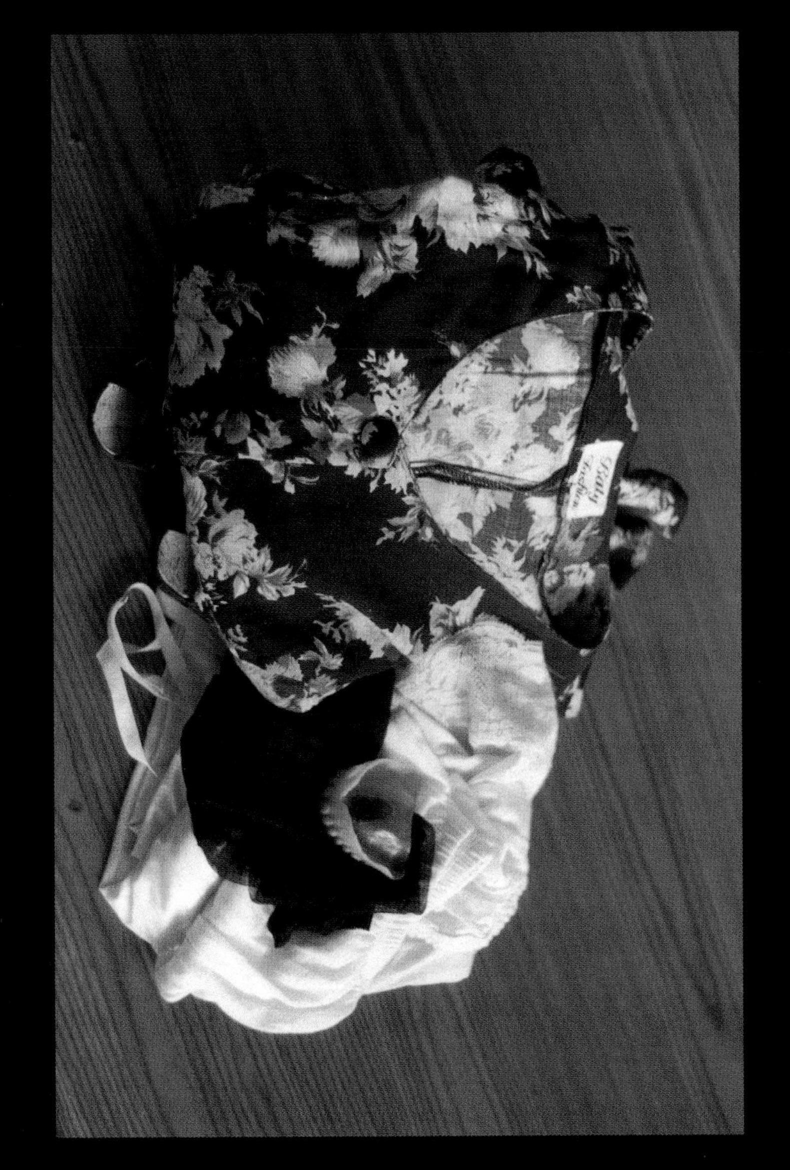

Dagli ultimi anni novanta la Dopitová sembra essere sempre più attratta dal tema della morte. Nella sua arte si riflettono la finitezza dell'esistenza umana e la vanità e l'inutilità delle nostre azioni, sia attraverso un concetto stilizzato sia nelle forme di un "morboso naturalismo" che si ispira alla realtà degli ospedali, degli obitori e di altre "apparecchiature mediche": il suo scioccante video *To Shave and Make-Up* (*Radere e truccare*), per esempio, ci mostra la rasatura di un cadavere. Questi *memento mori* includono anche una serie di fotografie di ragazzi adolescenti intitolata *Guess If You Are a Friend of Mine* (*Indovina se sei mio amico*). La bellezza e la spontaneità giovanili sono accompagnate dalla solitudine, dalla disturbante presenza delle droghe, dall'Aids, dall'omosessualità e da un pervasivo senso di decadimento.

Labyrinth (*Labirinto*, 1999), presentato a Milano, sviluppa il motivo affrontato con la sua fotografia all'età di otto anni in *Infinity* (*Infinito*), che fa oggi parte della collezione permanente della Galleria Civica di Praga.Tuttavia, il tema originale della vanità, un movimento chiuso su se stesso che non conduce da nessuna parte, e una certa negatività vengono sviluppati in *Labyrinth* aggiungendo altri strati e livelli semantici nel tentativo di compendiare le relazioni individuali nelle forme astratte caratteristiche della sua arte.

Olga Malá

"morbid naturalism" connected with the reality of hospitals, mortuaries and other "medicinal machineries" (such as her video *To Shave and Make-Up*, a shocking record of shaving of a dead man). In a certain sense these mortal *memento mori* themes can also include a series of photographs of adolescent boys called *Guess If You Are a Friend of Mine*. Youthful beauty and spontaneity are accompanied by loneliness, the disturbing presence of drugs, danger of AIDS, homosexuality and all-encompassing feeling of untimely decay.

Her *Labyrinth* of 1999 presented in Milan freely follows up on her older horizontal figure eight representing *Infinity*, part of the permanent collection of The City of Prague Art Gallery at the Golden Ring House. However, its original theme of vanity, a movement closed into itself which leads nowhere and a certain negativism is developed in *Labyrinth* in such a way that other layers are added and shifted into other semantic levels in an attempt to summarise individual relations into abstract generous forms typical for this artist.

Olga Malá

***Labyrinth*, 1999**
Iron construction,
65 × ø 560 cm

***A Coffin Snit*, 1999**
Ten photographs,
each 100 × 140 cm

***A Coffin Snit*, 1999**
Photograph, 100 × 140 cm

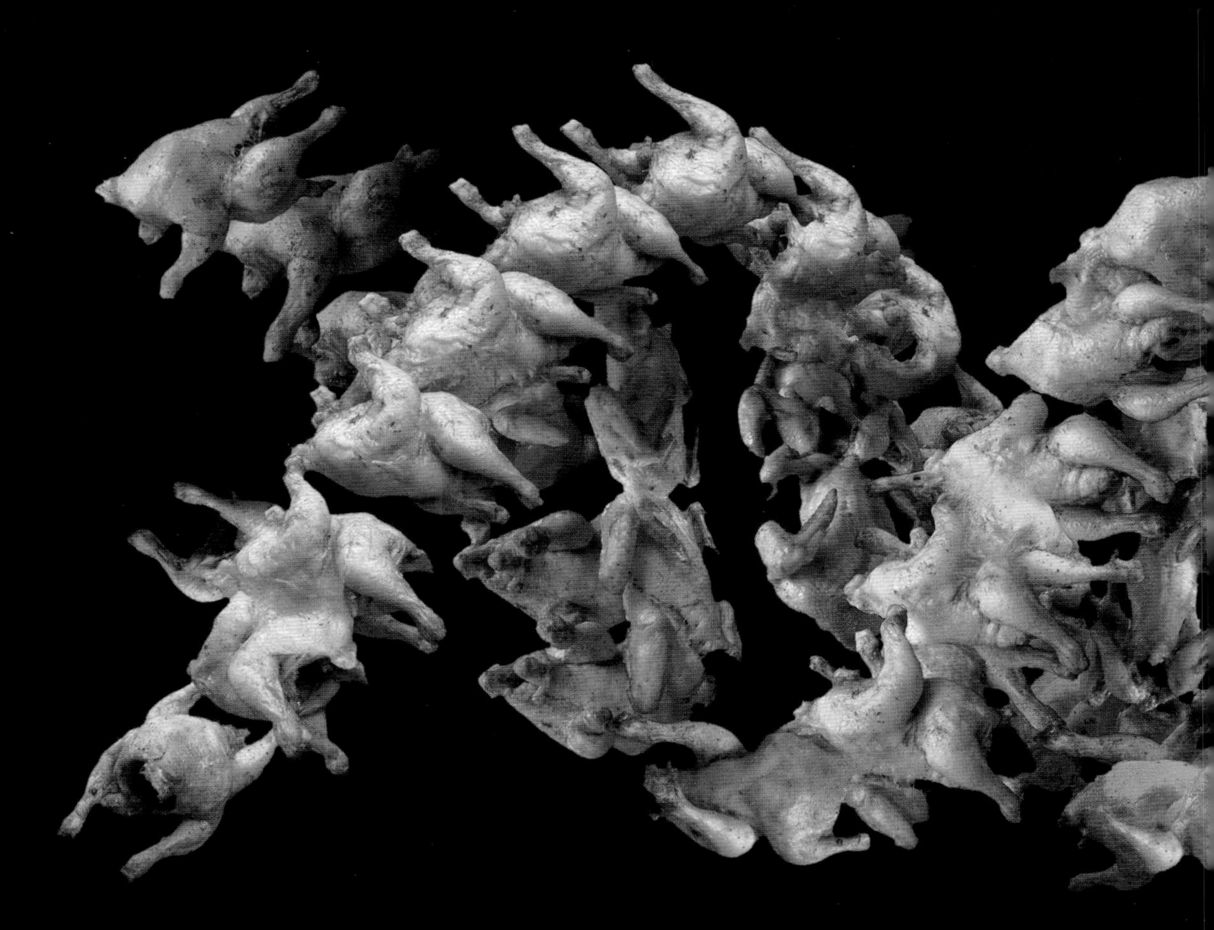

VLADISLAV EFIMOV AND ARISTARKH TCHERNYSHEV RUSSIA

Genetic Gymnastics, 2000
Detail
Installation mixed media
Photograph

Genetic Gymnastics, 2000
Detail
Installation mixed media

Genetic Gymnastics, 2000
Detail
Installation mixed media
Still from video

Genetic Gymnastics, 2000
Detail
Installation mixed media

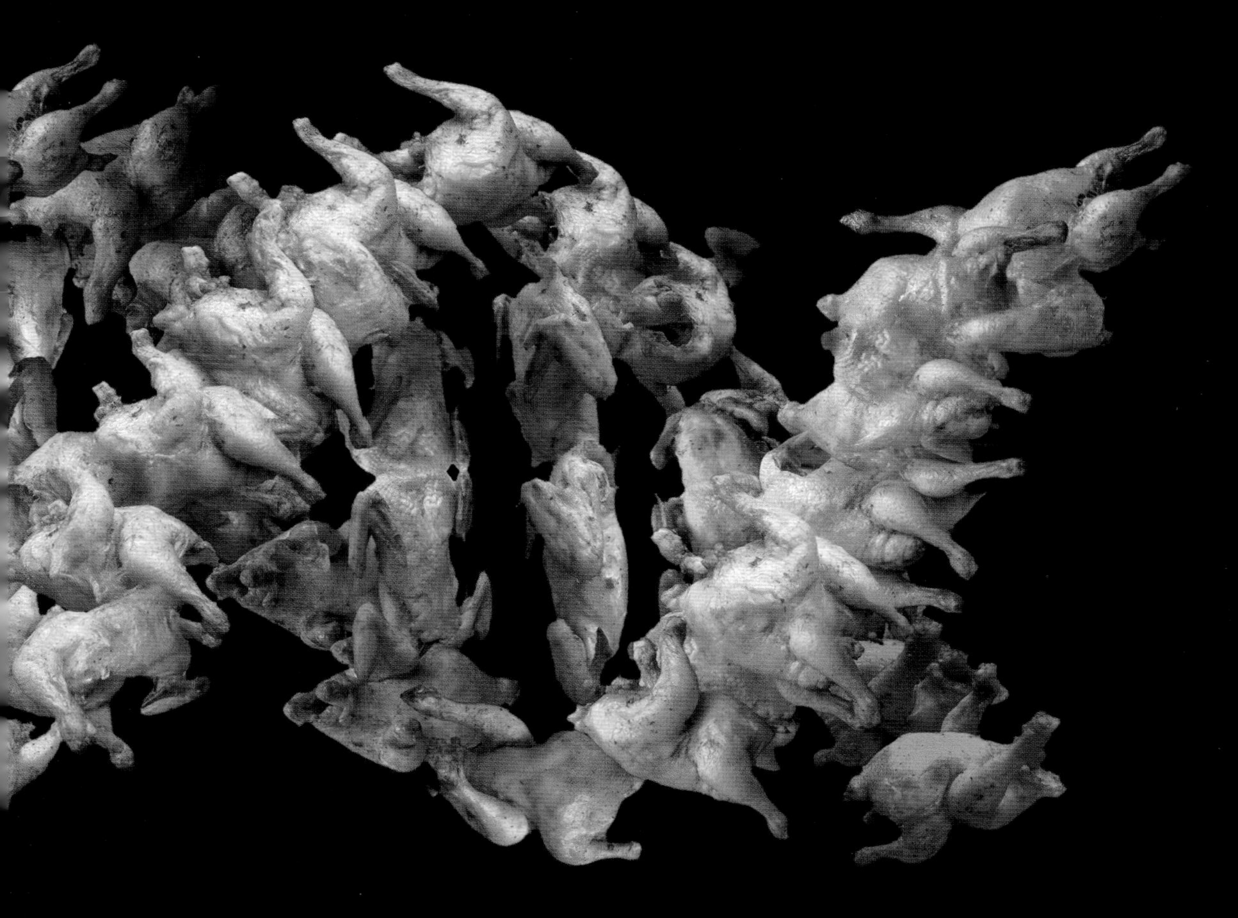

Nel corso degli ultimi anni Vladislav Efimov, uno dei fotografi russi più ricchi di talento, ha periodicamente lavorato a progetti comuni con Aristarkh Tchernyshev, artista, designer di siti web e creatore di videoinstallazioni. Una collaborazione di questo genere è attualmente una strategia assai tipica e diffusa in Russia. L'installazione multimediale *Genetic Gymnastics* (*Ginnastica genetica*) vede la partecipazione degli autori sia come soggetti che come oggetti di un esperimento pseudoscientifico: coltivazione dell'"uomo della generazione futura". In quest'opera, l'euforia scaturita dall'ideologia del modernismo si trasforma in una speculazione ironica sulle nuove opportunità che si presentano all'umanità alla soglia del terzo millennio. Il fare artistico, l'abilità nel maneggiare i nuovi media e la riflessione sul tema dell'*homo ludens* avvicinano questi artisti ai loro colleghi europei.
Leonid A. Bazhanov

During the last few years, Vladislav Efimov, who is one of the most talented Russian photographers, has periodically done joint projects with Aristarkh Tchernyshev, an artist, web-designer, and creator of video-installations. Such co-authorship is quite typical of the contemporary situation in Russia, where joint projects of this kind are a very popular strategy. The multimedia installation *Genetic Gymnastics* depicts the authors themselves as both subjects and objects of a pseudo-scientific experiment – cultivation of "the man from the forthcoming generation". In this work, euphoria originating from the ideology of the world-transferring modernism, turns into an ironical speculation inspired by the new opportunities for mankind emerging on the threshold of the third millenium. The artistic play, easy manipulation with new media, and speculation on the *homo ludens* discourse brings these artists close to their European colleagues.
Leonid A. Bazhanov

Paula Ervamaa appartiene alla generazione più giovane degli artisti finlandesi, non necessariamente orientati a seguire i consueti percorsi. Pittrice di formazione, rivolge il suo interesse soprattutto alle molteplici possibilità del colore in quanto materiale espressivo di sorprendente plasticità, un materiale che per questa sua qualità offre la libertà di esplorare l'ignoto, rivelando cose che in precedenza non erano visibili. I disegni a inchiostro qui presentati sono quasi frutto del caso, sono nati come una specie di esercizio rilassante.

È chiaro che questa tecnica è naturalmente congeniale al modo d'espressione di quest'artista. E tale naturalezza rilascia un flusso spontaneo di tracce, richiamando l'automatismo dei surrealisti tanto nell'esecuzione quanto nell'espressione.

Nelle immagini, la narrativa non segue precise regole di composizione né un intreccio prestabilito, ma si svolge secondo concatenazioni organiche di libere associazioni. Sia il soggetto che la scelta del colore e della forma contengono una buona dose di assurdità. Nelle opere di Paula Ervamaa si potrebbero facilmente individuare riferimenti alla cultura visiva popolare e alla musica rock, ma in realtà sembra che l'artista tragga piuttosto ispirazione dalla tradizione del carnevale, presente anche nelle culture più antiche. L'"assurdismo" cede il passo al teatrale, al drammatico, alle emozioni superstiti. Nelle sue opere si avvertono anche suggestioni del mondo simbolico e apocalittico di William Blake, espresso in un modo fresco, giovane, quasi infantile, che però non incorre nel rischio di essere scambiato per innocenza.

Maria Hirvi

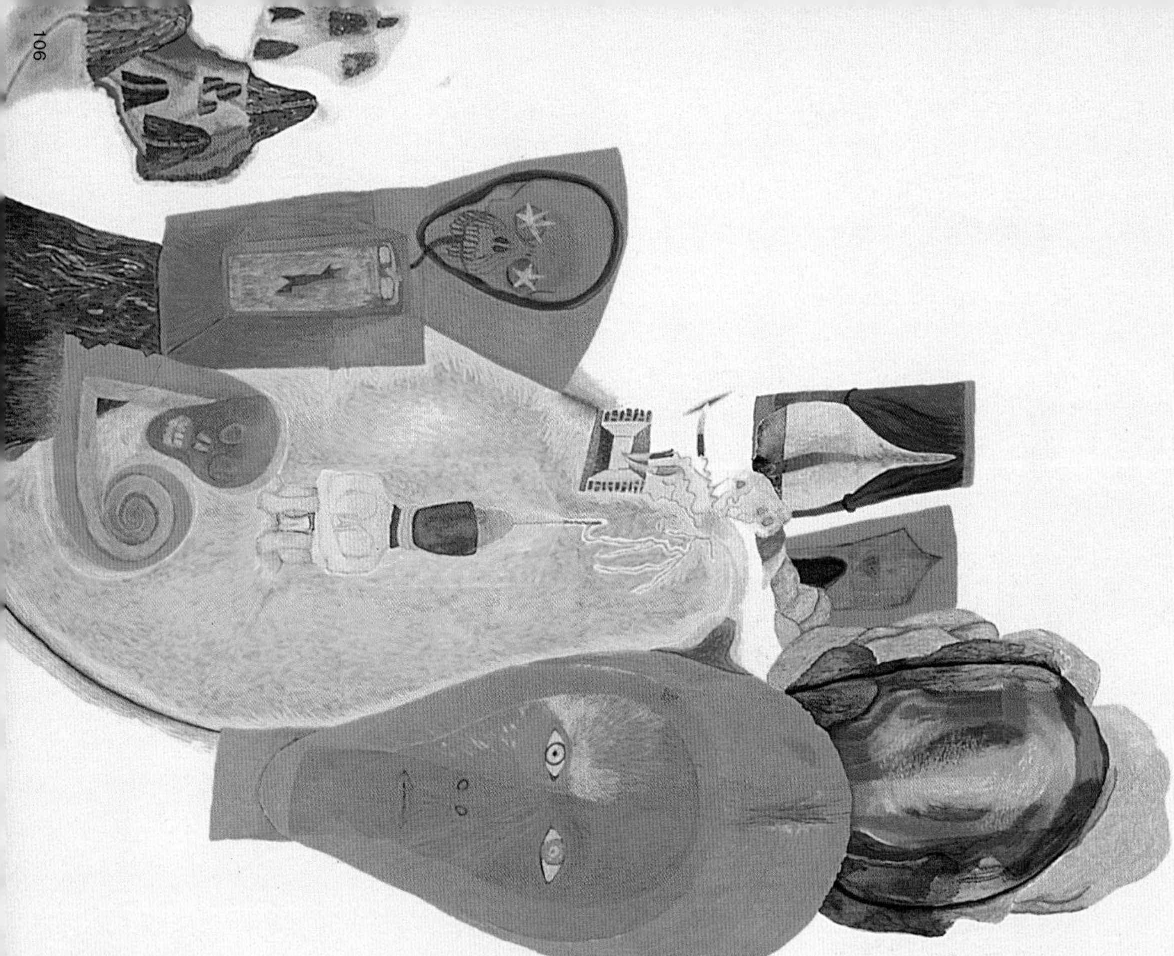

***Feelings which are Stored into the Memory*, 1998**
Ink on paper, 100 × 120 cm

***Drawing Trip to a Paradise Lake*, 1998**
Ink on paper, 100 × 120 cm

PAULA ERVAMAA FINLAND

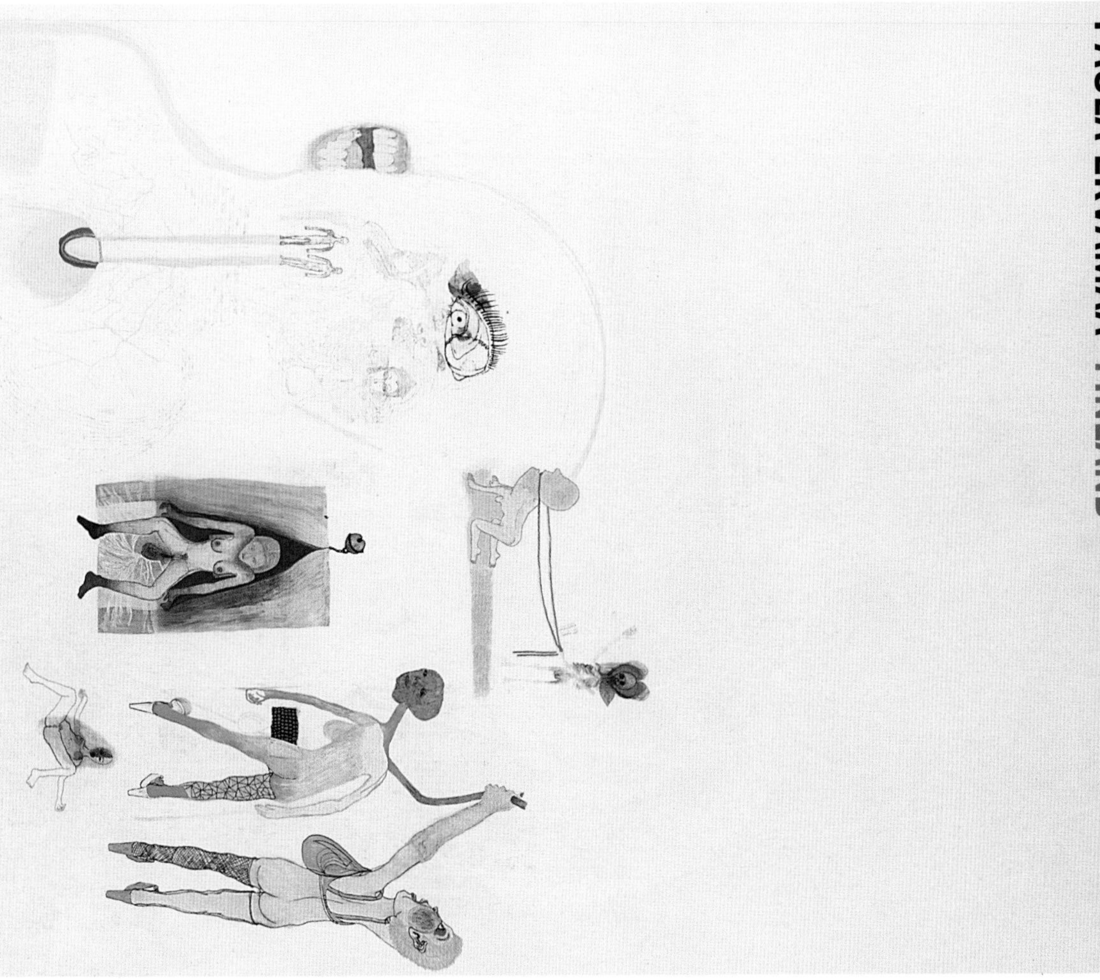

Paula Ervamaa belongs to the youngest generation of Finnish artists, not necessarily interested in following the paths of the familiar. Trained as a painter her main interest lies in the manifold qualities of colour as an expressive material with surprising plasticity. As such it gives freedom to explore the unknown, revealing things not previously seen. The ink drawings presented here came about almost by accident, as a sort of relaxing exercise. It is clear that this technique falls very naturally into the mode of expression of this artist. This obvious naturalness leaves a spontaneous flow of traces, coming close to a surreal automatism in both execution and expression.

In the images, the narrative does not follow any rules of composition or a storyline, but develops like organic free floating chains of associations. There is a large amount of absurdity in the subject matter as well as in the choice of colour and form. Although one could easily find references to popular visual culture and rock music, it seems that Paula Ervamaa rather draws her inspiration from a carnevalistic tradition, found also within ancient cultures. The absurdism gives space to the theatrical, dramatic and to outlived emotions. In her work there is also a touch of the symbolic, apocalyptic world of William Blake, fulfiled in a fresh, youthful, almost girlish way but without the risk of being mistaken for innocence.

Maria Hirvi

E così sia..., 2000-2001 Installation mixed media

BRUNA ESPOSITO ITALY

"Perché in Italia i notiziari definiscono 'extracomunitaria' la persona che proviene da altri paesi del mondo? Perché in particolare nei casi di cronaca nera? Tutti noi usiamo tutti i giorni questa strana parola inconsapevoli di quanto sia insinuante, si tenda e suoni come un filo spinato...".
Parla Bruna Esposito che prende come sempre soltanto su di sé il compito di spiegarsi con colui che osserva il suo muoversi entro il cerchio magico dell'arte.
In generale gli artisti che, in questa mostra, sono chiamati a rappresentare, per esempio, la situazione italiana vissuta dalle generazioni avvicendatesi dagli anni ottanta ai novanta del XX secolo, si caratterizzano, e lo dimostrano con l'opera selezionata, per almeno due tratti comuni: il primo, una qualità lirica, nel senso proprio del termine, di canto poetico, che si sprigiona a dispetto di tutto davanti al sole foscoliano, che risplende "sulle sciagure umane", una sensibilità che, anche quando è incline alla trasgressione, si presenta come scelta di fondo, ma mai si concede di aggredire il sistema formale; il secondo, un'autonomia, più o meno spiccata, con motivazioni e modalità anche molto diverse da caso a caso, ma sempre individuabile, rispetto ai canali abituali di confronto con il mondo esterno, vale a dire rispetto a curatori e galleristi come gestori esclusivi di tale confronto.
Esposito è qui il caso più radicale anche perché forte di una *ratio* in più, essendo l'elemento comportamentale ingrediente fondamentale della sua pratica artistica: questa si manifesta nel far muovere l'attrice di luogo in luogo lasciando dietro di sé immagini che solo la memoria dei testimoni conserverà nella loro poetica interezza.
Documentazioni e riesecuzioni su ricetta conferiranno più tardi autografia a esperienze comunque di carattere postumo e riproduttivo. La fantasia e la libertà delle azioni di Esposito, immutata dai tempi degli esordi – *Canoa in volo* (1985) – è stata esemplificata in questa sede con una nuova azione della serie *E così sia* in proseguimento con il tema, molto prossimo, di *Migrazioni* a Roma (2000). L'Europa del 2000 a Milano è, nell'esperienza di girovaga di Esposito, rappresentabile anch'essa, in quanto inevitabile espressione di conflitto tra UE e non UE, tra cittadini e immigrati, da una svastica, che schiaccia, con la sua geometria sadica, l'umile bellezza di un lavoro manuale ricreato di volta in volta, frutto di un'esperienza mediterranea multimillenaria di unione, nel nome dell'estetica, tra natura e cultura.
Sandra Pinto

"Why do news bulletins in Italy define people from other countries in the world as 'extracommunitary'? Why do they use it for crime stories in particular? We all use this strange word everyday, unaware of how insinuating it is, how it entwines and sounds like barbed wire...".
The words of Bruna Esposito, who as usual takes it upon herself alone to explain to those who observe her motion in the magic circle of art.
In general the artists who have been called upon to represent the situation in Italy, for example, as lived by the young generations of the 1980s and the 1990s are characterised by at least two common traits and these are demonstrated in the works selected. The first is a lyrical quality in the original sense of the term, of a poetic chant, which is unleashed, despite everyone, under a Foscolian sun, which shines "on human calamities", a sensitivity which, even when inclined to transgression, is presented as a basic choice, but never allows itself to attack the formal system. The second is a lesser or greater degree of autonomy with motivations and modalities that may even be very different from case to case, but which can always be identified with respect to the habitual channels of comparison with the outside world, which is to say with respect to the curators and gallery owners as the exclusive managers of this comparison. Esposito is the most radical case here for an additional reason because of the behavioural element fundamental to the practice of her art. This manifests in having an actress move from place to place leaving images behind her which only the memory of witnesses will conserve in their poetic entirety.
Documentations and re-executions later confer autography on experiences that are in any case of a posthumous and reproductive character. Esposito's imagination and freedom of action, unchanged since she first started – *Canoa in volo* (*Canoe in flight*, 1985) – is exemplified in this exhibition with the new action of the series, "And so be it", which continues the subject, very close to it, of *Migrazioni* (*Migrations*) in Rome (2000). The Europe of 2000 in Milan can, in the travelled experience of Esposito, also be represented by a swastika since it is an inevitable expression of conflict between EU and non EU, between citizens and immigrants, a swastika which crushes with its geometrical sadism, the humble beauty of a manual work recreated each time, the fruit of a multi millennial Mediterranean experience of union in the name of aesthetics between nature and culture.
Sandra Pinto

SYLVIE FLEURY SWITZERLAND

Bubbles (Bollicine), 2001
Gli oggetti e le installazioni di Sylvie Fleury si basano su un duplice processo di sviluppo: attingono in primo luogo alle strategie formali dell'arte d'avanguardia del XX secolo e, in secondo luogo, rielaborano queste strategie investendole dei significati derivati dai regni del consumismo, che sono sempre *fashionable*, *en vogue*, *hypercool*. L'atto di stabilire un'identità fra la bellezza del consumismo e la bellezza del manufatto artistico mette in scena la simbiosi di due diversi sistemi: il sistema della cultura "alta" e quello della moda popolare.
Inoltre, Sylvie Fleury è coinvolta personalmente nelle sue opere: essendo lei stessa chic, calzata di tacchi a spillo, seducente, piena d'inventiva, riverbera la propria "aura" sull'opera d'arte. Se fino a poco tempo fa questa strategia di una "nuova appropriazione femminista" – come è stata definita – era percepita come scioccante dal mondo dall'arte, oggi essa è diventata invece uno dei paradigmi delle idee stesse di elasticità, superinformazione e dissoluzione dei confini.
Bubbles è uno spazio dipinto a motivi in bianco e nero nello stile dell'Optical Art, dove c'è un video sul quale si vedono tre ragazze in piedi sul podio dei vincitori, e di fronte un motivo identico. Indossano uniformi sportive ma all'ultima moda e schizzano freneticamente champagne da enormi bottiglie. *Bubbles* ha come tema il glamour della Formula Uno: il fascino della vittoria, la valenza sexy dell'uniforme, la perseveranza di Bridget Riley, lo schema cromatico della bandierina della partenza, a scacchi bianchi e neri, che è anche quello della moda attuale in fatto di abbigliamento, bianco e nero appunto. Ricordiamoci di Theodor W. Adorno, che nella sua *Teoria estetica* formula l'idea che l'arte è affascinata dalla radicalità del potenziale "Ora" incorporato nella moda.
Michelle Nicol

Hot Heels, 1998-1999
Detail
Installation
Migros Museum
für Gegenwartskunst
Zürich, Zurich

Sylvie Fleury, artist and Mika Häkkinen. Formula One World Champion, 1998
Dress designed
by the artist, created
by Hugo Boss

Bubbles, 2001

Sylvie Fleury's objects and installations are based on a dual process of development. Firstly they adapt formal strategies of the art avantgarde of the 20th century and secondly they recontruct these strategies with the significants coming from the realms of consumerism, which are always in a way *fashionable*, *en vogue*, *hypercool*. This act of equilization of the beauty of consumerism and the beauty of the artistic artefact stages a symbiosis of two different systems: the system of high culture and the system of popular fashion. Furthermore Sylvie Fleury gets personally involved in her artwork by herself being *chic*, high-heeled, seductive, re-inventive and therefore cross-referencing her own "aura" with the art work itself. Whereas this strategy of "new feminist appropriation", as it has been named, was seen as quite shocking to the art world some while ago it has today become one of the paradigms of the very ideas of elasticism, superinformation and dissolution of boundaries.

The work *Bubbles* is a space painted in black and white op-artistic patterns and a video showing three girls standing on a winner's pedestal in front of an identical pattern. They are wearing sporty as well as fashiony uniforms and deliriously squirting champagne out of huge winner's bottles.

Bubbles is about the glamour of Formula One, the allure of winning, the sexiness of the uniform, the constancy of Bridget Riley, the colour scheme of the checkered racing flag (black and white), as well as the colour scheme of current textile fashion, which is black and white. Remember Theodor W. Adorno. In his *Aesthetic Theory* he establishes

the idea that art is fascinated by the radicality of the Now potential incorporated in fashion.

Michelle Nicol

Downpour, 2001 Installation at Ikon Gallery, Birmingham

Comprendente video, effetti sonori, proiezioni luminose, opere su carta e sculture basate su oggetti ready-made, il lavoro di Ceal Floyer esprime un sottile minimalismo. È permeato da un particolare senso dell'umorismo, che gli deriva dallo spostamento dei punti di vista, dalla tecnica della doppia ripresa e da un idiosincratico riordinamento dei fenomeni quotidiani. Comunica in simultanea la possibilità vitale della creatività in qualsiasi situazione e una costante allusione all'assurdo.
La sua recente serie *Ink on Paper* (*Inchiostro su carta*, 1999-), per esempio, implica l'uso di pennarelli applicati su fogli di carta assorbente fino al completo esaurimento. Tenuto al centro del foglio, il pennarello produce cerchi di colore che si amplificano impercettibilmente. Il risultato finale – una serie sistematica di cerchi che riflettono lo spettro cromatico prodotto da una confezione completa di pennarelli nuovi – esercita uno straordinario impatto visivo, ma nell'opera viene fatta al contempo una fondamentale proposta esistenziale, non molto diversa da quella presente nei lavori degli artisti svizzeri Fischli e Weiss. È, in una certa misura, un antidoto all'*ennui*: una reazione positiva a "eccomi qui, con queste cose in questo posto, e adesso cosa faccio?".
Se la fusione tra processo di realizzazione e opera finita ricorre frequentemente nella pratica artistica di Floyer, essa trova il suo esempio più flagrante in *Light Switch* (*Interruttore*, 1992), dove un proiettore di diapositive stampa sulla parete l'immagine a grandezza naturale di un interruttore. Ogni illusionismo è azzerato dalla vicinanza fra l'immagine e la sua fonte; l'immagine è ovviamente proiettata. Allo stesso tempo Floyer suggerisce un'inversione – uno spostamento – del rapporto causa-effetto tra l'interruttore e la luce elettrica. In particolare, l'artista sottintende tutta una serie di altri modi in cui il mondo potrebbe funzionare.
Jonathan Watkins

CEAL FLOYER GREAT BRITAIN

Ceal Floyer's work, involving video, sound and light projection, works on paper and sculptural pieces based on ready-made objects, embodies a subtle minimalism. It is informed by a very particular sense of humour, derived from shifting points of view, double-takes and an idiosyncratic reordering of everyday phenomena. It communicates simultaneously the vital possibility of creativity in any situation and a constant hint of absurdity.
Floyer's recent Ink on *Paper* series (1999-), for example, involves the complete draining of felt-tip pens into sheets of blotting paper. Circles of colour grow imperceptibly as a pen is held in the centre of a sheet. The result overall – a systematic series of circles, across the colour spectrum made from a whole new set of pens – is visually compelling. At the same time, there is a fundamental existential proposition being made, not unlike that found in the work of Swiss artists Fischli and Weiss. It is, to some extent, an antidote to *ennui*: a positive reaction to "here I am, with these things in this place, now what do I do?"
The fusion of process and finished work occurs often in Floyer's artistic practice and this is epitomised by *Light Switch*, 1992. Here a slide projector beams the actual-size image of a light-switch directly onto a wall. Any illusionism is undermined by the closeness of the image and its source; the image is obviously projected. At the same time Floyer suggests an inversion – a "switch" – of the cause-effect relation between switches and electric light. Typically, she implies a whole range of other ways in which the world might work.
Jonathan Watkins

Psycho-jardin (Psycho-Garden), 2000-2001 Installation mixed media

MICHEL FRANÇOIS BELGIUM, FRENCH COMMUNITY

Quando vogliamo cambiare la nostra percezione della realtà, tendiamo a cercare aiuto in vari tipi di piante, che assumiamo affinché possano agire su di noi e trasformarci sostanzialmente: che si tratti di vino, tabacco, caffè o hashish, la pianta è in noi.
Michel François

When we want to change our perception of reality, we tend to reach for various plants, which we take so that they can act upon us and transform us fundamentally: whether it be wine, tobacco, coffee or cannabis, the plant is in us.
Michel François

Michel Frère, un feeling per il caos

La pittura, tutta la pittura, ha una diretta attinenza con il caos. Scaturisce dal caos, esplora il caos in un modo diverso da ogni altra forma d'arte; non ha scelta. Il pittore parte sempre da forme amorfe, annerendo la superficie bianca. Dunque la pittura di Michel Frère ci riporta ancora una volta all'origine dell'atto di dipingere. Un ritorno alla fonte inesauribile?
Con Michel è come sospendere il respiro, un'immersione folle, un atto di suicidio. Le forme (spesso strutture instabili o frammenti di paesaggio) sono indistinte, sommerse da una calce melmosa, in uno spazio senza orizzonte. Manca l'aria. Non c'è traccia di forme o immagini umane. Una grande fusione di argilla e grasso, una massa mutevole in cui l'occhio si perde. Il nostro sguardo cede le armi. Tutto è in tutto. In uno stato di flusso continuo, incrostato, fossilizzato, bloccato nel tempo nella morena inesplorata. Era lo stesso con le emozioni. Michel si tuffava nelle amicizie senza alcuna riserva, rifiutando ogni limite, affettuoso, aggressivo, impertinente ed esigente. Una sorta di viscosità mentale ed emozionale, un lubrificante carico di sofferenza. Era lo stesso nei confronti del lavoro degli altri pittori. Michel adorava l'artista mediocre quanto quello geniale, non faceva distinzioni, come se Permeke e de Kooning fossero della stessa identica pasta. Perseguiva la fusione, la perseguiva ossessivamente, nella sfrenata ricerca del grande viaggio, dell'oceano terrestre in cui scomparire, dormire, morire, amare. Ed essere amato. Era pericoloso. E lui correva dei rischi con questo tuffo nell'informale, nel senza forma, nel caos dove il disordine urta contro la linea sottile dei segni. "Non aver paura", era il suo costante ritornello all'amico Damien De Lepeleire.
Michel Frère non era puramente un istintivo, altrimenti la sua pittura non avrebbe subito un'evoluzione nel corso di un decennio, come invece è accaduto. Pensava con chiarezza, era persino critico, colto. Nel caos frantumato della sua pittura cercava texture, tessuto, testo, qualcosa di leggibile, malgrado tutto. Nella tela, con i suoi strati di materia opaca, c'era sempre una luce incipiente. Insieme e simultaneamente un rifiuto e una consacrazione della zolla scura. Un paradosso insostenibile, un'alleanza fra il densamente opaco, la luce e il colore. Posso permettermi di usare il termine "vetro colorato"? Nei suoi dipinti più cupi (ispirati da certi paesaggi di Corot), dal sedimento di una sezione geologica emergono sprazzi di scintille luminose, rosse e gialle, come pietre preziose grezze e levigate. Un qualcosa di guizzante nella notte fossilizzata, come se il carbone e il diamante e il rubino prendessero fuoco. Le massicce cornici e il fatto che i dipinti siano protetti da un vetro sembrerebbero suggerire un ostensorio, una sorta di dimostrazione. Michel Frère sapeva che per essere tacitamente autoanalitica, autocritica, la sua pittura doveva essere "esibizionistica" nel modo in cui veniva esposta. Il vetro forniva la distanza critica, un incitamento all'osservatore a stare indietro, a prendere le distanze. E non dovremmo scordare di menzionare la strana qualità espansiva, l'ampiezza di questa pittura.
Come riesce a vincerla sulla massa amorfa, monolitica e monocromatica, nella quale è immersa? Una superficie frantumata mille volte tanto potrebbe benissimo essere soltanto una massa fusa; eppure un'ulteriore aggiunta alla molteplicità delle pennellate poteva livellare, completare fino all'orlo. E tuttavia un'opera di Michel Frère manda un segnale, innesca dei segni. Evita quella grande uniformità, quella qualità indifferenziata che genererebbe indifferenza. La sua texture si espande sulla superficie tutta intera, in ogni punto della sua densa tessitura. È un arazzo pesante, dalla trama rada, e nella vasta distesa dei sedimenti alluvionali, meteoritici, sotterranei, riemergono vividi i colori. E mentre questo accade non stiamo più affogando nella materia. Il colore diventa la felice, impalpabile espressione della libertà.
Catherine De Croës

MICHEL FRÈRE BELGIUM, FRENCH COMMUNITY)

Michel Frère, a Feeling for Chaos

Painting, all painting, is directly concerned with chaos. It stems from chaos, it experiments with chaos in a way unlike any other form of art; it has no choice. The painter always starts with amorphous forms, darkening the white surface. So the painting of Michel Frère takes us back once again to the birth of the act of painting. A return to the inexhaustible source? With Michel it is like a cessation of breathing, an insane immersion, an act of suicide. The shapes (often shifting structures or fragments of landscape) are blurred, drowned in a muddy lime, in a space with no horizon. There is no air here. No trace of human form or image. A great meltdown of clay and grease, a shifting mass in which the eye is lost. Our gaze surrenders.

All is in all. In a state of constant flow, encrusted, fossilised, time-locked in the uncharted moraine.

It was the same with emotions. Michel would throw himself into his friendships without reserve, accepting no limits, loving, aggressive, impertinent and demanding. A sort of mental and emotional viscosity, a lubricant laden with suffering. He was the same in the way he loved the work of other painters, adoring the mediocre artist as much as the genius, making no distinction, as if Permeke and De Kooning were of one and the same clay. He was in pursuit of fusion, in obsessive pursuit, on a furious quest for the great journey, a terrestrial ocean in which to disappear, sleep, die, love.

And be loved. It was dangerous. And he took risks, with this dive into the informal, the formless, into the chaos where disorder buffets the fine line of signs. "Don't be afraid" was his constant refrain to his friend Damien De Lepeleire.

Michel Frère was not purely an instinctive, otherwise his painting would not have evolved over a decade as it did. He was clear-thinking, even critical, cultivated.

In the ground-down chaos of his painting he sought texture, textile, text, something readable, despite it all. In the canvas, with its layered deposits of opaque matter, there was always an incipient light. At one and the same time a rejection and a consecration of the dark-coloured turf. An untenable paradox, an alliance of the densely opaque and of light and colour: Dare I use the term'stained glass'? In his darkest pictures (inspired by certain Corot landscapes) glowing showers of sparks, red and yellow, like polished uncut stones emerge from the sediment of a geological section. A flickering in the fossilised night, as if coal and diamond and ruby were on fire.

The massive frames and the fact that the paintings are behind glass would seem to suggest a monstrance, a sort of demonstration. Michel Frère knew that his painting had to be " exhibitionist", to be silently self-analytical, self-critical, by the very way in which it was displayed. The glass provided the critical distance, an incitement to the viewer to stand back, to distance himself.

Nor should we omit to mention the strange expansive quality, the spaciousness of this painting.

How does it succeed in breaking with the amorphous mass, monolithic and monochromatic, in which it is immersed? A surface ground-down a thousand-fold could well be just a molten mass; yet another addition to the multiplicity of strokes could well just level out, finish up flush. And yet a work by Michel Frère emits a signal, triggers signs. It avoids that vast sameness, the undifferentiated that would generate indifference. Its texture expands across its entire surface, at every point of its dense weave. It is a heavy, loose-stitched tapestry and in the vast sweep of the alluvial nap, meteoritic, subterranean, the colours come to life. And as they do, we are no longer drowning in matter. Colour becomes the happy, weightless expression of freedom.

Catherine De Croës

[Translation from French: Anne Buckingham]

***Untitled*, 1993**
Oil on canvas,
212 × 269 × 12.5 cm
Private Gallery, Brussels

***Constable England*, 1993**
Oil on canvas,
179 × 256 × 11 cm
Courtesy Galerie Albert Baronian, Brussels

***Untitled*, 1999**
Oil on canvas,
117 × 190 cm
Courtesy Galerie Albert Baronian, Brussels

JÓZSEF GAÁL HUNGARY

Lo spettacolo del suo primo lavoro, simile alla maschera di un insetto – *Ubu Genesis* (*Genesi di Ubu*, 1984) – aveva già lasciato capire che Gaál avrebbe scelto le sue figure e messo in atto i modi espressivi appropriati per portarci dal mondo conscio a quello inconscio, per guidarci dentro l'ignoto, per mostrarci gli oscuri e gelosamente protetti recessi del nostro io. Nel mondo di Gaál, esseri mai visti ma riconoscibilissimi, "idoli sterili" (1985), esseri "terreni" (1991-1992) e "non creati" (1995) compiono degli pseudomovimenti. La loro esistenza è quella di un protozoo: sono privi di pensiero e di istinto.

Lo scopo dell'artista che ritorna a "immagini archetipiche" – come leggiamo nel catalogo *Nosis hermeticus* – è "portare in superficie immagini che ci colpiscono per la loro precedente assenza". Le figure simboliche del *Tryptich* (*Trittico*) provengono da un mondo civilizzato distorto, sembrano degli Ubu-mercenari in uniforme scaturiti dai nostri angosciosi fantasmi quotidiani. Le creature arroganti, tronfie, "con la testa montata", recano i ben noti simboli delle nazioni dell'Europa dell'Est legate al modello sovietico: ciminiere fumanti, mitragliatrici con caricatore a tamburo (le cosiddette "chitarre") e razzi. Assegnando loro un aspetto arcaico, l'artista mostra l'uomo nel suo aspetto grottesco, selvaggio, bestiale. Occorre però ricordare che Gaál è innanzitutto un artista, un pittore, stimolato dal potenziale espressivo sensuale della materia (il colore), e che l'insito significato delle sue opere – il mondo aggressivo, erotico, selvaggio dei protozoi-pupe-insetti – è soltanto secondario.

György Szücs

The insect mask resembling spectacle of his early work, the *Ubu Genesis* (1984), had already hinted that József Gaál would select his figures and set up modes of fitting expression so as to lead us away from the conscious world to the unconscious, to guide us into the unknown, to show us the jealously protected dark recesses of ourselves. In Gaál's world, never-to-be-seen but ever-recognisable beings, "sterile idols" (1985), "earth-bound" (1991-1992) and "uncreated" (1995) beings make pseudo-movements, their existence is that of the protozoa: they are without thought or instinct. The object of the artist who returns to "archetypal images" – as we read in his catalogue entitled *Nosis hermeticus* – is "to bring to the surface images that strike upon us with their earlier lack". The symbolic figures of the *Triptych* spring to the fore from a distorted civilised world, as though they were uniformed Ubu-mercenaries set free from our nightmarish daily phantasms. The bumptious, puffed-up figures, "too big for their boots", bear the well-known symbols of Soviet style Eastern European countries: fuming factory chimneys, drum-cartridge machine-guns (the so-called "guitars") and rockets in their hands. By giving the figures an archaic aspect, the artist displays man in his grotesque, rough, animal-like character. It should be remembered, however, that Gaál is primarily an artist, a painter, excited by the sensual expressive potential of matter (paint), and that meaning, the aggressive, erotic, savage world of the protozoa-pupae-insects, is only secondary.
György Szücs

***Idol,* 1998**
Oil on canvas, 180 × 133 cm
Collection of the artist

***Moloch*, 1998**
Oil on canvas, 170 × 113 cm
Collection of the artist

***Harpy*, 1998**
Oil on canvas, 170 × 114 cm
Collection of the artist

RAINER GANAHL AUSTRIA

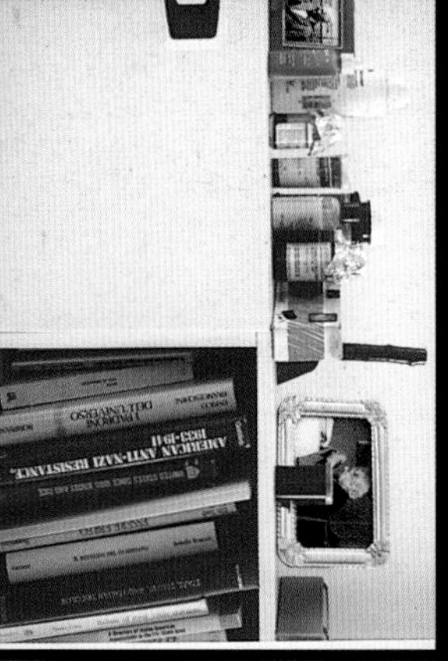

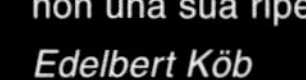

Rainer Ganahl rivolge la sua attenzione ai fenomeni politici, culturali e linguistici nonché al ruolo centrale giocato dall'informazione in una società globale. Appunta in particolare il suo interesse sulla relazione fra conoscenza e potere. Osserva con sguardo critico i media, le tecnologie e gli strumenti che producono, trasmettono e controllano la conoscenza, e convoglia nel suo lavoro artistico il risultato di questa investigazione.
Il suo modo di lavorare è caratterizzato da una combinazione di metodi scientifici, didattici e artistici. Di conseguenza, si avvale anche di una grande varietà di tecniche quali disegno, video, Internet, testi, documentazione, arte oggettuale, scultura ecc.
Un altro ambito fondamentale della pratica artistica di Ganahl è la sua frequentazione delle lingue straniere, nelle quali trova una complessa realtà strettamente connessa all'identità, all'origine sociale, etnica e geografica, al pensiero e alla memoria. È per questo, per approfondire la comprensione di questi aspetti, che si dedica allo studio delle lingue.
Le videointerviste sono il suo metodo di lavoro preferito quando si tratta di esplorare e documentare contesti complessi.
La sua opera *Portraits, the Language of Emigration* (*Ritratti, il linguaggio dell'emigrazione*), realizzata per "Milano Europa 2000", consiste in un gruppo di interviste con immigrati ebrei di origine italiana che vivono nei dintorni di New York. Oltre ai videoritratti vengono mostrate fotografie di queste persone e delle case in cui esse oggi vivono. Su un tavolo, poi, sono disposti dei piatti di ceramica: vi sono scritti nomi ebrei tratti da un libro, ma solo a metà, cosicché l'opera è solo un'allusione al passato, non una sua ripetizione.

Edelbert Köb

Rainer Ganahl deals with political, cultural and linguistic phenomena as well as with the central role information plays in a global society. In particular, he is interested in the relation between knowledge and power. He critically observes the media, technologies and instruments that generate, convey and control knowledge with a view to using the result of the observation process in his artistic work.

The way he works is characterised by a combination of scientific, educational and artistic methods.

In keeping with this, he also uses a large variety of media, such as drawing, video, Internet, text, documentation, object-based art, sculpture, etc., which he also networks in installations.

Another central area of his artistic practice is his engagement with foreign languages, in which he finds a complex reality closely related with identity, social, ethnic and geographical origin, thinking and recollection. To be able to penetrate these more deeply, he studies foreign languages himself; when it comes to identifying and documenting complex contexts, video interviews are his method of choice.

His work *Portraits, the language of emigration*, produced for “Milano Europa 2000”, consists of video interviews with Italian Jewish emigrants who live around New York now. In addition to the video portraits, photographs are shown of the various persons and of the homes in which they live now. Moreover, ceramic plates are presented on a table: they represent Jewish names, once published in a book, but only half of the names, so that the work is just an insinuation, not a repetition of the past.

Edelbert Köb

La pittura di Katharina Grosse è libera da schemi e limitazioni; per lei, la pittura è un processo che conquista la superficie e lo spazio. Il colore non ha bisogno di essere definito, è semplicemente presente e agisce con tale forza che gli spazi e gli edifici saranno definiti dal processo del dipingere. Il colore è materia e può essere applicato con tecniche diverse, a rullo, col pennello o spruzzato a formare strati sottili, sulla tela, sulle pareti o altre superfici.
L'artista reagisce alle situazioni in cui s'imbatte, spazi e stanze, alla qualità degli edifici, alla luce e all'atmosfera.
Il suo procedimento pittorico tralascia sempre più le superfici piatte e si applica a definire unità di volume, spazi interni o esterni. I segni della sua presenza sono incarnati nelle nuvole-colore quasi illimitate che danno respiro alla nostra esperienza della zona in cui il vuoto e la parete s'incontrano. Così, la sua pittura diventa una struttura viva, in grado di definire le esperienze emozionali e spaziali degli osservatori.
Ulrich Krempel

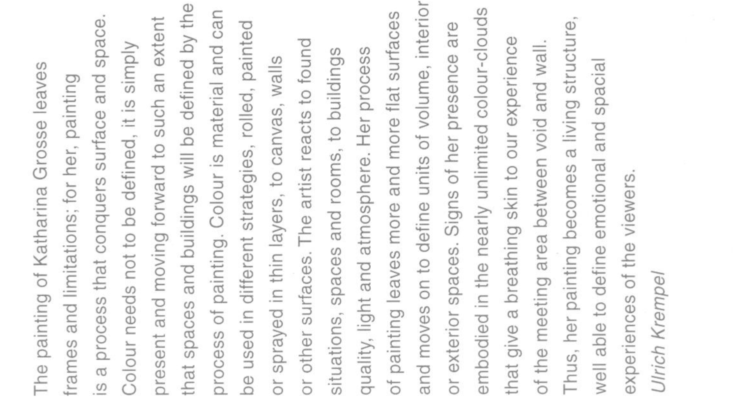

The painting of Katharina Grosse leaves frames and limitations; for her, painting is a process that conquers surface and space. Colour needs not to be defined, it is simply present and moving forward to such an extent that spaces and buildings will be defined by the process of painting. Colour is material and can be used in different strategies, rolled, painted or sprayed in thin layers, to canvas, walls or other surfaces. The artist reacts to found situations, spaces and rooms, to buildings quality, light and atmosphere. Her process of painting leaves more and more flat surfaces and moves on to define units of volume, interior or exterior spaces. Signs of her presence are embodied in the nearly unlimited colour-clouds that give a breathing skin to our experience of the meeting area between void and wall. Thus, her painting becomes a living structure, well able to define emotional and spacial experiences of the viewers.

Ulrich Krempel

KATHARINA GROSSE GERMANY

***Untitled*, 2000**
Installation mixed media, wall painting
Installation view
Zeitwenden, Künstlerhaus, Vienna

***Nun Painting*, 2000**
Installation mixed media
Installation view
Bleibe, Akademie der Künste, Berlin

GRAHAM GUSSIN GREAT BRITAIN

Feedback set up and

I lavori di Graham Gussin suggeriscono luoghi lontani. Il loro significato non sta però soltanto nell'essere remoti: essi comunicano desideri e timori, aspirazioni e ansie che sono troppo vicini per trovare conforto. Sono luoghi paradossali e profondamente umani.

Una delle prime opere di Gussin (1990) consta di un apparecchio illuminante da esterni montato su una parete e di un rustico pannello di legno con la scritta in lettere gotiche: "Savannah". L'insieme, intitolato appunto *Savannah*, trasferisce l'osservatore davanti all'ingresso di una casa suburbana: oltre la porta, i suoi abitanti sognano di vasti spazi aperti. Altri lavori in questo stesso spirito includono *Everything Available, September 1992* (*Tutto disponibile, settembre 1992*), 1992, un elenco su carta da parati di strumenti per l'osservazione delle stelle, *Key to an Abandoned Airport* (*Chiave di un aeroporto abbandonato*, 2000, con Jeremy Millar) e fotografie di isole deserte clonate digitalmente (1995).

Questa trasposizione immaginativa da un dintorno immediato a un universo lontano è controbilanciata da Gussin in un gruppo di lavori che suggeriscono visite extraterrestri. Ad esempio *Fall* (*Caduta*, 1997), una videoproiezione, mostra un paesaggio relativamente banale: una valle con in mezzo un lago. Di tanto in tanto, grazie a un programma di computer random – e con sfacciato riferimento alle scene di apertura del film di Nicholas Roeg *L'uomo che cadde sulla Terra* – la tranquilla superficie del lago viene sconvolta dall'impatto di un oggetto scagliato dallo spazio.

L'imprevedibilità di *Fall* è in netto contrasto con il graduale fluire di eventi nel film più recente di Gussin, *Spill* (1999). La qualità drammatica di quest'opera è data non tanto dalla suspense quanto dalla dimensione di mistero che essa evoca. In particolare, il vapore denso che esala da un anonimo edificio industriale (apparentemente abbandonato) – una citazione da innumerevoli sceneggiature di film di serie B – anche se non nocivo suggerisce intenzioni malefiche e di un altro mondo. È bello e velenoso. Simboleggia il timore dell'ignoto. Ma ha molto più a che fare con "noi" che con "loro", con "qui", ora, che con "là".

Jonathan Watkins

Spill, 1999
Stills from video projection

Feedback (Feedback set up and recorded in the artist's studio and played back at random in another space), 2000
Detail
Installation mixed media

corded in the artist's studio and then broadcast at random in another space

Graham Gussin's works suggest far-off places. Rather than being simply remote, however, they convey desires and fears, aspirations and anxieties which are all too close for comfort. They are paradoxical and very human places.
One of Gussin's first works (1990), consists of an outdoor light-fitting, wall-mounted, and a rustic wooden panel with the word "Savannah" written on it in gothic script. The ensemble, entitled *Savannah*, transports the viewer to a suburban front door – the household behind it dreaming of wide open spaces. Other works in this vein include *Everything Available, September 1992* (1992), a wallpapered list of instruments for stargazing, the beautifully understated *Key to an Abandoned Airport* (2000, with Jeremy Millar) and photographs of digitally cloned desert islands (1995).
Such imaginative translation, from an immediate environment to distant realm, is counterbalanced by Gussin in a number of works which suggest extraterrestrial visitation. *Fall* (1997), for example, a video projection, depicts a relatively unremarkable valley landscape with lake. Very occasionally, due to a random computer programme – and with unashamed reference to the opening scene in Nicholas Roeg's *The Man Who Fell to Earth* – the lake's quiet surface explodes from the impact of something which has hurtled from outer space.
The sudden unpredictability of *Fall* contrasts sharply with a gradual ebb and flow of events within Gussin's more recent film, *Spill* (1999). The drama of this work lies not so much in suspense, but rather in the mysteriousness it evokes. Specifically, a thick vapour creeping through an anonymous (seemingly abandoned) industrial building – reminiscent of countless B film scenarios – which, if not noxious, suggests evil and other-worldly intent. It is beautiful and poisonous. It symbolises fear of the unknown. But it has much more to do with "us" rather than "them", "here", now, rather than "there".
Jonathan Watkins

Snack Mobile, 1998
Jeremy Rifkin l'ha messo nero su bianco: il *lifestyle marketing* è il progetto più amato nel mondo commerciale. Un numero sempre crescente di consumatori diventano membri di club sponsorizzati da ditte varie e sono coinvolti in attività ed eventi sponsorizzati dalle ditte stesse. In altre parole: la diversità degli esseri umani sembra essere l'indizio della loro sostanziale comunione, che trova la sua formulazione nella razionalità dell'esperienza. Il progetto di una vita bella diventa fenomeno di massa.
Il nesso con la *Snack Mobile* di Fabrice Gygi è il seguente: tema ricorrente del suo lavoro è lo smascheramento di meccanismi autoritari iscritti nella realtà quotidiana. L'autorità nella sua veste più mondana e perversa.
La *Snack Mobile*, entità preposta alla vendita di würstel e altri generi alimentari a rapido consumo, deve essere interpretata come parte di una struttura che permette l'organizzazione di un evento pubblico, di uno spettacolo. Oltre a distribuire cibo, la *Snack Mobile* è in grado di definire ruoli sociali, indicare limiti, dividere gli assembramenti in gruppi ristretti. Essa appartiene perciò a quegli aspetti dello spettacolo che esercitano un controllo e strutturano le azioni.
La *Snack Mobile* può essere impiegata dall'artista in due modi diversi. Il primo, mettendola in mostra nello spazio museale come scultura slegata dalla sua funzione: in questo caso si tratterebbe di appropriazione di uno strumento regolatore. Il secondo come *Snack Mobile* viva e operante, che si differenzia da una "vera" macchina per la distribuzione di cibo solo in quanto la sua estetica è minimalista e artigianale. Nel secondo caso l'artista può addirittura intervenire nella realtà dei processi sociali e politici, ad esempio procurando lavoro a un immigrato (la *Snack Mobile* venne ideata per una mostra tenutasi a Brema, "Do all oceans have walls?"; il museo rifiutò però il suggerimento di Gygi, che proponeva di creare un nuovo posto di lavoro).
Un'ultima cosa da sapere: la *Snack Mobile* di Fabrice Gygi non è una vera macchina per la distribuzione di snack, ma la sua rappresentazione in scala 1:1.
Michelle Nicol

FABRICE GYGI SWITZERLAND

Snack Mobile, 1998
Jeremy Rifkin put it down in writing: lifestyle marketing is the most loved project in the commercial world. An ever-growing number of consumers are becoming members of clubs sponsored by various firms and are involved in activities and events sponsored by the firms themselves. In other words, the diversity of human beings seems to be an index of their substantial communion, which finds its formulation in the rationality of experience. The design of an attractive lifestyle is becoming a mass phenomenon.
The connection with the *Snack Mobile* by Fabrice Gygi

is as follows: a recurrent theme in his work is the unmasking of authoritarian mechanisms inherent in everyday life. Authority in its most mundane and perverse form.
The *Snack Mobile*, a gadget for the sale of würstel and other types of fast food, must be interpreted as part of the structure that allows a public event, a show to be organised. The *Snack Mobile* not only distributes food but is also capable of defining social roles, indicating limits, dividing crowds into smaller groups. It therefore belongs to those aspects of show business that exert control and structure behaviour.
The *Snack Mobile* can be employed by the artist in two different ways. Firstly, by putting it on display in a museum as a sculpture divorced from its function: in this case it is the appropriation of a regulatory instrument. Secondly as an alive and operational *Snack Mobile*, which only differs from a "true" machine for distributing food in its minimalist and artisan aesthetic. In the second case the artist can even intervene in the reality of social and political processes, by obtaining work for an immigrant for example (the *Snack Mobile* was created for an exhibition held at Brema, "Do all oceans have walls?"; the museum however refused to take up Gygi's suggestion of creating a new job).
One last thing to know: the *Snack Mobile* by Fabrice Gygi is not a real machine for distributing food but it is on a full 1:1 scale.
Michelle Nicol

***Snack Mobile*, 1998**
Installation mixed media
240 × 100 × 100 cm

***Aurangzeab*, 2000**
Lightjet on photografic paper, 68 × 47.5 cm
Courtesy Galleri Nicolai Wallner, Copenhagen

***Middelburg Summer 1996*, 1996**
Photograph
(the Production Line of Maras Confectie in de Vleeshal)

JENS HAANING DENMARK

Al centro dell'arte di Jens Haaning c'è un desiderio molto attuale di riorganizzare la società. Per raggiungere questo obiettivo egli non propone alcuna filosofia sociale programmatica. Le sue intenzioni sono semplici, qualcuno direbbe persino ingenue, ma i progetti da lui presentati in tutta Europa negli ultimi anni hanno lasciato un'impressione duratura in coloro che vi hanno preso parte.
La recente arte danese ha manifestato l'intenzione di prendere in esame questioni sociali che condizionano il futuro dell'Europa, e Jens Haaning è uno dei suoi più brillanti esponenti. Il suo lavoro s'impernia su alcuni dei problemi più spinosi che l'Europa si trovi a dover fronteggiare. Emigrazione, xenofobia, estetica sociale dello scambio in un mercato comune, identità culturali e nazionali, potere e impotenza sono tutti intrecciati nelle installazioni, nei poster e nei lavori di fotografia degli ultimi anni.
Spesso le opere di Jens Haaning non sono fatte per le gallerie tradizionali ma per gli edifici pubblici e i luoghi di lavoro che incarnano queste idee. Uno di essi è la fabbrica di fibre sintetiche rilanciata nell'ex Germania dell'Est vicino a Ravensbrück, la sede di un campo di lavoro nazista tristemente famoso.
Un altro la fabbrica tessile di proprietà di un imprenditore turco trasferita al completo nella città olandese di de Vleeshal, Middleburg, e in galleria sotto forma di un'installazione. L'arte di Haaning ha rievocato in molti l'idea di Joseph Beuys, secondo cui il bene più prezioso posseduto da un artista è la propria creatività.
A Haaning sta a cuore non la storia dell'arte ma il ruolo svolto dall'arte contemporanea nel dibattito sul cambiamento sociale. Egli fornisce l'opportunità di valutare l'arte visiva, di calcolarne l'importanza in un mondo guidato dal commercio. Quando espone in una galleria la usa come un posto di lavoro non come una vetrina; un luogo di scambio, un luogo per la transazione delle idee artistiche e le opinioni degli osservatori.
Gavin Jantjes

At the heart of Jens Haaning's art is a contemporary desire to re-organise society. Haaning offers no programmatic social philosophy for this. His intentions are simple, some would say naïve, but the projects he has made all over Europe in the past years have left a lasting impression on those who partook in them. Recent Danish art has signalled its intention to interrogate social issues within Europe that effect the region's future. Jens Haaning is one of its most successful exponents; his work addresses some of the most difficult issues Europeans face. Migration, xenophobia, the social aesthetics of exchange in a common market, cultural and national identities, power and powerlessness, are all woven into the installations, posters and photographic works of the past years. His works are often not made for the white cube galleries but the non-art, public buildings and work places that embody these ideas. The redevelopment of a synthetic fibre factory in the former East Germany close to Ravensbrück, the site of a notorious Nazi labour camp is one. Alternatively, the relocation of an entire textile factory owned by a Turkish entrepreneur, to the Dutch town of de Vleeshal, Middelburg and into the gallery as an installation.
His art has returned many to the idea of Joseph Beuys that the most valuable asset an artist holds, is his or her creativity.
Haaning's concern is not the history of art but the role contemporary art has in debates about social change. He provides the opportunity to measure visual art, to map its importance in a world driven by commerce. When he uses the gallery it is as a work place, not a show room; a site of labour exchange, a trading place for the transaction of artistic ideas with viewers' opinions.
Gavin Jantjes

Die Menschen werden nichts davon wissen, 2001
L'accesso è il nuovo stile di vita. Il desiderio di possedere cose è ormai obsoleto, giacché può essere molto più eccitante e vantaggioso essere parte di una rete che dà accesso a tutti i nostri desideri. Così come non vogliamo possedere cose, non ci curiamo più della loro originalità. Il che ci porta alla conclusione che possiamo cambiare e usare come vogliamo marchi e loghi. Sono questi i temi dell'opera di Nic Hess, dei suoi ruvidi dipinti-collage che prendono a prestito, contaminandoli, i segni del mondo contemporaneo. Hess utilizza nastri adesivi e altri materiali prodotti industrialmente come le vernici luminose. I soggetti delle sue opere sono insegne della Shell, elicotteri, immagini di cartoni animati come Pinocchio (un *alter ego*?), carrelli per la spesa, articoli Nike. Il tutto riunito in un ipercrittogramma che costruisce una complessa rete narrativa attraverso riferimenti simultanei a marche commerciali, alla storia dell'arte e alla cultura pop. La raffigurazione schematica è un'altra strategia mutuata dal mondo in cui viviamo, il mondo che fornisce accesso illimitato. Altri temi ricorrenti dell'opera

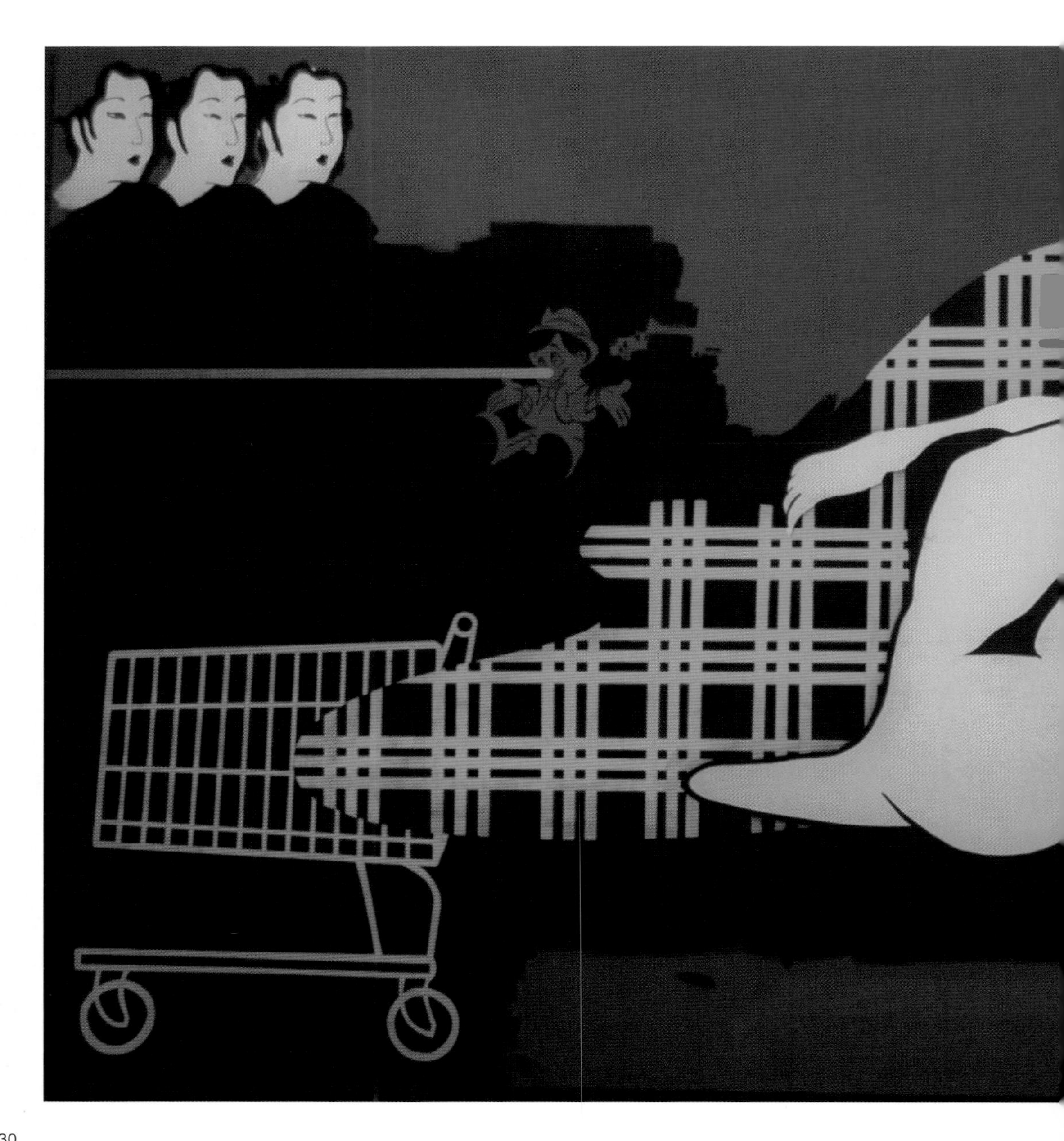

di Hess sono la velocità, le emozioni, l'identità aziendale, la riconoscibilità del marchio, le comunicazioni visive, il marketing virale, i fantasmi isterici e il bombardamento di icone e significanti.
Die Menschen werden nichts davon wissen è un "dipinto-collage" che funziona come un segreto. Soltanto un piccolo buco sulla parete rivela la pittura murale dietro il tramezzo di una piccola stanza. Sono i colori luminosi con cui è stata dipinta a renderla visibile. La plurisfaccettata miscela di culture del logo si rivela soltanto a un fruitore alla volta: il marketing del rumore.
Michelle Nicol

NIC HESS SWITZERLAND

Die Menschen werden nichts davon wissen, 2001
Access is obviously the new way of life. It is obsolete to want to own things because it can be so much more exciting, and economic, to be part of a network that gives you access to each and every of your needs. In the same way we don't want to own things, we don't care about the originality of things. Which again gives the conclusion that we can mutate and make use of trademarks and logos in any thinkable way. Enter Nic Hess. His edgy paintings, or better collage-like imagery is all about borrowing, mutating and cross-referencing the contemporary world of signs. His material is adhesive tape and other industrially manufactured materials such as luminous paint. His subjects are Shell signs, helicopters, cartoon images such as Pinocchio (an *alter ego*?), shopping carts, the Nike swish. All comes together in one hyperpictogram simultaneously referencing brands, art history, pop culture and forming a complex web of narrative. The schematic depiction is a strategy arriving again from the world we are living in, the world which provides unlimited access. What Hess work is about as well: Speed. Emotions. Corporate identity. Brand recognition. Visual communications. Viral marketing. Hysterical phantasms. Deluge of icons and signifiers.
Die Menschen werden nichts davon wissen is a "collage-painting" which functions as a secret. Only a tiny hole in the wall is indication of the wallpainting which lies behind the space divider in a small room. It is made visible thanks to the luminous paint it was created with. The multi-facetted mix of Logo-cultures opens up to only one person at a time: Rumour marketing.
Michelle Nicol

***Der Stoff aus dem die Träume sind*, 2000**
Fluorescent painting on wood panel, blacklight, 140 × 200 cm
Courtesy Hotel Castell, Zuoz, and Galerie Serge Ziegler, Zurich

HELI HILTUNEN FINLAND

Con le sue opere Heli Hiltunen partecipa all'attuale dibattito sulla cultura visiva contemporanea, quello incentrato sul rapporto tra la pittura, la fotografia e l'estetica del mezzo cinematografico.

Heli Hiltunen ha una formazione di grafica, oltre che di pittrice, e sa quindi padroneggiare una vasta gamma di espressioni visive.

Si è fatta conoscere attraverso i suoi dipinti di paesaggi astratti, pieni di colore, spesso abbinati a versi di canzoni popolari finlandesi scritti a mano su carta sottile e racchiusi in massicce cornici dorate.

In anni recenti Heli Hiltunen ha ampliato le proprie risorse tecniche avvalendosi anche della fotografia e di immagini in movimento, che riprendono il familiare stile della sua pittura e i toni sentimentali della musica popolare.

Troviamo ancora tracce della nostalgia e della malinconia, sentimenti così umani, anche se ora l'espressione visiva ha un tocco molto più concettuale, senza per questo perdere il suo sapore e la sua forza così caratteristici.

Afterglow (*Riverbero*) è una serie di dipinti alternati a fotografie in modo ritmico e frammentato. L'elemento dominante continua a essere il colore e il forte sentimento che distingue la pittura dalla tecnica fotografica.

Le figure sono evanescenti, a malapena percepibili, e questo fa sì che la forza dei colori possa diffondersi: argento, rosa e arancio, in una gradazione di toni. La presentazione rivela l'uso delle tecniche cinematografiche: primi piani, tagli, ripetizioni, panoramiche con un movimento lineare da sinistra a destra, caricati di una presenza narrativa e di simultaneità.

Maria Hirvi

Jalkihehku (Afterglow), **1999-2000 Mixed media**

Heli Hiltunen participates, with her work, in current discussions in the visual culture of today; the discussion about the relationship between painting, photography and the aesthetics of cinematographic display. Hiltunen is trained both as a graphic designer and as a painter, and is therefore master of a wide register of visual expressions. She became known through her paintings of abstract, colour filled landscapes, often combined with lines from a certain kind of Finnish popular music. The hand-written texts on thin paper come framed in heavy golden frames.

In recent years Heli Hiltunen has expanded her technical tools to include photography as well as moving images, which parallel the familiar style of painting and the sentimental tones of popular music. We still find here the traces of the so human nostalgia and melancholy, even if the grip of the visual expression now has a much more conceptual touch without losing its very characteristic juiciness and strength.

Afterglow is a series of paintings that alternate with photographs in a rhythmic fragmented manner. The dominating element is still colour and the full bodied feeling that distinguishes the specific painting from the photographic quality. The figures are diffuse, hardly perceptible, and therefore allow the strength of the colours to seep through: silver, pink and orange varied with darker tones.

The presentation reveals the cinema techniques: close ups, focus, cuts, repetitions, panoramas with a linear movement from left to right, charged with narrative presence and simultaneity.

Maria Hirvi

"Nel corso degli ultimi otto anni mi sono divertito a vedere il mio background culturale da lontano, da una parte del mondo dove il cristianesimo non ha mai attecchito e dove Sigmund Freud non ha mai rivestito alcuna importanza... fino a oggi.
L'inizio del Rinascimento nel Quattrocento italiano è per me un momento di rigenerazione e al tempo stesso di apertura verso nuovi traguardi, il giro di boa più importante nella cultura europea dell'ultimo millennio.
La trilogia di cortometraggi *Colors* (*Colori*) è un'archeologia dei dogmi eurocentrici in cui "outsider" culturali/religiosi rifiutano ciò che non riconoscono come proprio e che non hanno assorbito nella primissima infanzia".
Edgar Honetschläger

Edgar Honetschläger è un viaggiatore attento che punta il suo sguardo indagatore non tanto sulle superfici, quanto su ciò che si trova dietro alle immagini esotiche, sulla storia e sulle storie, sulla cultura e sulla politica, sugli usi e sulle tradizioni, sull'eccezionale come sull'ordinario. Coinvolto eppure distaccato, Honetschläger tenta di fare propria quella che è necessariamente, in un'era di globalizzazione, una nuova nozione del mondo.

EDGAR HONETSCHLÄGER AUSTRIA

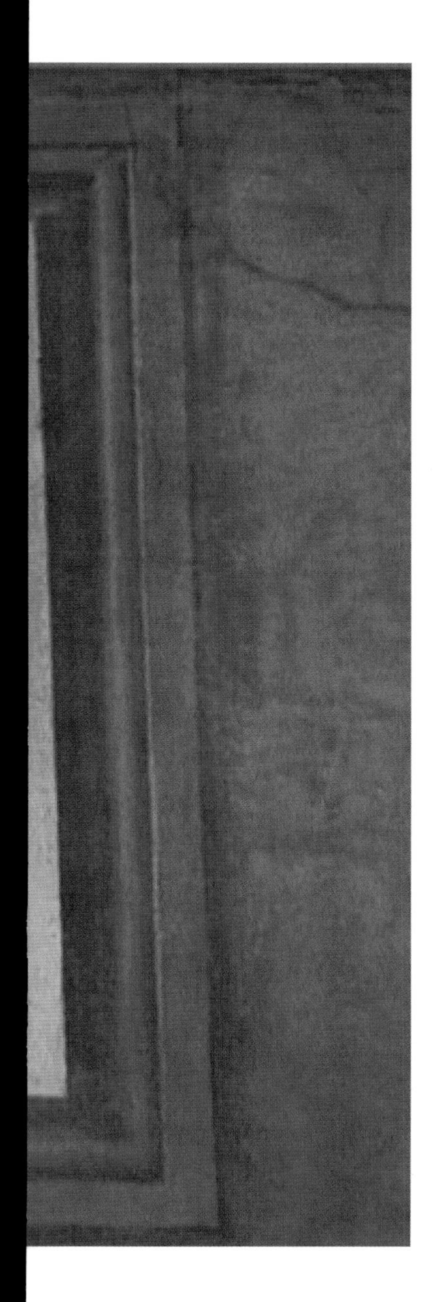

Gli anni trascorsi negli Stati Uniti e in Giappone hanno aguzzato "la capacità di cogliere da parte di uno straniero ciò che è alieno", e l'artista considera questo un requisito per trovare e consolidare la propria identità. Immergersi in intensi processi di comunicazione fra culture e infrangere gli stretti confini delle autodefinizioni: è questo che a suo parere dischiude nuove potenzialità e apre nuove vie alla creatività. Le sue esperienze e le sue impressioni sono incanalate in disegni, oggetti, installazioni, performance, saggi cinematografici e lungometraggi.
Edelbert Köb

"Over the course of the last eight years I enjoyed viewing my own cultural background from the distance, from a part of the world where Christianity never gained a foothold and Sigmund Freud never became a factor of importance till to day.
I take the beginning of the Renaissance in the Italian Quattrocento as a moment of reclamation and at the same time opening towards new shores and as the most important turning point in European culture in the last millennium. The short film trilogy *Colors* is an archaeology of eurocentristic dogmas, in which cultural/religious reflect what they don't call their own, and which they have not imbibed from their earliest infancy".
Edgar Honetschläger

Edgar Honetschläger is an attentive traveller whose exploring gaze is not so much directed at surfaces but at what lies behind the exotic images, at history and stories, culture and politics, customs and traditions, the special as well as the commonplace. Concerned yet aloof he tries to appropriate, in an era of globalisation, what is necessarily a new notion of the world. The years he spent in the US and Japan have sharpened "the foreigner's eye for that which is alien", and the artist believes this to be a prerequisite for finding and consolidating his own identity. Engaging in intensive communication processes between cultures and breaking up the close confines of self-definitions this is what opens up new potentials and avenues for creativity in his view. His experiences and impressions are channelled into drawings, objects, installations, performances, cinematic essays as well as feature films.
Edelbert Köb

***Masaccio*, 2000**
Short film (from the film trilogy *Colors*)

Saint Cecilia, 1997
Installation mixed media

Mariann Imre appartiene a una generazione di artisti che, attiva dagli inizi degli anni novanta, ha rotto sia con i modi di espressione della Nuova Pittura del decennio precedente, sia con gli spettacolari tecnicismi dell'arte mediatica. Rinunciando alle affermazioni universalistiche e agli atteggiamenti del "vogliamo salvare il mondo" dell'avanguardia, si è invece volta verso temi più personali, più intimi, "redenzioni minori", come in *Wall Engravings* (*Incisioni su parete*, 1994). Le sue opere – partendo dall'effigie di *Santa Cecilia* scolpita da Stefano Maderno (1600), oggi nella chiesa di Santa Cecilia in Trastevere a Roma – presentano la duplice natura dell'uomo, materiale e spirituale. Ponendo in contrapposizione il lavoro maschile (la gettata di calcestruzzo) e quello femminile (ricamo), la connotazione dell'opera d'arte si fa complessa, poiché già al livello primario d'interpretazione le tradizioni gnostiche e cristiane si mischiano e sono "cucite" insieme dagli eventi miracolosi della vita della santa (Cecilia è la patrona della musica, e i sottili fili connettivi rinviano alle corde degli strumenti musicali). L'installazione, tuttavia, non richiede una previa conoscenza della *Legenda Aurea*; essa comunica una chiara formula plastica che è separabile e indipendente dal titolo.

MARIANN IMRE HUNGARY

Gli elementi essenziali dell'arte di Mariann Imre sono perfettamente sintetizzati da Erzsébet Tatai nel catalogo della Biennale di Venezia del 1999: "La sua arte è fredda e intellettuale, o almeno anti-espressiva: ciò nonostante sono tutte manifestazioni personali, benché il prodotto dell'intelletto sia, al massimo, di una tonalità lirica. I suoi lavori sono di solito 'tematici', essenzialmente proiezioni visive di topoi mitico-poetici e letterari. Il suo atteggiamento sperimentale e consapevole è neo-avanguardia, apparentemente sulla traccia delle tradizioni 'maschili', mentre il territorio in cui portano i suoi studi è fondamentalmente femminile".
György Szücs

Mariann Imre belongs to a generation that started out at the beginning of the 1990s and broke with both the shrill modes of expression in the New Painting of a decade earlier and the spectacular technicalities of media art; and giving up the universalistic claims and world-saving attitudes of avant-gardism she has turned towards intimate, personal themes, "minor redemptions" (*Wall Engravings*, 1994). Her work – starting out from Stefano Maderno's reclining statue of *Santa Cecilia* (1600) in Santa Cecilia in Trastevere in Rome – presents the dual, material and spiritual, nature of man. By contrasting male work (casting concrete) and female work (embroidery), the connotation of the work of art becomes complex, since even at the primary level of interpretation the Gnostic and the Christian traditions mingle so as to be seamed by the miraculous events of the saint's life (Cecilia is the patron saint of music, thus the fine connecting threads recall instrument strings). The installation, however, does not require a prior knowledge of the *Legenda Aurea*; it conveys a clear, plastic formula that is separable from and independent of the title. The essentials of the art of Mariann Imre is perfectly summarised by Erzsébet Tatai in the catalogue of the 1999 Venice Biennale: "Her art is cool and intellectual, or at least anti-expressive: nonetheless, they are all personal manifestations, albeit the product of intellect is, at most, lyrically toned. Her works are usually 'thematic', primarily the visual projections of mythic-poetic and literary topoi. Her experimental and conscious attitude is neo-avantgarde, seemingly following 'male' traditions, while the territory where her studies lead is basically female".
György Szücs

IRWIN SLOVENIA

Capital (*Capitale*) è un'installazione murale comprendente, nella sua versione completa, circa ottanta dipinti. Il rapporto tra l'insieme e i particolari non è gerarchico; l'insieme è un dipinto così come sono dipinti le opere d'arte individuali (che possono di volta in volta cambiare) esposte all'interno di questo insieme. L'installazione fa parte della serie *Was ist Kunst* (*Cos'è l'arte*), incentrata sulle tecniche e sui metodi del dipingere e dell'esporre in relazione alla tradizione dell'Europa dell'Est.

La presentazione di gruppi di dipinti si riconnette alla tradizione dell'avanguardia russa, alle mostre di Kazimir Malevič e alle esposizioni dei Salon, allestite con i quadri allineati in file sulle pareti. In sintonia con la tradizione dell'Est, molti quadri sono appesi di sbieco: quelli più in alto sono inclinati mentre quelli della fila inferiore sono come oggetti che sporgono dalla parete nello spazio. Questo modo di collocare i dipinti si ricollega anche alla consuetudine slovena di porre l'immagine del Cristo nell'angolo di una stanza, a faccia ingiù. In questo modo i dipinti di IRWIN diventano icone, oggetti, e l'installazione si apparenta all'iconostasi cristiano-ortodossa.

Fin dagli esordi, il gruppo ha analizzato nella sua arte la relazione tra Est e Ovest. *Capital* la interpreta come relazione tra la società del capitale e quella dell'ideologia. La logica del capitale non viene segnalata unicamente dal modo di disporre i dipinti sulla parete – un modo che, come in un Salon, risulta accattivante per il pubblico – ma anche dalla presenza di veri trofei di caccia, intesi come metafore: le opere d'arte come trofei da collezionare. L'Est non è presente solo come ideologia, è presente anche come metafisica. Il suo veicolo è l'icona – l'immagine dello Sguardo Divino – che in *Capital* si trasforma nella logica dello sguardo del visitatore, al quale l'allestimento obliquo è adattato.

IRWIN fa parte del collettivo della Nuova Arte Slovena, il cui campo di attività è stato dichiarato territorio artistico della NAS. A differenza degli artisti occidentali, che sono nelle spire dei meccanismi del mercato, IRWIN e il suo collettivo si sono proclamati artisti di Stato. Nonostante la caduta dei regimi comunisti, la relazione tra Est e Ovest così come è stata descritta da *Capital* nel 1984 non è cambiata in modo significativo: gli artisti continuano a lavorare al di fuori dei meccanismi del mercato e dipendono in gran parte dallo Stato e dalle borse di studio statali.

Zdenka Badovinac

***Was ist Kunst*, 1985-2001**
Detail
Installation mixed media
Collection of the artists

Capital is a wall installation comprising in its complete version approximately eighty paintings. The relationship between the whole and the detail is not hierarchical; the whole is a painting just as paintings are (changing) individual works of art displayed within its framework. It forms part of the *Was ist Kunst* series focusing on the techniques and methods of painting and exhibiting in relation to the Eastern European tradition. The exhibiting of groups of paintings is connected with the tradition of the Russian avant-garde, the exhibitions of Kazimir Malevich, and Salon displays where paintings hung in several rows.
In keeping with the Eastern tradition, several of the paintings hang at an angle: the topmost paintings are slanting while the paintings at the bottom are objects which protrude from the wall into the space. This kind of installing paintings also rests on the Slovene tradition of placing the image of Christ in the corner of a room, facing downwards.
In this way IRWIN's paintings turn into icons and objects, and the installation resembles Christian Orthodox iconostasis.
From the very beginning IRWIN's aesthetic concept has analysed the relationship between East and West. *Capital* interprets this relationship as a relationship between capital society and ideology society. The logic of capital is not underlined merely by the manner of installing paintings, which, as in a salon, seduces the public, but also by real hunting trophies, which are metaphors for art works as trophies to be collected. The East is not present only as an ideology but also as metaphysics. Its vehicle is the icon – the image of the Divine Gaze – which in *Capital* is turned into the viewer's logic of the gaze, to which the slanting display is adjusted.
IRWIN is part of the broader Neue Slowenische Kunst collective, whose territory of activity has been declared the territory of the NSK artistic state. Unlike Western artists, who are captured in market mechanisms, IRWIN have proclaimed themselves artists of the state. Despite the downfall of communist regimes, the relationship between West and East as first described by *Capital* in 1984 has not changed significantly: the artists still work outside market mechanisms and are mostly dependent on the state and state grants.
Zdenka Badovinac

***The Messenger (Room 26)*, 2000 Installation mixed media**

Le stanze delle installazioni dell'artista danese Frans Jacobi hanno titoli semplici – dei numeri – ma sono i loro sottotitoli e i testi accompagnatori a scalzare la nozione che siano prodotte in serie o vacue.
Room 8 (Yesterday) (*Stanza 8 [Ieri]*) o *Hotel (Room 4)* (*Hotel [Stanza 4]*) sono piene di una particolare forma di vuoto. La loro tragica austerità rispecchia una mancanza di significato che viene comunicata dalla qualità dei materiali usati nella loro realizzazione.
Nude lampadine, dozzinale carta da parati, strati di polvere trasmettono un senso di declino. Si suppone che ciò derivi da un qualche senso di perdita privata o personale, da una malinconia adolescenziale, dall'elaborazione di ricordi recenti da parte dell'artista.
Migliaia di singole lettere dell'alfabeto ritagliate da giornali e riviste, sparpagliate sul pavimento.
Una cascata di coriandoli di lettere o le conseguenze di un romanzo-uragano sfuggito al controllo, il significato della vita spazzato via, il significato delle parole gettato all'aria, trasformato in un caos.
Lettere d'amore accartocciate sparse sul pavimento di un'altra stanza la trasformano in un gigantesco bidone dei rifiuti per la generazione di ieri, senza parole e con il cuore infranto.
Jacobi usa spesso testi di canzoni pop, l'ancora di salvezza del romantico smarrito, per avvolgere lo spazio, e la loro lenta recita preregistrata porta a galla la cupa solitudine dello spazio privato.
Le sue più recenti installazioni, *Waiting Room* (*Sala d'attesa*) o *Sincerely Yours* (*Cordiali saluti*), trasformano in un teatro gli spazi appartati, isolati dal contesto pubblico. Le sale d'aspetto delle stazioni ferroviarie, le sterili cappelle degli aeroporti... diventano luoghi che svelano dell'esistenza il lato assurdo, superficiale e condizionato da modelli di comportamento che rivelano le nostre incoerenze culturali.
Gavin Jantjes

Sometimes When We Touch (Room 39), 2000 Installation mixed media

FRANS JACOBI DENMARK

The rooms installed by the Danish artist Frans Jacobi have simple numbered titles but it is their subtitles and subtexts that erode any notion that they are mass-produced or vacuous. *Room 8 (Yesterday)* or *Hotel (Room 4)* are full of a particular form of emptiness. Their tragic austerity characterises a meaninglessness signalled by the quality of the materials used in their making. Naked light bulbs, cheap wall paper, layers of dust convey a sense of ageing decay. One must assume this comes from some personal or private sense of loss, an adolescent melancholia, the artist working out recent memories. Thousands of individual letters of the alphabet clipped from newspapers and magazines, scattered on the floor. A literal confetti or the aftermath of a hurricane romance run out of control, the meaning of life blown away, the meaning of words scattered. Crumpled love letters strewn across the floor of another room transforms it into a giant trash can for yesterday's speechless, broken-hearted generation. Often Jacobi uses the texts of pop songs, the life line of the lost romantic, to envelope the space, their slow, pre-recorded recitation drawing out the bleak solitude of the private space. His more recent installations *Waiting Room* or *Sincerely Yours* transform the secluded spaces set aside in the public domain, into a theatre. The waiting rooms of railway stations, the neutered, prayer room chapel in airports, become sites that disclose existence as absurd, superficial and conditioned by patterns of behaviour that reveal our cultural incongruities.

Gavin Jantjes

LIDY JACOBS HOLLAND

Lidy Jacobs, classe 1959, realizza sensuali sculture di peluche e soffice mohair che lei stessa definisce "soft sculptures" (sculture morbide). Gli orsetti costituiscono la parte più rilevante della sua opera. Tra le sue altre creazioni spicca *Willy*, un giocattolo morbido a forma di fallo con grandi labbra femminili che chiedono di essere baciate. Perennemente in bilico tra erotismo e innocenza infantile, la Jacobs affronta temi quali la sessualità, la bellezza e la "trasformabilità" del corpo umano, sconcertando il pubblico con il suo ambiguo umorismo.
Lidy Jacobs ha fatto del suo corpo il soggetto della propria arte. Una scelta che intende esprimere anche la condizione della donna in una società dominata dal commercio, come nella serie di autoritratti in cui posa come una pin-up con biancheria sexy e un giocattolo morbido in grembo. Ma anziché sfoderare il solito sorriso seducente, la modella scruta l'osservatore con uno sguardo serio, interrogativo.
L'interesse di Lidy Jacobs per il corpo umano trae origine dalla storia personale del suo corpo. In seguito a una malformazione congenita, l'artista è infatti poco più grande di una bambina. Da qui la sua attrazione per altre creature e gli autoritratti sotto spoglie animali, attraverso i quali "mi trasformavo... assumevo i poteri di quelle creature".
Per anni Lidy Jacobs ha realizzato collage e collezionato, tra le altre cose, giocattoli morbidi. Il suo scopo era penetrare l'essenza della creatura e distillarne la forma ultima. Finché un giorno non le capitò tra le mani un orsetto di mohair. "Fui sorpresa dalla sua perfezione". Dopo aver creato innumerevoli orsetti e animali mutanti, le venne l'idea di realizzare una scultura erotica in mohair. "La gente tende a credere che i *Willies* siano aggressivi e antimaschili, ma questo è assolutamente falso. Sono al contrario molto amichevoli e divertenti, e apprezzano la buona conversazione. Traggono origine da un sincero amore per l'erotismo. Non intendono insultare l'uomo, ma sono molto lusinghieri nei suoi confronti".
Sue-an va der Zijpp, citazioni da Heavy Petting, *intervista con Lidy Jacobs, "The Groninger Museum Journal", n. 1, 1999, pp. 7-8*

Lidy Jacobs (1959) makes sensual sculptures of luxurious plush and soft mohair. She refers to her creations as "soft sculptures". Teddy bears form a major part of her oeuvre. One of her other creations is *Willy*, a cuddly toy in the shape of a phallus with large feminine lips that long to be kissed. Balancing delicately between eroticism and childish innocence, Jacobs touches on themes such as sexuality, beauty and the "makeability" of the human body, at the same time bewildering the public with her ambiguous humour.
Jacobs has taken her experience with her own body as the subject matter of her art. This theme is partly related to being a woman in this world, a circumstance dominated by commerce, in her opinion. Jacobs once made a series of self-portraits in which she posed as a kind of pin-up in sexy lingerie with a cuddly toy on her lap. But instead of the customary seductive smile, she confronted the viewer with a serious, questioning look.
Even more than this, her fascination for the human body issues from the personal history of her own body. Due to a congenital aberration, Jacobs herself is no larger than a child. As a result, Jacobs was enthralled by other creatures, and portrayed herself as an animal, for example: "I transformed myself ... I assumed the powers of those creatures".
For years, Jacobs was busy with cutting out collages, and also collected cuddly toys, among other items. The aim of this was to penetrate the essence of the creature and distil the most ultimate form of this. This activity continued until she came across a mohair teddy bear. "I was startled because it was so perfect". After a period in which she created countless numbers of bears and mutant animals, the idea suddenly arose to make an erotic sculpture of mohair. "Occasionally people think that the *Willies* are intended to be aggressive and anti-male, but that is completely untrue. In contrast, they are very friendly, humourous creatures that enjoy a good conversation. They originated from an honest love of eroticism. It is no insult to the man; on the contrary, it is meant as a pleasant qualification".
Quoted from Heavy Petting, *an interview with Lidy Jacobs by Sue-an van der Zijpp in the "Groninger Museum Journal", no. 1, 1999, pp. 7-8*

***Willy*, 1999**
Sculpture mixed media
450 × 350 × 150 cm

***Nipple Bear, Sarah*, 1997**
Sculpture mixed media
h 70 cm

HENRIK PLENGE JAKOBSEN DENMARK

Everything is Wrong (*È tutto sbagliato*) è un'opera altrettanto iconica di *Epiphany* (*Epifania*, 1964) di Richard Hamilton, che reca scritto "Slip it to Me" ("Passamelo"). La frase di Hamilton era un codice all'avanguardia per la sovversione dei modelli fissi di comportamento sociale. Poteva essere portata come un distintivo appuntato sul giubbotto di jeans durante le manifestazioni per la pace, per l'amore e la legalizzazione della droga. L'opera di Henrik Plenge Jakobsen non si presta al consumo diretto come è stato per quella di Hamilton. Henrik Plenge Jakobsen appartiene al periodo post Punk, quando lo slogan di Ian Dury "Sesso, droga e rock and roll" stava svanendo nella storia. Egli dipinge la sua personale frase in bianco puro entro un occhio di bue colorato posto sulla parete della galleria. Non suona come un avvertimento, è piuttosto una dichiarazione sulla realtà contemporanea. La generazione postmoderna non trova soluzioni usando il bagaglio di verità della modernità. È alla ricerca di proprie soluzioni e non punta alcun dito accusatore su quelle che l'hanno preceduta.
Henrik Plenge Jakobsen occupa una posizione strategica nell'arte contemporanea danese. È a capo di una generazione di artisti che usano l'arena dell'arte per commentare in modo democratico la cultura in cui si trovano a vivere.
La sua installazione *White Love* (*Amore bianco*, 1995) è una sofisticata riflessione sui pericoli genealogici latenti del presente e sull'anestesia emozionale della sua cultura. Un'installazione tutta bianca fatta di oggetti domestici, letto, telefono e frullatori diventa il luogo di un esorcismo viscerale. Le azioni di miscelare, pulire e travasare diventano segni udibili e visibili, mentre i fluidi corporei dell'artista vengono pompati attraverso una lavatrice e centrifugati in un mixer. L'artista vuole far partecipe lo spettatore, coinvolgendolo nell'esperienza scioccante ma al tempo stesso eccitante della scoperta personale. Il suo interesse si appunta sulla perdita della normale causalità che ha dinamizzato il progresso umano. Il postmoderno ha trasformato tutto in minoranze, compresi i problemi più scottanti. In modo brutalmente comico *Laughing Gas Chamber* (*Camera a gas esilarante*, 1996) ci sollecita a prendere coscienza accostando la questione del genocidio, profondamente sentita all'epoca della sua realizzazione, alla risata irresponsabile. Il lavoro di Henrik Plenge Jakobsen ci fa riflettere su come i valori del consumo e dello svago abbiano sostituito la storia.
Gavin Jantjes

Peephole
Mixed media
Courtesy Galleri Nicola Wallner, Copenhagen

***Everything is Wrong*, 1996-2001**
Acrylic on wall, 300 × 300 cm

Everything is Wrong is as iconic a work as Richard Hamilton's *Epiphany* of 1964 that reads "Slip it to Me". Hamilton's phrase was a hip code for the subversion of fixed patterns of social behaviour. It could be worn as a button pinned to one's denim jacket as one demonstrated for peace, love and the legitimisation of drugs. Henrik Plenge Jakobsen's work is not consumable in the manner Hamilton's was. He is from the post punk era who listened to Ian Dury's slogan "Sex and Drugs and Rock and Roll" fade into history. Henrik Plenge Jakobsen paints his own phrase in pure white onto a coloured bull's-eye on the gallery wall. It does not sound a warning. It is more a statement of contemporary fact. The post modern generation finds no solutions using the accumulated truths of modernity. It is searching for its own solutions without pointing accusative fingers at its elders. Henrik Plenge Jakobsen holds a strategic position in contemporary Danish art. He is at the head of a generation of artists who use the arena of art to democratically comment on the culture they have to live in. His installation *White Love* 1995 was another sophisticated reflection on the lurking genealogical dangers of the present and his culture's emotional anaesthesia. An all white installation of household appliances, bed, telephone and food mixers, became the site for a visceral exorcism. Processes of mixing, cleansing and transfusion became audible and visual signs as his bodily fluids were pumped through a washing machine and churned in a mixer. Henrik Plenge Jakobsen wants to implicate the viewer, engaging us in the shocking but pleasurable experience of personal discovery. He is concerned with the loss of common causality that kineticised human progress. Post modernity has made minorities of everything including the big issues. *Laughing Gas Chamber* of 1996 was a brutally funny wake-up call that juxtaposed the then topical issue of genocide with irresponsible laughter. His work allows us to investigate how consumption and entertainment have replaced history.
Gavin Jantjes

ANN VERONICA JANSSENS BELGIUM, FRENCH COMMUNITY

Nella Vleeshal buia l'artista ha installato una grande lampada che cattura il visitatore nel suo fascio luminoso architettonico/scultoreo. Questo fascio luminoso ha la forma di un cono e termina disegnando un cerchio sulla parete. Dà l'impressione di una presenza reale, come se fosse fatto di acciaio o alluminio. Quando, in tempi prestabiliti, esso inizia a roteare – una possente ruota messa in movimento – vieni inevitabilmente toccato dai raggi che girano come le lame di un ventilatore.

Avvolto da questa luce, il visitatore perde ogni senso dello spazio e della distanza, e quindi della realtà. Per il suo tramite approda al mondo allucinatorio e immaginario della luce proiettata, un mondo paragonabile a quello di un film. Come se fosse stato appena escluso dal film e poi improvvisamente vi fosse riammesso. Se esce dal raggio di luce sarà presente nella stanza come una forma esterna, autonoma, un qualcosa che si pone tra architettura e scultura.

È per questa ricerca nell'ambito dell'illusione della luce e della fondamentale elusività delle forme evocate che il lavoro di Ann Veronica Janssens può definirsi classico, pur collocato allo stesso tempo nel contesto e nella problematica della pittura, della fotografia e del cinema. Infatti, malgrado sia un'illusione, si viene catturati perché essa si presenta come realtà. Questo, insieme alla confusione e alla magia che si creano al suo interno, è reso visibile dall'artista unicamente mediante una fonte di luce.

"Tal era io a quella vista nuova: / veder voleva come si convenne / l'imago al cerchio, e come vi s'indova" (Dante).

Lexter Braak

Représentation d'un corps rond II
(Representation of a round corps II), 1996-2001
Installation mixed media
Courtesy Ann Veronica Janssens, *Etablissement d'en face*

In the darkened [illegible] she has placed a large lamp which catches the visitor in its architectural-sculptural beam. This beam has the shape of a cone, and ends up as a circle on the wall; it looks as if it is a real presence, as if it is made from steel or aluminium. When, at set times, the beam begins to turn, a mighty wheel being set in motion, you seem to be able to be mercilessly touched by the rays which rotate like the blades of a fan.
Placed in this light, the visitor loses any feeling of space and distance, and thus of reality. He rises through it to the hallucinatory and imaginary world of the projected light, a world that is comparable to the world of film. As if he has just been excluded from the film and then suddenly now is being let into it. If he steps out of the beam, then it is present in the room as an external, autonomous form, somewhere between architecture and sculpture.
This working with the illusion of light and the ultimate elusiveness of conjured-up forms makes the work of Ann Veronica Janssens classical, and places it simultaneously within the problem and context of painting, photography and film. Because in spite of the fact that it is an illusion, you actually can get caught up in it because it presents itself as reality. This, together with the confusion and enchantment contained within it, is made visible by Ann Veronica Janssens with just one lamp.
"This is what I felt in this new vision: / I wanted to see how the picture became one / With the circle, and how it found a place within it" (Dante).
Lex ter Braak

***Meeting Place II # 2*, 1999-2000 Laser direct c-print on to aluminium, laminated, 80 × 100 cm**

JOHNNY JENSEN DENMARK

La cultura danese è nota per il suo atteggiamento liberale nei confronti del sesso e della pornografia. È una democrazia che non teme di mostrare in pubblico i suoi più segreti risvolti. Il sesso non è tabù. L'artista Johnny Jensen è in grado di mostrarci un'altra faccia di questo mondo sommerso. Sono finiti i tempi in cui il rapporto sessuale veniva ambientato in spazi pieni di magia e dalla sofisticata illuminazione. Jensen non ha alcuna intenzione di emulare Jeff Koons, che ha sfruttato il nostro voyeurismo e tentato di trasformare in arte la pornografia.
I luoghi dell'esplorazione pittorica di Jensen sono spogliati di ogni artificio. Il mondo sommerso del sesso è una realtà sordida, dentro e fuori. Non servono attori per dimostrarlo. Il mobilio e le suppellettili sceniche dello spazio racchiuso e i rifiuti lasciati fuori raccontano la propria storia. Un prima e un dopo; quello che sta in mezzo è lasciato aperto alla speculazione.
Jensen è un giovane artista che, come molti della sua generazione, si pone delle domande sulla sessualità. Qui ci sono solo domande, niente risposte. Il sesso a pagamento non è solo una questione di economia, ma anche di rapporti ed emozioni. Nei suoi lavori Jensen manipola questi temi con destrezza, senza dare un giudizio.
Le sue fotografie non sono sofisticate, sembrano istantanee o documenti della polizia da usare come prove in qualche transazione illegale. Sono concepite a coppie e nella galleria sono appese una di fronte all'altra, su pareti opposte, per sottolineare la loro connessione e la loro differenza. L'osservatore sta in mezzo fra questi due mondi. Non si ha a che fare con il voyeurismo, ma solo con l'immaginazione che qualcuno proietta sulle immagini.
È un'arte congegnata per far pensare, e in questo segue una tradizione nell'arte danese: quella di non accettare nessuna delle norme sociali e culturali.
Gavin Jantjes

***Meeting Place II # 3*, 1999-2000 Laser direct c-print on to aluminium, laminated, 80 × 100 cm**

Danish culture is known for its liberal attitude to sex and pornography. It is a democracy unafraid to show its underbelly in public. Sex is not taboo. The artist Johnny Jensen is able to show us another strata of this underworld.
Gone are the glamourous and studio-lit sites of sexual exchange. Jensen does not set out to emulate Jeff Koons who exploited our voyeurism and attempted to make pornography into art. The site of Jensen's pictorial investigations are stripped of artifice. The sexual underworld is a sleazy reality, inside and out. It requires no players to demonstrate this. The furniture and props in the enclosed space and the debris left outside narrate their own tale. A before and after with the middle left open to speculation. Jensen is a young artist who like many of his generation is interrogating sexuality. There are only questions here, no answers. Purchasable sex is not only a question of economy but also one of relationships and emotion. Jensen's work juggles these issues skilfully by not casting a judgement. His photographs are unsophisticated. They resemble snapshots, or police documents to be used as evidence in some illegal transaction. They are conceived as couples and hang on opposite walls in the gallery to underscore their connection and difference. The viewer stands between these worlds.
There is no voyeurism, only the imagination one brings to the images. It is an art engineered to make one think and in so doing it follows a tradition in Danish art not to accept any of the social and cultural norms.
Gavin Jantjes

IVAN KAFKA CZECH REPUBLIC

Ivan Kafka è l'unico rappresentante della generazione di artisti che fin dalla fine degli anni settanta hanno realizzato esclusivamente installazioni e opere spaziali. Da questo punto di vista, il suo approccio è unico in ambito ceco. All'inizio Kafka realizzava le sue installazioni nella natura. La collina di Jyvaskyl su un lago ghiacciato in Finlandia o una piramide di pietre sulle Alpi austriache ricordano a prima vista le opere classiche della Land Art, ma ne differiscono per gli strati semantici creati dai loro collegamenti con il sito e dalla loro incorporazione in altre relazioni geografiche, politiche e storiche. La sua analisi concettuale del fenomeno del cubo è ben nota. Il cubo, in quanto forma geometrica pura, è uno degli elementi fondamentali dell'estetica minimalista; Kafka tuttavia non lo interpreta soltanto alla luce di questa concezione ascetica e depersonalizzata, ma costruendo i suoi cubi con materiali organici naturali (rami, paglia, sassi, foglie e persino neve) e collocandoli nel paesaggio, li fa entrare in relazione con quest'ultimo.
Negli anni ottanta Kafka non situa più le sue opere nella natura e si dedica invece a installazioni in ambienti urbani e in interni, ricorrendo alla moltiplicazione di un'unità di significato ben definita, che funge da punto di partenza per la sua visione metaforica del mondo. È su questo principio che si fonda, ad esempio, la sua opera *From Nowhere to Nowhere* (*Da nessun luogo a nessun luogo*), esposta alla Biennale di Venezia del 1997, che gli è valsa il primo riconoscimento pubblico. L'installazione consisteva in novecentotré frecce da tiro con l'arco, e poiché l'aspetto bellicoso degli oggetti esposti non era l'intenzione primaria di Kafka, le loro caratteristiche individuali svanivano nell'insieme monumentale e i visitatori le percepivano come raggi che creavano un imponente spazio meditativo. Formalmente l'opera si presentava come un grande rettangolo che doveva essere interpretato attraverso le sue relazioni semantiche. Kafka solitamente fornisce la chiave per comprendere le sue opere nei loro titoli, concepiti su due livelli, semantico e descrittivo, in questo caso *From Nowhere to Nowhere / 903 Archery Arrows* (*Da nessun luogo a nessun luogo / 903 frecce da tiro con l'arco*). Le frecce formavano due blocchi separati, quelle del primo puntate contro quelle dell'altro. Questa separazione "geometrica" era una rappresentazione simbolica della suddivisione della Repubblica Cecoslovacca, sancita proprio in quel periodo e sulla quale l'artista esprimeva la propria perplessità.
L'installazione *On Potent Impotence* (*Sulla potente impotenza*) esposta a Milano, consistente in decine di meccanismi a orologeria autonomi, le cui lancette si muovono in modo irregolare, è una riflessione sulla stabilità e l'imprevedibilità, sulle certezze e gli alti e bassi della vita contemporanea. La forma ascetica e strettamente tecnologica degli orologi codifica la contemplazione del significato simbolico del tempo nella storia umana.
Olga Malá

Ivan Kafka is the only representative of the middle generation of artists who has been working since the late 1970s exclusively on installations and spatial realisations. From this point of view, his approach is unique in Czech art.
At the beginning, the artist realised his installations in the nature. Jyvaskyl Hill on a frozen lake in Finland or a stone pyramid in the Austrian Alps are at first sight reminiscent of classical Land Art works, but they differ from them by semantic layers that are created by their interconnecting with the site and incorporation into other geographical and political and historical relations. Kafka's conceptual examination of the phenomenon of the cube is equally well-known. The cube as a pure geometrical form ranks among the fundamental elements of the minimalist aesthetics; Kafka, however, has never understood it on this depersonalised and ascetic level only, making his cubes from natural organic materials (twigs, straw, stones, leaves and even snow) and placed them in the landscape so as to make these materials enter into special relations with the landscape.
In the 1980s, Kafka moved from his typical works in nature to installations in the city environment and interior where he has used the principle of multiplication of the clearly defined unit of meaning, which serves him as a point of departure to his metaphoric view of this world. This applies, for example, to his work *From Nowhere to Nowhere* exhibited at the 1997 Venice Biennale with hundreds of arrows hung in a free space, with which Kafka gained public recognition. The installation consisted of 903 archery arrows, and since the combative character of the exhibited objects was not his primary intention, the individual shape of these units disappeared in the monumental whole and the viewers perceived them as rays creating an impressive meditative space. Formally, it was a large rectangule which had to be understood in semantic relations. Kafka usually includes the key for understanding his works by means of their titles conceived of on two levels, semantic and factual, in this case *From Nowhere to Nowhere / 903 Archery Arrows.* The arrows form both halves pointed against each other and divide the entire block into two; however, this "geometrically" made cleavage represented a symbolical allusion to the division of the Czechoslovak Republic which was taking place at that time, expressing a certain feeling of futility over that fact.
His installation *On Potent Impotence* exhibited in Milan consists of dozens of autonomously standing clockworks, the hands of which move in an uneven way, is a reflection on stability and erratic character as well as certainties and ups and downs of contemporary life. Their strictly technical ascetic form encodes contemplation on the symbolic meaning of time in human history.
Olga Malá

***On Potent Impotence*, 1989-2000**
Installation mixed media, 300 × 600 × 450 cm

***Order of Freedom/and Limpness*, 1975-1999**
Installation mixed media, length of the line approx. 300 m

***Caution With Joy*, 1992-1997**
Installation mixed media, 340 × 240 m

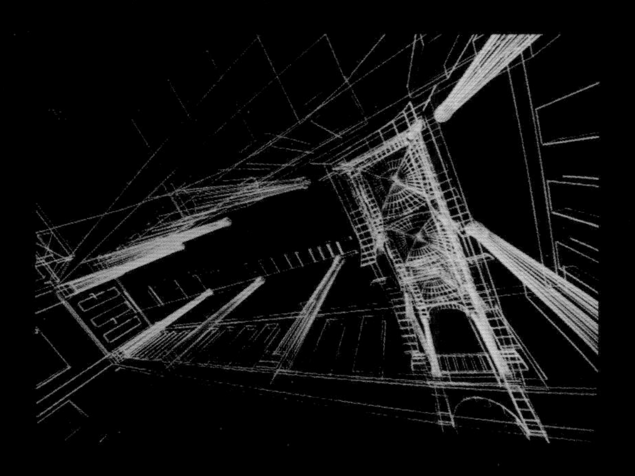

Prendendo a prestito il titolo della sua prima esposizione collettiva alla scuola d'arte, András Kapitány chiama le sue creazioni "immaginazioni nello spazio". Il suo non è l'approccio dello storico distaccato, ma quello del viaggiatore nel tempo che penetra nello spazio studiato con l'aiuto dell'animazione al computer e invita gli osservatori all'avventura. L'originale illusione di spazio diventa "reale" e poi di nuovo immaginaria, perché un montaggio molto preciso trasforma lo spazio bidimensionale della rappresentazione artistica in uno spazio tridimensionale percepibile razionalmente, spazio che viene proiettato su uno schermo bidimensionale.
Con quest'opera, Kapitány ci conduce nell'impossibile edificio pseudorazionale di C.M. Escher, il Belvedere. L'artista lascia trasparire i trucchi del montaggio del suo predecessore, ma va oltre nel pensare, o "scrivere", gli spazi presentati, espandendo il normale campo visivo dell'uomo e riplasmandolo sotto forma di movimento virtuale, di viaggio fittizio. Per colpa di un errore "accidentale" del computer (virus = parassita) o in segno di riverenza da parte dell'artista nei confronti del maestro Cornelius, la struttura dell'immagine disegnata dalla luce va in frantumi, e al suo posto prende vita un curioso, decostruttivo "organismo geometrico", pauroso e insieme eccitante.
In *Eye-Witnesses* (*Testimoni oculari*, 1998) Kapitány approfondisce questo tema dell'analisi dello spazio: ci introduce nello spazio prospettico e simbolico della *Flagellazione di Cristo* di Piero della Francesca. Diventando partecipi dell'evento, non soltanto veniamo a conoscere le "storie" parallele degli attori, ma siamo anche consapevoli della posizione divina, percepita grazie alla direzione della luce simbolica posta all'esterno dell'immagine.
György Szücs

ANDRÁS KAPITÁNY HUNGARY

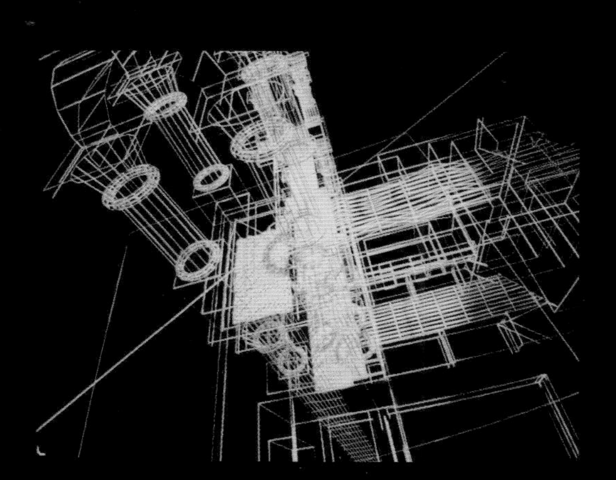

Parasite*. **SR, 1995-1998**
Video graphics from video installation
Collection of the artist

András Kapitány, borrowing the title of his early, art school collective exhibition, creates "space-imaginations". His position is not that of the detached historian, but that of the time-traveller who infiltrates space studied with the help of computer animations and invites viewers for adventure. The original illusion of space becomes "real" and fictional again because precise editing makes the two-dimensional space of the artistic representation become rationally perceivable three-dimensional space, which is projected on to a two-dimensional screen again. In this work, Kapitány leads us into the pseudo-rational, impossible *Belvedere* building of C.M. Escher. He betrays the editorial tricks of his predecessor, and, furthermore, he thinks, or, "writes", the presented spaces further, expanding the normal human field of vision and re-shaping it into virtual movement, fictional travel. Due to an "accidental" mistake in the computer (virus = parasite) or the intent of the artist in reverence of Master Cornelius, the structure of the picture drawn by illumination collapses, and a curious, deconstructive, both fearful and exciting "geometric organism" comes into being. In *Eye-Witnesses* (1998), Kapitány further deliberates on the space-analysing problem: he introduces us into the perspectival and symbolic space of Piero della Francesca's *The Scourging of Christ*; by making us participants in the event, we not only get to know the parallel "stories" of the actors, but also gain an impression on the divine position seen from the direction of symbolic light outside the picture.
György Szücs

PERTTI KEKARAINEN FINLAND

Pertti Kekarainen usa il mezzo fotografico per lavorare con la dimensione dello spazio, che costituisce il suo tema privilegiato. Scultore di formazione, è consapevole delle caratteristiche fisiche di ogni materiale selezionato e sa come correlare lo strumento fotografico non solo alle funzioni dell'occhio umano ma anche a quelle dell'apparato percettivo della mente in un senso più ampio.

Dopo aver iniziato col fotografare oggetti della vita quotidiana in ambienti reali, nei suoi ultimi lavori Kekarainen sembra impegnato a visualizzare più ambigue sensazioni di spazi possibili, dove la relazione con l'osservatore è concentrata su un punto specifico dell'immagine, a suggerire un passaggio che porta a qualcosa di più "reale".

Siamo posti in una posizione intermedia, come nel forellino della camera oscura, dove i raggi di luce dirigono lo sguardo in due possibili direzioni.

Viene tracciata una linea di confine del significato.

I lavori di Kekarainen sono spesso di grandi dimensioni, perlomeno di proporzioni umane, tecnicamente perfetti nella realizzazione e installati con la precisa volontà di esercitare un impatto sull'osservatore in rapporto al contesto della galleria, di instaurare un dialogo fra tutte le opere esposte. I suoi lavori spesso funzionano in serie, dove soluzioni alternative diverse creano trame narrative e stati d'animo diversi.

Nella sua nuova serie, appositamente realizzata per questo evento, le intenzioni surreali sono accentuate dalla presenza del colore, un elemento che gioca un ruolo indipendente: un "estraneo che s'intromette". Le qualità formali dello spazio reale sono sottoposte a un dinamismo sempre più intenso, e ci troviamo a confronto con sorprendenti illusioni di esperienze narrative spaziali.

Maria Hirvi

Pertti Kekarainen uses the photographic media to work with spatiality as his main subject matter. Trained as a sculptor he is aware of the physical characteristics of any chosen material and knows how to parallel the camera as a tool not only to the functions of the human eye, but to the perceptive apparatus of the mind in a broader sense as well.
Having started with photographing real objects of everyday life in real interiors, Kekarainen seems in his later works to try to visualise more ambiguous feelings of possible spaces, where the viewer's relation is focussed upon a specific spot in the image, suggesting a passage leading into something more "real". We are placed in between, as in the tiny hole of the camera obscura, where the rays of light direct the gaze in two possible directions. A borderline of signification is drawn.
The works are often large scale, at least human size, perfectly finished, technically, and consciously installed to make an impact on the viewer in the context of a gallery, putting the accent on a dialogue between all the works in the space.
The works often function in series, where different alternatives create different narratives and moods.
In his new series, created specially for this event, the surreal intentions are strengthened by an element of colour that plays the independent role of an intruding stranger. Combined with a repetitive deepening movement of the formal qualities of the actual space, we are presented with surprising illusions of spacial narration.
Maria Hirvi

***Density*, 2001 C-prints on diasec, each 180 × 220 cm**

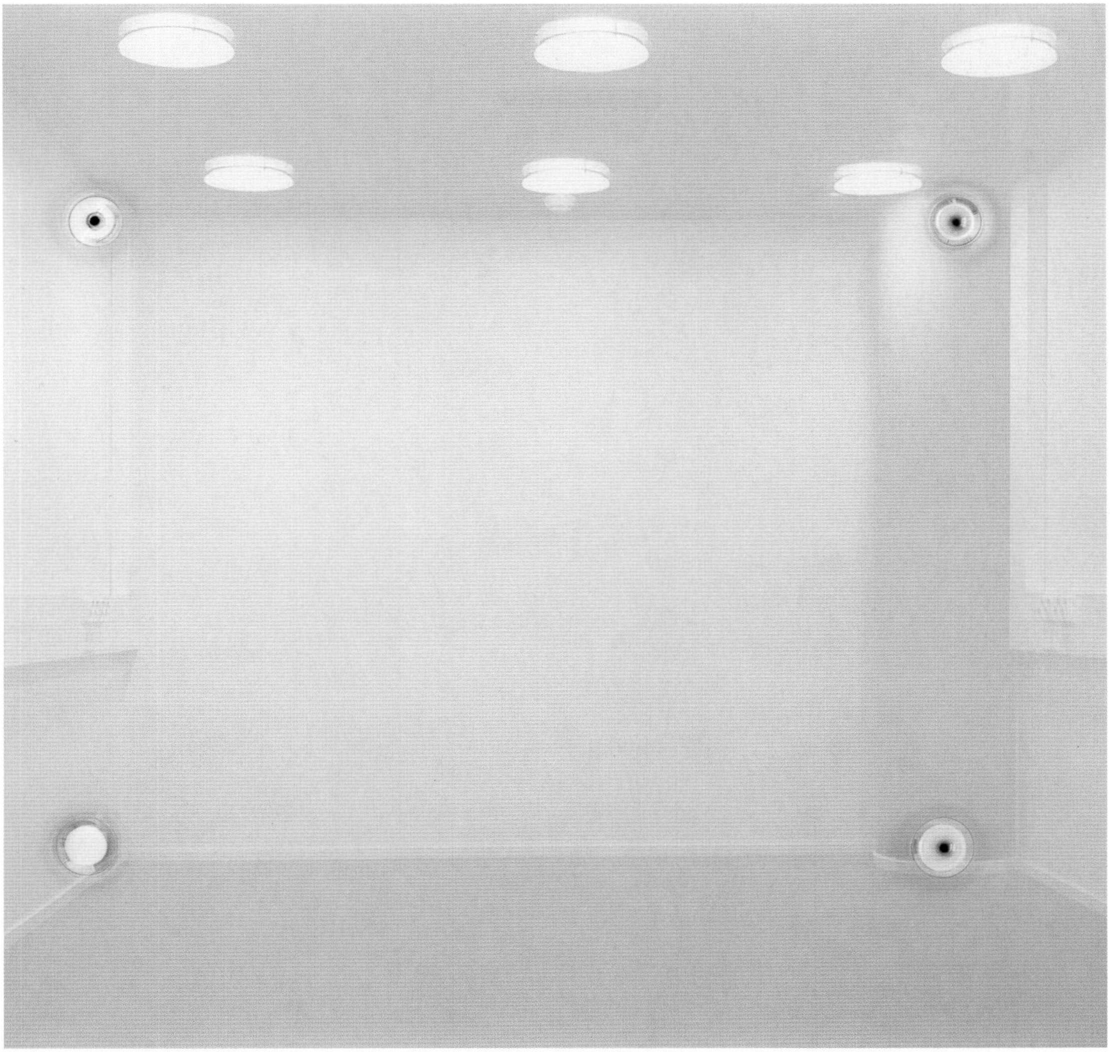

Berg II, 2000
C-print on MDF board,
200 × 185 cm

Modelhus XVIII, 2000
C-print on MDF board,
50 × 73.5 cm

ANNA KLEBERG SWEDEN

Simulazione, artificialità e duplicazione sono i primi concetti che vengono alla mente guardando le fotografie di Anna Kleberg. Le case dei plastici ferroviari utilizzate per creare le sue scenografie suggeriscono un rapporto ambivalente con la Svezia rurale e suburbana, l'amore per la sua bellezza naturale e l'insofferenza per le città industriali e i nuovi villaggi. *Modellhus VII, XIV, XVI, XVII* sono case giocattolo minuziosamente fotografate. Questi modellini possono essere disposti in infinite combinazioni per creare villaggi prefabbricati o piccole cittadine, le cui case sono una sintetica miscela degli stili rurale europeo, alpino, bavarese e scandinavo che si neutralizzano a vicenda. È un'architettura, questa, che si distingue per le sue somiglianze. Anche le montagne echeggiano l'assenza di varietà. Sono una versione stilizzata, da scatola di cioccolatini, delle vette alpine. La Kleberg non crea un ambiente di gioco per ragazzi cresciuti, e non professa nemmeno le idee fotografiche di Bernd e Hilla Becher. La sua è piuttosto una interpretazione dei dettagli e un'analisi dell'estetica locale che è al cuore della cultura nazionale. Evoca il lavoro e il gioco, la creatività immaginativa e la sua assenza. Le sue opere sembrano porci un profondo interrogativo: "Fa parte del carattere rurale non contravvenire ai valori normativi?". Il conformismo sembrerebbe infatti incompatibile con una nazione che ha così a cuore i diritti democratici e la libertà umana. Anna Kleberg è una delle giovani artiste urbane che stanno seriamente mettendo in discussione la loro cultura nazionale. Le sue opere ci offrono l'opportunità di praticare una sana e indolore autocritica.
Gavin Jantjes

The concepts of simulation, artificiality and copying all come to mind in the photographs of Anna Kleberg. Her use of railway model houses to create her scenarios expresses an ambivalent relation to rural and suburban Sweden, a love for its natural beauty and an unease with its manufactured town and new village environments. *Modellhus VII, XIV, XVI, XVII* are carefully photographed toy houses. One can install these in endless combinations to create the prefabricated village or small town, whose houses are a synthetic mix of rural European building styles, an Alpine, Bavarian, Scandinavian mix that neuters the specifics of each. It's an architecture which distinguishes itself through its very-similitude. Even the mountains echo this lack of difference. They are a stylised chocolate box version of an Alpine peek. Kleberg does not create an environment for big boys to play in and she does not follow the photographic ideas of Bernd and Hilla Becher. Hers is more observational, an interpretation of details, an unravelling of local aesthetics that is at the heart of national culture. It speaks about work and play, about imaginative creativity and the lack of it. The work in the end asks a profound question: "Is it part of the rural character not to step outside normative values?". For a nation so concerned with democratic rights and human liberty one would not expect to find conformity at its heart. Kleberg is one of the young urban artists who is taking a careful look at the state of their national culture. Her exhibitions provide an opportunity to practise painless self criticism.
Gavin Jantjes

PACO KNÖLLER GERMANY

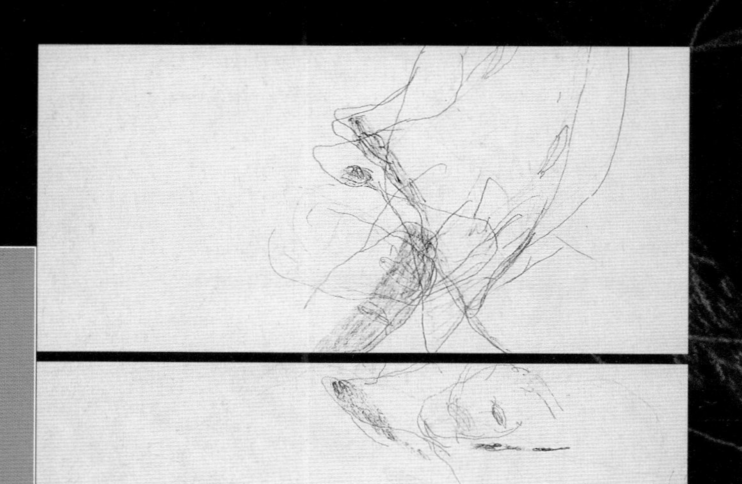

456 (archiv. nr.) / 2000, 2000
Drawing, 30 × 61 cm

457 / 2000, 2000
Drawing, 30 × 61 cm

458 / 2000, 2000
Drawing, 30 × 61 cm

461 / 2000, 2000
Drawing, 30 × 61 cm

462 / 2000, 2000
Drawing, 30 × 61 cm

e poi ripreso, curvando o saltellando a ritmi intermittenti, la linea serpeggia nello spazio, restando in superficie. Essa genera spazio nel disegno – seppure non là dove lo spazio illusorio viene creato sulla carta; ma molto, molto prima. Grazie alla sua corporalità, dilatando o riducendo il suo spessore, la linea rivela la profondità della carta che ne genera l'esistenza.
Nell'opera di Knöller lo spazio è prodotto dalla rifrazione degli elementi grafici, dalla loro interazione e combinazione. Linee che seguono un loro percorso e linee che scorrono e si connettono a formare rappresentazioni riconoscibili; brevi tratti che si fanno strada a sciami sulla superficie del foglio; zone di grigio a tratteggio incrociato che riempiono i contorni di una testa vuota; un'ombra nera nettamente delineata, formata da strati di ombreggiature applicati senza metodo. Tutti questi elementi si accavallano, si sovrappongono, penetrano l'uno nell'altro. L'occhio dell'osservatore, allenato a percepire le illusioni, visualizza questi elementi come occupanti parte dello spazio, quello stesso spazio in cui la nostra immaginazione amerebbe ambientare quella scena. E invece per tutto il tempo non c'è nessuno spazio, non c'è nessuna scena... sono visibili solo i margini dei fogli sfrangiati o tagliati ben diritti; il contatto tra il disegno e i bordi della carta; la combinazione di elementi grafici che sembrano puramente planari od originati da una spazialità illusoria.
Ulrich Krempel

The line stands on the plane of the paper, strictly aligned or with an arbitrary wobble and capable of defining the indifferent, impenetrable white of the sheet. Rising or falling in intensity, continuing, interrupted and then resumed, curving or stuttering in staccato rhythms, the line winds into space, remaining on the surface. It generates space in the drawing – albeit not where illusory space is created on paper; indeed long before that. By virtue of its corporeality, by swelling or shrinking its breadth, the line reveals the depth of the paper that engenders its very existence. In Knöller's work, space is produced by the refraction of the graphic elements, by their interaction and combination. Lines running their course and coursing lines that connect to form recognisable representations; abbreviated, penned pixels making their way across the plane of the paper in swarms; crosshatched gray filling in the contours of an empty head; a sharply delineated, black shadow formed of listing, unsystematically applied layers of hatching. These elements all overlap, superimpose, penetrate one another. The eye of the observer, trained to perceive illusions, visualises these elements as holding space, that same space in which our imagination would like to set such a scene. All the while there is no space, there is no scene – only the boundaries of the raggedly torn or straight-cut papers are visible; the contact between the drawing and the paper's edges; the combination of graphic elements that seem merely planar or borne of an illusive spaciality.
Ulrich Krempel

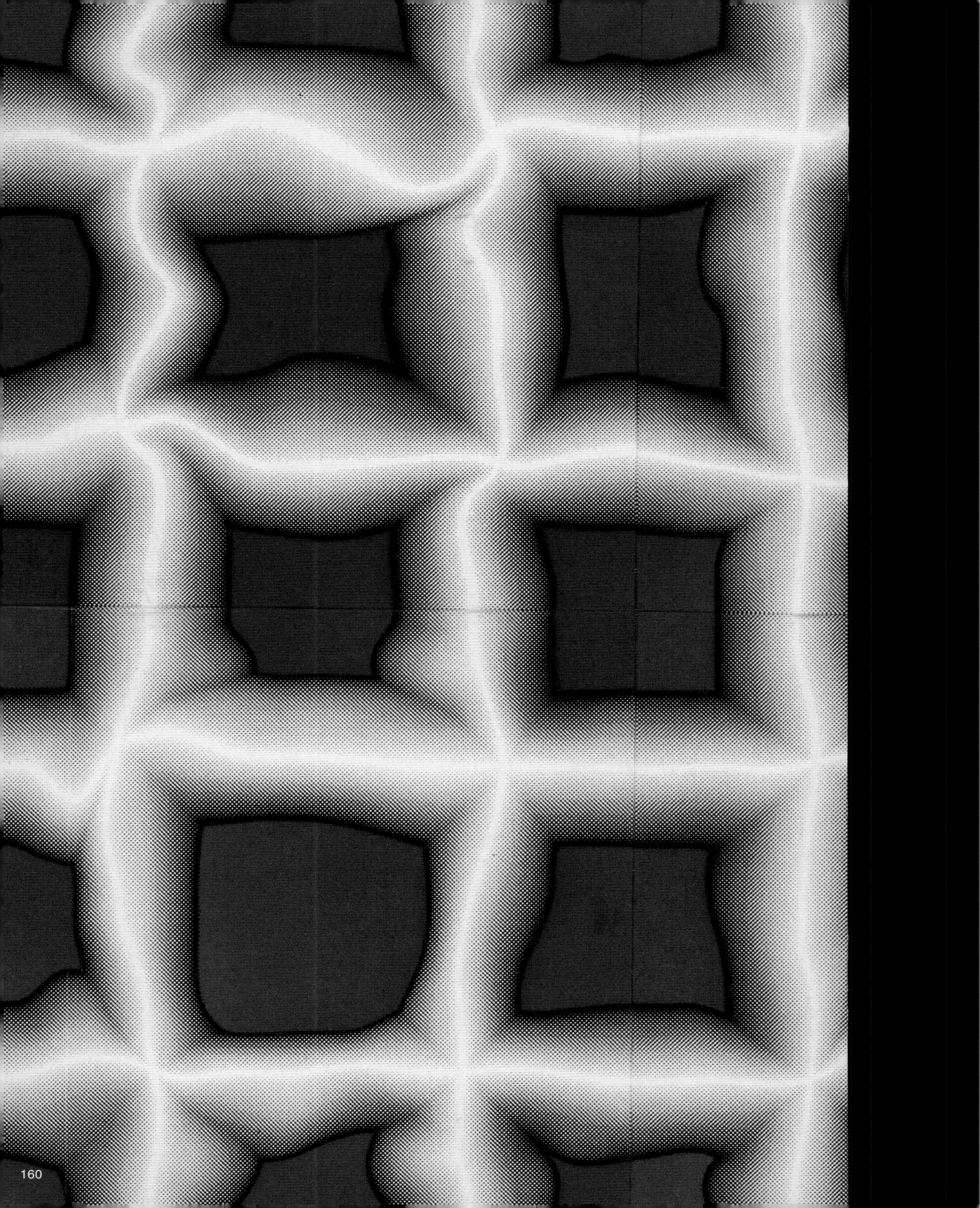

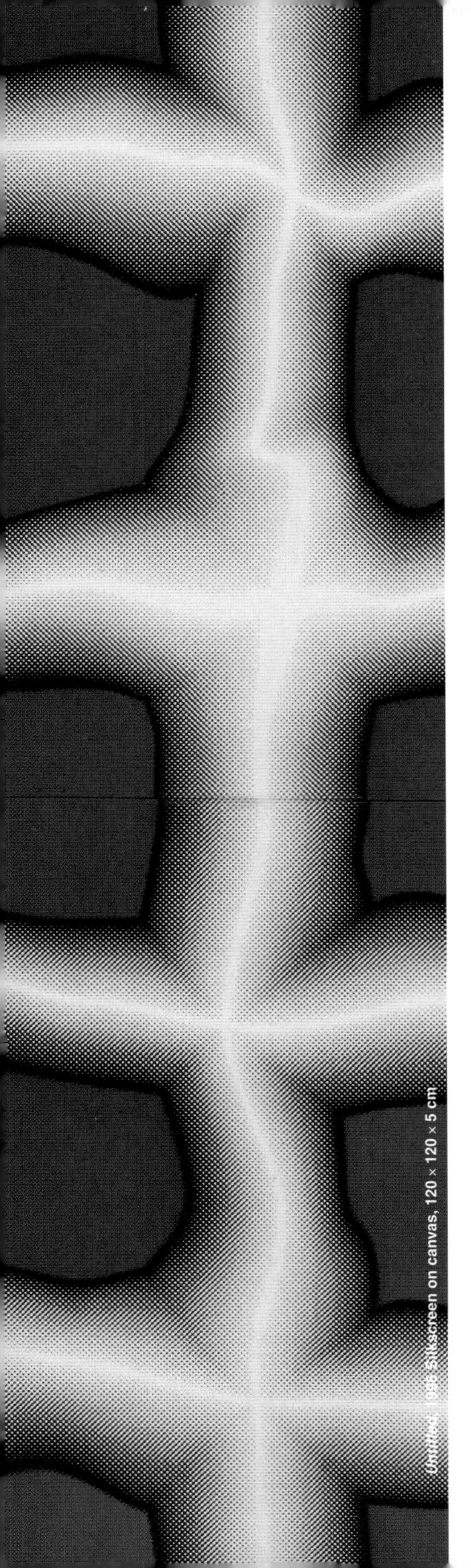

Untitled, 1996 Silkscreen on canvas, 120 × 120 × 5 cm

Non sono molti gli artisti capaci di trasmettere impressioni visive con l'intensità, l'originalità e la freschezza di Peter Kogler. Sebbene consista unicamente in alcuni moduli e simboli elementari racimolati dal software dei computer e accessibili a chiunque, il suo vocabolario visivo tiene testa senza sforzo ai rivali che gli fanno concorrenza nell'abbondanza di segni con cui ci troviamo a confronto in un mondo, come il nostro, regolato dagli affari e dai media. L'opera di Kogler ha attinenza con facciate medializzate, con superfici intelligenti, variabili, temporanee, quasi energetiche. Essenzialmente, i suoi progetti sono proiezioni architettoniche di queste superfici medializzate, e mirano alla trasformazione di dati spaziali esistenti mediante la somma e la variazione degli elementi modulari. Ogni superficie, secondo la logica che sta dietro al suo lavoro, si presta in teoria alle sue elaborazioni: quindi non si può parlare di soggetti o motivi, tanto meno di immagini. È perciò ancora più interessante mostrare esempi più recenti della ricerca condotta da Kogler nell'ambito di un'estetica centrata sull'immagine, ricerca che ha portato avanti fin dagli esordi parallelamente a quella sullo spostamento della percezione.
I suoi oggetti-quadri – che l'artista chiama dipinti – sono varianti ingigantite e trasformate del suo modulo preferito, il tubo, al quale assegna una presenza pittorica trovando abilmente un equilibrio tra la struttura ripetuta su tutta la superficie e la figurazione.
Ci sono poi le composizioni create mettendo insieme moduli diversi.
I loro punti in comune sono l'immediatezza, la frontalità, il grande formato e una presenza che si fa sentire.
Edelbert Köb

PETER KOGLER AUSTRIA

Not many artists are able to convey visual impressions with the power, originality and freshness of Peter Kogler. Even though his visual vocabulary only consists of a few basic modules and symbols gleaned from computer software available to everyone, it effortlessly stands its ground among its competitors in the abundance of signs we are confronted with in a business and media oriented world. Kogler's work deals with medialised fades, intelligent, variable, temporary, quasi-energetic surfaces. In essence, his projects are projections of these medialised surfaces onto architecture, aiming at the transformation and irritation of existing spacial givens by addition and mutation of the modular elements. Since, according to the logic behind his work, any surface is in principle suitable for his designs, one cannot actually speak of motifs or patterns, let alone pictures. Thus it is all the more interesting to show more recent examples of Kogler's engagement with a picture-oriented aesthetic, which he pursued from the very beginning in parallel to his works focussing on a shift in perception.
His picture-objects, which he calls paintings, are monumentalised and mutated variations on his preferred module, the tube, to which he lends pictorial presence by skilfully striking the balance between all-over structure and figuration. Another type of picture is found in the compositions put together from different modules.
Their common features are directness, frontality, large formats and self-asserted presence.
Edelbert Köb

La religione e l'arte comunicano lo spirituale nella cultura. Al centro dell'arte di Laila Kongevold sta un genuino interesse per la rilevanza di questi fenomeni all'interno della cultura contemporanea. Come un angelo, essa fonde la fede religiosa con quella artistica, e il suo impegno ha dato come risultato un gruppo di opere che agisce da moderno messaggero, librato ai margini della santità. Tuttavia, il timore reverenziale dell'arte religiosa è assente dai suoi progetti e dalle sue installazioni. È stato rimpiazzato dalla frustrazione di dover trarre un significato tanto dal materiale quanto dai testi utilizzati che esuli dai codici di comunicazione.

Le sue installazioni testuali in Braille mirano a scalzare le regole del linguaggio sia per il cieco, sia per il vedente. Ci troviamo di fronte a un testo che non possiamo leggere ma che sappiamo avere un significato, tuttavia esso è intraducibile. Siamo derubati della visione, della conseguenza logica del decifrare codici conosciuti. Al cieco la lettura sensoriale con il tatto viene negata perché l'opera è costruita con materiali domestici comuni quali latte in polvere, caffè o farina che si sgretolano se li si tocca. Ciascuno è lasciato con i suoi istinti, e il significato viene estrapolato mediante associazioni o informazioni acquisite. Siamo tornati ai tempi di Babele, quando nessuno parlava la lingua dell'altro eppure il bisogno di comunicare non era meno urgente. Ciò riflette la situazione dell'arte postmoderna, dove ci troviamo a confronto con una sovrabbondanza di linguaggi visivi la cui sintassi e la cui semantica non rientrano in nessuno dei codici che abbiamo appreso dalla modernità. L'opera della Kongevold è uno specchio del nostro tempo, un'opera che si svolge nel territorio tabù del cristianesimo e dell'arte contemporanea.

Gavin Jantjes

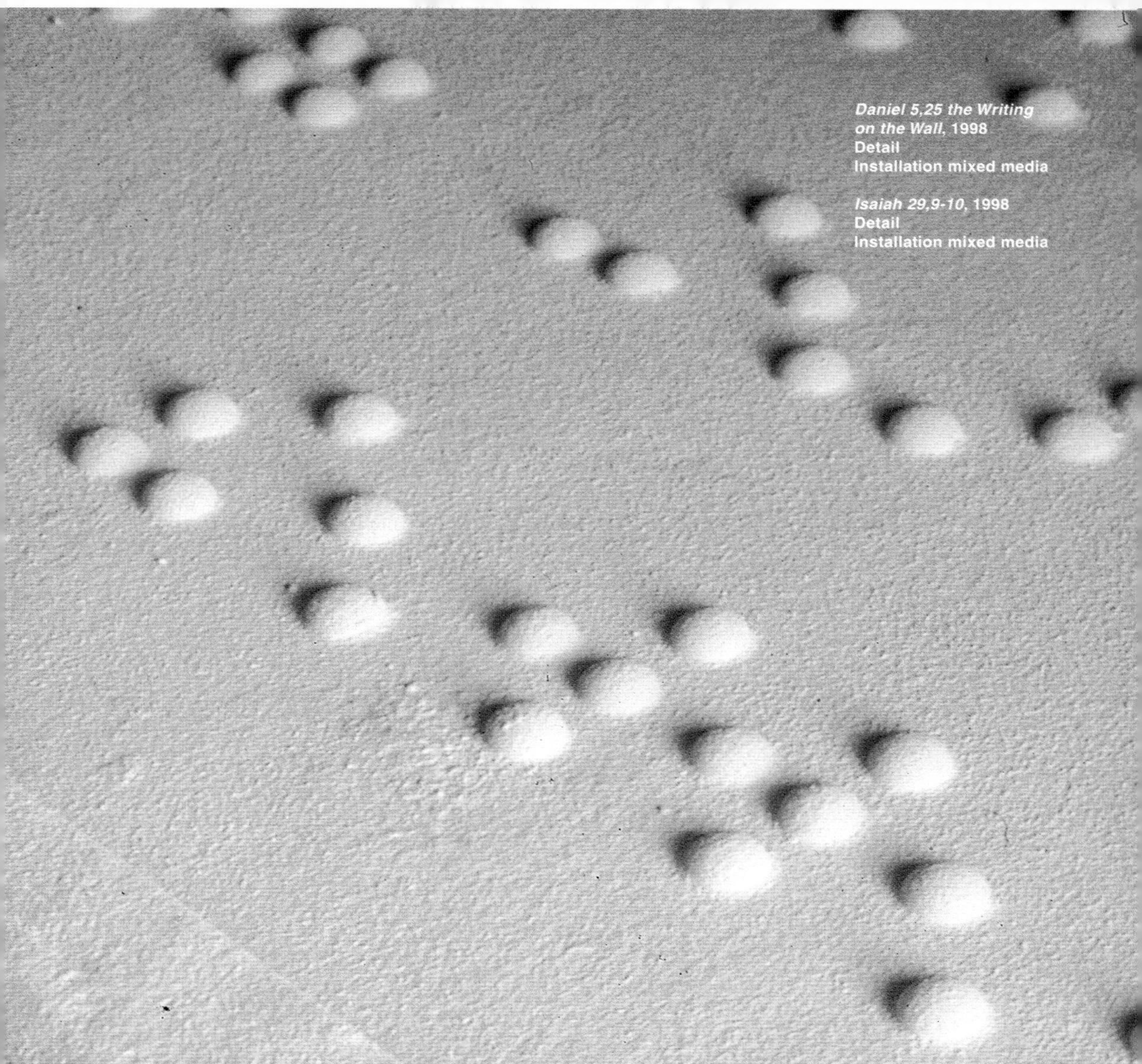

Daniel 5,25 the Writing on the Wall, 1998
Detail
Installation mixed media

Isaiah 29,9-10, 1998
Detail
Installation mixed media

LAILA KONGEVOLD NORWAY

Religion and art communicate the spiritual within culture. At the heart of Laila Kongevold's art lies an honest concern for the relevance of these phenomena in contemporary culture. Like an angel she melds religious and artistic belief and the outcome of her endeavour has brought forth a body of work that functions like a latter-day messenger hovering at the edges of sanctity. Yet the awe of religious art is missing from her projects and installations. It has been replaced with the frustration of having to translate meaning from both the material and text of work that evade the codes of communication. Her textual installations in Braille are constructed to undermine the rules of language for both the blind and the sighted. We are confronted with a text we cannot read, but whose meaning we know exists, yet evades translation. We are robbed of vision, of the logical consequence of deciphering know codes. For the blind the sensory reading via touch is denied because the work is made with common house-hold materials such as milk powder, coffee or flour, that collapse when touched. Everyone is left with their instincts, and meaning is extrapolated through association or acquired knowledge. We are back in the time of Babel, when nobody spoke the other's language but the need to communicate was no less urgent. This mirrors the situation of post-modern art in which we face a plethora of visual languages whose syntax and semantics fit none of the codes we have learnt from modernity. Kongevold's work is a mirror of our times, played out in the tabooed domain of Christianity, and contemporary art.

Gavin Jantjes

ELKE KRYSTUFEK **AUSTRIA**

From Every Village a Dog, 2001
Detail of the installation
L'Arena di Milano
C-print on aluminium,
100 × 70 cm

Sketch of L'Arena di Milano
Installation consisting
of paravent made of ten
images, acrylic on canvas,
fabric on the inside,
four pieces of furniture
C-prints on aluminium,
ten videos

Nella sua arte Elke Krystufek annulla quasi totalmente il confine fra l'individuo creativo e l'opera. Si potrebbe persino dire: lei esiste l'arte. Il suo corpo è la metafora centrale della sua visione del mondo. Il suo metodo preferito è un'inesorabile sperimentazione di sé, con la quale si applica a esplorare la natura umana, nel suo caso quella di donna e artista. Con metodo analitico sembra porre solo a se stessa le classiche domande: chi siamo? da dove veniamo? dove andiamo? La sua autoanalisi ossessiva sfocia spesso in rappresentazioni provocatorie ed esibizionistiche di situazioni e stati d'animo personali in disegni, dipinti, testi, fotografie, installazioni e performance. Rendere pubblico ciò che è inconscio, represso, tabù sembra essere un processo di catarsi per Elke Krystufek. Nel fare questo l'artista scopre il lato di se stessa che non le è familiare e reagisce al risultante senso d'identità minacciata con un'esasperata produzione di autorappresentazioni.
L'Arena di Milano è uno spazio pubblico in cui la performer si mostra – con tutto ciò che più ha di privato, con tutta la sua sofferenza, le sue ferite, la sua desolazione – a uno spietato pubblico *voyeur*. Al tempo stesso l'installazione è un palcoscenico su cui l'artista "recita", creando una distanza fra lei e la parte, fra lei e il pubblico, come in un'opera teatrale. L'intimità dell'interno "ammobiliato" creato da due schermi rivestiti di tessuto non è la privacy di un *boudoir* ma quella del camerino di un'artista.
Edelbert Köb

In her art Elke Krystufek largely removes the boundary between creative individual and work. One could even say: she exists art. Her body is the central metaphor
of her view of the world. Her method of choice is the unsparing self-experiment by which she seeks to explore the nature of human being, woman and artist. She seems to analytically pose the classic questions – Who are we? Where do we come from? Where are we going? to herself only. The results of her obsessive self-analysis are often provocative and exhibitionist representations of her personal circumstances and states of being in drawings, paintings, texts, photographs, installations and performances. It seems to be a process of catharsis for the artist to make public what is unconscious, repressed, taboo. In doing so, she discovers the unfamiliar in herself. She responds to the resulting feeling of threatened identity by an excessive production of self-representations.
The Milan Arena is a public space in which the performer exposes herself to a pitiless voyeuristic audience – in her private sphere, with all her suffering, her injuries, her desolation. The installation is at the same time a stage on which the performer appears, creating distance between herself and the role, herself and the audience, as if in a stage play. The intimacy of the "furnished" interior formed by two picture screens, underscored by fabric lining, is not the privacy of a *boudoir* but of an artist's dressing room.
Edelbert Köb

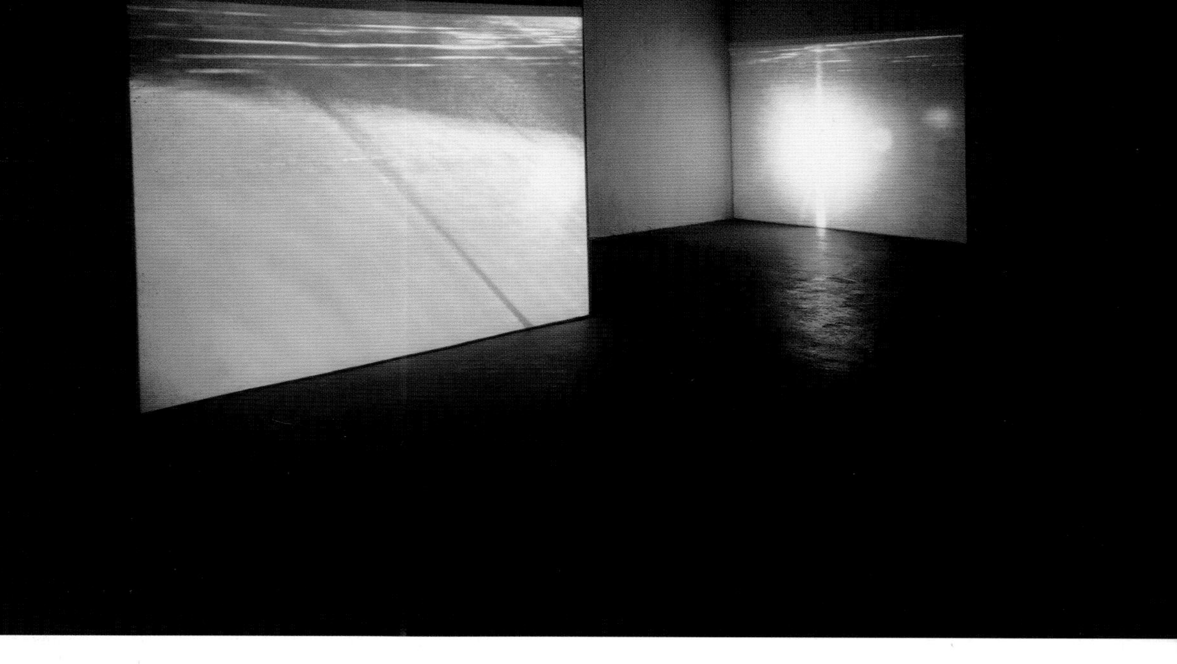

***Red Line* (left),**
Filmprojektion/Gegenlicht
(right), 1999
Video projection,
installation at Konrad
Fischer Galerie, 1999
Courtesy Galerie Konrad
Fischer, Düsseldorf

***Urban Context*, 1995-2000**
Installation 03/02-25/02/00
at Gauleitungsbunker,
Schießgrabenstraße,
Luneburg

La dichiarazione d'intenti contenuta nelle opere di Kuball è altrettanto sorprendente della sua attuazione concreta. Nell'affrontare la storia di un luogo, nel renderci consapevoli di edifici e stanze, della loro forma e del loro contenuto, del loro aspetto architettonico esterno e di ciò che ha avuto luogo al loro interno, Mischa Kuball ci guida sempre dal passato al presente, e dal presente al futuro. Qualsiasi cosa facciamo di questi luoghi, vi lasceremo sempre trasparire un po' della nostra concezione del futuro e non soltanto il nostro interesse per quanto vi è accaduto nel passato. Gli interventi di Kuball incidono artisticamente su determinati spazi sociali, spazi che per come appaiono abitualmente non ci danno alcun motivo di soffermarci a pensare e che l'artista, mettendo una distanza fra essi e noi con il ricorso alle tecniche della luce e del suono, trasforma, facendoceli vedere sotto una luce totalmente diversa. In questo senso, una trasformazione tramite il mezzo artistico è anche l'inizio di un processo in cui ci si accosta consapevolmente, anche se non verbalmente, a questi spazi, li si vive con i sensi, cosicché i nostri occhi si aprono a un modo completamente nuovo di conoscere le cose e i rapporti mostrati.
Ulrich Krempel

MISCHA KUBALL GERMANY

In Kuball's work, it is the artistic assertion that is just as surprising as its actual implementation. In coming to terms with the history of a place, in making us aware of buildings and rooms, of their form and content, of their architectural exteriors and of what took place within them, Mischa Kuball always leads us from the past into the present, and from the present into the future. Whatever we do today with such places, we will always reveal something of our notion of the future, not just our concern for what happened in the past. Kuball's interventions are an artistic treatment of social environments; he transforms these environments – environments which in their usual form give us absolutely no cause to stop and think – distancing them from us through his use of the media of light and sound and making us see them in an altogether different light than before. In this regard, a transformation through the medium of art is also the beginning of a process in which these environments are approached consciously yet non-verbally, experienced by the senses, such that our eyes are opened to an entirely new way of comprehending the things and relationships shown.

Ulrich Krempel

Il lavoro di Luisa Lambri, lombarda di Cantù, esordiente a metà degli anni novanta, rappresenta qui per eccellenza l'uso della fotografia da parte dell'ultima generazione. La fotografia che va all'arte come linguaggio, non come tecnica, anche se la tecnica viene usata in quanto tale, non trasposta o modificata in alcun modo. Nel caso di Lambri, poi, anche il soggetto – la veduta architettonica – appartiene all'ordinarietà del fotografo professionista; eppure è proprio da esso che bisogna partire per decifrare un po' alla volta il linguaggio e il messaggio poetico dell'artista. La preferenza di Lambri è fino a questo momento andata ad architetture di maestri del razionalismo, da Terragni a Le Corbusier, a Mies van der Rohe; o anche ad altri della tradizione moderna, come Kahn o Aalto, nelle loro cifre più puristiche; o infine alle architetture rarefatte della giapponese Sejima. L'inquadratura predilige i dettagli in ciò che in essi è più difficile riconnettere all'insieme e si presenta come assoluta geometria di superfici piane, di incroci di perpendicolari, di prospettive; i materiali architettonici fotografati, d'altro canto, mai naturalistici, ma di vetro, ferro o cemento, riducono l'evidenza del colore, così come riescono ad astrarre e neutralizzare aria e luce. La scena si trasforma quindi in non-luogo, anzi in luogo mentale o inconscio. L'effetto è di una nuova metafisica, da piazze d'Italia ed enigmi dell'ora; nei luoghi che si sostituiscono alle persone Luisa Lambri cela il proprio autoritratto psicologico. All'opposto del reportage queste vedute architettoniche riprese qua e là in tutto il mondo, ma solo per essere ridotte a una cifra identica, geometrica e neutra, indicano, non il vuoto o l'assenza come pure è stato detto di esse, ma il mistero che alberga dentro di noi e di cui il mondo esterno è riflesso.
Sandra Pinto

LUISA LAMBRI ITALY

Luisa Lambri, from Cantù in Lombardy, first started to produce work in the middle of the 1990s. Her use of photography is typical of that of the latest generation. Her photography goes to art as a language, not as a technique, even if she uses technique as such, and does not transpose it or modify it in anyway. And then in Lambri's case the subject matter too, architectural views, is part of the ordinary work of a professional photographer; and yet it is precisely from this point that one must start in order to decipher, bit by bit, the language and the poetic message of this artist. So far Lambri has shown a preference for the architecture of the masters of rationalism, such as Terragni, Le Corbusier and Mies van der Rohe, but also for those of the modern tradition, like Kahn or Aalto, in their more purist ciphers and finally for the rarefied architecture of Sejima from Japan. When framing her shots she prefers the details, those which are most difficult to associate with the whole and are presented as an absolute geometry of plain surfaces, of perpendiculars that cross and of perspectives. On the other hand, the architectural materials photographed are never natural, but of glass, iron or cement. They reduce the quantity of colour just as they manage to abstract and neutralise air and light. The effect is that of a new metaphysics, the squares of Italy or the enigmas of time. In the places that take the place of people Luisa Lambri conceals a psychological self-portrait of herself. The opposite of reportage, these architectural views taken from here and there around the world but only to be reduced to one identical cipher, geometrical and neutral, do not indicate a vacuum or absence as has in fact been said of them, but the mystery that resides within us and of which the outside world is the reflection.
Sandra Pinto

***Untitled*, 2000**
Cibachrome print
Courtesy Studio Guenzani, Milan

***Refugee Talks*, 1998**
Stills from video pojection
Henie Onstad Art Center,
Høvikkoden (Oslo)

Refugee Talks (*Conversazioni di profughi*) di Andrea Lange è un'opera di profonda semplicità. Una testimonianza pubblica della veridicità dello spirito umano e un segno dei nostri tempi postmoderni. Ci pone di fronte a gruppi di persone o a singoli individui che cantano canzoni dei loro luoghi d'origine. Le canzoni ricordano loro il paese natale, le tradizioni e la cultura che hanno alle spalle. Il loro atto di cantare ricorda a noi la disparità sociale e culturale, la vulnerabilità della loro differenza. Sono tutti profughi riuniti in un centro d'accoglienza di Oslo, in attesa di un cambiamento dello stato di residenza. Avendo abbandonato le loro case, si trovano in una terra di nessuno e, facendoli cantare, Andrea Lange fa sì che il presente si riconnetta al passato. Essi mostrano una calma determinazione a radicarsi in qualsiasi pezzo di terra gli venga reso disponibile e tengono alte le loro canzoni con le radici penzolanti. Due ragazze asiatiche cantano una canzone pop occidentale, emblematica dei cambiamenti di cui sono in trepida attesa. Le canzoni degli adulti sono più nostalgiche. Lange proietta queste persone a grandezza naturale, per sottolinearne l'uguaglianza e l'affiliazione alla razza umana. L'artista sa come l'importanza di un racconto orale risieda nel fatto che la lingua mantiene viva una cultura, e le canzoni sono un segno della vita in parti del mondo che molti di noi conoscono solo per averle viste in televisione. Ci troviamo davanti a un'opera la cui essenza sfida il nostro desiderio di traduzione. Ci viene chiesto di essere disponibili a estrarre un significato da un linguaggio che non possiamo ancora tradurre, in un'epoca in cui l'Europa ne ha bisogno.
Gavin Jantjes

ANDREA LANGE NORWAY

Andrea Lange's *Refugee Talks* is a work of profound simplicity. A public testament to the veracity of the human spirit and a sign of our post-modern time. It confronts one with groups and individuals who sing songs from the place they originate. The songs reminds them of home, of their traditions and heritages. Their self-conscious act of singing reminds us of the social and cultural disparity of otherness, the vulnerability of their difference. They are all refugees awaiting a change to their residency status in a reception centre in Oslo, Norway. Having forsaken their homes, they are in a no man's land and Andrea Lange makes their singing into a vehicle to traverse from past to present. They show a quiet determination to replant themselves into whatever soil is made available to them and they hold up their songs with roots dangling. Two young Asian girls sing a Western pop song pointing to the changes they look forward to. The songs of the adults are more nostalgic. Lange projects these singers in life size, to underline their equality and affiliation to the human race. She knows that the importance of an oral history is that the language keeps a culture alive and songs are a sign of life from regions of the world most of us only know through television. We are confronted by a work whose essence challenges our desire for translation. We are asked to be willing to construct meaning from a language we cannot yet translate and at a time when Europe needs it.

Gavin Jantjes

FABIEN LERAT FRANCE

Fabien Lerat si definisce uno scultore, e spiega: "Sono giunto alla scultura con l'idea che ci si fa di un oggetto mentale, senza escludere la sua presenza materiale. Non penso alla scultura come a un'arte di assemblaggio, ma piuttosto come alla creazione di un rapporto percettivo. Come forse l'ha pensata Fontana quando fendeva le sue tele, operando così uno spostamento dalla pittura alla scultura e creando una corrispondenza tra la tela, il corpo e lo spazio".
Il rapporto dello spettatore con l'opera è un rapporto fisico, poiché le sculture di Lerat sono sia sculture sia architetture, sia luoghi di sensazioni, dove il gioco delle forme e delle prospettive apre dei campi visivi oppure crea un rapporto con la materia, con i colori. "Il soggetto del mio lavoro", sottolinea Lerat, "è per prima cosa questa condivisione di una relazione tra l'opera e lo spettatore. Occorre che un pezzo si faccia e si rifaccia grazie al coinvolgimento dello spettatore".
Implicati nei dispositivi di Fabien Lerat, ci troviamo decentrati, spiazzati. La percezione delle sue opere mette in gioco delle esperienze e delle sensazioni diverse, come la coscienza della mancanza, della differenza, del limite, del passaggio da uno stato all'altro, della trasformazione. "Muoversi diventa commuoversi": uscire da sé per andare verso l'altro, sentire il suo corpo. Il mondo di Lerat è un rivelatore di percezione, ci si urta, ci si sfiora, ci si avvicina.
Le sue sculture-architetture sono anche degli oggetti: "degli oggetti che hanno nella memoria delle possibilità, che offrono la stabilità della loro presenza e proiettano il dispiegarsi delle loro forme", e rendono l'osservatore "vigile nei confronti della propria percezione".
Dominique Stella

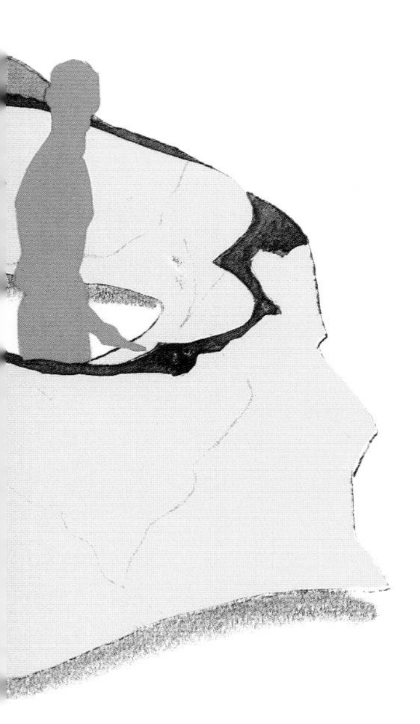

Fabien Lerat defines himself as a sculptor, and explains: "I came to sculpture with the idea that you make of a mental object, but without excluding its material presence. I don't think of sculpture as an assembly art but more as the creation of a perceptive relationship. Perhaps as Fontana thought of it when he slashed his canvasses making a shift from painting to sculpture and creating a correspondence between the canvas, the body and space."
The relationship of spectators with the work is a physical relationship, since Lerat's sculptures are as much sculpture as architecture. They are places of sensations, from where the play of shapes and perspectives opens up visual fields or creates a relationship with matter, with colours. Lerat emphasises that, "The subject of my work is first of all this sharing of a relationship between the work and the spectator. You need a piece that makes itself and remakes itself thanks to the involvement of the spectator". Become involved in Fabien Lerat's devices and you find yourself off centre, on the wrong foot. Perception of his works brings into play different experiences and sensations, like awareness of what is missing, of difference, of limits, of the passage from one state to another, of transformation. "Moving becomes being emotionally moved": coming out of yourself to go toward the other, feeling your body. The world of Lerat is a revealer of perception, it hits us, brushes against us, comes close to us. His sculpture-cum-architecture is also objects: "objects that have possibilities in their memories, that offer the stability of their presence and project the unfolding of their forms, and make the observers careful of their own perceptions".
Dominique Stella

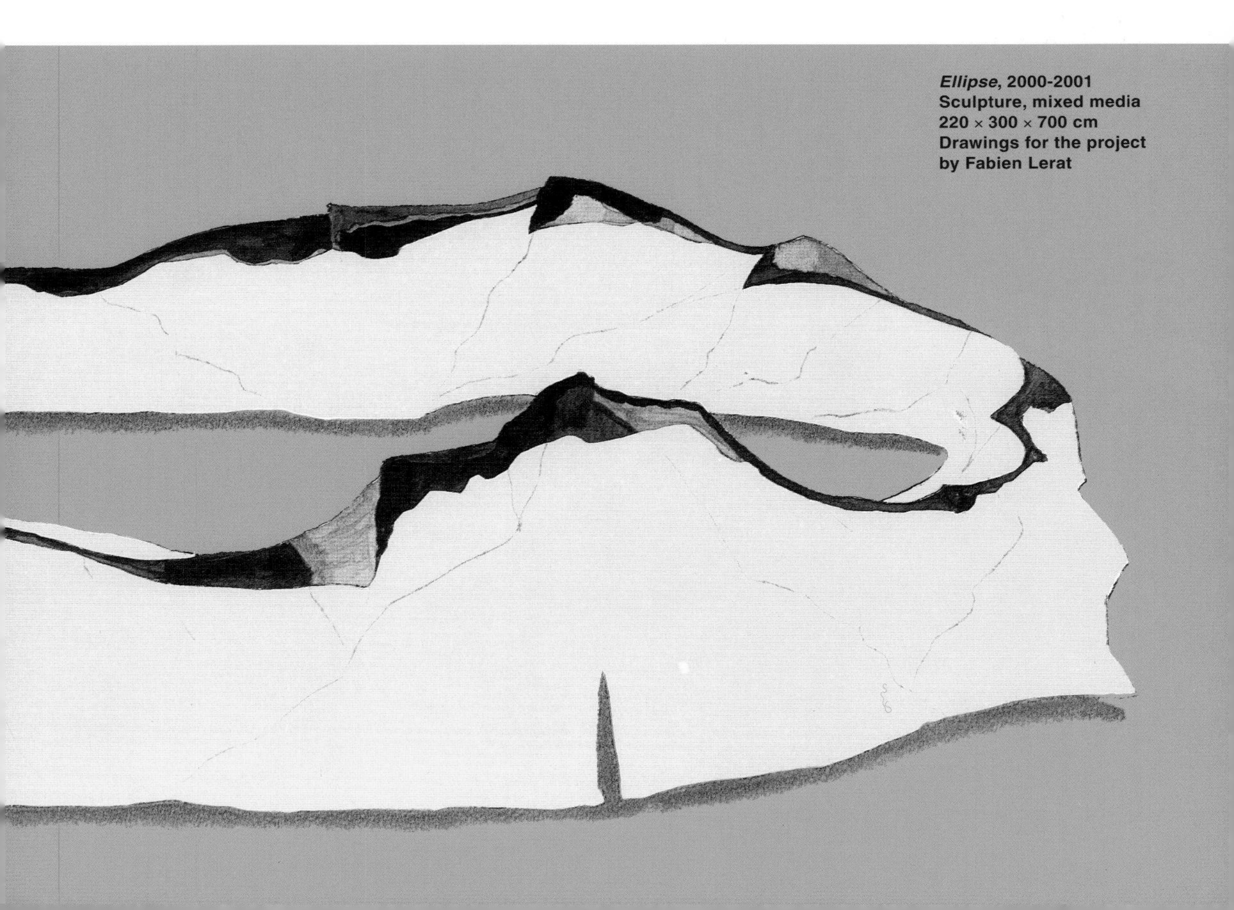

***Ellipse*, 2000-2001**
Sculpture, mixed media
220 × 300 × 700 cm
Drawings for the project
by Fabien Lerat

JENÖ LÉVAY HUNGARY

Nella sua attività artistica Jenö Lévay si è coerentemente attenuto al principio del programma della "meditazione laboriosa" formulato dall'ex gruppo XERTOX – fondato nel 1982 in collaborazione con Róbert Swierkiewicz e Imre Regös – secondo il quale lo stato contemplativo, passivo, durante la meditazione dovrebbe essere sostituito da un qualche tipo di azione o attività. Ne discende che "la teoria e la pratica, l'astratto e il concreto, l'arte e la vita quasi s'identificano l'uno con l'altro". Lévay è attratto dalla creazione collettiva di un'opera d'arte, i cui elementi rende "soggettivi" elaborandoli in superfici grafiche di sottili strati variegati.
Il punto di partenza del *Flying Bridge Plan* (*Progetto di ponte volante*) è un ready-made: la Piattaforma di Caricamento Teleferica del Danubio, un'attrezzatura industriale che fra il 1927 e il 1963 ha collegato le due sponde del fiume fra Slovacchia e Ungheria.
Nel 1994, come parte di un progetto artistico, ha avuto luogo la ricostruzione della struttura, priva però della sua originaria funzione. I partecipanti al progetto – non tutti necessariamente artisti – hanno sottoscritto delle azioni-idea per l'attuale pseudoedificio della "Borsa dell'isola".
Nel 1997 si è passati all'attuazione del *Flying Bridge Project*: un certo numero di architetti sono stati invitati a presentare suggerimenti per il riutilizzo dell'edificio.
Il principio operativo di questo tipo di traghetto aereo (*fliegende Brücke*) era già noto nel XVII e XVIII secolo, e il negativo su vetro raffigurante la Piattaforma di Caricamento Teleferica originale suggerisce, in quanto reperto, la dimensione del tempo storico, mentre l'elaborazione al computer si riferisce ai momenti in graduale trasformazione del presente.
L'opera mostra vari livelli di significato: è un evento-monumento alla realtà esistente (l'edificio) e al libero pensiero (finzioni) che è diventato un punto d'incontro concreto e possibile fra due nazioni, due culture o, forse, fra le culture del mondo intero.
György Szücs

***Transfer Point - Flying Bridge Project*, 1994-2000**
Installation mixed media, 850 × 740 × 720 cm
Project

***Transfer Point - Flying Bridge Project*, 1994-2000**
Detail
Installation mixed media
C-print

Jenö Lévay has consistently insisted on the principle of the "laborious meditation" programme formulated by the former XERTOX group – founded in collaboration with Róbert Swierkiewicz and Imre Regös in 1982 – according to which the passive, contemplative state during meditation should be replaced by some sort of action or work. As a result, "theory and practice, abstract and concrete, art and life nearly or even identify with each other". Lévay is attracted to works of art created collectively, the elements of which he "makes subjective", shapes into graphical surfaces of variegated fine layers. The basis of the *Flying Bridge Plan* is an odd piece of ready-made object: the Danube Cableway Loading Platform, which is an industrial appliance that operated across the river between Slovakia and Hungary in 1927-1963.
The re-starting of the construction bereft of function took place as part of an artistic project in 1994, during which participants – comprising non-artists as well – subscribed for idea-shares at the now pseudo-building of the "Island Stock Market". The other was the implementation of the *Flying Bridge Project* in 1997 wherein invited architects presented suggestions for the reuse of the building.
The operating principle of this ferry type (*fliegende Brücke*) was well-known in the 17-18th centuries, and the glass negative of the original cableway loading platform, as a find, suggests the dimension of historical time, while the spectacle transformed on to computer, the mechanism bearing the graphic series, refers to the progressively changing moments of the present. The meaning of the work has several layers: it is an event-monument to existing reality (the building) and to free thought (fictions), which has become a concrete and possible meeting point between two nations, two cultural characteristics, or, perhaps, between the cultures of the world.
György Szücs

Nelle sue installazioni video, Isabelle Lévenez filma degli individui, resi irriconoscibili dal filtro dell'immagine e del suono. Secondo la modalità dell'ossessione più che dell'introspezione, questi esseri ordinari svelano il loro mondo intimo e sconcertante alla telecamera, che ci restituisce un malessere ripetuto con monotonia all'infinito.
Dal 1991 il lavoro di Isabelle Lévenez nasce, tra installazione e disegno, da un procedimento contemporaneamente estetico e terapeutico. Il suo tema prediletto è l'altro, di cui interroga la corporalità come se fosse un territorio da scoprire. La serie intitolata *Le mie penitenze* esplora il dualismo misterioso dell'anima e del corpo, confrontando su un quaderno di scuola delle sentenze che riportano ai ricordi dell'infanzia. Volta a volta, la scrittura levigata di uno scolaro diligente lascia il posto alle lettere storte tracciate dalla mano sinistra, che trascrivono il passaggio fluttuante di uno spirito tormentato.
Con un tipo di approccio che non manca di ricordare gli universi di Beckett o di Ionesco, il lavoro di Isabelle Lévenez è centrato sull'umano. Il corpo, trattato a fior di pelle, vi sopravvive.
Spunta dal vetro di una finestra, scivola in superficie da uno schermo, si anima sullo schienale di una sedia. È alle prese con se stesso. In ogni caso si tratta di una prova, fino all'estremo, poiché l'artista non prende in considerazione che le situazioni limite che portano i suoi modelli a mettersi veramente a nudo, senza cercare di svelare ciò che costituisce la loro singolarità, ma al contrario sottolineando la dimensione universale della loro esperienza.
Dominique Stella

Pénitence, 1997 Video installation mixed media Courtesy Galerie Anton Weller, Paris

ISABELLE LÉVENÉZ FRANCE

Isabelle Lévenez films individuals in her video installations that are made unrecognisable by a sound or image filter. These ordinary beings reveal their intimate and disconcerting world to the video camera in an obsessive rather than introspective way that gives us an uneasiness repeated with endless monotony.

Isabelle Lévenez's work started in 1991 with installations and drawings from a process that was at the same time both aesthetic and therapeutic. Her favorite subject is the other, and she interrogates its corporality as if it were a land to be discovered. The series entitled *Pénitences* explores the mysterious dualism of the soul and body, comparing judgements, which recall memories of infancy, on a school exercise book. From time to time the polished writing of a diligent pupil gives way to twisted letters traced by the left-hand, which transcribe the fluctuating passage of a tormented spirit.

The work of Isabelle Lévenez is centred on the human, with a type of approach that definitely reminds us of the universes of Beckett and Ionesco. Bodies, drawn lightly, survive there.

They spring out of the glass of a window, slide on the surface of a screen or move about on the back of a chair.

She is struggling with herself. In any case it is an ordeal to the end, since the artist only considers limited situations, which lead her models to lay themselves truly bare without seeking to unveil what constitutes their singularity, but on the contrary underlines the universal dimension of their experience.

Dominique Stella

La tagliente critica espressa dalle opere di Zbigniew Libera a partire dalla fine degli anni novanta ha dimostrato che questo artista appartiene alla generazione che negli anni successivi cercherà di minare le nozioni di bellezza e felicità che ci vengono quotidianamente ammannite dalla società dei consumi focalizzata sul profitto, il successo economico, la cura del corpo e la carriera senza troppe scosse e secondo un modello prevedibile. Libera si è concentrato sui due campi in cui questa illusione è più evidente: i giochi dei bambini e il numero sempre crescente di centri fitness.
Se in passato, in progetti come *Placebo* (in cui sottolineava come l'arte possa svolgere un'innocua funzione consolatoria, come un illusorio medicamento che calmi temporaneamente la mente senza però avere alcun effetto sulle afflizioni corporee), Libera si preoccupava soprattutto di definire la propria nozione di arte, nelle sue opere più recenti, in cui ha utilizzato elementi tratti da kit di costruzione Lego e bambole (prendendo anche in considerazione gli aspetti della differenziazione sociale e dell'accessibilità ai vari strati della popolazione), l'artista ha focalizzato la sua attenzione sui falsi paradisi con i quali gli adulti comprano la pace dai loro figli: con i pezzi del Lego si potrebbe infatti costruire un campo di concentramento, mentre le bambole sono pelose e potrebbero quindi essere rasate.
Il perverso mondo in cui non ci si può liberare facilmente dell'opprimente senso di colpa che si trasmette da una generazione all'altra, può difficilmente offrire la redenzione attraverso la cultura fisica, dove gli esercizi sono incentrati su un unico organo – nel caso di Libera il pene raffigurato nel manifesto pubblicitario intitolato *Universal Penis Expander* (*Espansore universale del pene*, 1995), dove un giovane uomo nudo esibisce un pene lunghissimo esprimendo le tipiche fantasie adolescenziali. Il culto della potenza maschile non è espresso però soltanto attraverso il membro ma anche tramite gli ideogrammi tatuati sul corpo del giovane. La critica di Libera contro l'uniteralità della civiltà contemporanea trova l'espressione migliore nel corpo muscoloso del *Body Master* (1995), per il quale ha realizzato numerosi schizzi. L'universo visivo dell'artista si fonda su ben noti motivi archetipi, su vari prodotti quali farmaci e giocattoli (dal suo punto di vista anche l'uomo contemporaneo è diventato un prodotto analogo) e su ciò che esigiamo dalle nostre vite, cioè sui criteri ai quali cerchiamo di assimilarle. Attraverso questi elementi Libera ritorna al presente, al nostro habitat quotidiano, sottolineando però la costante presenza dell'opposto: è infatti possibile costruire un campo di concentramento, uno dei simboli più orrendi che ci siano stati tramandati dal secolo scorso, con un gioco che rappresenta la più libera espressione della creatività infantile. Per Libera, tuttavia, il prodotto in sé è soltanto un mezzo che dovrebbe indurre l'osservatore a considerare l'infrastruttura di aziende multinazionali che lo immettono sul mercato e l'immagine del consumatore ideale che esse coltivano.
Libera è stato pertanto uno dei primi artisti della sua generazione a non percepire i prodotti soltanto come oggetti estetici ma a usarli anche per criticare i loro produttori e i loro consumatori.
Olga Malá

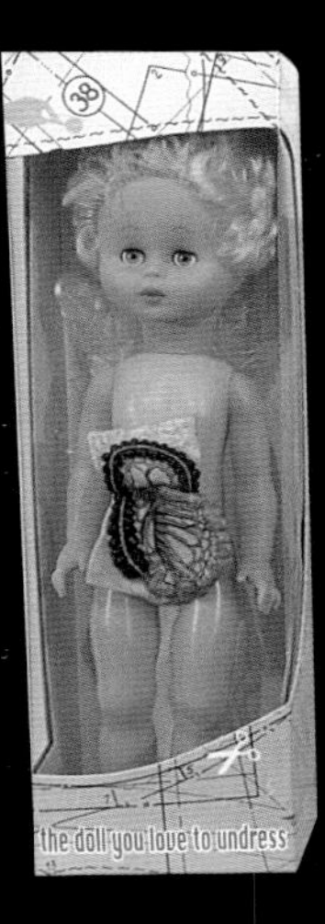

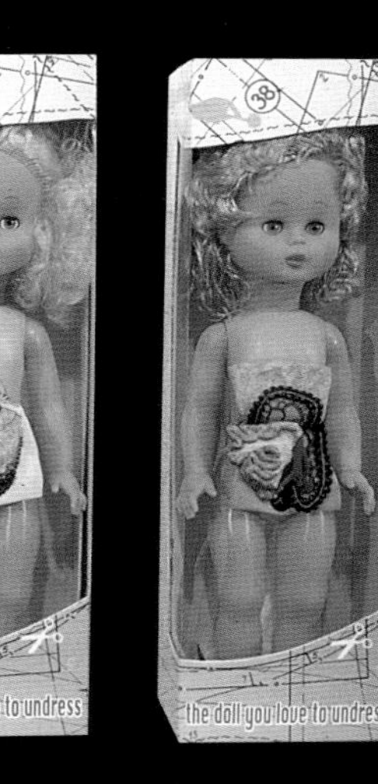

***The Dolly You Love to Undress*, 1998**
Set of three dolls in original boxes, each 46 × 21 × 10 cm
Courtesy Paulina Kolczynska Fine Art, New York

***You Can Shave the Body*, 1995**
Two dolls, each 56 × 26 × 13 cm
Courtesy Paulina Kolczynska Fine Art, New York

***The Body Master*, 1994-1998**
Installation mixed media
Courtesy Paulina Kolczynska Fine Art, New York

The distinct critical edge of works by Zbigniew Libera from the late 1990s has clearly shown that this author belongs to the generation that, with a great effort, will try to undermine the notions of a beautiful and happy life which is daily served by the consumer society focused on the profit-making, commercial success, cultivation of the body and a career developing upwards without any major upheavals according to a predictable pattern. Libera has focussed on two areas in which this illusion could be applied the best: children's games and the ever-increasing number of fitness centres. If Libera glossed on his notion

of art in his older project called *Placebo* (in which he was pointing out the fact that art could play a comforting, harmless role, that it could be a deceitful medication which temporarily calms the mind, while it has no effect on the afflicted body), now in the works in which he has utilised packaging from the well-known construction kit Lego and baby dolls (taking into account in these cases the aspect of social differentiation and accessibility for various strata of society) he has made a theme out of distorted paradises by which the grown-ups are buying off peace from their children: one could eventually build a concentration camp from the Lego, while the dolls on the other hand are hairy so that one could shave them. The twisted world, in which one could not easily get rid of the pressing guilt that passes from one generation to another, can hardly offer redemption when it is realised in physical culture, when the exercises are focused only on one organ – in Libera's case, the man's penis as he showed in the advertisement poster called *Universal Penis Expander* (1995) featuring a standing young naked man with an extremely long penis expressing typical adolescent fantasies. The cult of manly power is supported not only by his member, but also by the ideograms with which his body is tattooed. Libera's criticism of the one-sidedness of the contemporary civilisation found its peak in the muscleman called the *Body Master* (1995), for which he had even created many schematic drawings. Libera is building his visual world either from the archetypal, well-known motives, various products such as medicaments and toys (by the way, in his own view even a contemporary man has became such a product), or from the demands made upon our lives which consequently become criteria to be compared with and assimilated to. Through them he returns to the present, to the everyday surrounding, pointing out the continuous presence of the opposite: one can build a concentration camp, one of the most horrifying symbols passed by the last century on to the present one as a haunting memento, from a toy which represents the freest expression of the child's creativity. For Libera, however, the product itself is only a means which should make the viewers think over the infrastructure of multinational corporations which introduce these products to the market, as well as the notions of the image of the ideal man. Thus Libera has been one of the first artists of his generation who did not perceive products only as aesthetic objects but also employed them to criticise their manufacturers and users.

Olga Malá

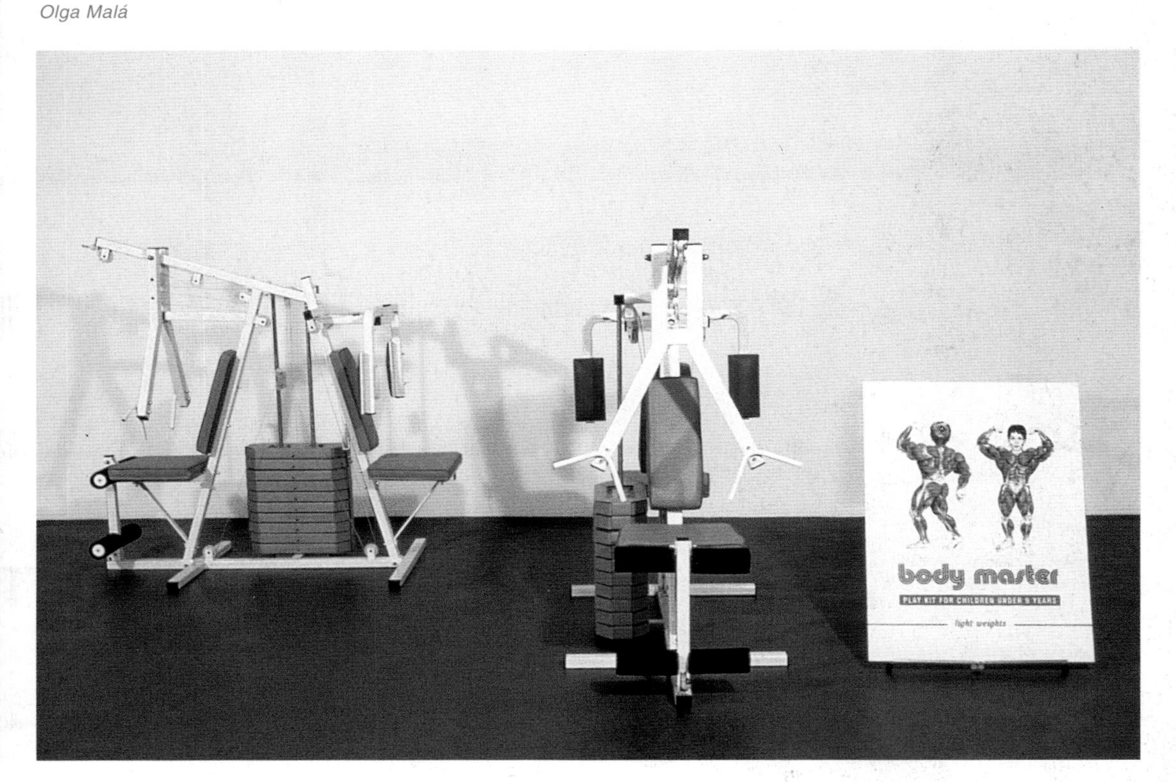

***Borders*, 1999**
Video sculpture, 200 × 270 × 55 cm

Borders
Borders (*Confini*) è una videoinstallazione incentrata sull'energia sprigionata dal contatto fra i confini di due superfici. In questo caso, le forze della natura e della società.
L'opera ha un carattere multinazionale. Nello spazio espositivo vengono assemblati in gruppi tanti schermi televisivi. Di conseguenza si hanno gruppi di fonti d'immagini che l'artista chiama "case". Sopra ai televisori ci sono centrini, foto di famiglia incorniciate e altri oggetti riferiti alla vita domestica.
Sugli schermi televisivi scorrono videoclip relativi a paesaggi, rapporti umani e forze della natura, sia minacciose che appaganti. Ogni gruppo di schermi televisivi ("casa") potrebbe essere concepito come una società o una famiglia. Le immagini dialogano fra loro, proprio come gli schermi indagano l'identità della famiglia. È il nostro destino che ogni individuo conservi la natura e il tempo dentro di sé e giunga persino a credere di possedere la natura, mentre è in realtà la natura a possedere lui.
I videoclip sono assemblati sulla base della comprensione o percezione soggettiva da parte di Anna Líndal di una varietà di fenomeni che non appaiono in relazione fra loro ma che s'intrecciano nella famiglia.
In quest'opera, l'artista esamina l'esigenza umana di capire la vita e la natura registrandole e misurandole, poi connette questa esigenza all'incommensurabile insito nei sentimenti umani.
Tra le emozioni e la tecnologia si colloca l'energia non sfruttata.
La sfida di Anna Líndal è trovare una forma di espressione visiva per questa energia.
Thorgeir Ólafsson

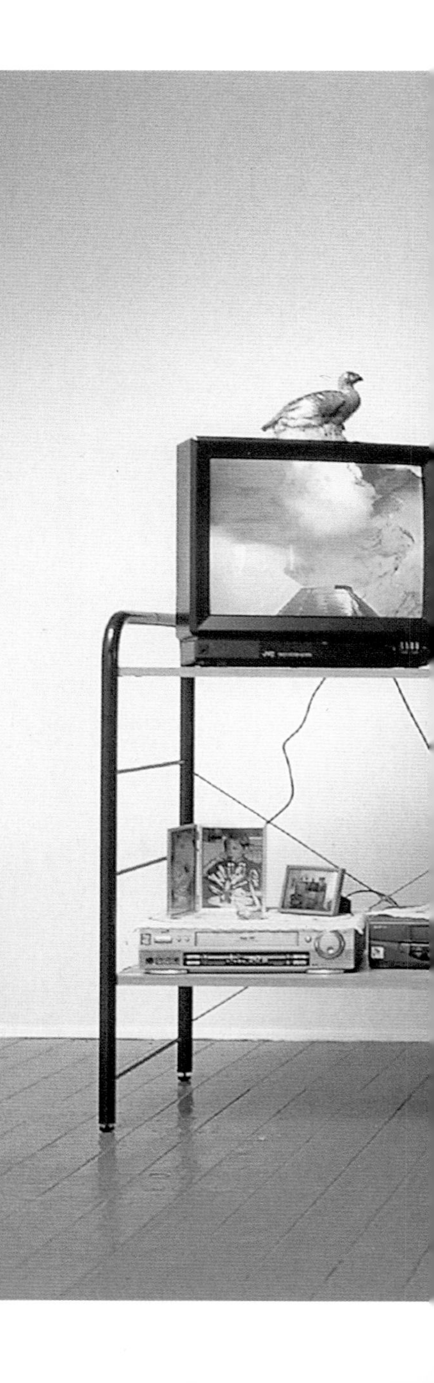

ANNA LÍNDAL ICELAND

Borders
Borders is a video installation dealing with the energy that is formed when the borders of two surfaces meet. In this case, the forces of nature and society.
The work is multinational in character, juxtaposing many television screens into groups in the exhibition space. This creates groups of image sources which the artist call "homes". On top of the television sets are embroidered cloths, framed family photographs and other objects related to the home.

Diverse video clips are displayed on the TV screens showing landscapes, human relations and the forces of nature, both menacing and fulfilling. Each group of TV screens ("home") could be conceived of as a society or family. The images are in dialogue amongst themselves, just as the screens probe into the identity of the family. It is our fate that each individual preserves nature and time within himself and even considers himself as owning nature, whereas it is actually nature which owns him.
The video clips are assembled on the basis of Anna Líndal's subjective understanding or perception of various phenomena which appear unrelated but intertwine in the family. In this work, she is examining the human need to understand life and nature by recording and measuring them. She then connects this need to the immeasurable which is inherent in human feelings. Between emotions and technology lies unharnessed energy. Anna Líndal's challenge is to find a visual form of expression for this energy.
Thorgeir Ólafsson

La conclusione di Picabia, secondo il quale l'arte è come una nuvola di vapore, si applica perfettamente alle installazioni di Jenny Magnusson. Quello che Picabia intendeva era che l'arte non poteva essere descritta con la terminologia delle scienze o con il linguaggio della descrizione pittorica. L'arte è un'attività umana irrazionale che è tuttavia portatrice di un'enorme quantità di significato. È questo il modo in cui la Magnusson vuole che ci accostiamo alle sue sculture: con una mente aperta, senza volerle subito contestualizzare nella storia dell'arte e senza asserire che cosa sono prima di esserci confrontati con esse. La razionalità della raccolta e dell'assemblaggio, l'intuitivo equilibrio di oggetti sproporzionati e idee, ci invitano a cercare il significato della sua opera usando le nostre risposte sensoriali. Le installazioni della Magnusson evitano la scultura praticata con arte del modernismo, il peso mascolino dell'oggetto fatto dall'uomo che ha dominato la nostra interpretazione della scultura. Il suo lavoro rispecchia un approccio più delicato e sottile. Il significato delle sue opere scaturisce dalle relazioni tra oggetti trovati e oggetti disegnati, dalla corrispondenza di reliquie, *memorabilia* e frammenti che richiedono una diversa concezione dello spazio. La relazione emotiva che la sua scultura inscrive nello spazio della galleria sfida molte convenzioni della scultura modernista. La scala, il volume e la verità dei materiali si contrappongono alla transitorietà e all'effimero. Il monumentale e il minuscolo convivono nella sua opera, capace di accrescere la significanza di oggetti e materiali insignificanti con il loro accostamento più che con la loro fisicità. Gli oggetti utilizzati dalla Magnusson sono in parte ready-made e in parte rottami riciclati.

Gavin Jantjes

Picabia's inference that art is like a map of a cloud of steam is apt for the installations of Jenny Magnusson. What Picabia meant was that art could not be described with the terminology of rational science or the language of pictorial description. It is an irrational human activity that non-the-less makes an enormous amount of sense. This is the way Magnusson wants us to approach her sculptures: with an open mind, without first trying to locate their evolution in the history of art, or stating what they are before an engagement with them. The rationale behind her acts of collecting and assembling, the intuitive balance of incommensurate objects and ideas, is that it invites us to search for the work's meaning using our sensory responses.

Magnusson's installations avoid the crafted sculpture of Modernism, the masculine weight of the man-made object that has dominated our interpretation of sculpture. Her work reflects a more delicate and subtle approach. Seeking its purpose through relationships of found and designed objects, a correspondence of relics, *memorabilia* and fragments to each other, it requires different notions of space. The emotive relationship her sculpture inscribes into the gallery space, challenges a number of modernist sculptural conventions. Scale, volume and truth to materials stand opposite ephemerality and transience.

The monumental and the minuscule sit comfortably alongside each other in the gallery. She is able to augment significance from insignificant objects and materials through their associations rather than their physicality. The objects she uses are part readymade, part recycled junk. How does one map her world?

Gavin Jantjes

JENNY MAGNUSSON SWEDEN

Untitled
Installation mixed media, 105 × 30 cm

Untitled
Installation mixed media, 60 × 60 cm

Poetry Political, 1998 Object (ready made), 80 × 70 cm

In *Untitled* (*Senza titolo*, 1982-2000) Vlado Martek ha creato un nuovo insieme sfruttando i dipinti, i testi e i volantini di azioni artistiche risalenti in maggioranza agli anni ottanta. Questi lavori sono fortemente definiti dal contesto socio-politico e, i dipinti in particolare, dalla poetica personale dell'artista. Oltre alle opere concettuali, *Untitled* comprende due dipinti rappresentativi della sua creatività in quel decennio, un periodo in cui si allontanò per qualche tempo dalla parola controllata e dall'impegno sociale in precedenza dominante.
Pittore autodidatta, poeta e filosofo, Martek ha assegnato a questi dipinti una caratteristica struttura narrativa ricca di simboli riferiti al suo mondo privato e sociale (per esempio, la stella comunista a cinque punte e il martello dialogano con l'immagine di una casa e della conchiglia di una chiocciola quali simboli del mondo interiore).
I suoi disegni infantili possono essere letti come una ribellione contro il mondo degli adulti, identificato soprattutto con lo Stato e le sue politiche repressive.
Stato e politiche repressive costituiscono ugualmente il bersaglio delle due azioni presentate da Martek alla Biennale di Venezia: nel 1982 l'artista distribuiva volantini con su scritto "Artisti armatevi!"; nel 1984 distribuiva biscotti con la scritta "Mentite allo Stato". Il suo testo *Mangia carne* del 1985 incitava gli artisti a intraprendere un'azione sociale. Già a Zagabria aveva fatto qualcosa di analogo ("Leggi le poesie di Majakovskij" dicevano i volantini incollati sui muri della città nel 1978). Martek sa che la poesia non è più letta da nessuno e, con questa azione, tentava di salvarla dall'apparire sotto la forma fisica di un libro. L'artista cambia anche lo stato "fisico" del contesto politico attuale di tutti gli elementi della sua installazione murale: la ex Iugoslavia comunista, che oggi, insieme a uno dei suoi simboli, la falce, è puramente un oggetto poetico che giace a terra.

Zdenka Badovinac

VLADO MARTEK CROATIA

In his *Untitled* (1982-2000) Vlado Martek created a new whole from his paintings, texts and pamphlets of artistic actions, which mostly date from the 1980s. These works are greatly defined by the socio-political context and, particularly the paintings, by the artist's personal poetics. In addition to conceptual works, *Untitled* includes two paintings typical of his creativity in the 1980s when, for some time, he turned away from the controlled word and the previously dominant social engagement. As a self-taught painter, a poet and philosopher, he gave these paintings a characteristic narrative structure full of symbols related to his intimate and social world (for example, the communist five-pointed star and hammer are placed in a dialogue with the image of a house and snail shell as the symbols of the inner world). His infantile drawings can be understood as a rebellion against the world of adults, which is presented mostly as the state and its repressive politics.
The latter was also the target of Martek's two actions at the Venice Biennale: in 1982 he handed out pamphlets bearing the words *Artisti armatevi* (*Artists, to arms!*); in 1984 he handed out biscuits bearing the sign *Mentite allo Stato* (*Lie to the State*). Artists are also called upon to take social action in his text *Eat Meat* from 1985. He had already carried out similar actions in Zagreb (*Read poetry by Mayakovski* said pamphlets displayed on the walls of the city in 1978). As a librarian Martek knows that poetry is no longer read and, with this action, he attempted to save poetry from appearing in the physical form of a book. He also changes the "physical" state of the actual political context of all elements of his wall installation – the former communist Yugoslavia, which now, with one of its communist symbols, the sickle, is merely a poetic object lying on the floor.

Zdenka Badovinac

Matte ha trasformato un mucchio di noci di cocco in un esercito invasore, la tavola della festa di anniversario della sua nazione in una scena di battaglia, la torta dell'anniversario nazionale in un labirinto che non porta da nessuna parte.
Come Duchamp, Beuys e Jimmie Durham, Matte ricodifica il significato degli oggetti dislocandone la normale lettura. Quello che gli interessa è creare nuove metafore visive per i tempi in cui viviamo. Giocando con la passione per il cibo del suo paese e con i riti sociali dello stare a tavola, ha usato il cibo per contrassegnare l'ambivalenza della sua nazione rispetto all'"altro", un rapporto di amore-odio che mette in risalto il lato oscuro del nazionalismo norvegese.
L'aglio diventa il virus che ha ampliato i confini del gusto penetrando nell'organismo della cucina locale. È il segno dello strano e del diverso, e l'artista lo usa per costruire le sue surreali creature simili a insetti che strisciano sulla tavola imbandita.
Matte non è contento dello *status quo* della politica nazionale e culturale del suo paese. Diffida di ogni ostentazione di patriottismo, anche se in Norvegia

PIERRE LIONEL MATTE NORWAY

queste manifestazioni sono più che altro un passatempo nazionale e non hanno in realtà niente da spartire con lo sciovinismo di altri stati ex coloniali d'Europa.
Come molti artisti dell'Europa contemporanea, Matte teme che dietro agli insospettabili agitatori di bandiere si celi spesso la xenofobia, un timore giustificato dai recenti fatti accaduti nella capitale norvegese che hanno creato sconcerto nel suo paese. Vuole porre delle domande prima che la storia esiga delle risposte imbarazzanti. La sua arte è vista come provocatoria e talvolta disturbante perché non si accontenta delle risposte offerte da chi ha la responsabilità dello sviluppo e del cambiamento.
Gavin Jantjes

Tight Structure
Installation mixed media

***Showtime*, 1999**
Installation mixed media

Pierre Matte has made a bunch of coconuts into an invading army, turned his nation's birthday party table into a battle scene and transformed the national birthday cake into a floor labyrinth that leads nowhere. Like Duchamp, Beuys and Jimmie Durham he recodes the meaning of objects by dislocating their normative reading. He is concerned with creating new visual metaphors for the age we live in. Playing with his country's love of food and the social rituals of eating, he has used food to mark his nation's ambivalence with otherness, a love hate relationship that brings to the fore the darker side of its nationalism. Garlic becomes the spiky virus that has broadened taste by invading the body of local cuisine. It is the sign for the strange and different and he uses it to construct his surreal, insect-like creatures that crawl over the dinner table. Pierre Matte is not content with the status quo of national and cultural politics. He suspects all flag waving even though in Norway it is more a national pastime and not really associated with the jingoism of other ex-colonial states in Europe. Like many artists in contemporary Europe Matte fears that xenophobia often rallies behind unsuspecting flag wavers. A fear justified by recent events in the capital that have embarrassed his nation. He wants to pose questions before history demands embarrassing answers. His art is thought provoking and sometimes uncomfortable because it is not content with the answers offered by those responsible for development and change.

Nell'opera artistica del pittore olandese Bas Meerman i disegni assumono una rilevante importanza e rappresentano l'estremo contrasto con le pitture sfarzose e per lo più applicate e figurative dalle dimensioni talvolta ingrandite.
Questi disegni sono caldi (accoglienti), di formato DIN A4 e costituiscono, se l'artista non li fissa come un puzzle alla parete, uno dopo l'altro le parti di un diario iniziato e sviluppato in un'edizione ininterrotta.
Meerman esibisce i suoi disegni, ma non li vende.
Essi rappresentano per lui un diario di idee-immagini, una riserva a cui egli può attingere. Questi disegni, realizzati con fredda linearità, devono la propria iconografia spesso bizzarra e ossessiva al riflesso delle fantasie erotiche e delle immaginazioni, a situazioni che lui trasferisce, dall'innocuità di un evento o di un'istantanea posta su un giornale, all'insidia di una storia erotica

o di una situazione sessuale. I disegni sono l'espressione di un sogno ossessivo, sono la realizzazione di queste fantasie nel quadro.
Solo in questa stampa del vietato è possibile appagare i più arditi desideri. Meerman si serve di un tratto freddo, che ricorda i disegni di Andy Warhol o Jean Cocteau ma anche il classicismo di un Flaxman e che, allo stesso tempo, gli sembra in contrasto con la linea estetica e con la forma che lui stesso ha scelto per i contenuti.
Questa eccitazione, nonché la spensieratezza con cui Meerman parla dei propri idoli della fantasia sessuale e delle proprie ossessioni, esaltano la qualità di questo singolare diario privato.
Peter Weiermair
[Traduzione: Concetta Terranova]

***Getekend dagboek*, 1997**
Detail
Pencils on paper
Courtesy De Praktijk, Amsterdam

BAS MEERMAN HOLLAND

Drawings are of considerable importance in the artistic work of this Dutch painter and represent an extreme contrast with his luxurious painting, mostly studied and figurative and at times large in size. These paintings, in A4 format, are warm (welcoming) and constitute, if the artist doesn't stare at them like a puzzle on the wall, the parts of a diary, one after the other, began and developed in an uninterrupted edition.
Meerman exhibits his drawings, but does not sell them. For him they represent a diary of idea-images, a reserve on which he can draw. These drawings, performed with cold linearity, owe their often bizarre and obsessive iconography to reflections of erotic fantasies and imaginings, to situations that he transfers from the innocuousness of an event, of a snapshot in a newspaper to the insidiousness of an erotic story, of a sexual situation.
The drawings are the expression of an obsessive dream, they are the realisation of these fantasies in the picture.
In it is only in this printing of the forbidden that it is possible to satisfy the most ardent desires. Meerman uses a cold stroke, that reminds one of Andy Warhol's or Jean Cocteau's drawings, but also of the classicism of a Flaxman, and which seems at the same time in contrast with the aesthetic line and with the form which he himself chose for the contents.
This excitation, and also the frivolity with which Bas Meerman speaks of his own sexual fantasy idols and of his own obsessions, exalt the quality of this singular private diary.
Peter Weiermair

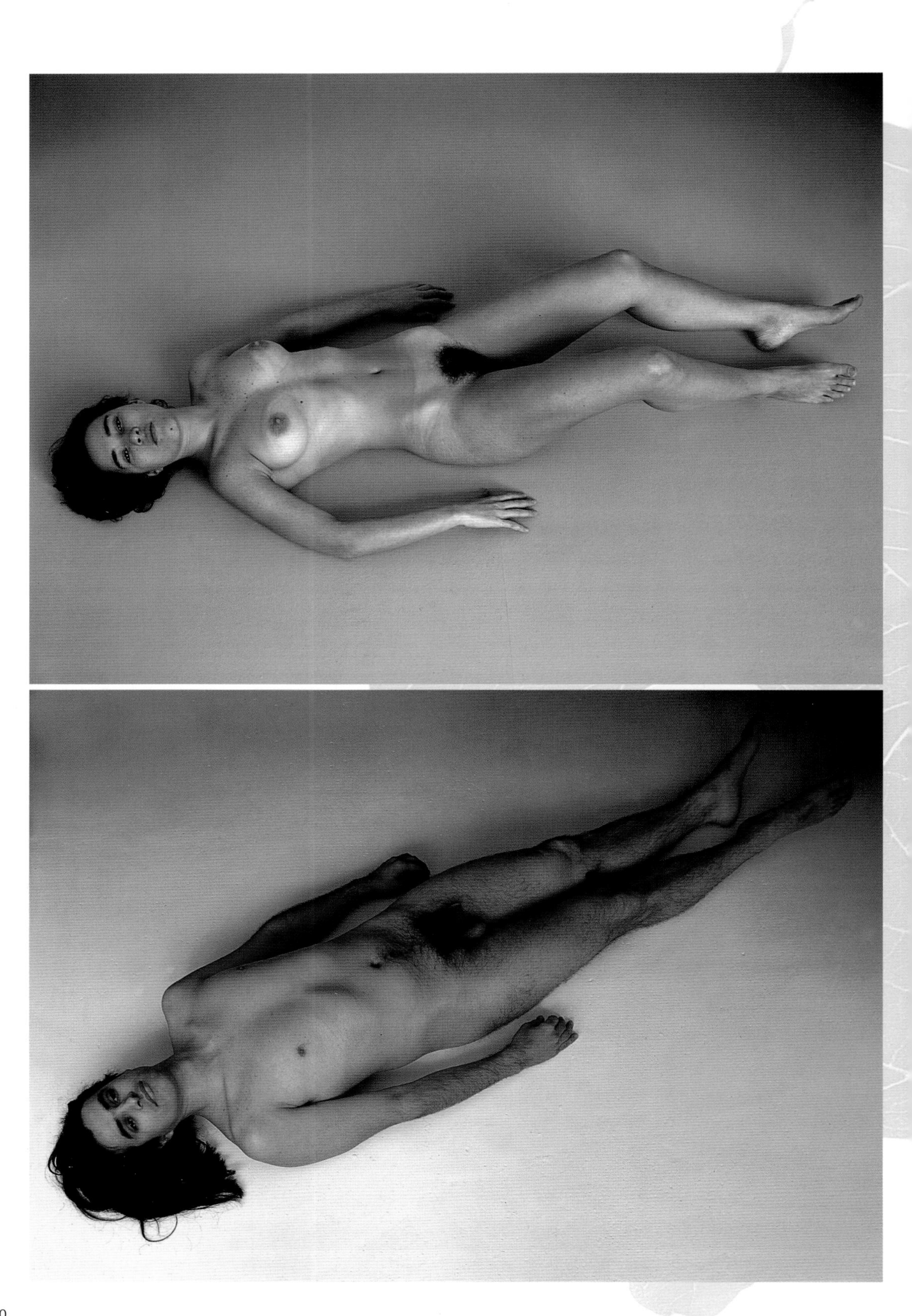

JEAN-LUC MOULÈNE FRANCE

Jean-Luc Moulène usa la fotografia come uno strumento di appropriazione di situazioni specifiche, legate alla vita quotidiana, e come un mezzo di interpretazione dei fenomeni naturali o culturali così come sono stati definiti dallo sviluppo dell'industria, dei media e del commercio. Egli mutua i suoi codici visivi dall'universo della comunicazione per creare delle immagini ambigue e decontestualizzate, che appaiono come una riflessione sullo statuto della formazione di immagini nel nostro universo.
Moulène crea delle immagini che utilizzano le caratteristiche codificate del linguaggio pubblicitario, infiltrandovi degli elementi simbolici e poetici legati all'immaginario.
Queste immagini hanno lo scopo di rendere esplicita l'ambivalenza del linguaggio fotografico, "sottolineando lo scarto tra lo strumento e l'immaginario, al fine di produrre delle reali alternative poetiche".
Dominique Stella

Jean-Luc Moulène uses photography as a tool to appropriate specific situations connected with daily life and as a means of interpreting natural cultural phenomena as they have been defined by the development of industry, media and commerce.
He borrows his visual codes from the universe of communication to create ambiguous images, removed from any context, that appear as a reflection on the laws that govern the formation of images in our universe.
Moulène creates images that use the coded characteristics of advertising language and infiltrates symbolic and poetic elements from the imagination into them.
The purpose of these images is to make the ambivalence of photographic language explicit, "underlining the gap between the instrument and the imaginary in order to produce real poetic alternatives".
Dominique Stella

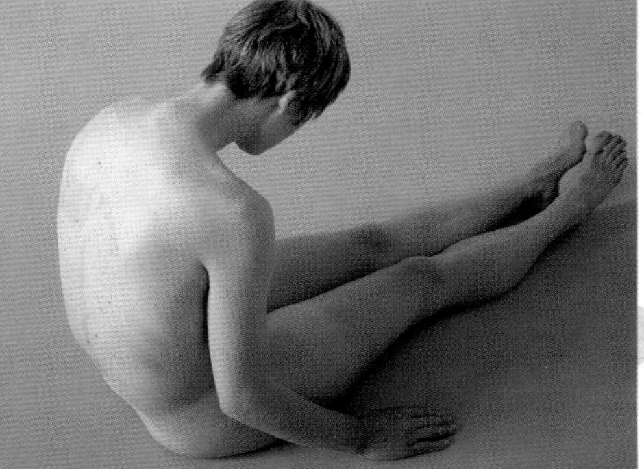

***02.04.1997 (Nu fond de teint)*, 1997**
Photograph, 300 × 400 cm

***14.05.1997 (Homme couché)*, 1997**
Photograph, 90 × 110 cm

***04.07.1996 (os)*, 1996**
Photograph, 240 × 360 cm

***04.08.1996 (Nu assis)*, 1996**
Photograph, 90 × 110 cm

***16.07.1996 (Nu vert)*, 1996**
Photograph, 90 × 110 cm

Catherine De Croës Come spieghi il tuo interesse per l'India? Hai una particolare passione per i viaggi?
Johan Muyle Vengo da una famiglia fiamminga che si è trasferita nella regione vallona e per la quale il viaggiare non era una priorità. In aggiunta, per quanto riguarda i miei genitori, in particolare mia madre, posso dire che a causa del loro sradicamento il "qui e ora" era per loro già un altrove. I miei primi grandi viaggi risalgono al 1993-1994, quando sono andato in Congo (o Zaire, come si chiamava allora). Prima

JOHAN MUYLE BELGIUM, FRENCH COMMUNITY

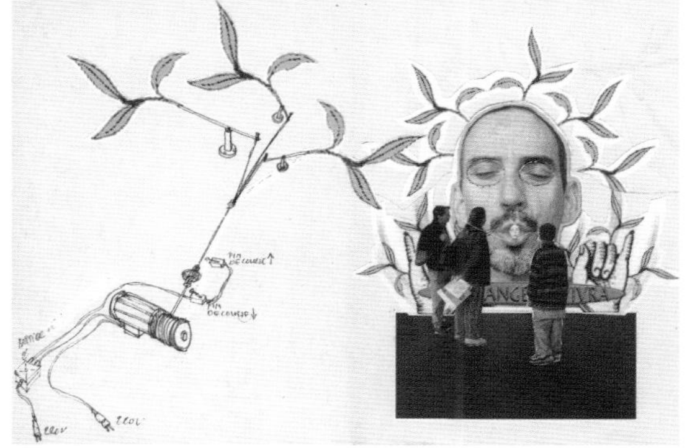

di allora avevo realizzato una serie di opere riferite al viaggio, ma non avevo mai veramente viaggiato, convinto com'ero che fosse sufficiente una visione poetica e remota del mondo, da cui il titolo *Ici c'est ailleurs* (*Qui è altrove*) assegnato a uno dei miei lavori nel 1991 e riutilizzato per un altro nel 1997. Può suonare ingenuo, ma questo incontro con un altro continente ha confermato l'idea astratta che avevo in precedenza, e cioè che il mondo poteva essere visto da altrove e che ciò cambiava necessariamente la visione che potevo averne. Dopo quel viaggio, e basandomi sugli oggetti e le immagini che ne avevo riportato, ho realizzato una dozzina di sculture ispirate al difficile periodo che Kinshasa aveva attraversato durante il regime di Mobutu.
Alla fine decisi di non tornarci a causa della guerra civile che imperversava all'epoca e dei rischi quotidiani che questi viaggi comportavano.
Ma intanto mi ero preso il virus del viaggio. Mi è venuta l'idea di andare in India quando ho visto un documentario televisivo sui pittori *ciné-baners* (pittori di cartelloni dei film indiani) a Madras.
C.D.C. Cosa ti attirava di quei dipinti?
J.M. Intuivo che essi si configuravano come oggetti. Forse perché le immagini sono costruite su piani diversi, un po' come le scenografie teatrali. Anche il vocabolario cinematografico usato (inquadratura grandangolare, inquadratura ravvicinata, primo piano), lo sguardo onnipresente e, in aggiunta, la strana familiarità di quei dipinti.
C.D.C. Ma era necessario andare così lontano per realizzare quelle opere? Non c'erano altre possibilità più vicino a casa?
J.M. È probabile, ma sono stato subito attratto dalla bravura di quei pittori e soprattutto dal modo molto speciale con cui trattavano i toni della carne. Volevo anche creare delle immagini che riflettessero il mio nuovo interesse: evitare di concentrarmi sull'identità miscelando immagini e culture. Miravo inoltre a evadere dalla solitudine dell'atelier e tentare di nuovo di fare un lavoro d'équipe, qualcosa che avevo sperimentato negli anni ottanta, quando lavoravo a scenografie per il cinema.
C.D.C. Vuoi dire che non sei tu a creare le tue installazioni?
J.M. Non sono un pittore, tuttavia sono coinvolto in ogni fase di produzione di questi dipinti. Partecipo costantemente alla realizzazione di queste immagini e, una volta che i dipinti vengono portati nel mio studio, li monto su pannelli con l'aiuto di assistenti. Poi progetto la costruzione e l'applicazione delle parti meccaniche ed elettroniche, facendomi aiutare da alcuni miei amici artigiani. Queste installazioni monumentali richiedono un approccio diverso da quello che ho usato in passato, quando costruivo oggetti partendo da componenti più piccole. L'approccio è quello di uno scenografo che fa ricorso a persone che hanno diverse competenze, a seconda di quello che voglio fare. Per me si tratta di un'opportunità, piuttosto che di un problema. Io resto il supervisore del progetto e posso potenziare le mie idee iniziali traendo stimolo dalle percezioni e dal *know-how* della gente con cui lavoro. Mi piace quell'atmosfera da piccola impresa in cui più persone lavorano con passione a un progetto comune.
C.D.C. Puoi dirci qualcosa sul progetto per Milano?
J.M. Il punto di partenza per questo autoritratto è un'interpretazione del mito di Dafne che, per sottrarsi alle attenzioni di Apollo, si è trasformata in albero. Volevo anche usare delle immagini per affrontare il problema del cannibalismo culturale messo in atto dalla globalizzazione nell'interesse di una monocultura dominante. Questi temi mi fanno venire in mente alcuni graffiti visti di recente: "chi mangerà, vivrà", un gioco di parole riferito a "chi vivrà vedrà". La traduzione italiana di questa espressione (chi mangerà vivrà) e la strana somiglianza ortografica che essa ha nelle due lingue, mi ha fatto optare per "Qu(ch)i mangerà, vivrà".
Quando uno introduce la testa nell'orifizio della bocca del ritratto gigante, le palpebre si alzano e si abbassano, mostrando occhi sgranati per la sorpresa. I vari rami "abbelliscono" il personaggio che si sta allora muovendo.
Da una conversazione fra Johan Muyle e Catherine De Croës, dicembre 2000

Catherine De Croës: How do you explain your interest in India? Are you particularly interested in travelling?

Johan Muyle I come from a Flemish family who immigrated to the Walloon region, and for whom travelling was not a priority. What's more, I can say that, as far as my parents were concerned, especially my mother, because of their uprooting their "here and now" was already elsewhere.

My first real big trips date back to 1993 and 1994, when I went to the Congo in Africa (or Zaire as it was known at that time). While before that I had produced a number of pieces referring to travelling, I had never really travelled, being convinced that a poetic and remote view of the world was enough, hence the title *Ici c'est ailleurs* (*Here is Elsewhere*) given to one of my works in 1991, and used again for a new one in 1997. This may sound naïve, but this encounter with another continent authenticated the abstract idea that I had, namely that the world could be viewed from elsewhere and that this necessarily changed the view that I might have of it. After that trip and based on the objects and images that I brought back, I produced about a dozen sculptures dealing with the difficult era of Kinshasa under Mobutu. Finally I decided not to return because of the background of the civil war at the time and the daily peril of these trips.

But I had caught the travelling bug. I got the idea of going to India when I saw a television documentary on the *ciné-baners* painters (poster painters of Indian cinema) in Madras.

C.D.C. What was it about these paintings that attracted you?

J.M. I felt intuitively that these paintings had the status of objects. Perhaps because the images are constructed on different planes, a little like theatre scenery.

Also the cinematographic vocabulary used (wide-angled shot, medium close shot, close-up), the omnipresent regard plus the strange familiarity of these paintings.

C.D.C. But was it necessary to go so far to have these paintings done? Were there not other options closer to home?

J.M. Probably, but I was immediately attracted by the virtuosity of these painters and above all by the very special way in which they dealt with flesh-tints. I also wanted to create images that would reflect my new concern: to escape the focus on identity by mixing images and cultures. I also wanted to get away from the solitude of the workshop and try working in a team again, something I did back in the 1980s when I worked on scenery for the cinema.

C.D.C. Does this mean that you do not create your installations yourself?

J.M. I am not a painter, yet I am involved in every stage of production of these paintings. I participate constantly in the realisation of the images, and once the paintings are brought to my workshop, I mount them on panels with the help of assistants. I then plan the construction and introduction of the mechanical and electronic parts, getting help from friends of mine who are craftsmen. These monumental installations require a different approach from that used in the past when building objects from smaller parts. The approach is that of a scenographer who calls in people with different skills depending on what I want to do. I see this as an opportunity rather than a problem, while remaining the overseer of the project, and I can intensify my initial intentions while benefitting from the perceptions and know-how of those with whom I work. I like that atmosphere of a small undertaking in which different people are busy working with passion on a common project.

C.D.C. Can you tell us about the project for Milan?

J.M. The starting point for this self-portrait is an interpretation of the myth of Daphne who, to escape the attentions of Apollo, turned herself into a tree. I also wanted to use images to question the issue of cultural cannibalism of globalisation for the sake of a dominant mono-culture. These issues remind me of some graffiti I saw recently: "who eats will live", a play on words referring to "who lives will see". The translation of this phrase into Italian (chi mangerà, vivrà) and the strange orthographic similarity between this phrase in both languages made me opt for: "Qu(ch)i mangerà, vivrà".

When one places one's head in the orifice of the mouth on the giant portrait, the eyelids open and close, showing eyes widened in surprise. The various branches "embellish" the character who is then moving.

Extract from a conversation between Johan Muyle and Catherine De Croës, December 2000

***Qu(ch)i mangerà, vivrà*, 2000-2001**
Images of the installation project

Work in progress of Madras (India), February 18-28 2001

IRINA NAKHOVA RUSSIA

Irina Nakhova ha smesso di dipingere negli anni settanta, si è dedicata nel decennio successivo alla sperimentazione nell'ambito dell'environment ed è diventata famosa negli anni novanta come creatrice di oggetti interattivi. Tutte le sue opere si contraddistinguono per una squisitezza artistica supportata da un colto intellettualismo. Non è casuale che il suo percorso artistico sia stato fortemente influenzato da esponenti dell'arte concettuale moscovita: Ilja Kabakov e Viktor Pivovarov e, più tardi, Andrei Monastyrsky.

Malgrado il suo ovvio carattere lapidario, l'oggetto interattivo *Bolshoi krasny* (*Grande rosso*) coinvolge l'osservatore in molteplici interpretazioni di significato: allusioni a questioni relative al sesso, riflessioni sulla natura aggressiva del colore rosso e una tenerezza infantile verso un amico artificiale, un giocattolo, oppure riflessioni connesse allo spazio e a eventi che sono in larga misura il risultato di un puro formalismo artistico.

Le opere della Nakhova sono in ogni caso rappresentative dell'arte russa contemporanea, pur appartenendo al contesto europeo. L'artista vive attualmente a New York.

Leonid A. Bazhanov

Irina Nakhova stopped painting in the 1970s, successfully experimented in the field of *environment* in the 1980s, and became famous as an author of interactive objects in the 1990s. All her works possess artistic exquisiteness supported by her cultivated intellectualism. It was no accident that her progress in art was strongly influenced by representatives of Moscow's conceptualism: Ilya Kabakov and Viktor Pivovarov and, later, Andrei Monastyrsky.

In spite of its obvious lapidarity, the interactive object *Bolshoi krasny* (*Big Red*) provokes the spectator to get engrossed in versatile interpretations of meaning: allusions connected with gender problems, possible interpretations of red colour's aggressive nature, and infantile tenderness towards an artificial friend, a toy friend, or just reflections connected with space and events, which are to a great extent a result of pure artistic formalism. In any case, we see works by a representative of the contemporary Russian art who at the same time belongs to European art. Irina Nakhova is now living in New York.

Leonid A. Bazhanov

***Big Red*, 1998**
Inflatable object,
ø 160 × 500 cm
Courtesy National Centre
for Contemporary Art, Moscow

KRISTOFFER NILSON SWEDEN

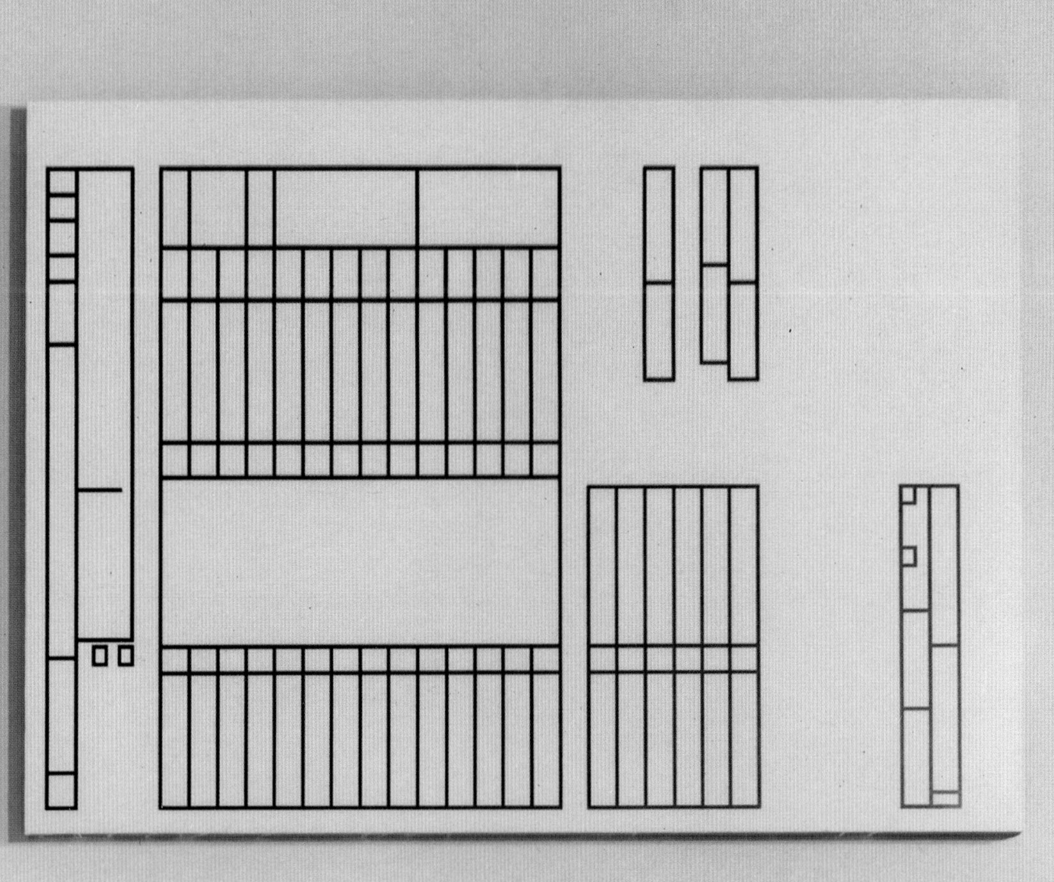

Tra le opere di Kristoffer Nilson e i loro soggetti esiste una relazione che l'osservatore non può cogliere a una prima lettura. Il suo lavoro è come un miraggio, un inganno visivo che si rivela soltanto a un esame più attento. Nilson non è né un minimalista, né un artista cinetico degli anni sessanta. I suoi dipinti sono in realtà disegni e la loro astrattezza non è un codice attraverso il quale l'autore esprime concetti temporali o spaziali. Ciò che gli interessa è la struttura soggiacente all'organizzazione istituzionale della realtà quotidiana. Originario di uno dei paesi con i più alti oneri fiscali del mondo, Nilson ha usato come punto di partenza i moduli delle tasse che i cittadini e gli uomini d'affari devono compilare ogni anno. Togliendone i testi, l'artista ci fa vedere le griglie sottostanti. Le variazioni nello spessore delle linee contraddistinguono la divisione del lavoro, il confine tra il controllo dello Stato e l'autocontrollo. Ogni modulo è suddiviso in sezioni la cui compilazione spetta rispettivamente ai burocrati dello Stato e ai soggetti tassabili. Nilson inizia ogni lavoro stendendo strati multipli di gesso sulla superficie dei moduli, sui quali disegna poi una griglia con sottili linee di grafite. Ogni opera richiede molte settimane di lavoro e non c'è spazio per gli errori. Questa tecnica antiquata rende i suoi disegni al tempo stesso antichi e moderni, e la loro delicata superficie ci induce a maneggiarli come rari documenti d'archivio, gravidi di storia e di fatti.

Le opere di Nilson possono apparire vuote, ma il loro significato giace al di sotto dello strato epidermico di gesso e di grafite. La loro genesi riecheggia la dolorosa e laboriosa compilazione annuale dei moduli delle tasse, le cui somiglianze strutturali con il suo lavoro iniziano a emergere quando si comparano i due moduli. Gli obblighi fiscali e la burocrazia statale finiscono così per scandire il ritmo delle nostre vite, che lo vogliamo o no.

Gavin Jantjes

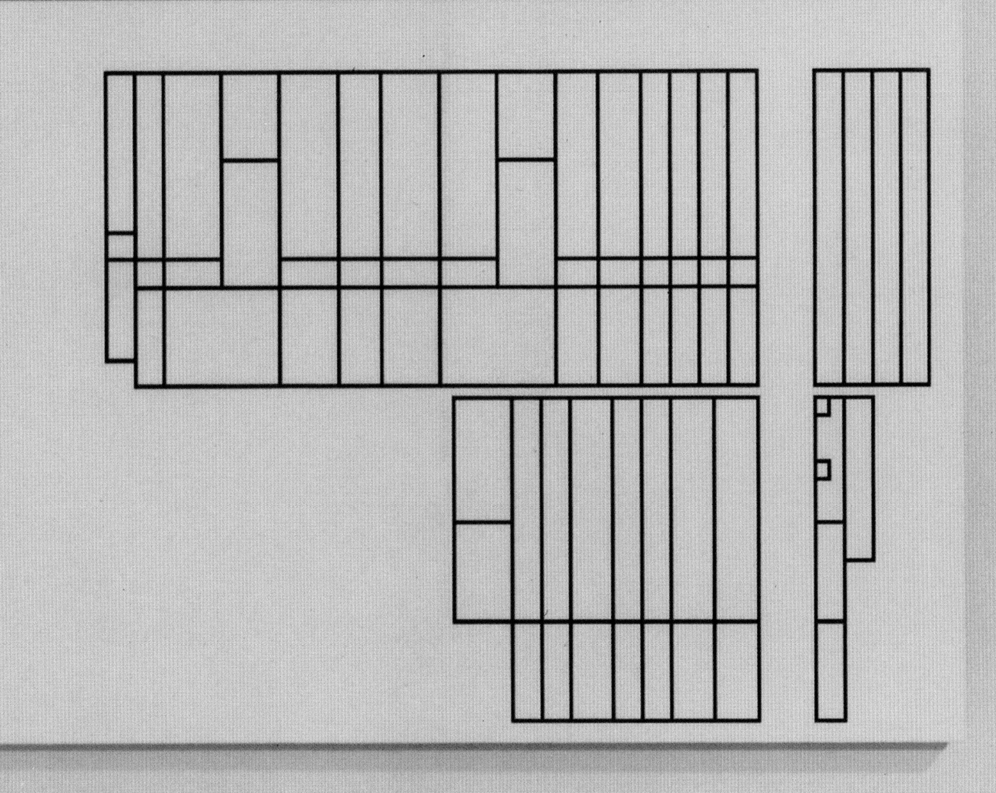

System, **2000 Mixed media on canvas Courtesy Flach Gallery, Stockholm**

There is a integral relationship between the work of Kristoffer Nilson and its subject that is not apparent at first reading. His work is like a mirage, a visual deception that reveals itself only after closer scrutiny. Nilson is neither minimalist nor part of the kinetic art of the 1960s. His paintings are in fact drawings, and their abstract appearance is not code for concepts of time nor space. Kristoffer Nilson is concerned with the structure underlying the institutional organisation of every day reality. Coming from a country with one of the worlds highest rates of taxation, he has used as a point of departure, the numerous taxation forms citizens and businessmen must fill out each year. By stripping out their texts, rectangular grids are revealed. Variations in the linear thickness mark a division of labour, the borderline of state control and self control. Each form has designated areas for the work of the state bureaucrat and the taxpaying citizen. Nilson begins each work by carefully laying down multiple layers of chalk ground onto the work's surface. Onto this he draws in single millimeter thin lines of graphite the linear grid, building to the black line by repetition. Each work takes many weeks to completion and there is no room for error. Because he uses this old fashioned method of producing his art the completed drawings are simultaneously ancient and modern. Their sensitive surface forces one to handle them like rare archival documents, filled with history and facts. Kristoffer Nilson's works may appear empty but their meaning lies below their epiderm of chalk and graphite. If the process of annual tax payment is a painstaking and laborious exercise then Nilson echoes this in his work process. Structural similarities begin to reveal themselves as one compares one form to the other. The rhythm of state bureaucracy beats its pattern into our lives and we march to its beat, unwillingly or not.

Gavin Jantjes

Viaggio d'acqua (La Doccia)
Photomontages

Stefano Boeri
with Susanna Loddo,
Guido Musante, Mauro Giuliani
Viaggio d'acqua (La Doccia),
Villa Medici, Rome, 2000
Mixed media,
640 × 190 × 140 cm

Rumour City (Città delle voci). Un modulo di Hans Ulrich Obrist
Tutto è voci, chiacchiere. La caratteristica più saliente dell'età dell'accesso e della moltiplicazione delle reti è che incredibili informazioni, miti, leggende proliferano e si disseminano sempre più velocemente, incontrollatamente e anarchicamente. Ciò che ne deriva, nel migliore dei casi, sono voci, *Leggende urbane*.
Paolo Fabbri è il principale specialista mondiale nel campo delle voci, delle *Leggende urbane*. Egli definisce le voci contemporanee come informazione in sé, paragonabile a un virus di computer e aperta a qualsiasi interpretazione. Le voci sono un "dispositivo ermeneutico". E, come dice l'artista Dominique Gonzalez-Foerster: "La partecipazione è il significato".
L'urbanista Hans Ulrich Obrist è molto consapevole di questa coerenza. Ha infatti realizzato il progetto *Rumour City* per studiare il fenomeno delle leggende urbane in azione. Ciò che gli interessa sono il fattore scatenante, la disseminazione, le dinamiche anarchiche, la non-controllabilità e l'inesauribilità delle voci. Fino a oggi Obrist ha raccolto oltre centoventi contributi da protagonisti di varie discipline, architetti, artisti, scrittori, filosofi, sociologi. Oltre ad analizzare l'incomprensibile fenomeno, i partecipanti al progetto hanno prodotto nuove voci. In altre parole, *Rumour City* è un archivio virulento di vecchie e nuove voci. Una parte di questo archivio è stata pubblicata nel catalogo *ARC EN REVE Mutations for CAPC*, Bordeaux.
Altre voci si possono trovare in www.fri-art.ch/projects/rumours.html (nell'ambito di un progetto *Fri-Art*, voci sono state pubblicate anche in un giornale locale).
Analogamente al progetto *Do it*, realizzato da Hans Ulrich Obrist insieme a Christian Boltanski e Bertrand Lavier per l'AFAA, *Rumour City* è un progetto espositivo senza confini, senza una fine prevedibile e che presumibilmente genererà mutazioni senza fine. Hans Ulrich Obrist dichiara: "Questo è soltanto l'inizio" (cfr. Joachim Neubauer, *The rumour, a cultural city*).
Ideazione e curatela: Hans Ulrich Obrist. Design: Stefano Boeri. Produzione: Fri-Art Fribourg and Mutations / Arc an Rêve Bordeaux.
Michelle Nicol

HANS ULRICH OBRIST SWITZERLAND

Rumour City. A modul by Hans Ulrich Obrist

Everything is a rumour. The great thing about the age of access and the multiplied networks is that inconceivable information, myths, legends, breed and disseminate even faster, even more uncontrolled, even more anarchic. What comes into being in the best cases are *Urban Rumours*.

Paolo Fabbri is a world leading specialist on the topic of *Urban Rumours*. He describes the contemporary rumour as an information in itself, most likely to be compared with a computer virus and open to any kind of interpretation. Rumours are a "hermeneutic device". Artist Dominique Gonzalez-Foerster says: "Participation is the meaning".

Urbanist Hans Ulrich Obrist is well aware of this coherence. He invented the project *Rumour City*, because he wants to research the phenomenon *Urban Rumour* in action. What interests him: the trigger, the dissemination, the anarchic dynamic, the noncontrollability, the moment of never exhausting.

His engineering: Up until today he has gathered more than 120 contributions from protagonists coming from various fields of disciplines, architects, artists, authors, philosophers, occurental sociologers. They research the incomprehensible phenomenon and at the same time trigger again new rumours. In other words: *Rumour City* is a virulent archive of old and new rumours. Part of this archive was published in the catalogue *ARC EN REVE Mutations for CAPC* Bordeaux. More rumours can be found at www.fri-art.ch/projects/rumours.html (in the course of a *Fri-Art* project rumours were also published in a local newspaper).

Similar to the *Do it* project, Hans Ulrich Obrist produced together with Christian Boltanski and Betrand Lavier for AFAA, *Rumour City* is an exhibition project, which blurs the boundaries, which has no predictable end and will hopefully transgress into endless mutations. Hans Ulrich Obrist says: "It has only just begun" (see also Hans-Joachim Neubauer, *The rumour, a cultural city*).

Concept and curation: Hans Ulrich Obrist. Exhibition design: Stefano Boeri. Production: Fri-Art Fribourg and Mutations / Arc an Rêve Bordeaux.

Michelle Nicol

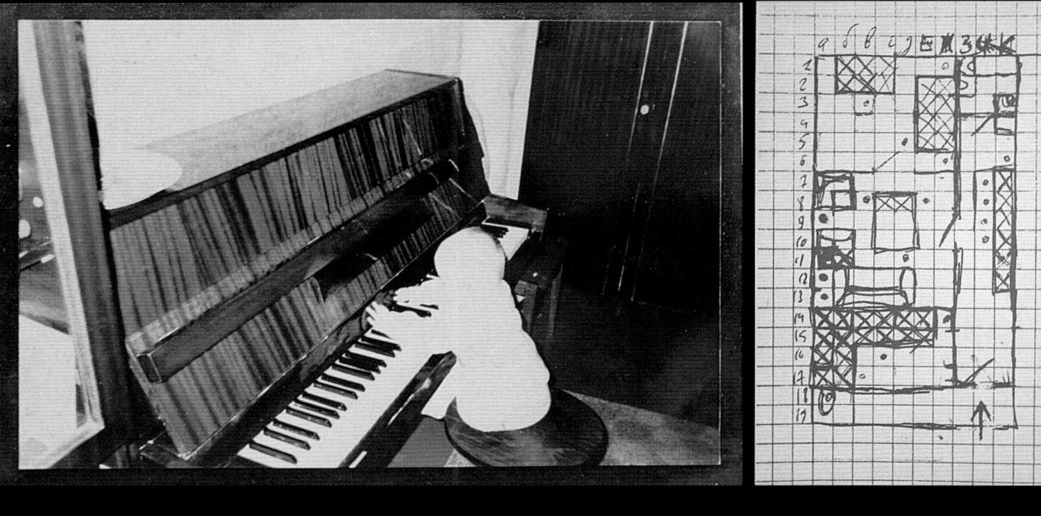

Come un archeologo, Anton Olshvang raccoglie accuratamente testimonianze della nostra esistenza allo scopo di caratterizzare la nostra società. Usa la strategia della sanzione artistica e offre all'osservatore fotografie scattate da ignoti dilettanti, da lui scovate in numerosi laboratori fotografici e delicatamente preparate. Questo materiale non ritirato dai clienti diventa nelle mani dell'artista una documentazione della vita di una grande fascia di popolazione. Si tratta di testimonianze assolutamente veritiere in quanto il materiale raccolto, non reclamato dai suoi numerosi autori sconosciuti, ha evaso la censura del gusto estetico, delle ambizioni personali ecc. Ciò che interessa Olshvang è prima di tutto il cosiddetto "canone inconscio" o "canone del caso comune". Per rivelare ed enfatizzare questo fenomeno culturale, egli usa il metodo dell'incorniciatura ripetuta di una "brutta" fotografia dapprima facendone una copia, poi esponendola al pubblico in una mostra. Viene preservato l'effetto dei vecchi album dell'epoca dei Soviet.

ANTON OLSHVANG RUSSIA

Like an archaeologist, Anton Olshvang carefully collects evidence describing our life in order to characterise our civilisation. He uses the strategy of artistic approbation and offers the spectator photographs whose amateur authors are unknown, which he found in numerous photo-laboratories and delicately prepared. The artist's will makes this unclaimed material an evidence of life of a large population. This evidence is absolutely truthful, as this material, rejected by its numerous unknown authors, has overcome the censorship of aesthetic taste, personal ambitions, etc. What interests Olshvang is primarily the so-called "unconscious canon", or the "canon of common accident". To accentuate and reveal this cultural phenomenon, Olshvang uses the method of repeated framing of a "bad" photograph, at first by making a copy, then, exhibiting it in some exhibition hall. He maintains the effect of a photograph presented in photograph corners, like it was done in old albums of the Soviet time

Untitled, 1998
(Extract from *Martha*, a film
by Rainer Werner
Fassbinder)
Stills from video projection

Il punto di partenza è una citazione. Ma questa è una contraddizione, perché se l'ipotetico inizio ci fa retrocedere a un evento precedente, vuol dire che tutto è incominciato prima di quell'inizio.
La scena è presa da *Martha*, uno dei film più forti e meno noti di Rainer Werner Fassbinder. I personaggi principali s'incrociano per la strada e, come spesso accade, si voltano a guardarsi. I loro occhi s'incontrano per un'inevitabile frazione di secondo, sufficiente tuttavia a rendere irrevocabile quello scambio di sguardi. È come se avessero l'impressione, pur senza una chiara consapevolezza, di essersi già incontrati da qualche parte. E si sono voltati per verificare il loro presentimento. Anche qui, in questa sceneggiatura, l'inizio è già segnato da una sorta di reminiscenza e ripetizione, una citazione di qualcosa, ma andando avanti risulta difficile determinare se quel qualcosa è veramente accaduto o no. Tutto si ripete, di nuovo e di nuovo, in un percorso senza inizio né fine.
Non si parla delle conseguenze che nel film ha quello scambio di sguardi. João Onofre taglia, ripete, riconnette. Fa un nodo fra gli sguardi, fra i corpi. Presenta il tempo come un nodo. E il modo in cui installa il lavoro, su uno schermo attorno al quale i visitatori possono girare, unisce anche noi a questi nodi di tempo, a questi corpi e a questi sguardi.
I diversi lavori di João Onofre, montaggi o sceneggiature che in alcuni casi attingono a precedenti cinematografici più o meno espliciti e in altri no, hanno proprio questo intento: disporre ed esporre i corpi – e i loro soggetti precari o senz'anima – entro l'angusta e rigida struttura di un nodo di tempo che si ripete costantemente senza possibilità di fuga né di redenzione.
Alexandre Melo

JOÃO ONOFRE PORTUGAL

The departure point is a citation. But this is a contradiction, because if the supposed start relegates us to a preceding event, it means that everything began before that beginning.

The scene is from *Martha*, one of the most terrific and least known films by Rainer Werner Fassbinder. The main characters cross paths on a street and, as is often the case, look back at each other. Their eyes meet for the inevitable split second that is enough, however, to make that exchange of glances irrevocable. It is as if they felt, without clearly being aware of it, that they had already crossed paths. And they looked back to certify the premonition. Likewise, in this scenario the start is already marked by a sort of reminiscing and repetition, a citation of something. Yet it is later hard to pinpoint whether or not that something actually happened. Everything is repeated, going round and round forever with neither beginning nor end.

We do not speak of the consequences, in the film, of the exchange of glances. João Onofre cuts, repeats, makes a loop. He ties a knot with glances and with bodies. He sets up time as a knot. And the way he installs the piece, in a screen around which viewers are meant to move, also joins us to these knots of time, these bodies and these glances.

This is what the various artworks by João Onofre deal with, in assemblies or scenarios, which may or may not owe something to more or less explicit film antecedents: to place and expose bodies – and their precarious or soulless subjects – within the strict narrow framework of a knot of time repeating itself with neither escape nor redemption.

Alexandre Melo

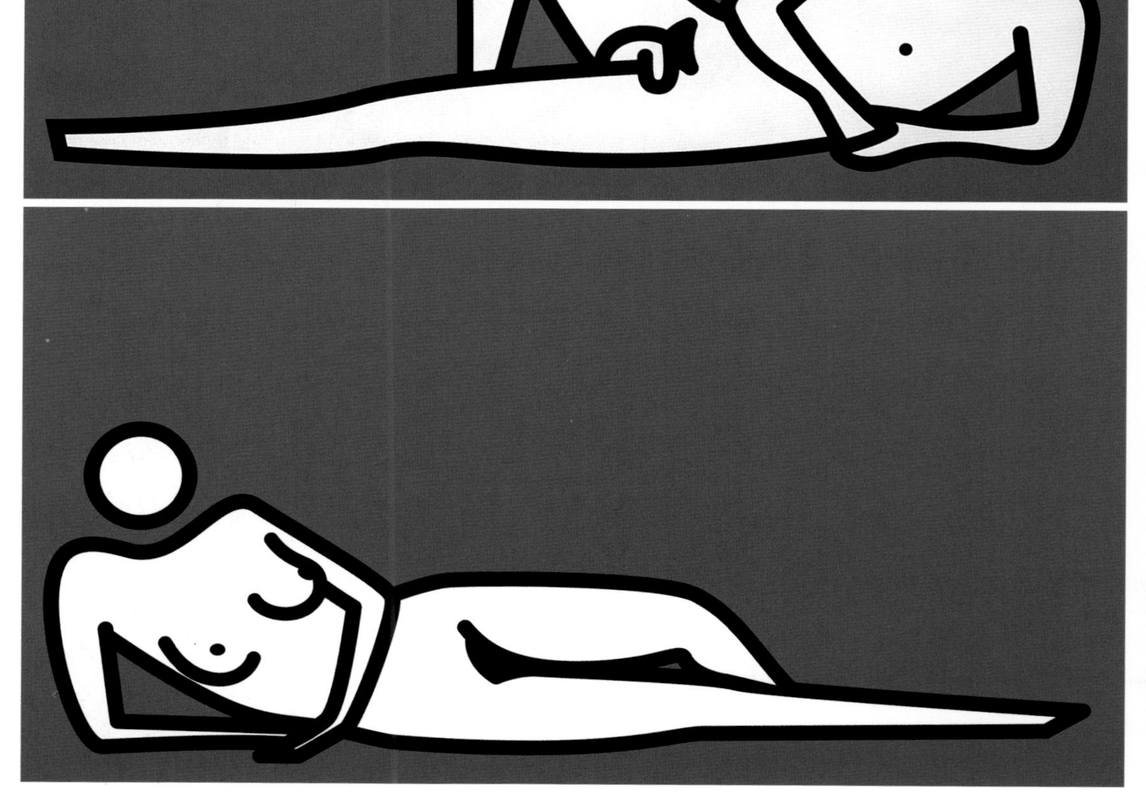

JULIAN OPIE GREAT BRITAIN

Male Nude, Reclining?, 2000
Vinyl on aluminium,
207 × 380 cm
Courtesy Lisson Gallery,
London

Female Nude Lying Up On Elbow, 2000
Vinyl on aluminium,
207 × 380 × 4 cm
Courtesy Lisson Gallery,
London

Junction 11, 2000
Vinyl on aluminium,
240 × 188 × 9.5 cm
Courtesy Lisson Gallery,
London

Amanda Jumper Skirt Boots, 2000
Vinyl on aluminium,
187.5 × 54.8 × 15 cm
Courtesy Lisson Gallery,
London

L'opera di Julian Opie – che include pittura, scultura, video, installazioni e materiali misti – esemplifica un'apertura e una libertà piacevolmente nuove nell'approccio artistico, una risposta suggestiva e non sofisticata alla vita quotidiana moderna.
Opie si è sempre avvalso di una vasta gamma di linguaggi visivi estranei all'universo dell'arte "alta". Nei suoi motivi archetipici, nelle sue forme colorate delineate quel tanto che basta per identificarle, si riconosce ad esempio l'influsso della grafica pubblicitaria stilizzata, della segnaletica pubblica e dell'iconografia infantile. Motivi e forme che suggeriscono una qualità funzionale, i mezzi con cui negoziamo il mondo materiale: dapprima attraverso l'apprendimento (introduzione dei bambini ai fenomeni visivi) e successivamente rispondendo agli innumerevoli stimoli, pittogrammi e simboli visivi che invadono incessantemente la nostra coscienza.
I materiali e le tecniche utilizzati da Opie nella produzione dei suoi lavori si distaccano nettamente da quelli di solito usati nel fare artistico: laser-cutting e software di computergrafica, per esempio, trovano ugualmente applicazione (almeno) in contesti popolari-commerciali. I suoi "quadri" sono infatti collage di strati autoadesivi di vinile: nudi, ritratti o nature morte che chiaramente aspirano a una condizione di piattezza assoluta. Occasionalmente, questa iconografia è stata trasferita da Opie su cartelloni pubblicitari e copertine di CD (per esempio per il gruppo inglese Blur). Le sue opere più prettamente scultoree, riproducenti figure intere, hanno maggiore affinità con l'industria pubblicitaria piuttosto che con precedenti artistici. Recentemente Opie si è dedicato anche al design di mobili.
Opie suggerisce che l'invenzione estetica è ovunque, che certamente non è confinata al mondo dell'arte. Tutt'altro che inteso come alienante, il freddo minimalismo dei suoi lavori esprime uno spazio che può essere immaginativamente abitato. Allo stesso tempo, con la concretezza dei cartelli stradali, ci riconduce all'affascinante mondo reale.
Jonathan Watkins

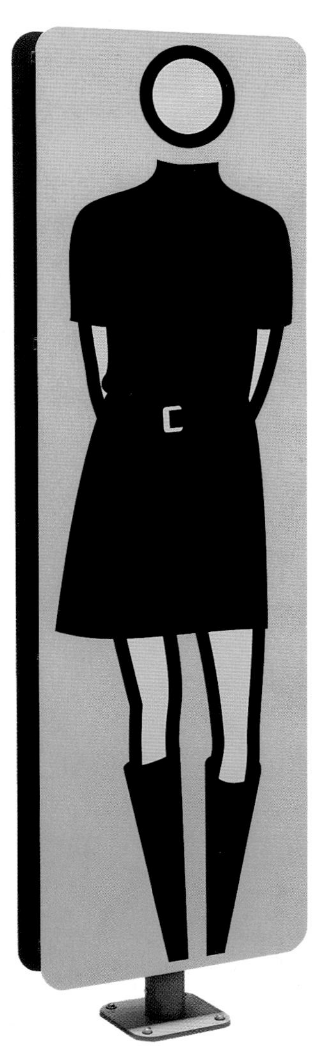

Julian Opie's work, encompassing painting, sculpture, video, installation and mixed media, exemplifies a refreshing openness and freedom in artistic approach, a compelling and unpretentious response to modern everyday life.
Opie has always drawn on a wide range of visual languages beyond the realm of high art. Stylised corporate design, public or civic signage and children's imagery, for example, bear strong resemblance to his archetypal motifs, hard-edged coloured shapes with just enough detail for recognition. They suggest a functional quality, the means by which we negotiate the material world – first, through early learning (children's introduction to visual phenomena) and subsequently by response to the countless visual clues, pictograms and symbols which impinge relentlessly on our consciousness.
The materials and techniques Opie uses in the production of his work have a distinctly non-art resonance – laser-cutting and computer graphics software, for example, have application equally (at least) in popular/commercial contexts. His "paintings" are, in fact, collages of self-adhesive layers of vinyl: nudes, portraits or still-lifes seemingly aspiring to a condition of absolute flatness. Such imagery on occasion has been translated by Opie into billboards and CD covers (for example for the British band Blur). His more sculptural work, depicting full-length figures, is closer in spirit to the advertising industry than to self-consciously artistic precedents. Other recent projects by Opie include furniture design.
Opie suggests that aesthetic invention is everywhere, certainly not confined to the art world. The cool minimalism of his work, rather than tending to alienate, embodies space which can be imaginatively inhabited. At the same time, with the effectiveness of road signs, it redirects us back to the fascinating real world.
Jonathan Watkins

Sin título (Senza titolo, Samuel Beckett, Jean Genet, Milan Kundera)

L'opera di Ana Teresa Ortega esplora le possibilità meno tradizionali offerte dal mezzo fotografico: l'oggetto, l'elemento scultoreo, la trasparenza, la trama dell'immagine stampata o la proiezione.

Da questa prospettiva trasversale, l'artista ha sottolineato gli aspetti sociali della fotografia, il riconoscimento dell'immagine all'interno di contenitori o supporti non specificamente fotografici che rimandano alla costante presenza di immagini nella quotidianità.

Nel 1999 Ana Teresa Ortega ha iniziato a realizzare una serie di fotografie che sembrano costituire una sorta di memoria ed eredità spirituale del Novecento e raffigurano le proiezioni dei ritratti di alcuni degli scrittori e dei filosofi più significativi del secolo in spazi architettonici vuoti. Si tratta cioè delle immagini di coloro che di certo hanno incarnato sia le tragedie che le aspirazioni alla libertà e alla dignità del loro tempo. La presenza della coscienza e del pensiero proiettata sugli spazi dell'anonimato e della solitudine contemporanei.

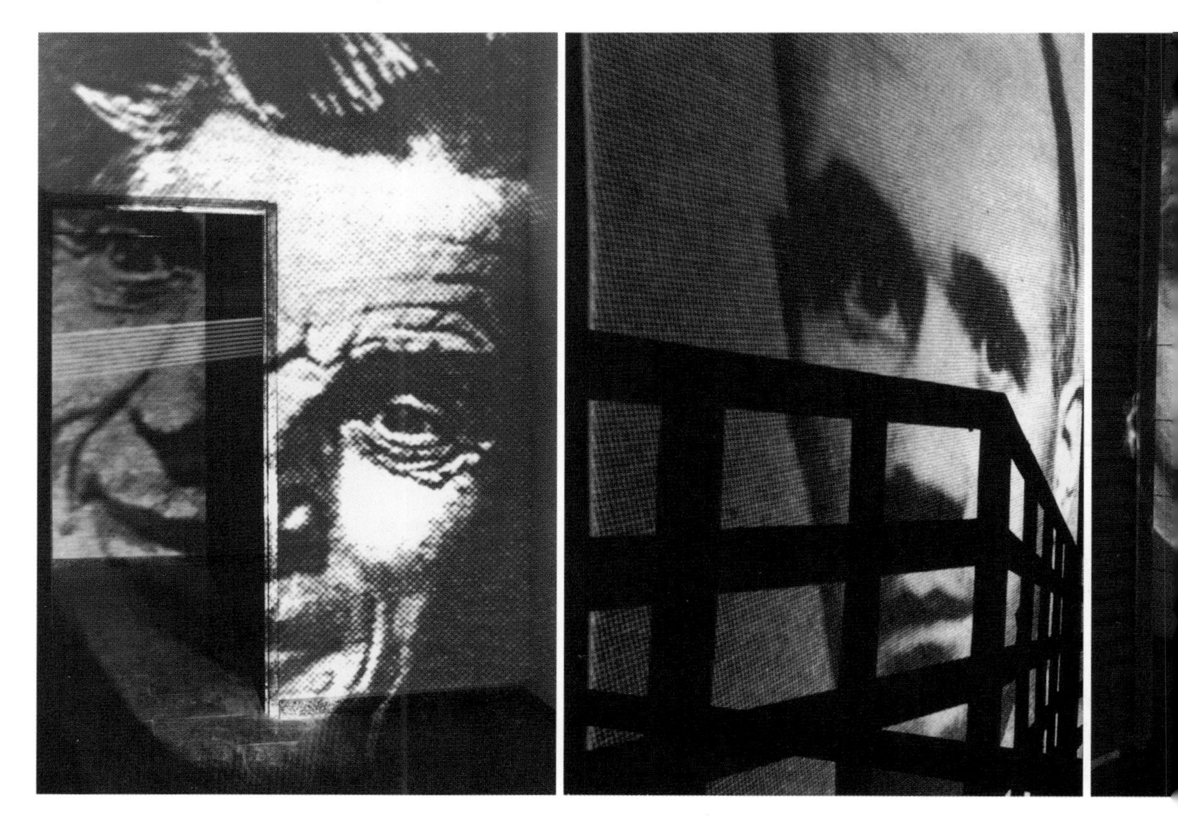

***Sin titulo (Samuel Beckett)*, 2000**
Photograph,
150 × 100 × 7 cm
Courtesy Galería Visor, Valencia

***Sin titulo (Jean Genet)*, 2000**
Photograph,
150 × 100 × 7 cm
Courtesy Galería Visor, Valencia

***Sin titulo (Milan Kundera)*, 2000**
Photograph,
150 × 100 × 7 cm
Courtesy Galería Visor, Valencia

Due lavori precedenti hanno preparato formalmente questa serie. In alcune opere sul volto anonimo e tuttavia personalizzato all'interno della massa, l'artista ha utilizzato fotografie stampate su pubblicazioni, ingrandite fino alla decomposizione delle forme in trame grafiche, smaterializzando l'immagine attraverso l'uso della pellicola fotomeccanica. Successivamente, ha realizzato un lavoro sull'idea di biblioteca intesa come spazio fragile e in costruzione, in cui le immagini di scaffalature e libri vengono proiettate sulle pareti di recinti vuoti, occupati soltanto da inutili impalcature.

Nella serie degli scrittori e dei filosofi affiora la tensione tra le caratteristiche del viso anonimo stampato e l'iconografia riconoscibile dell'individuo. Su un altro piano, si utilizza l'idea della sovrapposizione di un volto sullo spazio, simile a un'apparizione fantasmatica che illumina e ricorda gli spazi della desolazione.

Tutti questi uomini e queste donne, da Fernando Pessoa, Elias Canetti, Hannah Arendt, María Zambrano, Alejandra Pizarnik e Franz Kafka fino a James Joyce, Luis Cernuda Antonin Artaud, rappresentano fedelmente il secolo che si è concluso: le loro opere o le loro vite da esiliati forzati, volontari o interiori hanno incarnato e proposto nuovi modi di ricostruire la dignità umana. Tra tutti i ritratti sono stati scelti quelli di Samuel Beckett, Jean Genet e Milan Kundera, sia per i valori plastici dell'immagine in cui appaiono,

sia per il particolare valore simbolico che essi assumono per la cultura europea contemporanea.
Non è la prima volta che il ritratto di grandi uomini (il ritratto topico, mediatico, quello che compare nelle enciclopedie e nei risvolti dei libri) viene utilizzato nell'arte contemporanea. In questo senso, è sufficiente ricordare il corridoio di filosofi e scrittori di Mike Kelly o le diverse serie di Leonel Moura (*Filósofos*, *Europa* ecc.). Tuttavia, se quegli artisti hanno messo in atto una strategia postmoderna, in cui l'icona viene utilizzata come simbolo o allegoria dei discorsi, nella formulazione di Ana Teresa Ortega il ritratto ha la funzione di introdurre la memoria in un contesto di orfanità poetica, l'esperienza personale reinterpreta l'iconografia come una necessità di parola. E non è un caso che l'artista abbia intrapreso questo progetto proprio al volgere del secolo e del millennio. Forse abbiamo più che mai bisogno del ricordo di parole libere, parole che hanno conquistato, lottando faticosamente, uno spazio che permette di costruire nuovi valori. Di fronte alla dissoluzione offerta dalla realtà dei mercati, la memoria può costruire spazi di resistenza.
Santiago B. Olmo

Sin título (Untitled Samuel Beckett, Jean Genet, Milan Kundera)

Ana Teresa Ortega's work explores the less traditional possibilities offered by the photographic medium: the object, the sculptural element, the transparency, the storey-line of the printed image or the projection.
From this transverse perspective, the artist has underlined the social aspects of photography, the recognition of images inside containers or supports not specifically photographed which recall the constant presence of images in our daily lives.
In 1999 Ana Teresa Ortega started a series of photographs that seem to constitute a sort of memory or spiritual heritage of the 20th century. They show the projections of portraits of some of the more significant writers and philosophers of the century in empty architectural spaces. They are images, that is, of those who have certainly incarnated both the tragedies and the aspirations to freedom and dignity of their times.
The presence of consciousness and thought projected on the spaces

ANA TERESA ORTEGA SPAIN

of contemporary anonymity and solitude.
Two previous works prepared this series formally. In some of these works the artist has used photographs taken from publications on anonymous faces that are nevertheless personalised inside the mass. These are enlarged so much that the shapes break up into a tangle of graphics as the image is dematerialised through the use of photomechanical film.
Later he created a work on the idea of a library seen as a space, fragile and under construction, in which the images of bookshelves and books are projected onto the walls of empty fences, occupied only by useless scaffolding.
In this series on writers and philosophers tension emerges between the characteristics of the anonymous printed face and the recognisable iconography of the individual.
On another level, the idea of superimposing the face on a space is used. It is similar to the apparition of a ghost that illuminates and recalls the spaces of desolation.
All these men and women, from Fernando Pessoa, Elias Canetti, Hannah Arendt, María Zambrano, Alejandra Pizarnik and Franz Kafka to James Joyce, Luis Cernuda or Antonin Artaud faithfully represent the century that has come to a close: their works or their lives as forced, voluntary or interior exiles have incarnated and proposed new ways of reconstructing human dignity. Out of all the portraits, those of Samuel Beckett, Jean Genet and Milan Kundera were chosen both for the plastic values of the images in which they appear, and also for the particular symbolic value that they have in contemporary European culture.
It is not first time portraits of great men (standard, media type portraits that appear in encyclopaedias and on the covers of books) have been used in contemporary art. In this sense it is sufficient to recall the corridor of philosophers and writers by Mike Kelly or the various series by Leonel Moura (*Filósofos*, *Europa* etc.). Nevertheless, if those artists employed a postmodern strategy in which the icon is used as a symbol or allegory of discourse, in Ana Teresa Ortega's formulation the function of portraits is to introduce memory to a context of poetic orphanhood. Personal experience reinterprets the iconography as a need to speak. It is not by chance that Ana Teresa Ortega undertook this project precisely at the turn of the century and of the millennium. Perhaps we need memories of free speech more than ever, free speech that has fought hard to conquer a space in which to construct new values. Given the dissolution offered by the reality of markets, memories can create spaces for resistance.
Santiago B. Olmo

Meteorite Lands in Birmingham's Bull Ring, 2000 Fireworks Courtesy Ikon Gallery, Birmingham

L'opera di Cornelia Parker ha essenzialmente a che fare con la trasformazione. La sua suggestione deriva da un confronto fra i fenomeni quotidiani e la realtà sublime o universale, spesso implicante una trasformazione per cui un oggetto o un evento banale entrano in un nuovo regno di possibili significati. Questa trasformazione può essere il risultato tanto di un'intensa azione fisica quanto di una proiezione psicologica.

Nel suo processo artistico la Parker si è spesso riferita a tre stati esistenziali: vita, morte e risurrezione. La sua installazione sospesa più famosa, *Cold Dark Matter* (*Fredda materia scura*, 1991), ad esempio, è iniziata come un capanno da giardino con il suo contenuto. Esso è "morto" a causa di un'esplosione, gentilmente fornita dall'esercito britannico, ed è poi risorto sotto forma di una nuvola di frammenti irradianti da una lampadina accesa. La configurazione dei frammenti evoca la forma di un sistema solare, ed è quindi un chiaro cenno all'infinito, qui scaturito da una dimensione domestica.

I recenti lavori con i fuochi d'artificio presentati dalla Parker hanno un'interessante corrispondenza con altre opere quali *Cold Dark Matter*. In occasione della presente mostra l'artista allestisce uno spettacolo di fuochi d'artificio la cui composizione chimica include un piccolo meteorite polverizzato. Essendo già caduto sulla Terra – forse secoli fa, a migliaia di chilometri di distanza – questo modesto corpo celeste è morto quando ha perso la sua forma originaria. E ora rinasce nello spettacolo pirotecnico: una meravigliosa pioggia meteoritica nel cielo di Milano.

Jonathan Watkins

Neither from nor Towards, 1992 Installation
Beachcombed housebricks from the house
that fell off the white cliffs of Dover,
400 × 366 × 244 cm
Courtesy Frith Street Gallery, London

CORNELIA PARKER GREAT BRITAIN

The work of Cornelia Parker is concerned essentially with transformation. Its compelling drama is derived from a confrontation of quotidian phenomena with notions of the sublime, or universal reality – often involving a shift whereby a banal object or event enters a new realm of possible meanings. This shift could be the result as much of intense physical action as of psychological projection.

Parker has often referred to three existential states in her artistic process: life, death and resurrection. Her most famous suspended installation, *Cold Dark Matter* (1991), for example, began as a garden shed and its contents. It "died" through a massive explosion, courtesy of the British Army, and then was resurrected as a cloud of distressed fragments, radiating from an illuminated light-bulb. This configuration of fragments resembles the shape of a solar system, and is thus a clear gesture toward infinity out of domesticity.

Parker's recent firework pieces have an interesting correspondence to other works such as *Cold Dark Matter*. For this exhibition, typically, she launches a display of fireworks, the chemical mixture of which includes a small pulverised meteorite. Having already fallen once to earth – maybe centuries before, thousands of kilometers away – this modest heavenly body dies as it loses its original form. It is reborn in pyrotechnic design – a wonderful meteorite shower over Milan.

Jonathan Watkins

Trust-System 21 Seul, 2000 Installation mixed media

I lavori di Marko Peljhan potrebbero servire da paradigmi per fissare le differenze tra le nuove pratiche degli anni sessanta e il postconcettuale degli anni novanta. Negli anni sessanta sembrava possibile cambiare il mondo in meglio dall'esterno: l'utopia rappresentava allora l'unica alternativa alla realtà.
Da vero artista degli anni novanta, Peljhan è consapevole che è impossibile vivere e lavorare fuori dei numerosi sistemi – economico, tecnologico, militare, politico e culturale. Le sue creazioni si basano su una conoscenza approfondita di tali sistemi, sull'appropriazione delle loro strategie tecnologiche o sociali e su una dedizione quasi militante a obiettivi alternativi. La sua strategia si fonda sul dialogo e sul confronto, sull'inclusione e sull'esclusione, in simultanea. Tale approccio è particolarmente evidente nel suo progetto in corso, *Macrolab*. Così si chiama l'ambiente residenziale e produttivo creato da Marko e dai suoi compagni dell'organizzazione Atol: uno spazio isolato e autosufficiente dove un gruppo di persone può vivere e sopravvivere a varie situazioni (rischiose) in totale indipendenza, grazie alla padronanza del sistema tecnologico, sociale e naturale.
I suoi progetti della serie *Resolution* (*Risoluzione*) sono meno isolati e sono integrati in situazioni specifiche, nelle quali funzionano come organismi esterni. In questi progetti Peljhan analizza il sistema di rapporti della scena artistica slovena, traccia un piano strategico fittizio per distruggere il sistema del capitale nel Lussemburgo e propone un'alternativa in grado di facilitare la libera circolazione dell'informazione, specialmente nei periodi di guerra quando i media indipendenti vengono invariabilmente messi a tacere. In questa serie, Peljhan assegna a sistemi e tecnologie militari funzioni cui essi non erano in origine destinati. Si avvale del sistema dell'arte come struttura atta a promuovere le sue concezioni, che potrebbero anche essere dei veri e propri progetti sociali.
Zdenka Badovinac

MARKO PELJHAN SLOVENIA

The work of Marko Peljhan could well serve as a paradigm for the establishment of differences between the new practices of the 1960s and the post-conceptualism of the 1990s. In the 1960s it seemed possible to change the world for the better only from the outside, with utopia being the only alternative to reality.
As a true artist of the 1990s Peljhan is aware that it is impossible to live and work outside the numerous economic, technological, military, political and cultural systems. His work is based on a thorough knowledge of these systems, appropriation of their technological or social strategies as well as almost guerrilla-like dedication to alternative goals. His strategy is based on dialogue and confrontation, inclusion and exclusion all at the same time. This approach is particularly evident in his ongoing *Macrolab* project. This is the name of the residential and working environment created by Marko and his associates from the Atol organisation as a self-sufficient and isolated living space where a group of people can live and survive various (dangerous) circumstances completely independently by means of the mastery of technological, social and natural systems.
His projects from the *Resolution* series are less isolated and are incorporated within specific situations, where they function as foreign bodies. In these projects Peljhan analyses the system of relations in the Slovenian art scene, draws a fictitious strategic plan for destroying the capital system in Luxembourg, and proposes a system that would facilitate the free circulation of information, particularly in wartime when the independent media are invariably shut down. In this series Peljhan puts mostly military systems and technologies to purposes for which they were not initially intended. He uses the art system as a suitable framework for promoting his concepts, which may also be completely real social projects.
Zdenka Badovinac

PAUL MICHAEL PERRY HOLLAND

Body Armour, 1994

Body Armour è il quinto e ultimo pezzo della serie *TAZOO*, basata su un concetto che Paul Perry e Jouke Kleerebezem hanno sviluppato insieme nel 1993-1994. Come suggerisce il nome, *TAZOO* ha a che fare sia con gli zoo sia con il concetto di TAZ (Temporary Autonomous Zone: Zona Temporaneamente Autonoma) elaborato da Hakim Bey. Tutte e cinque le opere della serie ci presentano vari comportamenti offensivi e difensivi degli animali (inclusi naturalmente gli uomini) e la possibilità di trovare e creare zone autenticamente autonome di comportamento e di pensiero. *TAZOO IV, Ant Farm* (*Fattoria di formiche*), per esempio, paragona un MUD (Multi User Dungeon, uno spazio pubblico virtuale su Internet) a una colonia di formiche.

Perry è un maestro nel rintracciare e mostrare collegamenti tra eventi, idee, nozioni e cose. Gli piace l'idea che l'arte può essere facilmente digerita e che soltanto dopo che è stata completamente accettata emerge il suo contenuto sovversivo. *Body Armour* è un elefante di fiberglass, ricoperto da un tessuto antiproiettile e merletti belgi. Le zampe sono invisibili ed esso sembra fluttuare sopra uno strato di paglia fresca e profumata. L'elefante è pronto per un torneo medievale, ma al tempo stesso è così bianco e nuziale da parere quasi fantasmagorico. La sua impenetrabilità, tranne per i merletti e gli occhi, lo rende spettrale. Dopo un po', ci fa dubitare di tutto. Che cosa c'è all'interno di questo elefante di Troia, in questo corpo senza organi? È forse pronto a uccidere?

Oltre ai riferimenti ad Hakim Bey, risultano evidenti le allusioni all'opera dello psichiatra Wilhelm Reich, che considerava sia il carattere sia il corpo come un'armatura, inerentemente strutturale e dinamicamente stratificata.

"È la 'personalità' totale del paziente, il suo carattere, a costituire la difficoltà della cura", ha scritto Reich in *Die Funktion des Orgasmus* (*La funzione dell'orgasmo*, 1927). L'"armatura del carattere" viene espressa nel corso della terapia come "resistenza del carattere". Da qui l'idea del "sé" come ultima armatura interna.

Ineke Schwartz

Body Armour, 1994

Body Armour is the fifth and last piece in the series *TAZOO* that is based on a concept Paul Perry and Jouke Kleerebezem developed together between 1993 and 1994. As the name suggests, the *TAZOO* has both to do with zoos as well as with Hakim Bey's notion of a Temporary Autonomous Zone. All the five works involve the various offence and defense behaviours of animals (including, of course, people) and the possibility to find or create truly autonomous zones for behaviour and thought. *TAZOO IV, Ant Farm* for instance related a MUD (Multi User Dungeon, a community-like public space on the Internet) to an ant colony.

Perry is a master in tracing and showing connections between events, ideas, notions and things. He likes the idea that art can be easily swallowed and that only later, after it has been completely accepted, the subversion creeps out. *Body Armour* is an elephant made of fiberglass, covered with bulletproof fabric trimmed with Belgian lace. His feet are invisible; he seems to float gently above a bed of crisp, sweet smelling straw.

It's an elephant ready for a mediaeval jousting tournament, but at the same time the piece is visually so white and bridal that it seems phantasmagoric. It is bridal but impenetrable – except for the lace and the eyes. Ghost-like. After awhile, it makes you suspicious of everything. What's inside this Trojan elephant, this body-without-organs? Is it going to kill – or what?

Besides references to Hakim Bey, there are relations to the work of psychiatrist Wilhelm Reich, who considered both the character and the body as armour, as inherently structural and dynamically stratified. "It is the patient's total 'personality' or 'character' that constitutes the difficulty of cure", Reich wrote in his *Die Funktion des Orgasmus* (1927). "Character armour" is expressed in treatment as "character resistance". That adds the idea of the "self" as the ultimate Armour from within.

Ineke Schwartz

Body Armour, 1994 Installation mixed media Courtesy Groninger Museum, Groningen

Cristiano Pintaldi, romano, entrato in scena nel 1996, con la tematica qui riproposta, alla XII Quadriennale di Roma, è il più giovane della selezione italiana. L'unico a esprimersi in un medium classico, la pittura, è paradossalmente anche il primo dei presenti al traguardo del metalinguismo. Dipinge pixel; la pittura, già imitazione della natura, diventa imitazione dell'immagine teletrasmessa; ne assorbe e ne rivela tutta l'illusorietà, con la fatale regressione dalla grande definizione – a una data distanza – alla scomposizione

CRISTIANO PINTALDI ITALY

e all'astrazione del pixel a distanza ravvicinata. Non si tratta più di un gioco ottico di rappresentazione del reale come nel *pointillisme* e nel divisionismo classici o nel retino tipografico di un Lichtenstein; ma di un ritorno filosofico al concetto di arte come "bella finzione", come inganno poetico, come falsa vicinanza – e vera intangibilità – delle realtà estranee alla nostra esperienza diretta cui ci ha assuefatto e mitridatizzato il giornalismo televisivo. Una riflessione sofisticata sull'esperienza consumata, ma non per questo cosciente, che abbiamo dell'inganno implicito nei mezzi di comunicazione, o più esattamente nell'universo virtuale, e sulla conseguente perdita di contatto con il reale sensibile sempre meno percepibile.
Sandra Pinto

Cristiano Pintaldi, from Rome, came onto the scene in 1996, with the themes proposed here, at the XII Quadrennial in Rome and is the youngest of the Italian selection. The only one to use a classic medium, painting, he is paradoxically also the first of those present, past the post to reach the goal of meta-linguism. He paints pixels; painting, which is already an imitation of nature, becomes an imitation of electronically transmitted images; it absorbs and reveals all its illusionary nature with the fatal regression from high resolution – at a given distance – to the breakdown and the abstraction of pixels very close up. It is no longer a question of depicting what is optically real as in classic pointillism and divisionism, or in the stencils of a Lichtenstein, but of a philosophical return to the concept of art as "attractive pretence", as poetic deception, of false closeness – and true intangibility – to realities foreign to our direct experience to which television journalism has habituated and immunised us.
A sophisticated reflection on consumed experience, but which is not as a consequence conscious, as in the implicit deception in means of communication, or more precisely in the virtual universe and on the consequent loss of contact with sensory reality that is always less perceptible.
Sandra Pinto

Love Sounds
Il lavoro di Jaume Plensa – realizzare con il ferro forme e contenuti dal carattere e dalle risonanze industriali – costituisce una delle proposte più solide e originali del panorama artistico spagnolo degli anni ottanta. L'evoluzione della sua opera durante gli anni novanta è determinata da una riflessione sui temi e sui materiali di una scultura che diviene sempre più complessa, mentre sperimenta altre sostanze: la resina poliestere, l'alabastro, la paraffina, l'acciaio inossidabile e l'ottone. Plensa affronta il volume come condensazione della memoria (culturale ed empirica) e si avvale di differenti registri referenziali e percettivi: dalla costruzione dello spazio interno come recinto, fino all'inclusione di una "sensibilità corporale", l'utilizzo della luce come strumento creatore di spazio e atmosfere, o del suono come ordine architettonico dalle risonanze fisiche (così ad esempio nelle opere in cui le enormi coppie di gong sono designate da concetti opposti e complementari: *Born-Die*, *Desire-Dream*, *Sweet-Sour*, *Night-Day*, *Air-Earth*, *Chaos-Saliva*).
D'altra parte, il gioco interviene come azione della percezione, la sorpresa come stimolo della curiosità, la memoria come elemento discorsivo, la parola come riferimento culturale e come testo.
Le sue opere (che nascono da un'idea generale di installazione), tendono a organizzare lo spazio e il tempo di un evento che è vissuto dallo spettatore come un'esperienza personale legata ai sensi, ma anche alla perturbazione della percezione interiore. La luce e il suono divengono elementi fondamentali della scultura. Il volume costruisce scenografie e ambienti che trasformano l'architettura o lo spazio pubblico in luoghi di confronto con i sensi. Nel suo lavoro, gli elementi spettacolari e teatrali sono punti di partenza che rendono possibile l'esperienza sensoriale.
Negli anni novanta, all'interno di spazi pubblici, ha realizzato numerosi progetti in cui la luce svolge un ruolo importante. Fra gli altri spiccano: *Auch* (1991), un'immensa lastra di ghisa nella quale si cita un passaggio dell'Antico Testamento sul diluvio universale e nel cui centro si apre un occhio dal quale fuoriesce una luce visibile a molti chilometri di distanza, che è installata nella spettacolare scalinata della omonima cittadina francese; *Blake in Gateshead* (1996), progettata per Baltic, un nuovo centro per l'arte contemporanea nel nord dell'Inghilterra e *Bridge of Light* (1998) realizzato per lo spazio del Mishkenot Sha'ananim a Gerusalemme. Mentre nella realizzazione della scenografia di *La Damnation de Faust* di Héctor Berlioz (per il Festival di Salisburgo del 1999) sono riassunte e compendiate molte delle idee germinali dell'opera di Plensa.
Love Sounds si inserisce in una linea di ricerca incentrata sull'idea di recinto e di corpo: abitacoli come luoghi di concentrazione interiore e fisica, spazio nel quale l'esperienza del proprio corpo trova riflesso nelle idee di protezione, isolamento e reclusione come metafore dell'individualità.
Opere come *Waiting Room* (1997), *Gemelli* (1998) o *Bedroom* (1995) che propongono intimi recinti dalle pareti translucide,

JAUME PLENSA SPAIN

***Love Sounds I-V*, 1998**
Installation mixed media
at the Kestner Gesellschatf,
Hannover, 1999
Two pieces,
each 212 × 120 × 228 cm
Three pieces,
each 212 × 120 × 115 cm

possono essere considerati immediati antecedenti di *Love Sounds.* E con quest'ultima, seppure in maniera diversa, mantiene stretti parallelismi formali anche *Wie ein Hauch* (1997). Si tratta, in questo caso, di due spazi aperti e sovrapposti, in ciascuno dei quali pende una lampada di cristallo. Sono recinti fatti per guardare nella stesso modo in cui si contempla un'architettura monumentale. Qui la visione è esperienza. *Love Sounds*, al contrario, si presenta come una metafora del corpo, obbliga a sperimentare la sensazione di reclusione e a recuperare l'interno del proprio corpo attraverso il suono che vi si ascolta: pulsazioni ed echi registrati "nell'organismo" dell'artista. Il corpo si converte in un'architettura individuale, privata e intima, ma comunicabile e condivisa per mezzo della fisiologia.
Santiago B. Olmo

Love Sounds
The work of Jaume Plensa – to create forms and contents in iron with echoes of an industrial character – constituted one of the more solid and original proposals in the panorama of Spanish art in the 1980s. The development of his work during the 1990s was determined by reflection on themes and materials that became increasingly more complex, while he experimented with other substances: polyester resin, alabaster, paraffin wax, stainless steel and brass. Plensa tackles volume as a condensation of memory (cultural and empirical) and makes use of different reference and perceptual registers: from the construction of internal space as an enclosure, to the inclusion of "corporeal sensitivity", the use of light as an instrument to create space and atmosphere or of sound as an architectural principle with physical echoes (such as, for example, in the works in which enormous pairs of gongs are designated by opposing and complementary concepts: *Born-Die*, *Desire-Dream*, *Sweet-Sour*, *Night-Day*, *Air-Earth*, *Chaos-Saliva*).

On the other hand, the interplay intervenes as an action of perception, surprise as a stimulus to curiosity, memory as discourse, the word as a cultural reference and as text.
His works (which start from a general installation idea), tend to organise the space and time of an event which is experienced by the spectator as a personal occurrence linked to the senses, but also as a disturbance of interior perception.
Light and sound become fundamental elements of the sculpture. The volume constructs scenery and environments that transform architecture or public spaces into places where the senses are challenged. The spectacular and theatrical elements in his work are points of departure that make the sensory experience possible.
In the 1990s, he produced numerous projects inside public places in which light plays an important role. Other outstanding works include: *Auch* (1991), an immense slab of cast iron which has a passage from the Old Testament on the universal deluge inside it and an eye in the centre of it from which a light shines that is visible many miles away – it is installed on the spectacular flight of steps in the city of the same name; *Blake in Gateshead* (1996), designed for Baltic, a new contemporary art centre in the north of England and *Bridge of Light* (1998) created for the Mishkenot Sha'ananim district in Jerusalem. And then there is the stage design for *La Damnation de Faust* by Héctor Berlioz (for the Salzburg Festival in 1999) which sets out and summarises many of the original ideas in Plensa's work.
Love Sounds is part of a line of research centred on the idea of enclosure and body: cabins as places of interior and physical concentration, space in which the experience of one's body is reflected in ideas of protection, isolation and reclusion as a metaphor of individuality.
Works such as *Waiting Room* (1997), *Gemelli* (1998) or *Bedroom* (1995) which compose intimate enclosures with translucent rooms may be considered as immediate antecedents of *Love Sounds*. And in the latter, although differently, he also maintains close formal parallels with *Wie ein Hauch* (1997). They are in this case two open and overlapping spaces in each of which hangs a glass lamp. They are enclosures to look at in the same way in which one contemplates monumental architecture. Here the vision is experience. *Love Sounds*, however, is presented as a metaphor of the body. It obliges you to experiment with the sensation of reclusion and to recover the interior of your body through the sound in which you hear the pulses and echoes recorded "in the organism" of the artist. The body is converted into an individual architecture, private and intimate, but communicable and shared by means of the physiology.
Santiago B. Olmo

***Descends sale bête!*, 1999**
Silcscreen, acrylic on canvas, 350 × 570 cm

***Graphic poupic*, 1999**
Silcscreen, acrylic on canvas, 350 × 570 cm

Per i suoi lavori Quesniaux ha messo in atto un sistema di elementi combinatori, un vocabolario (forme, idee, parole, rappresentazioni) utilizzando la serigrafia per fabbricare delle immagini di ogni misura, colore, soggetto. I quadri, seguendo delle strade diverse, finiscono col farsi da soli.

- Gli stupidi quadri: due elementi si combinano secondo la loro logica propria.
- I quadri semplici: fabbricati a partire da pochi elementi non richiedono che pochi commenti.
- I male inquadrati, in cui l'artista si accanisce su una parte senza tener conto dell'insieme.
- I reversibili, che non hanno senso.
- I quadri non riusciti, in cui la superficie non riuscita viene definita (dallo 0% al 100% del quadro).
- Gli ESEP (Existent Seulement En Peinture: esistono solo in pittura).
- Le esagerazioni (del braccio, della gamba, del grafismo, della materia ecc...).
- I disegni sbagliati, ridicolizzati, sbeffeggiati.

In questa "impresa", che assomiglia a una fabbrica di assemblaggio, l'artista utilizza come supporto la tela montata sul telaio. È un'arte combinatoria di teste, di mani, di piedi che ricostruiscono dei corpi e degli spazi, o degli assemblaggi di spirali, di ovali o di quadrati di colori. Tutti questi elementi appaiono come dei segni, parole o frammenti di un linguaggio la cui giustapposizione costruisce dei quadri che non sono in alcun caso dei multipli, ma sempre opere originali dal titolo unico ed enigmatico. L'opera di Quesniaux si interroga sul suo senso e il suo mistero, come potremmo farlo noi stessi. Essa pone interrogativi anche sul mistero della rappresentazione e del valore dell'opera d'arte.
Dominique Stella

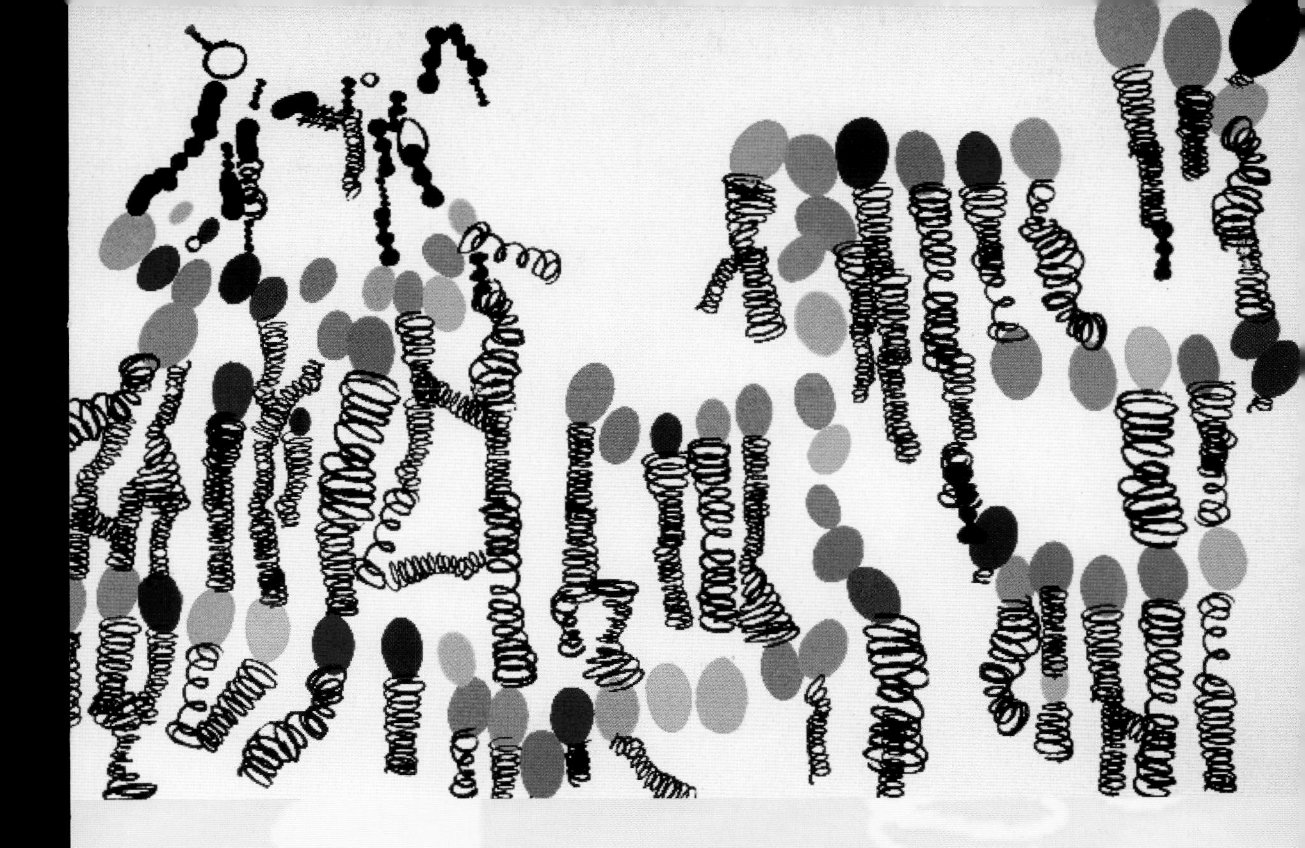

BERNARD QUESNIAUX FRANCE

Quesniaux has put together a system of elements that combine for his work a vocabulary (forms, ideas, words, and depictions) using a silk-screen process to manufacture images of all sizes, colours and subjects.
The paintings, which follow different paths, end up by making themselves.
- The stupid paintings: two elements that combine following their own logic.
- Simple paintings: fabricated from just a few elements that require little comment.
- Framed evil, in which the artist grows furious with one part without taking account of the whole.
- The reversibles, that have no sense.
- The failed paintings, in which the failed surfaces are defined (from 0% to 100% of the picture).
- The ESEP (Existent Seulement En Peinture: they exist only in painting).
- The exaggerations (of the arm, of the leg, of the graphics, of the matter, etc.).
- The wrong, ridiculed, derided paintings.

In this "enterprise", which is like a factory assembly line, the artist uses canvas mounted on a frame as a support. It is an art that combines heads, hands and feet that reconstruct bodies and spaces, or assemblies of spirals, ovals, or squares of colours. All these elements appear as signs, words, or fragments of a language and the juxtaposition of these constructs paintings which are never multiples but always original works each with a unique and enigmatic title. This work by Quesniaux reflects on its own meaning and mystery, as we might do ourselves. It also places question-marks over the mystery of depiction and of the value of art.

Dominique Stella

HELI REKULA FINLAND

Heli Rekula lavora soprattutto con la fotografia e il video. Si accosta a entrambe queste tecniche con la chiara consapevolezza della loro ambigua qualità documentaria, concreta, e combina questa loro caratteristica con la visione dei contenuti da lei prescelti.

I mondi rappresentati nelle sue opere possiedono una vulnerabilità raramente percepita, e questo assegna loro un certo tipo di trasparenza e sensibilità, sebbene essi siano anche dotati di un'innata durezza che promette durabilità e persistenza. Dato che l'artista mette spesso in scena donne e ragazze, sia in gruppi che individualmente, le narrazioni si svolgono attorno a questioni inerenti i sessi. Il suo interesse si rivolge però anche a una visione più generale dell'essere umano, c'è un senso di perdita dell'innocenza o, ancora più forte, il senso di un "fallimento collettivo".

Questo sguardo sulla vita contemporanea include anche la coscienza di quello che Paul Virilio ha definito come esposizione al casuale. Virilio vede il fortuito come l'inevitabile rovescio dell'azione e come risultato delle tecnologie della velocità; l'invenzione e la messa a punto di una nave, per esempio, comportano implicitamente l'invenzione di un naufragio; una mano che accarezza contiene l'insita possibilità della violenza.

Nel video *Here Today, Gone Tomorrow* (*Oggi qui, domani non più*) vediamo una ragazzina in diversi ambienti di una stessa città. Vestita di un leggero abito estivo, i capelli biondi spettinati dal vento, la nostra piccola guida-dea ci introduce nei contesti in cui si muove. Questi diventano emblemi di strutture e discorsi a molteplici livelli, icone ambivalenti della realtà contemporanea.

Maria Hirvi

Heli Rekula works mainly with the media of photography and video. She approaches both media with an awareness of their ambiguous concrete, documentary quality and uses this quality intertwined with the worldview of her chosen content.

The worlds depicted in her pieces contain a vulnerability seldom seen, which gives them a certain kind of transparency and sensibility, yet they have an inbuilt toughness that gives promise of sustainability and persistency. As Rekula's motifs often involve women and girls, both in groups and as individuals, the narratives circulate around questions of gender. But it is also a question of a more general orientation of the individual, a sense of a loss of innocence, or even stronger, the feeling of 'collective failure'.

This concern for contemporary life includes an awareness of what Paul Virilio has called an exposure to the accidental. Virilio sees the accident as the inevitable reverse side of action and a result of the technologies of speed: the development and invention of a ship, for example, implicitly involves the invention of a shipwreck; a caressing hand contains the inbuilt possibility of violence.

In the video *Here Today, Gone Tomorrow* we see a little girl, sited in different surroundings within one city. Dressed in a thin white summer dress, her blonde hair swirling in the wind, our little guide/goddess introduces us to the contexts she has been placed in, both to be seen and documented. The sites become signs of multi-layered structures and discourses, ambivalent icons of contemporary reality.

Maria Hirvi

***Here Today, Gone Tomorrow*, 1998 Still from video projection**

LOIS RENNER AUSTRIA

L'opera di Renner rappresenta uno dei contributi più significativi e importanti, da parte della generazione più giovane, al vivace dibattito, ancora aperto, sulla pittura. È una riflessione globale sulla situazione della pittura alla fine di un secolo denso di avvenimenti, sulla sua natura, la sua storia e il suo presente, ma anche sulle sue modalità di produzione, ricezione e presentazione. È anche l'affascinante tentativo di un artista di trovare un modo tutto suo di esprimersi senza lasciarsi totalmente alle spalle la pittura, malgrado la sua percezione che in tale ambito non resti ormai molto margine per creare qualcosa di nuovo e originale. Non è quindi affatto un paradosso che i risultati finali delle riflessioni di Renner siano delle grandi opere fotografiche. Dopotutto, ha trovato un metodo che gli consente di perseguire, via via che l'opera prende forma, quasi tutto ciò che implica la pittura, nel senso più stretto e più ampio del termine, quanto a contenuto, forma e tecnica.
Le sue esplorazioni prendono avvio nel luogo dove la creazione artistica inizia il suo corso: l'atelier. Qui sono situati i modelli in miniatura del suo spazio di lavoro. Qui l'artista mette in scena il tema della pittura su molti livelli. Ci induce a prendere parte a un gioco sofisticato pieno di illusioni, di cose irritanti e sorprendenti e, cosa più importante, a un gioco che egli organizza esplicitamente per l'osservatore.
Il metodo di Renner, nel combinare *mise-en-scène* rapportata al contenuto e analisi formale, pittura o scultura e fotografia, un procedimento sperimentale e un'accurata delucidazione, permette una riflessione su quasi tutti gli aspetti di un concetto allargato di pittura.
Edelbert Köb

***Installation shot from the exhibition "Lives and works in Vienna"*, 2000-2001**
Kunsthalle Wien, Vienna
(B. Faun / Model no. 8 / Big Theatre)
Installation view

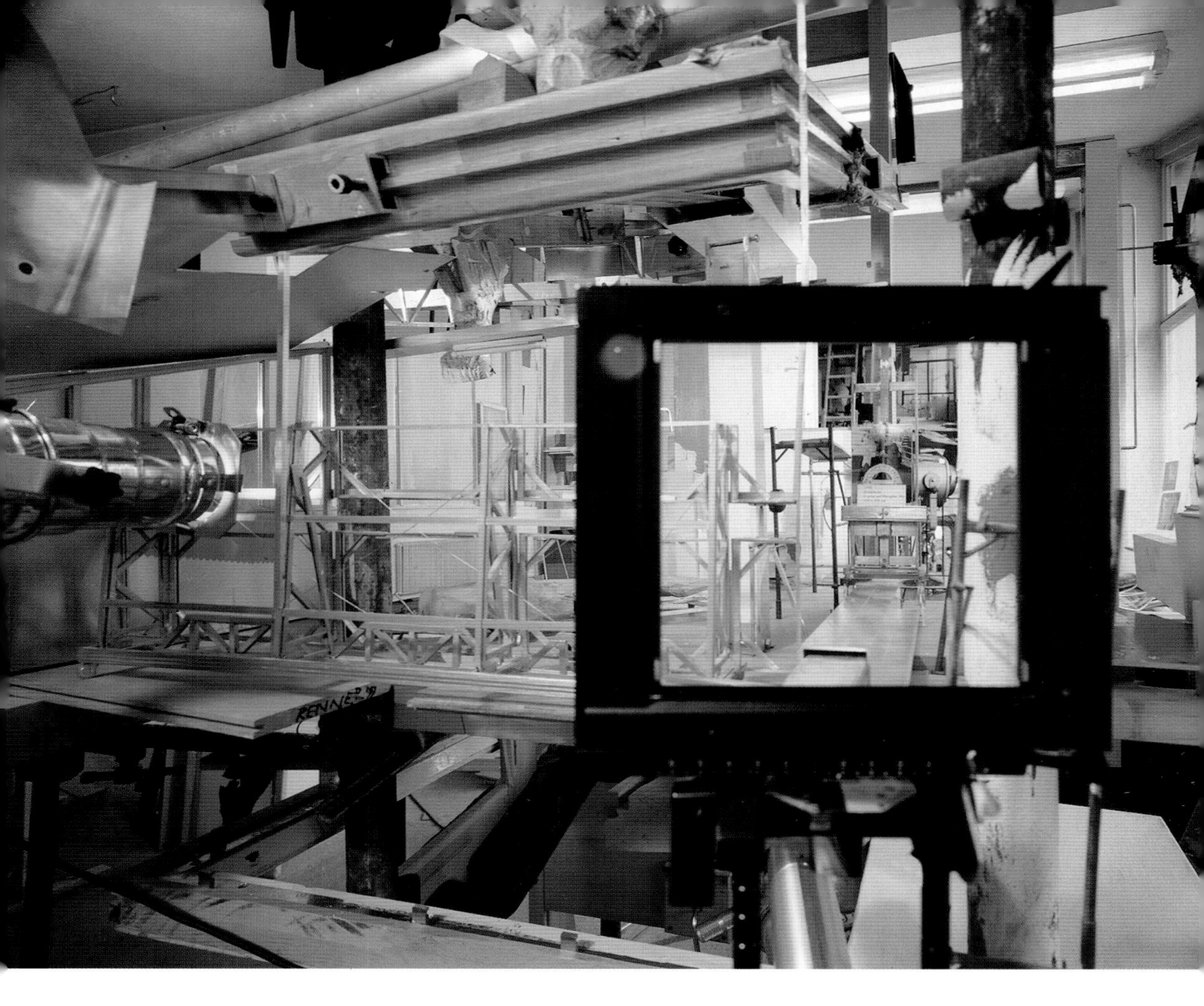

Renner's work is one of the most interesting and important contributions of the younger generation to the fervent yet open-ended discourse on painting which has been going on until today. It is a comprehensive reflection of the situation of painting at the end of an eventful century, of its nature, its history and its present, as well as of the conditions of its production, reception and presentation. It is also the fascinating attempt of an artist to find a way of his own without leaving painting behind altogether, in spite of the insight that there is not much leeway left for originality and development in the field. Thus it is by no means a paradox that the final results of Renner's reflections are large photo works. After all, he has found a method enabling him to pleasurably pursue, as the work emerges, almost everything that painting in the stricter and broader sense of the word is about in terms of content, form and technique.

His investigations start in the place where artistic creation begins to take its course, the studio, where the miniature models of his working space are located. This is where he stages the theme of painting on many levels. He draws us into a sophisticated game full of illusions, irritations and surprises, and what is more, he actually and explicitly stages it for the beholder.

As it combines content-related mise-en-scene and formal analysis, painting or sculpture and photography respectively, as well as experimental process and accurate clarification, Renner's method enables a reflection on almost all aspects of an extended notion of painting.

Edelbert Köb

***Objektive standarte*, 1999**
C-print, acrylic, aluminium, 180 × 225 cm
Courtesy Kerstin Engholm Gallerie, Vienna

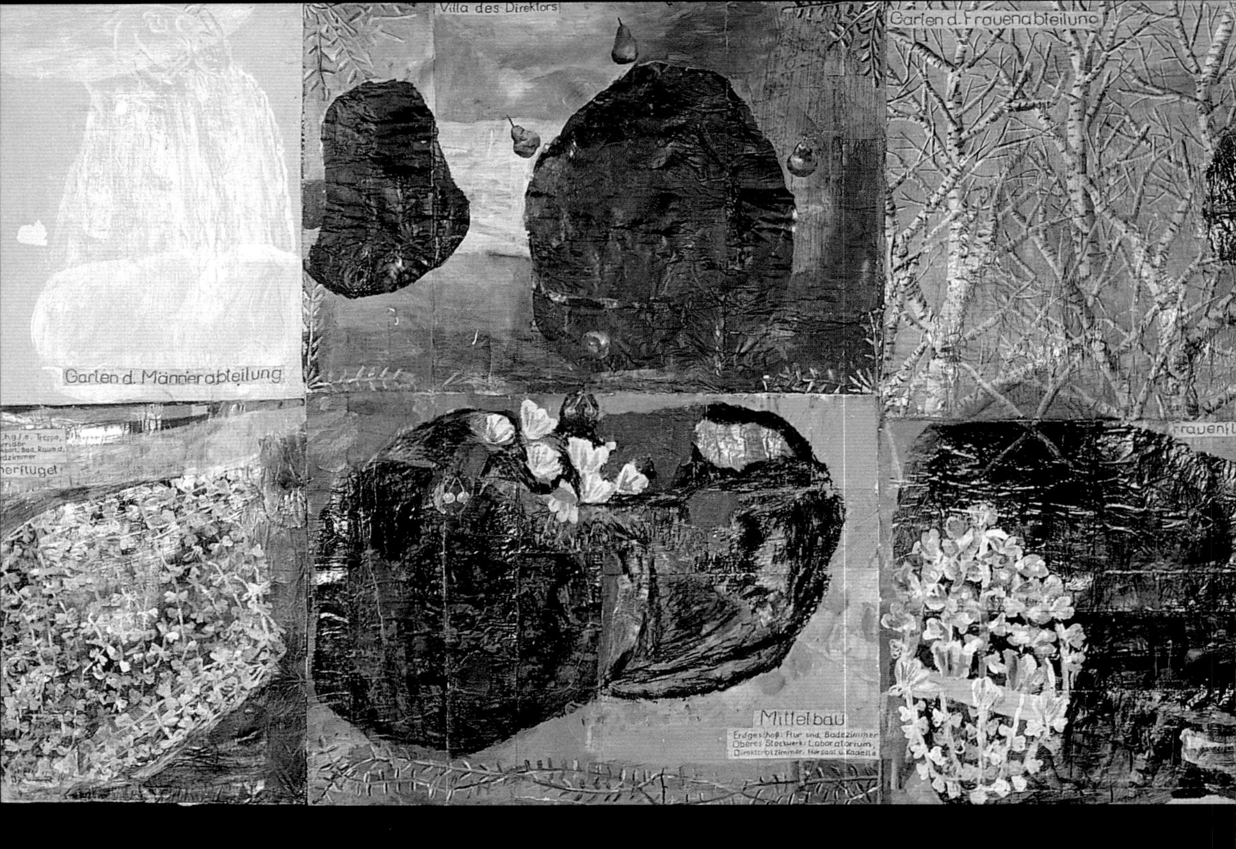

CHRISTIAN RIEBE GERMANY

Nei suoi disegni, Riebe cita realtà *trouvées* come, ad esempio, immagini stampate di luoghi storici, fotografie, iconografia pubblica, edifici, città e paesaggi. Tutto è come mascherato: queste scene sembrano situarsi in un imprecisato passato in bianco e nero, come le vecchie foto ricordo dei nostri genitori e dei nostri nonni. Le celebrazioni delle persone e delle idee realizzate da Riebe si presentano come storie per immagini senza alcun nesso o sequenza logici; creano una propria continuità e una propria storia, inventate dall'artista. In apparenza romantico, l'artista distrugge ironicamente l'iconografia da lui citata. Queste sono immagini per romantici cinici, che si nutrono delle immagini morte di tutti i passati recenti.
Ulrich Krempel

In his drawings, Riebe quotes found realities like printed images of history sites, photograph, public imagery, buildings, cities and landscapes. Everything appears in disguise: these scenes seem to be positioned in some kind of black and white past, like in the photographic memories of our parents and grandparents. His celebrations of people and ideas appear like picture-stories without any logical flow or continuum; they create their own continuity and story, invented by the artist. Seemingly romantic, the artist destroys ironically the imagery he quotes. These are pictures for reflected and cynical romanticists, nourished by the flesh and blood of the dead images of all recent pasts.
Ulrich Krempel

Pfirsichschnitt
Okulation auf das schlafende Auge
Schlafzimmer
b. Korridor, Abort

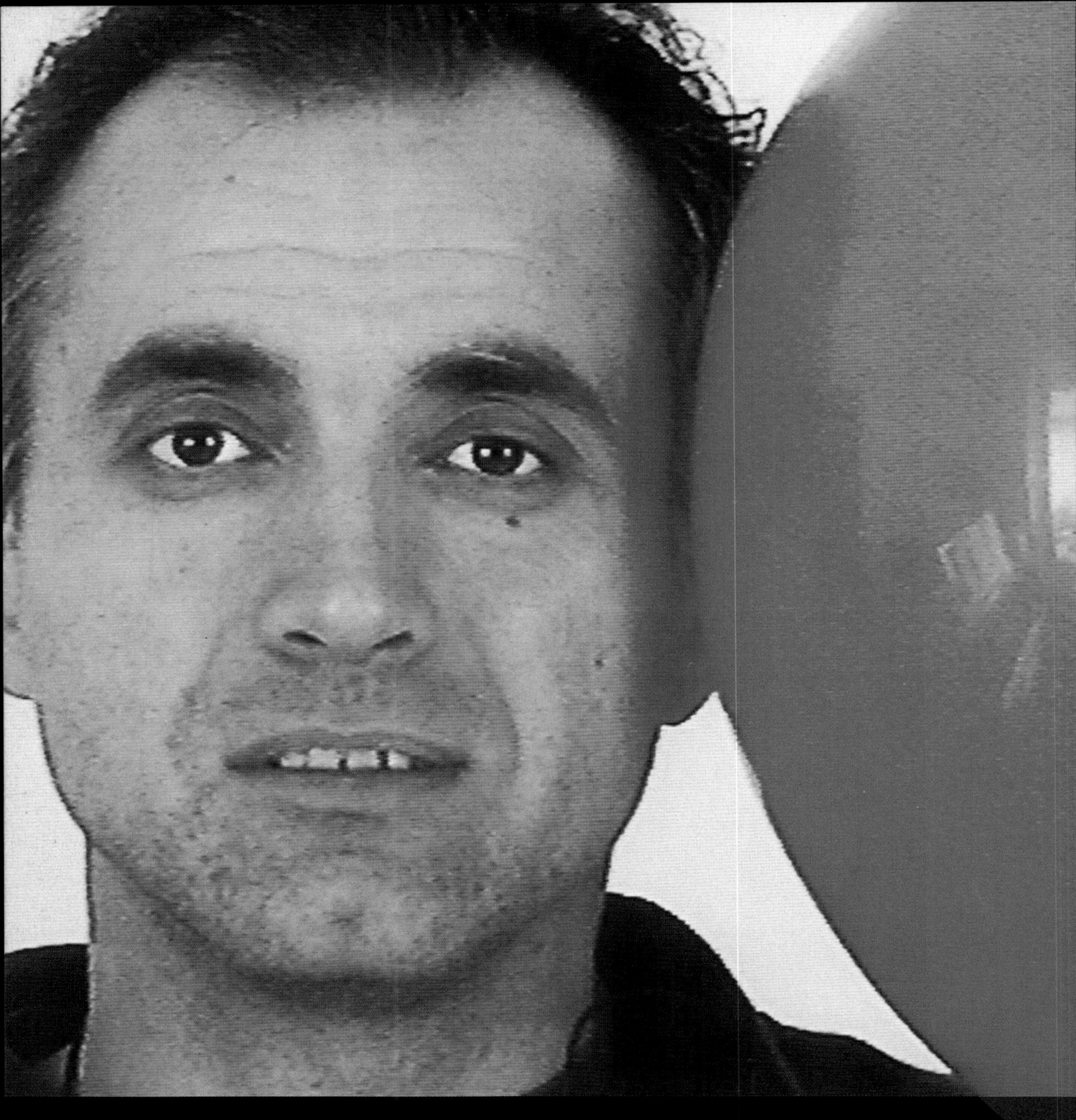

Guia Rigvava ha esordito come artista a Tbilisi, uno dei maggiori centri culturali dell'ex URSS. Fin da giovanissimo però questo artista, un vero erudito che ha sempre lottato per sottrarsi a un contesto culturale normativo, era orientato verso l'arte europea. Ben presto si trasferì a Mosca ed entrò rapidamente a far parte delle cerchie artistiche della città, assumendovi un ruolo di leader (è stato uno dei primi artisti russi a praticare la video art). Passato poi in Germania, è rimasto sempre in contatto con il mondo artistico del suo paese. I colleghi e i critici russi seguono con attenzione la sua produzione, regolarmente esposta in varie mostre. Quello che è importante segnalare è che i concetti e le strategie dei suoi lavori, come anche i temi che lo interessano, hanno tutti origine dal tempo in cui viveva a Mosca.
Fra le altre cose, l'artista nutre un particolare interesse per le questioni della comunicazione nella società e del rapporto tra l'individuo e la società, rapporto che inizia quando si è ancora molto giovani e che dura tutta una vita. Per Rigvava l'esperienza di far parte di un ambito sociale si identifica con i fallimenti impliciti nelle sue aspettative di successo, speranze di ritrovarsi fra persone simili a lui, speranze di trovare una comprensione reciproca. L'esistenziale e colto *Friends* (*Amici*), benché formalmente simile alle videoinstallazioni dei colleghi europei e americani (*talking heads*), ci ricorda le origini intellettuali e culturali dell'arte di Guia Rigvava, che si iscrivono nell'area europea dell'ex Unione Sovietica.
Leonid A. Bazhanov

Face, 2000 Photograph

GUIA RIGVAVA RUSSIA

Guia Rigvava started his career as an artist in Tbilisi, one of major cultural centres of the former USSR. But even when he was very young, this artist, a real erudite who was always striving to break free from the normative cultural context, was oriented towards European art. Soon, he moved to Moscow and swiftly became part of Moscow's artistic circles and began to play a leading role in them (he was one of the first Russian artists to start practicing video-art). When he moved to Germany, Rigvava remained in touch with the Russian art world. He takes part in exhibitions, and Russian colleagues and critics keep an attentive eye upon his works. But most important of all, concepts and strategies in his work and the discourses that interest him originate from the time when he was living in Moscow.

Among other things, this artist is interested in the problems of communication in society and connections between a person and society, which start very early in one's life and last for a lifetime. For Rigvava, his experience of being part of a social medium is that of failures that were presupposed by his expectations of success, hopes to be among similar people, hopes to find mutual understanding. The cultivated existential absorbance in the work *Friends*, although it is formally similar to the video-installations by European and American colleagues ("talking heads"), reminds us of the mental and cultural origins of Guia Rigvava's art, that lie within the European part of the former Soviet Union.

Leonid A. Bazhanov

Explicando Colisiones (segundo intento)

Francisco Ruiz de Infante appartiene a una generazione di artisti la cui sensibilità si è educata nell'incontro e nel confronto delle tecnologie dell'immagine e del suono con i materiali più semplici, anche i più quotidiani e umili. Il video, la fotografia, il cinema, la proiezione, si inseriscono in ambienti incompleti, in costruzione, a metà strada fra la rovina e il cantiere. In qualche maniera le sue installazioni rispecchiano sempre il percorso di un processo nel quale la concezione dell'opera si confronta con l'esperienza dell'ambiente. L'opera è il risultato di una sincronia, quasi in tempo reale, fra il "cahier à idées" e la costruzione di un contesto sperimentale, inteso e vissuto come finale incompleto.

Questo percorso sperimentale è proposto allo spettatore come un tuffo nella sua propria percezione: questa dovrà essere indagata e successivamente ricostruita attraverso lievi e fragili punti d'appoggio forniti dall'artista, dai materiali concettuali e dagli oggetti (fisici) che costituiscono l'installazione.

Il lavoro di Ruiz de Infante si sviluppa partendo dal precario, per muoversi nella fragilità, per costruire un contesto di disordine, squilibri, caos e anche situazioni assurde, la cui sperimentazione fornisce allo spettatore nuove vie che cortocircuitano la fede e la sicurezza della sua sensibilità.

In certe opere il percorso dei diversi processi tenta di ricostruire il modo in cui funziona la memoria, a scatti (*La construcción del puzzle*, 2000) o come un torrente di immagini che ritorna senza fine (*Traducción simultánea* e *Bestiaire n° 3*, 1998); in altre

ci si confronta con l'assurdo di alcuni comportamenti troppo automatici del quotidiano attraverso ostacoli o difficoltà di movimento per lo spettatore (*Les promenades nocturnes*, 1994); in altre ancora i fenomeni tattili e corporali sono collegati alla percezione visiva attraverso l'esperienza diretta, il contatto con l'assurdo e il disordine vissuto come minaccia (*Explicando Colisiones*, 2000).
All'interno di questo sistema, le reazioni dello spettatore costituiscono un materiale grezzo, o un utensile con il quale si ricava una nuova o inaspettata via di risistemazione di ogni proposta. In questo senso le installazioni di Francisco Ruiz de Infante hanno senso solo nell'esperienza diretta. Perciò la fragilità, l'effimero o la precarietà sono gli stimoli della percezione, che è intesa come un processo, ma anche come un progetto.
Il dubbio, i messaggi contraddittori, la confusione, la sovrapposizione dei diversi livelli della conoscenza e dell'esperienza, il turbamento, diventano materiali essenziali dell'opera. Ciò che è teatrale nel suo lavoro è proprio la prospettiva della ricostruzione, di un simulacro inteso come metafora, di una messa in scena asciutta e ascetica che ci confronta con la precarietà di noi stessi, con le nostre limitazioni, nell'intento di superarle. L'esperienza di ogni opera è quindi una prova di validità. Anche ciò che manca convalida, perché il dubbio vale. È precisamente nel dubbio e nell'assenza di risposte chiare, che ritroviamo il senso del percorso, a volte legato al processo creativo, altre volte collegato all'esperienza diretta, e altre ancora allo squallore che produce il turbamento dell'assurdo.
Santiago B. Olmo

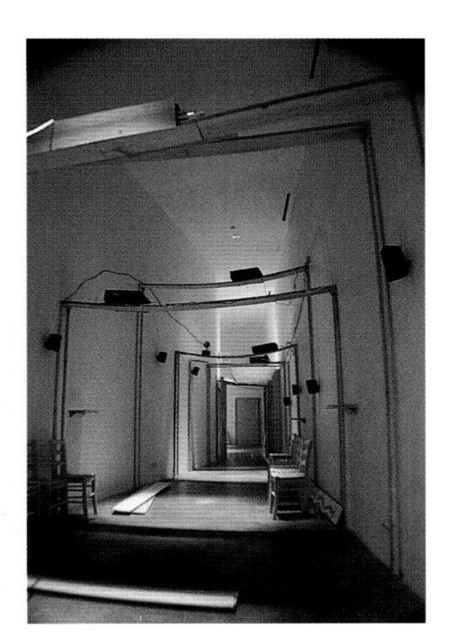

Explicando Colisiones (segundo intento)
Francisco Ruiz de Infante belongs to a generation of artists whose senses have been trained by engaging with visual and auditory technologies and by comparing them with the simplest materials even the most ordinary and humble. Video, photography, cinema and slide projection are inserted in incomplete environments, under construction, halfway between ruins and a building site. In some way his installations always reflect the path of a process in which the conception of a work is

FRANCISCO RUIZ DE INFANTE SPAIN

compared with the experience of the environment. The work is a result of synchronisation, almost in real time, between "cahier à idées" and a construction of an experimental context, understood and experienced as an incomplete ending.
This experimental path is proposed to spectators as a dive into their own perception which must be questioned and then reconstructed by means of light and fragile supports administered by the artist, by the conceptual materials and by the (physical) objects that make up the installation.
His work starts developing from the precarious, to move in fragility and to construct a context of disorder, imbalance, chaos and even absurd situations. His experimentation with these provides the senses of spectators with new ways to short-circuit the faith and certainty they have in their senses.
In certain works the path of the different processes attempts to reconstruct the way in which memory functions, in jerks (*La construcción del puzzle*, 2000) or like a torrent of images that returns endlessly (*Traducción simultánea* e *Bestiaire n° 3*, 1998), while in others there is a comparison with the absurdity of some daily actions that are too automatic, by means of obstacles to or difficulties for the movements of spectators (*Les promenades nocturnes*, 1994), and in yet others tactile and corporeal phenomena are connected with the visual by direct experience; contact with the absurd and disorder is experienced as threat (*Explicando Colisiones*, 2000).
Within this system, the reactions of spectators constitute a raw material, or a tool from which a new and unexpected way of rearranging each proposal is obtained. In this sense his installations only have meaning in direct experience. That is why the fragility, the ephemeral or the precariousness are the stimuli of perception, which is understood as a process but also as a project.
It is the doubt, the contradictory messages, the confusion, the overlapping of different levels of consciousness and experience and the uneasiness that constitute the essential materials of his work. What is theatrical in his work is precisely the perspective of reconstruction, of a semblance understood as a metaphor, as a dry ascetic pretence which sets us against the precariousness of ourselves, with our limitations, with the intention of overcoming them. The experience of each work is therefore a test of validity. Even what is missing provides confirmation, because doubt is important. It is precisely in the doubt and in the absence of clear answers that we find the meaning of the path, connected at times with direct experience, and at yet other times with the squalor that produces the uneasiness.
Santiago B. Olmo

***La construcción del puzzle*, 2000**
Details
Installation mixed media
Museo Guggenheim, Bilbao

ILKKA SARIOLA **FINLAND**

Ciò che sembra essere in gioco nelle opere di Ilkka Sariola sono sentimenti ed esperienze evocati da concetti come presenza e immediatezza, qualità che sono più di frequente connesse con forme d'arte come la performance, ma anche con la tecnica del disegno e forse con l'immediatezza del video. Lavorando precisamente in questi campi, Sariola ha scelto un approccio rigoroso alla sua arte. Ha voluto disfarsi di tutto e tenere solo il necessario, costringendosi ad avvalersi di strumenti il più possibile *low-tech* per raggiungere il tipo di espressione desiderata. In ogni cosa che fa egli punta a tenersi lontano dallo spettacolare. Questo approccio del "meno è più", sia nel metodo che nell'esecuzione, ti lascia quindi con ciò che ti è più vicino: te stesso, come corpo e come interiorità.

Un'altra caratteristica del lavoro di Sariola è la grande generosità, l'importanza del condividere, anche se solo un istante.

Le sue opere vogliono invitare alla comprensione dell'universalità degli esseri umani, ma solo nel qui e ora, non in una dimensione eterna. In questo senso implicano il mitico, ma evitano il mistico.

La performance che vediamo nel corso di questa manifestazione è stata pensata per essere mediata da una videocamera. Il soggetto è l'uomo, sia a livello psichico che fisico. Culturalmente, la vicinanza alla natura finlandese è ovvia.

La serie parallela di disegni di grande formato sviluppa il tema della forza e della debolezza, prefiggendosi innanzitutto di eludere la rappresentazione.

Le grandi dimensioni di questi disegni hanno un forte impatto sia sull'artista che sullo spettatore.

Maria Hirvi

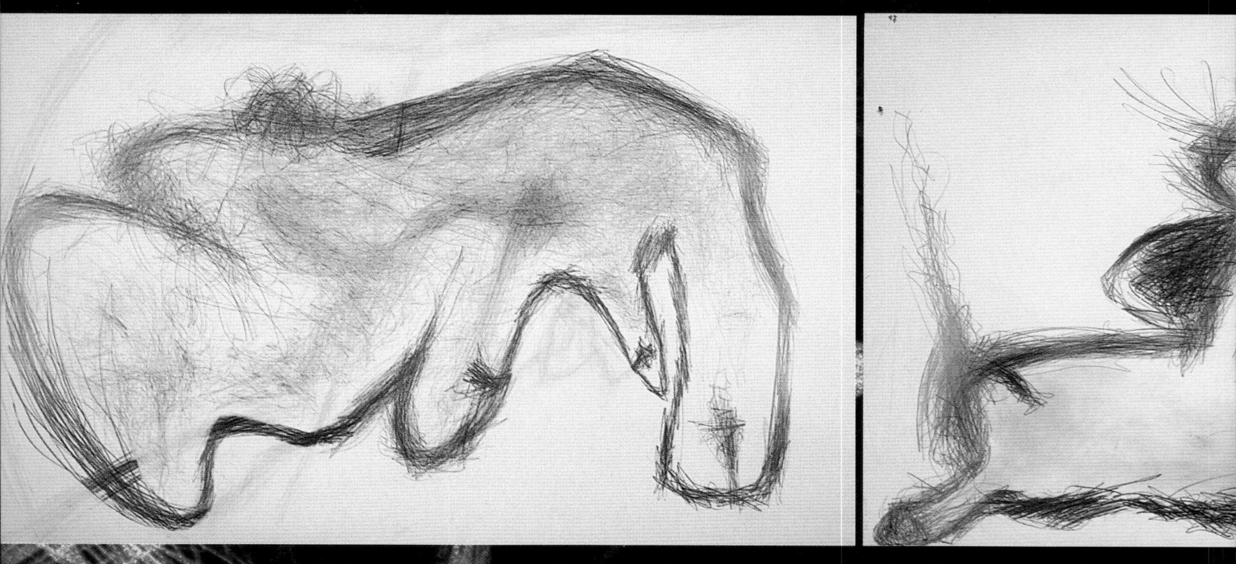

What seems to be at stake in Ilkka Sariola's work are feelings and experiences referred to by concepts like presence and immediacy. These are qualities most often connected with art forms like performance, as well as with the medium of drawing and perhaps the directedness of video.
Working in precisely these fields, Sariola has taken a stern approach to his art. He has wanted to withdraw everything but the necessary, forcing himself to work with the most "low tech" possible to help him to reach the desired expression. Everything he does is aimed at reaching far away from the spectacular. This "less is more" approach as expression in both method and execution leaves you then with what is closest to you: yourself, as a body and a self.
Another characteristic of Sariola's work is the great generosity, the importance of sharing, even if it is only a moment. The works function as a pointer to an understanding of a universality in human beings, but only here and now, not in eternity. In this way his material involves the mythical, yet avoiding the mystical.
The performance we see in this show was made to be mediated through a video camera. The subject is man, both on a psychic level as well as physical existing in the world. Culturally, the closeness to Finnish nature is obvious. The parallel series of large-scale drawings follows the embodiment of strength and weakness with their main task of eluding representation. The encounter with the size of the works is as forceful for the artist himself as for us as spectators.
Maria Hirvi

***Ono and Mato*, 1998-1999**
Pencils on paper,
each 118 × 169 cm
Collection of the artist

HRAFNKELL SIGURDSSON ICELAND

Durante un viaggio in una regione remota del mio paese ho visto in lontananza una macchia giallo brillante. Avvicinatomi, mi sono reso conto che era una tenda. L'ho oltrepassata, ma poi ho deciso di tornare sui miei passi. Senza far rumore mi sono approssimato, non sapendo se dentro c'era qualcuno, e ho scattato una foto. Più tardi ho incominciato a chiedermi se ce n'erano delle altre.
Hrafnkell Sigurdsson

Questo mito presume che la natura sia benevola e l'uomo rappresenti il male, che la natura fosse vergine prima che l'uomo la deflorasse. Questo mito discende da un atteggiamento borghese nei confronti del sesso ed è basato sulla convinzione che l'uomo sia un figlio della natura, corrotto dalla cultura moderna. Dimenticando così che la natura "incontaminata" (non rovinata) non è un fenomeno naturale, ma è opera dell'uomo e che non dovremmo presumere che la natura sia benevola: un'affermazione certo non corrispondente al vero nel caso di una terra così aspra come l'Islanda. Inoltre l'uomo, ed è in questo che si differenzia dagli animali, può sopravvivere solo in un ambiente non primitivo, in una casa, in un villaggio e soprattutto in un'automobile. Per lui, la natura si manifesta il più delle volte come un'immagine nello specchietto retrovisore di un'auto in corsa o attraverso l'obiettivo di una macchina fotografica. L'uomo non è un animale, tanto meno un fiore. È semmai è l'occhio della macchina fotografica.
Le fotografie di Hrafnkell Sigurdsson sono più realistiche delle tradizionali foto di paesaggio in quanto non pretendono di riflettere un occhio umano che vede la natura incontaminata. Al contrario, ci mostrano il paesaggio su una pellicola o addirittura la pellicola su un paesaggio. Un esempio del primo caso è la serie delle grandi immagini simmetriche di rocce che assomigliano a totem o a troni gotici; un esempio del secondo è un'esposizione dei lavori di Sigurdsson in cui si vedeva la roccia vera ricoperta da una pellicola di plastica (o di nylon). Con questo trattamento la roccia diventa un'immagine tridimensionale. La natura che

Sigurdsson ci presenta nei suoi lavori è un'immagine di natura modernizzata, dove tecnologia e natura non si escludono a vicenda.
Hjálmar Sveinsson

On my travels through a remote region of my home country I saw a bright yellow spot in the distance, as I got closer I realised it was a tent, I went past it, but then I decided to turn around, I quietly approached the tent not knowing if there was anyone in it, and took a photo. Later I began to wonder if there where more of them.
Hrafnkell Sigurdsson

This myth presumes that nature is benevolent and man evil, that nature was virginal before man deflowered it. This myth stems from a bourgeois attitude toward sex and is based upon the belief that man is a child of nature, corrupted by modern culture. Thus forgetting that 'unsoiled' (unspoilt) nature is not a natural phenomenon but a work of man and that we should not be presuming that nature is benevolent: certainly untrue in the case of such a harsh land as Iceland. Furthermore, man, in that he differs from animals, can only survive in a modern environment: in a house, in a village and above all in a car. For him, nature appears most frequently as an image in a rear-view mirror of a moving car or through a camera lens. Man is not an animal, let alone a flower.
He is, if anything, the eye of the camera.
Hrafnkell Sigurdsson's photographs are more realistic than traditional landscape photographs, in that they do not pretend to be a human eye that sees nature unsoiled. On the contrary, they show us landscape on a film or even film on landscape. An example of the first is a series of big symmetrical images of rocks that resemble totem poles or gothic thrones. An example of the latter is an exhibition of Hrafnkell's work in which he showed us the actual rock coated with a film of plastic (or nylon). Treated that way the rock becomes a 3D image. The image of nature that he shows us in his work is an image of modernised nature in which technology and nature are not mutually exclusive.
Hjálmar Sveinsson

***Untitled*, 2000 Photograph, 70 × 110 cm**

99 Cacahuetes y una madrina
Antoni Socias ha sempre lavorato all'interno di una prospettiva di progressione graduale dell'opera, in cui tempo e trasformazioni tendono a imprimere un carattere variabile, fragile e soprattutto provvisorio ai risultati finali.
Le dinamiche in cui un'idea è stata lentamente concepita, i tentativi, gli obiettivi mancati e gli sviluppi produttivi appaiono come parte dell'opera stessa. Tuttavia essi non compaiono come stadi preparatori, ma piuttosto come l'ossatura su cui si basa il risultato in cui essi emergono in maniera diretta. D'altra parte, le sue opere non presentano una definizione tecnica chiara: ogni linguaggio è uno strumento per esprimere concetti diversi. L'accumulo di strati (sia mentali che materiali) configura lo spessore dell'opera, che tuttavia rimane fragile perché il tempo e altre opere possono intervenire attivamente trasformandola mediante il riciclaggio di idee, di frammenti

o di materiali. L'artista ha applicato alla sua opera e ai suoi progetti il concetto di accrescimento, inteso come atteggiamento e metodo di lavoro in cui elementi diversi in progressione si combinano e si integrano in una nuova unità.
In effetti, molte delle sue opere sono state realizzate riciclando altri lavori precedenti e in quella idea di base hanno trovato sostegno: alcuni dei dipinti degli anni ottanta, tagliati in quadrati di 10 × 10 cm e ricomposti in un gigantesco mosaico pittorico su tela, costituiscono la materia prima di *2034 cuadrados* (1994-1995); il suo archivio (artistico e familiare) di diapositive comprende fotografie e disegni utilizzati in *Slides & Sheep / Second Life* (1995-1998); i resti che altrimenti sarebbero finiti nella spazzatura, formano il diario di laboratorio lungo trenta metri intitolato *Forty Seven + 1* (1996-1998). Si tratta di opere la cui realizzazione si dilata nel tempo. *99 Cacahuetes y una madrina* (*99 arachidi e una madrina*) viene formalizzata per la prima volta nel 1990 e soltanto nel 2000 giunge al risultato finale che oggi possiamo ammirare. Si tratta di un'opera che è mutata nel tempo e non solo attraverso modifiche formali o di montaggio: il suo nucleo è adesso costituito da un libro di racconti, ognuno dei quali corrisponde a una delle fotografie di arachidi incorniciate in pannelli bislunghi di legno che, montati sulla parete e raggruppati in quattro sezioni, appaiono come pagine di testo allineate a destra. Esiste una corrispondenza simbolica e nello stesso tempo casuale tra il testo e l'immagine. Parola e immagine corrispondono in maniera aleatoria, tra loro non esiste un complemento. L'una non parla dell'altra, né esse si spiegano reciprocamente: convivono in una relazione allegorica, come nelle raccolte di racconti moralistici del rinascimento europeo o della letteratura classica araba. Un arachide, un racconto.
I temi delle narrazioni sono molto vari e includono valutazioni sui rapporti umani e sul comportamento, sulla violenza, sui processi creativi. E ancora, storie di situazioni ridicole, grottesche, surrealiste, ossessioni e manie, aneddoti sul mondo artistico e paradossi della vita familiare. Racconto e riflessione si fondono in un affresco a volte istrionico, altre parodistico e umoristico oppure drammatico e scettico. Ciò che in un certo senso risulta innovativo in quest'opera è il modo in cui l'immagine oscilla verso la tensione della parola; tale slittamento non è una questione puramente formale, poiché implica l'inclusione della parola (in un formato tradizionale quale il libro di racconti) all'interno di un universo visuale in cui il concettuale è una prospettiva di comportamento e non un mero elemento stilistico.
Santiago B. Olmo

99 Cacahuetas y una madrina, 1990-200
Installation mixed media
Exposition at Casal Sollerei, Palma de Majorca,

99 Cacahuetas y una madrina, 1990-200
Installation mixed media,
Installation view, 1995

ANTONI SOCIAS SPAIN

99 Cacahuetes y una madrina
Antoni Socias has always worked in a perspective in which a work progresses gradually and in which time and transformations tend to impart a variable, fragile and above all temporary character to the final results.
The dynamic by which an idea has been slowly conceived, the attempts, the missed objectives and the development of the production appear as part of the work itself. However they do not appear as the preparatory stages but rather as the framework on which the result in which they emerge directly is based. On the other hand, his works do not present a clear technical definition: each language is a tool for expressing different concepts.
The accumulation of layers (both mental and material) gives the substance of the work, which nevertheless remains fragile because time and other works may actively intervene transforming it through the recycling of ideas, of fragments or materials. The artist has applied the concept of accretion to his work and to his projects in the sense of an attitude and method of work in which different elements progressively combine and are integrated to form a new whole.
Actually, many of his works were created by recycling other

previous works and support for that basic idea is found in some of his paintings of the 1980s, size 10 × 10 cm, which, recomposed in a gigantic mosaic of painting on canvas, constitute the raw materials for *2,034 cuadrados* (1994-1995); his archive (artistic and family) of slides contains photographs and drawings used in *Slides & Sheep / Second Life* (1995-1998); the remains, which would otherwise have ended up in the waste bin, form the 30-metre long laboratory diary entitled *Forty Seven + 1* (1996-1998).
They are works which are drawn out in time.
99 Cacahuetes y una madrina (99 peanuts and a godmother) was formalised for the first time in 1990 and it wasn't until 2000 that the final result was achieved that we can admire today. It is a work that has changed over time and not just as a result of formal modifications and editing: its core now consists of a book of tales, each of which corresponds to one of the photographs of the peanuts framed in the oblong wooden panels mounted on the wall and grouped in four sections, which appear as pages of text aligned on the right.
There is a symbolic and at the same time causal correspondence between the text and the image. Word and image correspond in a chance manner. They do not complement each other. One does not talk to the other and neither do they explain each other reciprocally: they coexist as in an allegorical relation, as in anthologies of tales with a moral from the European Renaissance or from classical Arab literature. A peanut – a tale.
The subjects of the tales are very varied and include judgements of human relationships and behaviour, of violence and of creative processes; and also stories of ridiculous, grotesque, surreal situations, obsessions and manias, anecdotes of the world of art and paradoxes of family life. Tale and reflection merge at times histrionic and at others parodying and humorous or dramatic and sceptical.
What in a certain sense is innovative in this work is the way in which the image oscillates towards the tension of the words; this shift is not a purely formal question, since it implies the inclusion of words (in a traditional format such as the book of tales) in a visual universe in which the conceptual is a perspective of behaviour and not a mere element of style.
Santiago B. Olmo

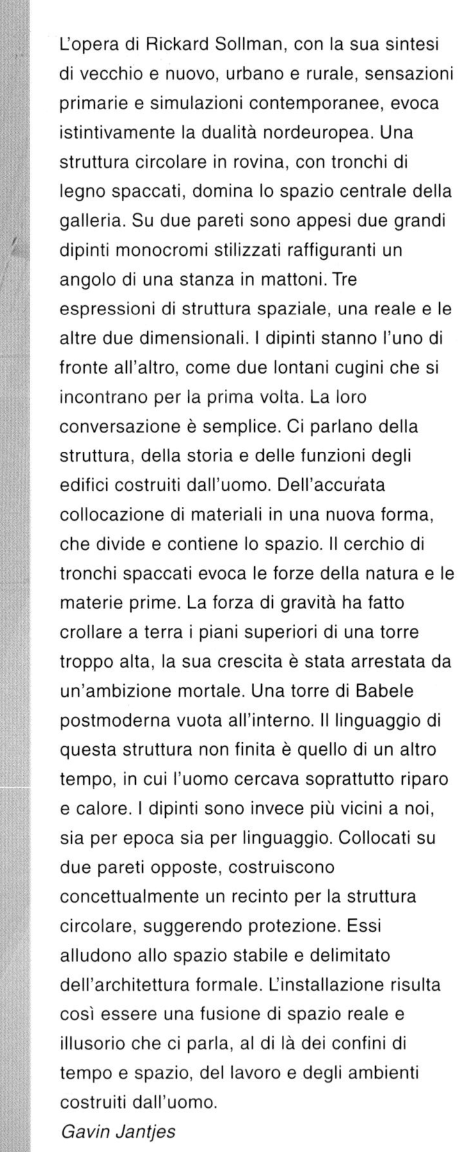

L'opera di Rickard Sollman, con la sua sintesi di vecchio e nuovo, urbano e rurale, sensazioni primarie e simulazioni contemporanee, evoca istintivamente la dualità nordeuropea. Una struttura circolare in rovina, con tronchi di legno spaccati, domina lo spazio centrale della galleria. Su due pareti sono appesi due grandi dipinti monocromi stilizzati raffiguranti un angolo di una stanza in mattoni. Tre espressioni di struttura spaziale, una reale e le altre due dimensionali. I dipinti stanno l'uno di fronte all'altro, come due lontani cugini che si incontrano per la prima volta. La loro conversazione è semplice. Ci parlano della struttura, della storia e delle funzioni degli edifici costruiti dall'uomo. Dell'accurata collocazione di materiali in una nuova forma, che divide e contiene lo spazio. Il cerchio di tronchi spaccati evoca le forze della natura e le materie prime. La forza di gravità ha fatto crollare a terra i piani superiori di una torre troppo alta, la sua crescita è stata arrestata da un'ambizione mortale. Una torre di Babele postmoderna vuota all'interno. Il linguaggio di questa struttura non finita è quello di un altro tempo, in cui l'uomo cercava soprattutto riparo e calore. I dipinti sono invece più vicini a noi, sia per epoca sia per linguaggio. Collocati su due pareti opposte, costruiscono concettualmente un recinto per la struttura circolare, suggerendo protezione. Essi alludono allo spazio stabile e delimitato dell'architettura formale. L'installazione risulta così essere una fusione di spazio reale e illusorio che ci parla, al di là dei confini di tempo e spazio, del lavoro e degli ambienti costruiti dall'uomo.

Gavin Jantjes

Untitled, 2000
Installation mixed media

Untitled, 2000
Oil on canvas,
200 × 220 cm

RICKARD SOLLMAN SWEDEN

One instinctively feels something of the duality of Northern Europe in the work of Rickard Sollman. It communicates a synthesis of the old and the new, the urban and rural, primary sensation and contemporary simulation. A collapsed circular ruin of split timber logs dominates the central space of the gallery floor. To either side on the gallery walls hang two large stylised monochrome paintings of the corner of a room built in brick. Three expressions of spacial structure, one real the other two dimensional. These works stand opposite each other like distant cousins meeting for the first time. Their conversation is simple. It is about the structure, history and purpose of man-made buildings. The careful placing of shaped material into a new form, that divides and contains space. The circle of split firewood logs speaks of nature, natural forces and raw materials. Gravity has been at work here. Pulling down to earth the upper layers of a tower that has grown too tall, its progress halted by mortal ambition. A post-modern tower of Babel with a hollow interior. The language of this incomplete structure is of a different time. It speaks about ancient human needs for shelter and warmth. The paintings are closer to us in time and language. Placed on opposite walls they conceptually construct an enclosure for the circular structure suggesting protection. They allude to the stabile, enclosed space of formal architecture. The installation is a fusion of real and illusory space. One enveloping the other, reaching across time and space to narrate something about human labour and built environments.

Gavin Jantjes

Quattro giovani donne islandesi formano il gruppo chiamato Icelandic Love Corporation (Corporazione islandese dell'amore). Esaminandolo bene, scopriamo che il concetto di "corporazione" presenta vari livelli di significato. *Corpus* è il termine latino per "corpo" e, come esemplificato da alcuni happening del gruppo, le attività dell'Icelandic Love Corporation sono sempre squisitamente corporee. Non si tratta però della corporalità della Chiesa; l'Icelandic Love Corporation va oltre questo dualismo, e il risultato è la metafisica sommamente carnale per la quale il gruppo si sta ora facendo conoscere.
L'Icelandic Love Corporation è pienamente consapevole che l'arte si pone al di là della scienza e della religione, tuttavia si appropria dei segni e dei simboli di queste istituzioni consacrate.
Le componenti del gruppo si sono disegnate un logo, e questo logo è l'equivalente postmoderno degli antichi simboli religiosi. Là dove una volta avevamo dei simboli per la realtà trascendentale, oggi abbiamo invece dei loghi: marchi simboleggianti le cose che costituiscono il mondo dei beni di consumo. Gli abiti indossati dalle performer durante i loro riti sono camici bianchi da laboratorio, una scelta ovviamente appropriata perché, quando il clero ha perso autorità e rispetto, sono gli scienziati ad assumere il ruolo del prete e a darci la nostra Weltanschauung quotidiana.
Forse l'arte ha una funzione salvifica nella società contemporanea satura di media; una società di individui per i quali la magia non è scomparsa solo dalla natura, ma anche dal linguaggio e dal pensiero stesso. Forse l'arte, e soltanto l'arte, è in grado di aprire le porte dell'ignoto e del mistico che sono state sbarrate dall'avvento del modernismo, quando tutti gli aspetti della società sono stati razionalizzati e sottomessi alla nuova legge del mercato. Quando la natura scompare sotto uno strato d'asfalto, o perché trasformata in fonte d'energia o in punti di riferimento per i souvenir fabbricati dall'industria del turismo, allora la cultura diventa ancora più importante come potenziale forza di resistenza alla fredda razionalizzazione e al capitalismo sfrenato della moderna società del benessere e dell'informazione.
Cosa succede in realtà negli happening dell'Icelandic Love Corporation? Be', in modo gioioso e pieno di umorismo, le sue componenti presentano e adorano la sola cosa del sacro passato che ci è rimasta da adorare: l'Amore.

Thorhallur Magnusson

THE ICELANDIC LOVE CORPORATION ICELAND

Four Icelandic young women form the group called The Icelandic Love Corporation. Under the concept "corporation" there are layers of meaning that disclose themselves if we take a careful look. *Corpus* is the Latin for "body" and we have witnessed in some of The Icelandic Love Corporation's happenings, their activities are always highly corporal. But it is not the corporality of the Church we are observing; the ILC goes beyond such dualism and the result is the very carnal metaphysics for which it is now getting known.
The Icelandic Love Corporation is fully aware of art's position beyond science and religion, but they appropriate the signs and symbols of these established institutions. They have for example designed a logo for themselves, and that logo is the post-modern equivalent of the old religious symbols. Where we once had symbols for transcendental reality, we now have logos: trademarks that denote things constituting the world of commodities. The robes that The Icelandic Love Corporation wear in their rites are white laboratory robes, which is obviously appropriate because when the clergy has lost its authority and respect, scientists take on the role of the priest and give us our daily *Weltanschauung*.
Perhaps art has a saving function in media-saturated contemporary society; a society of people for whom the magic has not only disappeared from nature, but also from language and thought itself. Perhaps art and only art is able to open up the gates of the unknown and mystical that was closed by the advent of modernism when all aspects of society were rationalised and subjugated under the new Law of the Market. When nature disappears by being asphalted over, transformed into power-sources or references for designed souvenirs of the tourist industry, then culture becomes even more important as a potentially powerful resistance to the cold rationalisation and unrestrained capitalism of the modern welfare and information society.
What is really happening in the activities of The Icelandic Love Corporation? Well, they are, in a joyful and humorous manner, presenting and worshipping the only thing from the sacred past we have left to worship, namely Love itself.

Thorhallur Magnusson

A Fresh Start, 1998 Installation mixed media Photo by N.S. Color Labs

THORVALDUR THORSTEINSSON ICELAND

Thorvaldur Thorsteinsson è uno degli artisti più versatili e prolifici dell'Islanda. Scrive libri, opere per il teatro, la radio e la televisione, e ha ricevuto premi e borse di studio sia per le arti visive che per la scrittura. Le sue opere sono multiformi, ma è possibile coglierví delle idee molto chiare e, in ogni caso, in esse sono presenti la stessa filosofia e lo stesso autore. In alcuni suoi lavori, Thorsteinsson diventa quasi invisibile e assente, e assegna all'osservatore e al pubblico il ruolo di protagonisti: sono loro a creare arte. Nel campo delle arti visive Thorsteinsson ha fatto quasi tutto, dalle sculture alle performance. In anni recenti il suo lavoro si è sempre più caratterizzato per un'attivazione dell'ambiente, del pubblico e di quegli aspetti delle vite quotidiane della gente che sono in genere considerati privi d'importanza, insignificanti e naïf da un punto di vista artistico. Dando costantemente una dimensione realistica ai cliché, rivelando il potenziale inesplorato dell'ovvio e del comunemente noto, e infine, ma non meno importante, creando un luogo dove le persone possano esaminare se stesse invece delle opere d'arte, Thorsteinsson s'impegna a usare l'arte per attirarre l'attenzione su qualcosa che non sia esclusivamente l'arte e l'artista, ossia sull'avventura inesplorata del normale mondo quotidiano.
Nel video di Thorsteinsson *The Most Real Death* (*La morte più reale*) le persone fingono di essere colpite da una mitragliatrice. Dapprima il pubblico reagisce sorridendo o ridendo, ma lentamente prende coscienza che dietro all'umorismo si nasconde un'idea seria. Vengono in mente la manipolazione e le reazioni irrazionali della gente.
Il proclamato odio per la violenza diventa privo di significato quando vediamo le persone partecipare a questo gioco. Forse Thorsteinsson vuole suggerire che le nostre regole etiche sono distorte a causa del costante *battage* dei media su crimini e atrocità in terre lontane, che producono il risultato di renderci apatici e indifferenti. I suoi riferimenti a una natura umana multiforme e fragile ci fanno riflettere sulla nostra posizione al riguardo.
Thorgeir Ólafsson

***The Most Real Death*, 2001**
Stills from video projection

Thorvaldur Thorsteinsson is one of the most versatile and productive artists in Iceland. He writes books, plays and material for radio and television, and has received awards and grants both for visual arts and writing. His works are varied but it is possible to observe clear ideas behind them, and in all cases the same philosophy and the same author are present. In some of his works Thorsteinsson becomes almost invisible and absent and makes the viewer and the public the protagonists of the pieces; they create the art. In the visual arts Thorsteinsson has done almost everything, from sculpture to performances. In recent years his work has to a growing degree been characterised by an activation of the environment, the public, and the parts of people's everyday lives that are usually considered unimportant, inconsequential and naïve from an artistic point of view. By bringing clichés down to earth, by revealing the unexamined potential of the obvious and commonly known, and last but not least by creating a place for people to examine themselves rather than the work of art, Thorsteinsson constantly strives to use art to draw attention to something other than art itself and the artist; namely the unexplored adventure of the common everyday world. In Thorsteinsson's video *The Most Real Death* people act being shot down by a machine gun. The initial reaction of the audience is smiling or laughing but it slowly dawns on them that behind the humour there is a serious idea. Manipulation and people's irrational reactions come to mind. People's stated disgust of violence becomes meaningless when we see them participate in this game. Maybe Thorsteinsson is pointing out how our ethical norms become skewed because of constant media coverage of murder and mayhem in distant lands, making us numb and indifferent. His references to a manifold and fragile human nature make us examine where we stand.
Thorgeir Ólafsson

Nontiscordardime, 1993
Still from video projection
Collection Rosa Sandretto, Milan

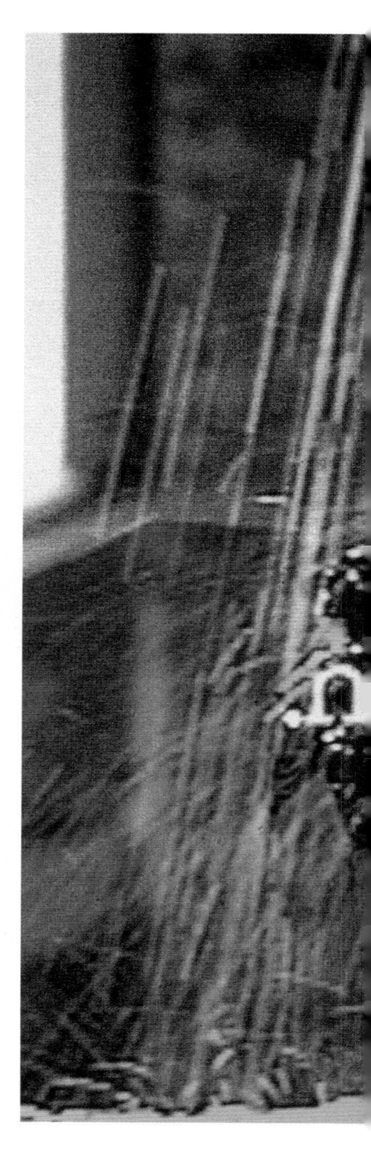

Anche Grazia Toderi – come gli altri artisti italiani qui presenti – è stata individuata guardando al comune denominatore del lirismo sprigionato dai suoi racconti di misura microstorica, minimale, spiegati da titoli che formano parte integrante del messaggio lanciato allo spettatore, e che l'autrice definisce – ciò che vale anche come dichiarazione di autonomia, altro denominatore comune questo per la selezione degli italiani – "un bel portale, la soglia del lavoro, la sua presentazione, e anche una chiave interpretativa privilegiata, quella dell'artista".
Nello specifico, a Grazia Toderi qui è riservato il ruolo di utilizzatrice, da più tempo, con maggiore continuità ed esclusività nel panorama italiano dell'ultimo decennio, di uno dei più popolari nuovi supporti della creazione: il video.
Mentre nelle produzioni più recenti, come *Fiore delle mille e una notte*, il puro ricalco di un accadimento dei primi video cede il passo a una ritrovata articolazione del racconto e diventa la finestra da cui ci si affaccia per sognare di un universo fantastico, si è scelto di far riferimento invece al momento e al modo di venire alla ribalta dell'artista che ha

GRAZIA TODERI ITALY

aperto la stagione, oggi più che matura, delle produzioni di video-arte. *Nontiscordardime*, infatti, è l'opera che segna la prima sostanziale affermazione di Grazia Toderi in occasione della celebre edizione di "Aperto" alla Biennale di Venezia del 1993.
Telecamera fissa (indicatore di spazio) davanti al soggetto (indicatore di tempo) il cui scorrere è provato non tanto dalla durata del video ma dalle proprie caratteristiche morfologiche. Segno e simbolo dello scorrere è, e rimarrà, di preferenza l'acqua, come in *Nontiscordardime*, in cui protagonista è il vasetto aggredito da un getto di doccia violento e ossessivamente prolungato, mentre la didascalia "nontiscordardime" scorre orizzontalmente, in funzione di contatore della perpendicolare caduta dell'acqua.
La registrazione assume così l'essenzialità del sonetto come unità di misura di una serie di moti autobiografici, frammentari, urgenti, intenzionalmente antiretorici.
Sandra Pinto

Grazia Toderi too – like the other Italian artists here – was identified looking at the common denominator of lyricism, unleashed by her tales on a micro-historical scale, minimal and explained by titles that form an integral part of her message launched at the spectator, and which the artist defined as – and this is also valid as a declaration

of autonomy, the other common factor for this selection of Italians – "a nice portal, the threshold of the work, its presentation, and also a privileged key to interpretation, that of the artist".
More specifically the role reserved for Grazia Toderi for more time, and more continuously and exclusively, on the Italian scene over the last decade is that of user of one of the most popular new supports for creation, video.
While in her more recent productions, like *Fiore delle mille e una notte* (*Flower of 1001 nights*), the pure copy of an event of her first videos gives way to a newly found narrative articulation, and becomes the window from which she watches to dream of a fantastic universe, she has decided to look instead at the moment and the way an artist comes to the forefront, which has opened the now more than mature season of video-art productions. *Nontiscordardime* (*Forget-me-not*) was in fact the work that marked the first substantial success of Grazia Toderi on the occasion of the celebrated edition of "Aperto" at the Venice Biennale in 1993.
The video camera fixed, an indicator of space, in front of the subject, an indicator of time, the running of which is proved not so much by the duration of the video but by its own morphological characteristics. Out of preference, the sign and symbol of its running is, and will remain, water, as in *Nontiscordardime* (*Forget-me-not*), in which the protagonist is a small vase attacked by the jet of a violent and excessively prolonged shower, while the caption "forget-me-not" runs horizontally as a counter perpendicular to the fall of the water. The recording thus takes on the essence of a sonnet, the unit of measurement of a series of autobiographical, fragmentary, urgent and intentionally anti rhetorical gestures.
Sandra Pinto

ntiscordardime

***I am Milica Tomić*, 1998**
Video projection
Stills from video

Nella videoinstallazione *I am Milica Tomić* (*Sono Milica Tomić*) è in scena l'artista che sembra perdere sangue dalle ferite inflittele dalla flagellazione e intanto, calma e con voce ritmica, pronuncia le seguenti parole: "Sono Milica Tomić, sono norvegese, sono Milica Tomić, sono coreana... austriaca...".

L'installazione risale al 1998, quando Milošević era ancora al potere, ed è un chiaro commento sul nazionalismo panserbo che, come altre forme arcaiche nei Balcani, è emerso in un'epoca (e in parte come una conseguenza) di globalizzazione pienamente sviluppata. Questi estremi costituiscono la cornice contestuale più ampia di *Sono Milica Tomić*.

L'opera riflette il periodo della coesione virtuale del mondo e del frammentarsi e intersecarsi di varie identità, al tempo stesso lanciando un monito sulla possibilità di un ritorno al vecchio mondo di identità opposte e limitanti. Milica non vede alcuna coesione nell'apparente armonia comunicata per esempio dalla pubblicità della United Colors of Benetton, basata sul nuovo mito della multiculturalità. Al contrario, vi legge una spaccatura che condiziona i fondamenti della nostra esistenza e determina i nostri atti di violenza.

L'installazione è una risposta alla psicosi collettiva che attanaglia l'identità serba e all'intero patrimonio, culturale e storico, della nazione. Tutti i cittadini che, durante il regime di Milošević, non si sono sentiti serbi nel modo prescritto dall'ideologia al potere, sono stati dichiarati la feccia della nazione, una piaga nel corpo sano della nazione. Nelle sue creazioni Milica considera importante l'identità nazionale a livello personale, ma ne nega l'esistenza pubblica, parlando apertamente dalla posizione dell'oppresso.

Attraverso lo smascheramento dei processi d'identificazione – tramite affermazioni d'identità vera e falsa – la sua opera si colloca su un piano molto più complesso di quello di una semplice condanna della guerra e rivela i veri fondamenti della guerra e della violenza: l'identificazione come esclusione dell'altro.

Zdenka Badovinac

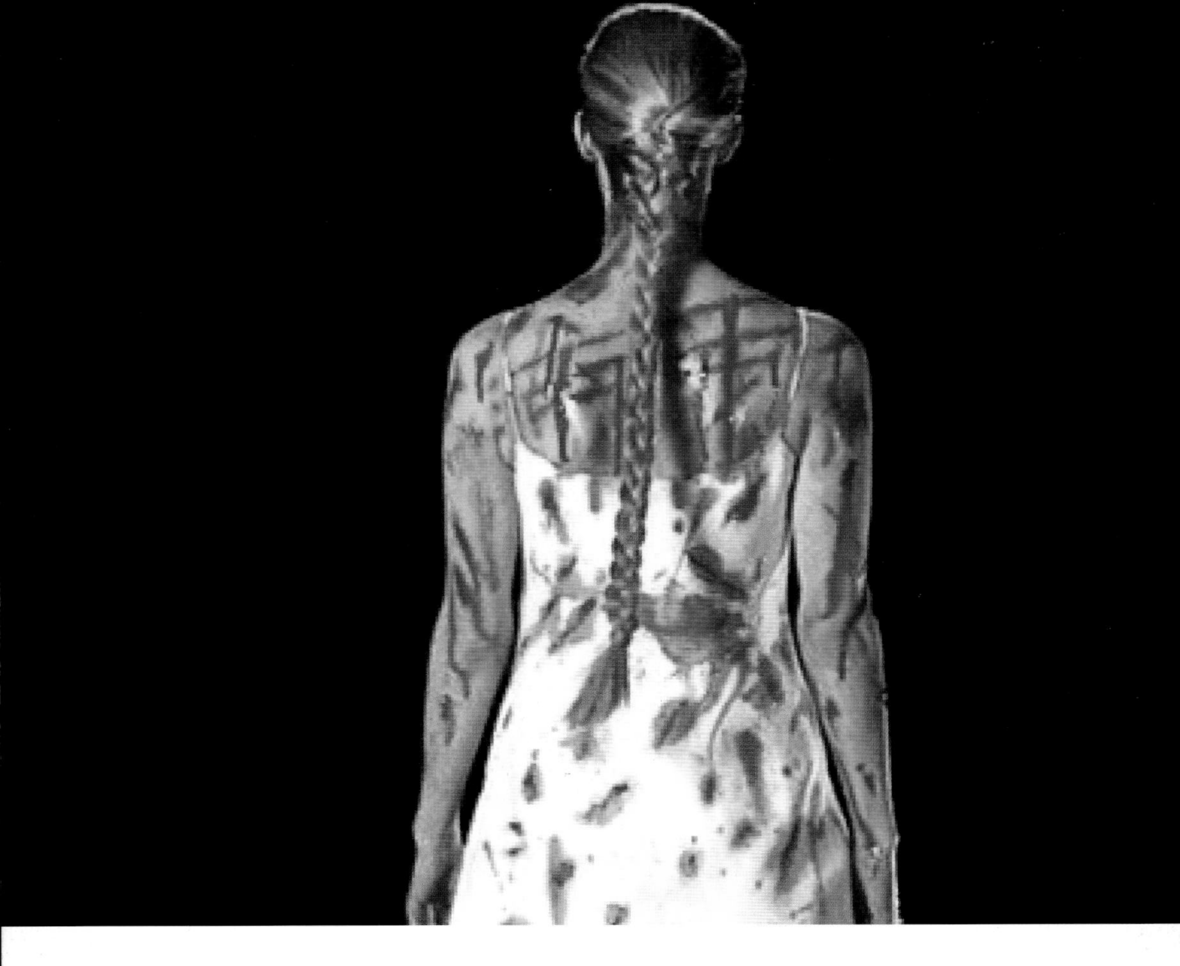

MILICA TOMIĆ SERBIA

The video installation *I am Milica Tomić* features the artist who, standing, appears to be bleeding from open wounds inflicted by flagellation while saying, calmly and in a rhythmic voice, the following sentences: "I am Milica Tomić, I am Norwegian. I am Milica Tomić, I am Korean... Austrian...".
The installation dates from 1998, when the Milošević regime was still in place, and is a clear commentary on pan-Serbian nationalism which, like other forms of archaism in the Balkans, emerged at a time (and partly as a consequence) of fully-fledged globalisation. These opposites form the broader contextual framework of *I am Milica Tomić*.
The work reflects the period of the virtual connectedness of the world and the fragmentation and intertwining of various identities, while warning against the possibility of a return of the old world of opposing and limiting identities. Milica does not see connectedness in the harmonic terms evident in the United Colors of Benetton advert for example, which is based on the new myth of multi-culturality. Instead, she sees a cleft that determines our foundations and decides our acts of violence.
The work is a response to the collective psychosis which clutches onto Serbian identity, and to the entire national, cultural and historical heritage. All those who, during Milošević's regime, did not feel Serbian in the way prescribed by the governing ideology were declared the scum of the nation and a wound in the nation's healthy body. In her work Milica finds national identity important at a personal level but denies its public existence, speaking openly from the position of the wound.
Through exposure of the processes of identification – by means of true and false identity statements – the work rises far above the level of purely declarative condemnations of war to reveal the true foundations of war and violence: identification as exclusion of the other.
Zdenka Badovinac

PATRICK TOSANI FRANCE

Nel mondo della fotografia Patrick Tosani è una personalità la cui visione tagliente è, più che in chiunque altro, perturbante e quasi ossessionante. Le sue fotografie a colori, lungamente e minuziosamente elaborate nei vari formati che arrivano fino al gigantismo, rappresentano il soggetto prescelto, spesso banale, in una maniera esplicita ed evidente, che induce dei significati e delle letture sconcertanti.

Le opere presentate in mostra fanno parte di una serie di quindici fotografie realizzate nel 1992. Ben simbolizzano il lavoro di Tosani attraverso l'avvicinamento e l'apprensione per il dettaglio. Si tratta di "ritratti" che selezionano l'inquadratura di una parte del corpo, in questo caso la capigliatura, permettendo all'artista, grazie a un lavoro su scala, di giocare sulla labile frontiera che separa repulsione e seduzione, trivialità e banalità. Il corpo, così presente, non appare che in modo frammentario. In altre serie l'artista ha rappresentato, in maniera altrettanto realista, le unghie o i piedi.

La visione fotografica di Patrick Tosani risulta provocante e perturbante. Essa offre del "ritratto" un'immagine molto autentica, ma totalmente insolita per l'angolo della visuale e per l'analisi capillare che ne risulta. Ogni immagine ha per titolo le iniziali della persona fotografata. Ne deriva una serie di opere dal carattere altamente astratto, che privilegia la materialità o la scarsità dei capelli oppure l'ovale del cranio, che conserva ugualmente il suo aspetto terribilmente umano, poiché pur inanimato e frammentato che sia, il corpo non è un oggetto come gli altri: esso esercita sempre l'attrazione o la repulsione che è propria della vita.

***Têtes*, 1992 C-prints**

Patrick Tosani ha sempre praticato l'ambiguità, attraverso il carattere insolito dell'inquadratura, che ha applicato al corpo umano, ma anche ad altri temi come i cucchiai (1988) – legame emblematico tra il corpo e il cibo – o i tamburi (1988). Pietrificati da una vernice cromata, isolati in un vuoto colorato fuori dal tempo, i millefoglie (*Vues*, 1990) e le cotolette (*Vues*, 1993) giganteschi, hanno anch'essi subito le metamorfosi della visione fotografica del loro autore. Sono seguite altre serie, sempre distanti dal mondo, che gettano un dubbio sul nostro senso della realtà e le nostre certezze percettive.
Dominique Stella

In the world of photography Patrick Tosani is a character whose sharp vision is almost obsessive and disturbs more than anyone else's. His colour photographs carefully and painstakingly created, in sizes that can even be enormous, depict an often banal subject, in an explicit and evident manner which induces disconcerting meanings and interpretations.
The works presented in the exhibition form part of a series of fifteen photographs taken in 1992. They symbolise Tosani's work well with their closeness to things and concern for detail. They are "portraits" that frame a part of the body, in this case the hair, allowing the artist, by working on the scale, to play on the labile border that separates repulsion and seduction, the vulgar and banal. The body presented in this way only appears as a fragmented image. In another series the artist depicted nails or feet in an equally realistic manner.
Patrick Tosani's photographic vision is provoking and disturbing. It offers a very authentic but totally unusual image of a "portrait" because of the visual angle and capillary analysis that results from it. Each image has the title of the initials of the fifteenth person photographed. What results is a series of works with a highly abstract character which privileges the material or the scarcity of hair or the oval of the skull, which at the same time conserves its terribly human aspect, since even if it is inanimate and fragmented, the body is an object like others: it always exerts the attraction or the repulsion of its own life.
Patrick Tosani has always practised ambiguity through the unusual character of the shot, which he uses for the human body but also on other subjects such as spoons (1988) – an emblematic connection between body and food – or drums (1988). Frozen by a chrome varnish, isolated in a coloured vacuum outside time, cream puffs (*Vues*, 1990) and giant cutlets (*Vues*, 1990) have also been subject to the metamorphoses of the photographic vision of this artist. They are followed by other series, again distant from the world, that throw doubt on our sense of reality and our perceptive certainties.
Dominique Stella

Target, 1999
Installation mixed media
Installation view

Target, 1999
Details
Installation mixed media

PEDRO TUDELA PORTUGAL

L'opera di Pedro Tudela sembra ruotare attorno a un principio generico o a un orizzonte finale. Questo principio, che pare mescolarsi e confondersi con l'intenzione dell'artista, così come si mescolano e si confondono l'inizio e la fine di tutto, è la creazione di un'opera totalmente sensoriale.
Un'esperienza sensoriale che l'artista propone all'osservatore attraverso la creazione di ambienti, la presentazione di performance e di serie di dipinti organici o la realizzazione di installazioni che occupano interamente e ridisegnano la stanza in cui sono esposte, senza lasciare una via d'uscita. Nelle sue opere più recenti l'uso del suono rende ancora più completa ed esplicita questa appropriazione dello spazio e del visitatore. Dal momento in cui entriamo, se vogliamo entrare, siamo condannati a restare dentro. Non c'è infatti uscita. Potremmo tuttavia essere indotti a pensare che questa esperienza sensoriale totale sia una scelta consapevole dell'autore – non so fino a che punto voluta, giacché la volontà è un'altra cosa – realizzata innanzi tutto per se stesso. È un modo per penetrare e analizzare il suo sé, di cui le opere costituiscono una sorta di resoconto *a posteriori*, un viaggio dentro se stesso. Ma in definitiva non si tratta soltanto di un gioco con l'osservatore, né di una mera espressione soggettiva e autobiografica.
Al centro dell'opera di Pedro Tudela c'è probabilmente qualcosa di più ambizioso e più difficile: la sua è una teoria del corpo, concepito e rappresentato attraverso una massa di materia organica che, per un dato periodo, oscilla tra l'urgenza dell'agonia e il sogno di un ritmo.
Alexandre Melo

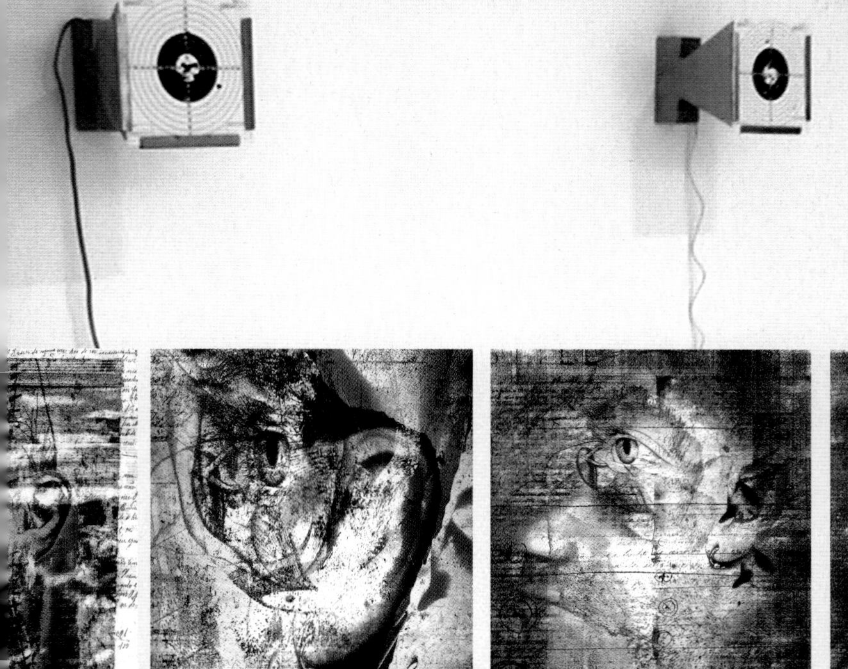

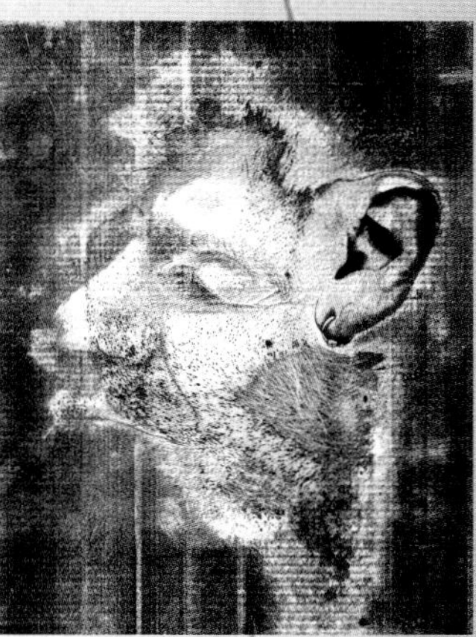

It is as if there was a generic principle, or a final horizon around which Pedro Tudela's work would turn. That principle or aim, as they mingle and confuse themselves, just like the beginning and the end of everything mingles and confuses, would be the creation of a total sensorial engagement.
This total sensorial engagement is something that the author has been proposing to the spectator through the creation of environments, the presentation of performance, the presentation of sets of organic paintings or by producing installations which totally occupy and redesign the room they fulfil not leaving a way out. In recent works the use of sound turns even more accurate and explicit this appropriation both of the room and the visitors. From the moment we enter, if we want to enter, we stay inside. There is no way out. Yet, we may guess that this total sensorial engagement is something the author chooses – I do not know if he wishes, because wishing is something else – and produces, above all for himself. It is a way of penetrating and revolving, himself in his self. The works are a way of relating that experience afterwards. A kind of a drive in his self. Finally, and here we come perhaps to the most important, it is worth to say that we are not facing a game with the spectator, nor facing the mere autobiographical expression of a subjectivity. What is in the core of Pedro Tudela's work is probably something more ambitious and more difficult. It is a theory of the body, conceived and represented with a mass of organic matter, which moves for a certain period of time, between the urgency of agony and the dream of a rhythm.
Alexandre Melo

Lugares Intermedios
A partire dagli anni ottanta, le diverse serie di lavori fotografici di Javier Vallhonrat hanno analizzato l'idea di fotografia intesa come territorio di ricerca, sperimentazione e dibattito. Nel corso degli anni, l'artista ha quindi esplorato diverse concezioni di questo mezzo espressivo: fotografia come linguaggio collegato e confrontato con la pittura (*Homenajes*, 1983; *Animal-Vegetal*, 1985), come luogo e spazio (*El espacio poseído*, 1988-1991), come tempo e luce (*Autogramas*, 1991), come rappresentazione dell'impercettibile e del mutevole (*Objetos precarios*, 1993-1994), come tautologia del vuoto e delle sue finzioni volumetriche, al punto che le stesse opere fotografiche si sono trasformate in sculture di spazi vuoti (*Cajas*, 1995).
Lugares Intermedios (*Luoghi intermedi*), serie realizzata nel 1999, riassume in un certo senso le "ricerche" precedenti, ma offre anche nuovi spunti di riflessione sull'idea della verosimiglianza e plausibilità della fotografia, sviluppata a partire dalla costruzione di uno scenario di fantasia. La serie affronta il tema dell'architettura intesa come processo creativo. La fotografia ricostruisce questo processo introducendo i paradossi che le sono propri e condensando una narrazione disadorna mediante il suggerimento, l'evocazione e l'ambientazione. Ogni opera, costituita da due parti, richiama alla mente lo stile delle presentazioni urbanistiche pubblicitarie: l'immagine notturna di un edificio (un capannone caratteristico dei poligoni industriali e commerciali, uno chalet svizzero, una casa tecnologica e una casa "vernacolare"), situato in un "non paesaggio" strano e inquietante (contesto sicuramente naturale, ma talmente desolato da sembrare onirico), viene completata da una prospettiva assonometrica dello stesso edificio. L'immagine notturna corrisponde a un plastico costruito e preparato come si trattasse di una scenografia

cinematografica in miniatura. In maniera analoga la prospettiva, che può essere facilmente confusa con un disegno, non è altro che un plastico volumetrico fotografato su una base traslucida.
In tal modo la fotografia si svincola e si allontana dalla realtà esterna, si distacca dalla documentazione per concentrarsi sulla ricostruzione di possibili finzioni. La fotografia non è un mezzo di verità, ma uno strumento di illusione e persino di confusione e dubbio nei confronti dei dati della realtà.
In questa serie viene presa in considerazione la forza narrativa della fotografia e nello stesso tempo viene ampliata l'analisi e la caratterizzazione del mezzo fotografico come strumento di sintesi nella percezione contemporanea. Oltre alle riflessioni implicite sul fenomeno della rappresentazione e dei processi di costruzione delle immagini e dei modelli della cultura contemporanea, *Lugares Intermedios* propone la fotografia intesa come punto d'incontro tra architettura e cinema, come luogo di frizione tra verità e verosimiglianza, tra apparenza e realtà, tra costruzione e documentazione.
Le opere successive di Javier Vallhonrat sembrano nascere dalle questioni poste in *Lugares Intermedios*: in alcuni video, immagini diverse si sovrappongono le une alle altre per ricreare il fluido che lega idea, costruzione, realtà e contesto; in altre immagini fotografiche l'artista ricorre a tematiche collegate all'ingegneria civile, approfondendo l'idea di costruzione e trasformazione dell'ambiente naturale. A volte le immagini sono caratterizzate da un marcato tono epico e romantico: ponti ferroviari di pietra compensano o accentuano la spettacolarità di paesaggi alpini innevati, sottolineando l'impronta dell'uomo sulla natura.
Santiago B. Olmo

***Lugares Intermedios. Casa Vernacular*, 1998-1999**
Transparent colour, plexiglass, metal,
100 × 265 × 10 cm
Courtesy Galeria Helga De Alvear, Madrid

***Lugares Intermedios. Chalet Suizo*, 1998-1999**
Transparent colour, plexiglass, metal,
100 × 265 × 10 cm
Courtesy Galeria Helga De Alvear, Madrid

Lugares Intermedios
Starting in the 1980s, the different series of photographic works by Javier Vallhonrat analysed the idea of photography seen as a terrain for research, experimentation and debate. The artist therefore explored, over the years, different conceptions of this means of expression, photography as a language connected with and compared to painting (*Homenajes*, 1983; *Animal-Vegetal*, 1985), as place and space (*El espacio poseído*, 1988-1991), as time and light (*Autogramas*, 1991), as representation of the imperceptible and of the changeable (*Objetos precarios*, 1993-1994), as a tautology of the empty and of its volumetric fictions to the point where the photographic works themselves are transformed into sculptures of empty spaces (*Cajas*, 1995).
Lugares Intermedios (*Intermediate Places*), a series taken in 1999, in a certain sense summarises his previous "researches" but also offers opportunities for reflection on the idea of the truthfulness and plausibility of photography that develops from the construction of a fantasy scenario.
The series tackles the subject of architecture understood as a creative process. The photography reconstructs this process by introducing the paradoxes that are inherent to it and by condensing a bare narration by means of suggestion, evocation and setting. Each work consists of two parts and brings to mind the style of urban advertising presentations: a night-time image of a building (a shed typical of industrial and commercial estates, a Swiss chalet, a hi-tech house and a "vernacular" house), situated in a strange and disquieting "non landscape" (certainly a natural context, but so desolate as to seem dream like), is completed by an axonometric perspective of the same building.
The night-time image is a model built and prepared as if it were the scenery for a miniature film set. Similarly the perspective, that can easily be confused with a drawing, is none other than a volumetric model photographed on a translucent base.

JAVIER VALLHONRAT SPAIN

As a result the photography is freed and distanced from external reality. It detaches itself from the documentation to concentrate on the reconstruction of possible fictions. The photography is not a medium of truth but an instrument of illusion and even of confusion and doubt with respect to the facts of reality.
Consideration is given in this series to the narrative strength of photography and at the same time it broadens our analysis and characterisation of the photographic medium as an instrument for summary in contemporary perception. *Lugares Intermedios* not only proposes implicit reflections on the phenomenon of representation and on the processes by which the images and models of contemporary culture are constructed but also photography intended as a meeting point between architecture and cinema, as a place of friction between truth and possible truth, between appearance and reality, between construction and documentation.
Javier Vallhonrat's subsequent works seem to spring from the questions posed in *Lugares Intermedios.*
In some videos different images overlap one over the other to recreate the fluid that binds idea, construction, reality and context, while in other photographic images the artist employs subjects connected with civil engineering as he studies the idea of the construction and transformation of the natural environment. At times the images are characterised by a marked epic and romantic tone: stone railway bridges compensate for or accentuate the spectacular nature of snow-covered alpine landscapes, emphasising the footprint of humankind in nature.
Santiago B. Olmo

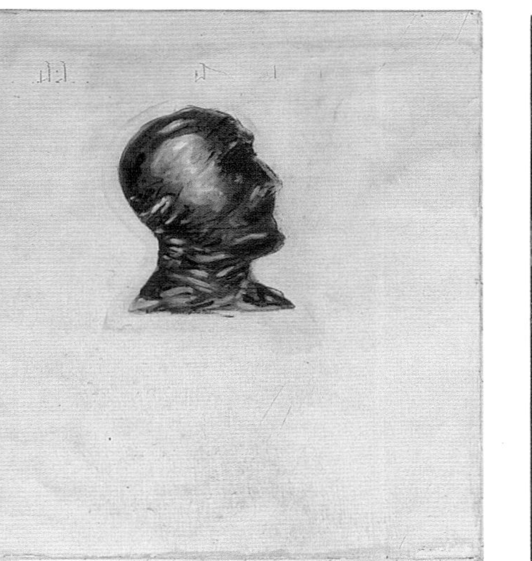

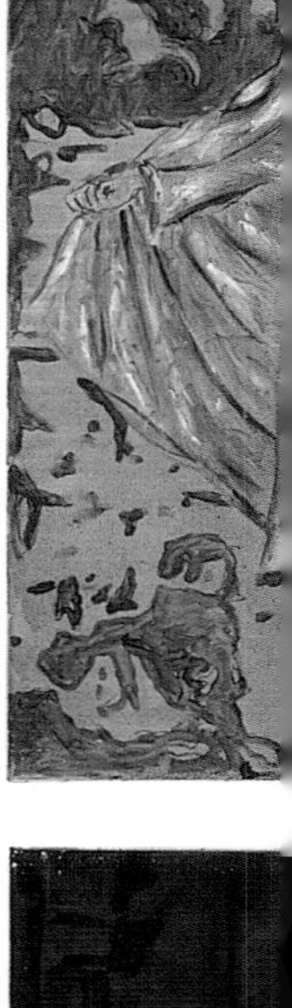

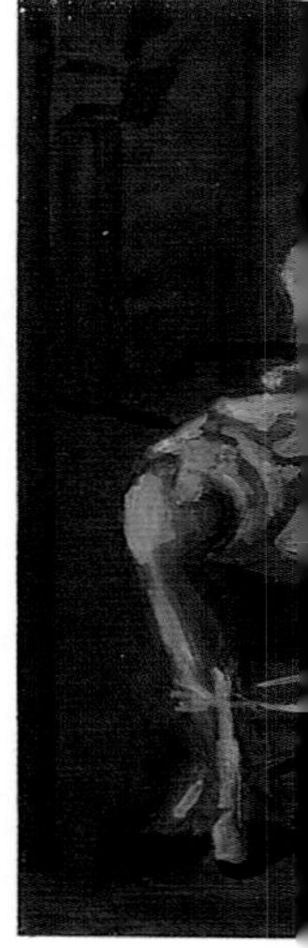

Minuet of a Sold Skin, 1999
Oil on canvas
9 pieces, each 75 × 65 cm
Courtesy Sammlung Hauser und Wirth, Saint Gall

JAN VAN IMSCHOOT BELGIUM, FLEMISH COMMUNITY

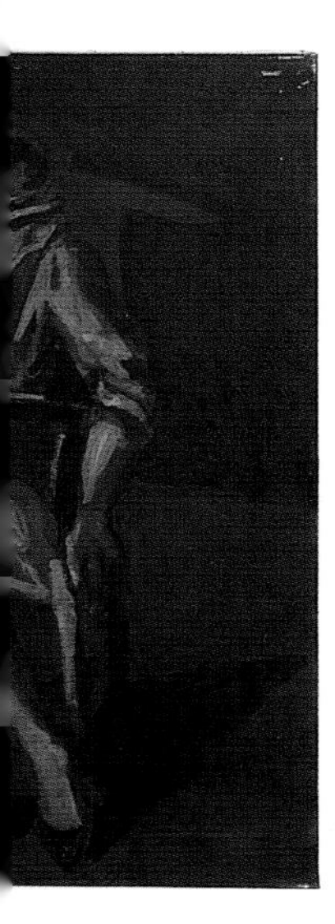

A volte i sogni sembrano intrecciarsi con le cose che accadono nella realtà. C'è chi ama leggerlo come un segno. Un presagio. Come se questi sogni e cose fossero parte di un qualcosa di più grande che sta avvenendo. Un qualcosa che viene definito – con un sussurro – un intreccio. Fatti e sogni vengono catalogati finché non emerge uno schema. Altri vedono le cose e i sogni come cose che semplicemente accadono e sogni che sono semplicemente sognati. Incoerenti. Senza senso. Che si accendono come un fiammifero e poi si spengono.
La maggior parte della gente non vede niente. La sola cosa che avvertono è un vago disagio. Un indefinibile senso di pericolo. Come se una mattina ti mettessi le scarpe e scoprissi all'improvviso che ti stanno strette. Eppure la sera prima non era così. Come se i piedi ti fossero cresciuti durante la notte. Più strette. Più rigide. Come se le scarpe stessero cercando di farti del male. Per un secondo aggrotti la fronte e rimani lì indeciso, con le scarpe in mano. Ma poi te ne infili un altro paio, sorridendo perché te le senti così comode. E quando chiudi la porta alle tue spalle, ti accorgi che stai canticchiando.
Peter Verhelst, "Tongkat"

Sometimes your dreams appear to intermingle with the things that happen. Some people like to see this as a sign. An *omen*. As if those dreams and things are part of something bigger that is taking place. Something they refer to – in whispers – as a plot. They catalogue both facts and dreams until they are able to discover a pattern. Other people recognise both things and dreams as things that simply happen and dreams that are simply dreamed. Incoherent. Senseless. That flare up like a match and then go out again.
Most people see nothing. The only thing that registers with them is a vague uneasiness. An indefinable sense of danger. As if you put on your own shoes one morning and suddenly notice that they pinch. Something they hadn't done the evening before. As if your feet have grown during the night. Tighter. Stiffer. As if the shoes are trying to hurt you. For a second you frown and stand there unresolved, with the shoes in your hand. But then you slip on another pair, smiling because they feel so familiar. And when you close the door behind you, your hear yourself humming.
Peter Verhelst, "Tongkat"

Sulla scena artistica ungherese è incontestabilmente Gyula Várnai a rappresentare meglio di ogni altro la corrente postconcettuale degli anni novanta. Realizzati con oggetti d'uso quotidiano, i suoi lavori sono allo stesso tempo tautologici, ironici e filosofici.
È caratteristico del suo modo di pensare mettere i concetti e gli oggetti fra virgolette, combinare con suoni, rumori e scritte simulazioni di processi nel corso dei quali l'opera d'arte subisce spesso una trasformazione, come nel caso dei numeri 1 e 2 presentati sotto forma di cubetti di ghiaccio

GYULA VÁRNAI HUNGARY

lentamente assorbiti da una spugna a forma di 3 (*Triplex*, 1995), o delle sedie e dei tavoli "trascinati" contro la parete con un nastro interminabile che si agita in movimenti autodistruttivi (*Philophony*, 1999). L'opera che più da vicino si apparenta alla porta (*Doorway*, 1993) che continua nella "parete", dove si proietta la cima delle scale, o alle sculture di porte spogliate della loro originale funzione e quindi del loro significato, è *The Four Cardinal Points* (*I quattro punti cardinali*). Questo lavoro sembra scaturire dalla questione dell'oggetto – che è l'immagine dell'oggetto, che è il concetto dell'oggetto – posta da Joseph Kosuth, ma l'ironia onnipresente di Várnai ci incita a una giocosa immersione negli indovinelli della filosofia del linguaggio. Il monumentale e impressionante spettacolo della grande porta costituita da elementi di quattro porte vere, in realtà cela il vuoto; il prodotto che ha preso vita non è una porta "più" di quanto lo siano quelle originali, al contrario, lo è sorprendentemente "meno". In fondo, non è affatto una porta ("ce n'est pas une porte"), ma un'opera d'arte che affronta con umorismo la relazione fra la parte e il tutto. Non è assolutamente impantanata, calata nella fredda razionalità del concettuale: infatti i nostri sensi sono attratti dal disegno ritmico e geometrico della porta fatta di porte creata con meticolosa maestria artigianale.
György Szücs

On the Hungarian artistic scene, it is arguably Gyula Várnai who primarily represents the post-conceptualist attitudes of the 1990s; his works made of every-day utilities are simultaneously tautological, ironical and philosophical. It is characteristic of his mode of thinking to put concepts and objects in quotes, to combine semblances of processes with sound, noise, inscription, where the work of art is often transformed, like in the case of numbers 1 and 2 shaped in ice-cubes being slowly sopped up by a sponge in the form of a 3 (*Triplex*, 1995), or the chairs and tables "drawn" onto the wall in a unending tape making self-annihilating movements (*Philophony*, 1999). The next of kin to the doorway (*Doorway*, 1993) continuing in the "wall", where the head of the stairs is projected onto, or of the sculptures of doors divested of their original function and thus meaning is *The Four Cardinal Points*.
The work seems to start out from the question of the object – being the image of the object, being the concept of the object – as raised by Joseph Kosuth, but Várnai's ever-present irony prompts us to a playful immersion in the riddles of the philosophy of language. The monumental, ostentatious spectacle of the grand door made up of the regular parts of the four doors actually conceals emptiness; the product that has come into being is no "more" a door than the original ones were, but is surprisingly lesser. As a matter of fact, it is not even a door ("c'est ne pas une porte"), but a work of art wittily discussing the relation of part and whole. The work, however, is not in the least bogged down in the cold rationality of conceptualism; even our tactile senses are drawn to the rhythmic and geometric pattern of the door made of a doors created with meticulous craftsmanship.
György Szücs

***The Four Cardinal Points*, 1996**
Installation mixed media, 360 × 160 × 10 cm
Collection of the artist

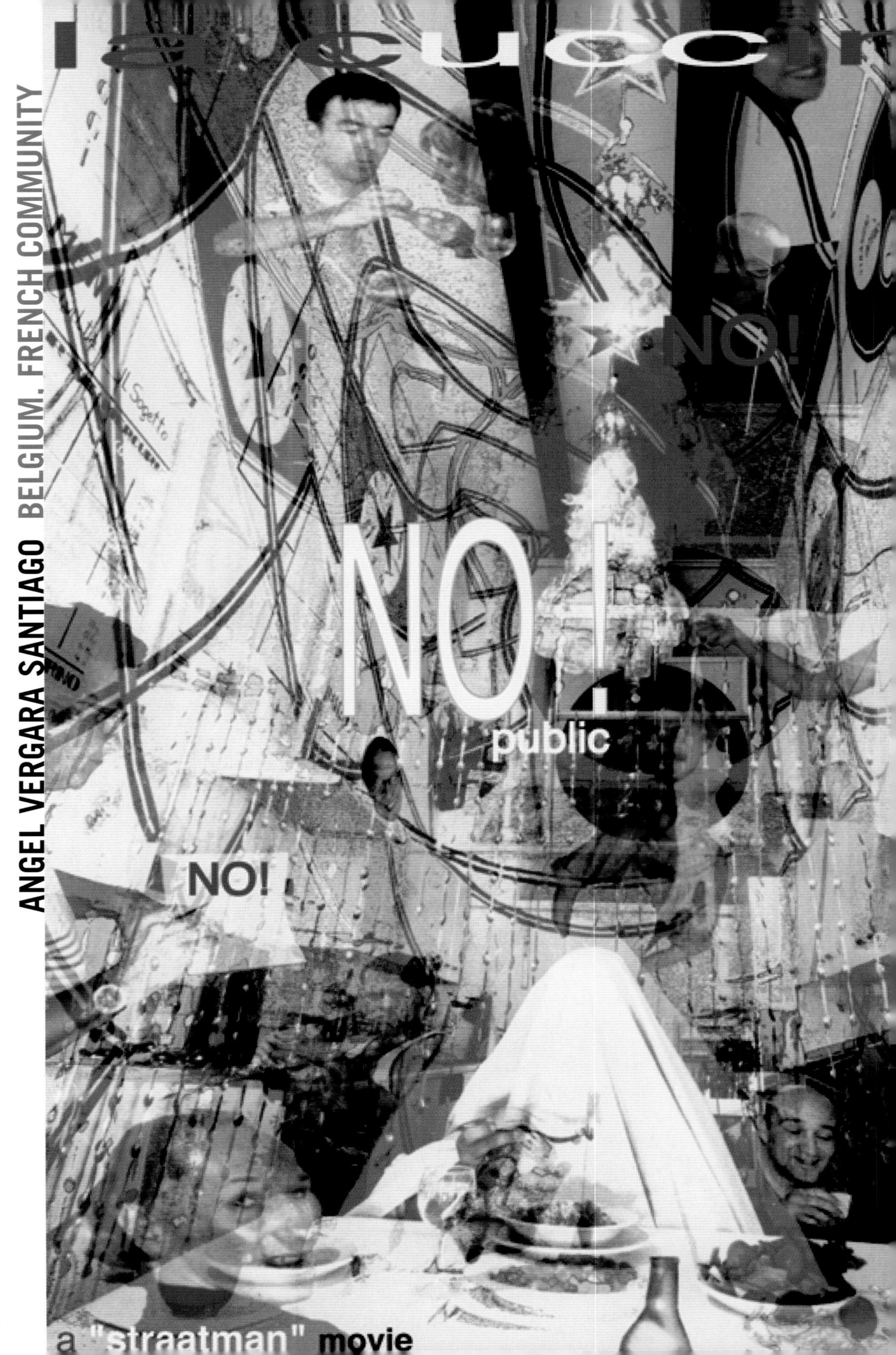
ANGEL VERGARA SANTIAGO BELGIUM. FRENCH COMMUNITY
NO!
NO!
public
NO!
a "straatman" movie

La cuccina italiana (1998-2001)
La morale, la civiltà, il soggetto
Un film su tela
Nella cucina "della casa per l'arte e la rivoluzione contemporanea" ci sono uomini, donne e bambini. Hanno un progetto comune, ma occupano stanze diverse della casa.
Ogni stanza riflette ed è vissuta secondo i desideri di ciascuno, e come tale viene presentata. Si può andare dalla stanza da studio alla stanza di pietra, dalla stanza anarchica/islamica alla stanza da musica, dalla stanza dei desideri alla stanza fenomenologica, dalla stanza da relax alla stanza per la ginnastica e allo studio televisivo. Fuori c'è un paesaggio mutevole.
Riuniti in cucina, tutti cantano, mangiano, si raccontano le loro esperienze e si scambiano commenti sulla giornata. La sera fanno fronte al paesaggio.
Uno di loro, "straatman", che lavora principalmente in cucina e che, come gli altri, conduce (e ha sempre condotto) una vita banale e perfettamente inutile, incomincia a pensare che a forza di produrre cose inutili rischi di diventare (o ridiventare) inutile. E quindi di trovare quell'insita e naturale libertà che possiedono le opere d'arte, incarnandola piuttosto che riproducendola, ma producendola in modo del tutto naturale. La natura è il suo capitale e la cultura la sua economia.
R. Sevilla

La cuccina italiana (1998-2001)
La morale, la civiltà, il soggetto
A film on canvas
In the kitchen "della casa per l'arte e la rivoluzione contemporanea" are men, women and children. They share a plan but all occupy different rooms in the house.
Each room reflects and is experienced depending on the desires of each one, and presented as such. You can go from the study room to the stone room, from the anarchic/Islamic room to the music room, from the room of wishes to the phenomenological room, from the rest room to the sports room and television studio. Outside is a moving landscape.
All together in the kitchen, everyone sings, eats and swaps their experiences and comments on the day. In the evening they stand up to the landscape.
One of them, "straatman", who mainly works in the kitchen and who, like the others, leads (and has always led) a banal and perfectly useless life, begins to think that by dint of producing useless things, you risk ending up becoming (or becoming again) useless. And thereby finding this inherent and natural freedom which works of art possess, incarnating it rather than reproducing it, but quite naturally producing it. Nature is its capital and culture its economy.
R. Sevilla

***La cuccina della casa per l'arte e la rivoluzione contemporanea. La morale. La civiltà. Il soggetto*, 2000**
Video projection on canvas
270 × 200 cm

LES COPY-BOULES
SUB-DIRECTION
SUB-PRODUCTION
SUB-PREPRODUCTION

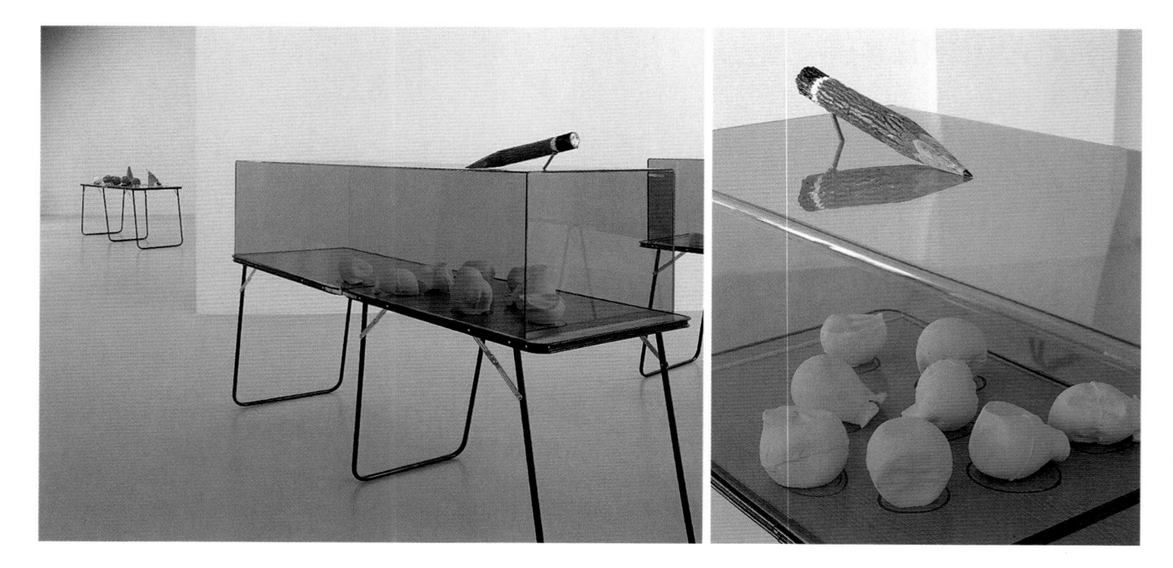

SUB-SUB, 2000
Mixed media,
106 × 317 × 58 cm
Wilfried & Yannick
Cooreman, Puurs, Belgium
Photo by Kleinefenn

SUB-SUB, 2000
Detail

Sans titre, 2000
Mixed media,
106 × 157 × 58 cm
Courtesy Galerie Nelson,
Paris
Photo by Kleinefenn

Sans titre, 2000
Detail

SUB, 2000
Mixed media
Courtesy Galerie Nelson,
Paris

SUB, 2000
Detail

GERT VERHOEVEN BELGIUM, FLEMISH COMMUNITY

In questa mostra, l'artista ridà vita al suo concetto di *Copy-Boules*. Si tratta di un sistema di sfere di gesso impilate o posate l'una a lato dell'altra su un tavolo. Queste escrescenze, quasi fossero generate dal piano stesso, evocano un senso d'equilibrio instabile – le sfere come erbacce che spuntano sul tavolo, ma anche al di sotto di esso.

Il logo *Copy-Boules* (con la lettera C inscritta in un cerchio) applicato sull'opera, introduce una riflessione sulla nozione di *copyright*, mentre la forma circolare delle sfere rinvia al logo. Quest'ultimo appare anche in certi lavori su carta che fanno eco a questo sistema, insieme ludico e derisorio, una riflessione sul rapporto fra l'artista e le sue opere,
fra il produttore e la sua produzione.

"È molto semplice, ci sono
idee
insiemi d'idee
anti-idee
sub-idee
idee di fuga
ecc."

Cécile Barrault

In this exhibition, the artist once again takes up his concept of *Copy-Boules*. It is a system of plaster spheres piled together or set one against the other on a table. These excrescences, as if they had been generated by the table itself, evoke a sense of unstable equilibrium – spheres like weeds that spring up from the table, but also under it.

The logo, *Copy-Boules* (with the letter C inscribed in a circle), on the work of art invites reflection on the notion of copyright, while the circular form of the spheres reminds one of the logo. The latter also appears in certain works on paper, which echo this system, both playful and scornful, a reflection on the relationship between artists and their works, between producers and their productions.

"It is very simple, there are
ideas
sets of ideas
anti-ideas
sub-ideas
ideas of escape
etc."

Cécile Barrault

***Bus Stops Parties*, 2000**
Stills from video projection
Collection of the artist

GITTE VILLESEN DENMARK

Gitte Villesen usa il video nel modo previsto dai suoi inventori: per la comunicazione e l'informazione. Il suo modo di filmare è semplice e diretto; il montaggio delle immagini è fatto per presentare una visione della vita avulsa da connotazioni estetiche. Il suo lavoro ci mostra quello che facciamo, come ci comportiamo, comunichiamo e ci formiamo delle opinioni.
Gitte fa parte di una giovane generazione di artisti danesi che amano confrontarsi, senza mezzi termini con le loro convenzioni sociali. In uno dei suoi primi video ha registrato i tentativi di abbordarla da parte di alcuni uomini. Questo documento rivela la tattica usata da ciascuno di loro per conquistarsi i favori dell'altro sesso ed è uno specchio dei nostri modi di comunicare, buffi e tristi, noiosi e manierati. Le brevi clip sono come piccole poesie sul fallito inizio di una storia romantica; un fatto di ordinaria amministrazione, parte del processo della crescita, parte della vita.
Il linguaggio è reale anche quando è in codice e indiretto. Un gergo giovanile che una generazione più vecchia fatica a seguire, ma la cui intenzione non è per questo meno chiara. Questi giovani prendono possesso dei territori del linguaggio e ricodificano l'etichetta sociale.
L'occhio dell'europeo occidentale è condizionato a considerare come realtà la vita che scorre sugli schermi televisivi. Questo particolare modo di vedere ha portato alla finzione che le soap opera siano drammi di vita reale. Villesen vuole dissipare la nostra idea condizionata di ciò che è reale ponendo gli osservatori a contatto con la turbolenza quotidiana di persone apparentemente senza voce. Il pubblico è spesso invitato a partecipare alle vite dei suoi soggetti e a portarsi a casa qualcosa per contrassegnare questa connessione. *Small Town Museum* (*Museo di una piccola città*, 2000, durata 8 minuti) e *Willy as* DJ (*Willy come* DJ, 1995, durata 9 minuti) raccontano di muti eroi culturali. Villesen dà loro una voce.
Gavin Jantjes

Gitte Villesen uses video the way its inventors intended it to be used: for communication and information. Her manner of filming is uncomplicated and direct and the imagery is edited to show an un-aestheticised view of life. Her work shows us what we do, how we behave, communicate and form opinions. Gitte has been recognised as part of a young generation of Danish artists who enjoy a point blank confrontation with their societal conventions. In one of her earlier videos she recorded the attempts of young men to pick her up. This document exposed every young man's gambit to gain favour with his sexual other. It shows our funny and sad, boring and informative ways of communicating. The brief clips are like little poems about the failed beginning of a romance; an every-day occurrence, a part of growing up, a part of living. The language is real even when it is coded and indirect. A form of youth-speak an older generation find hard to follow but whose intention is no the less clear. Here are young people taking over the domains of language and re-coding social etiquette.
The Western-European eye is conditioned to regard life on the TV monitor as reality. This particular way of seeing has led to the fiction that soap operas are real life dramas. Villesen wants to unravel our conditioned notion of what is real by placing her viewers in proximity to the everyday, the un-aestheticised turbulence of seemingly voiceless people. Viewers are often invited to participate in the lives of her subjects and take something home to mark the connection. *Small Town Museum* (2000, duration 8 min.) and *Willy as DJ* (1995, duration 9 min.) are about silent cultural heroes. Villesen gives them a voice.
Gavin Jantjes

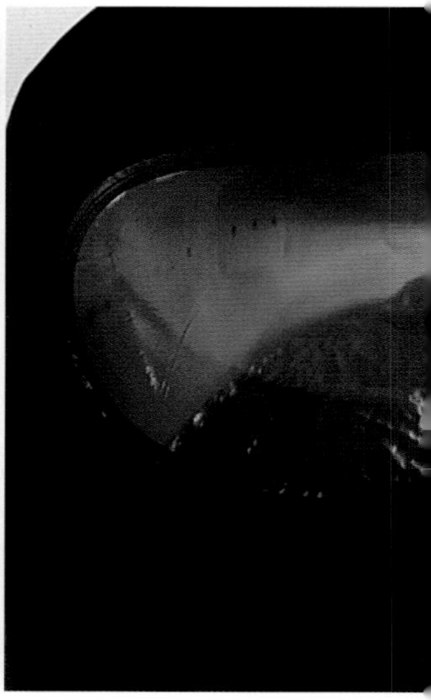

KATEŘINA VINCOUROVÁ CZECH REPUBLIC

Una delle fonti d'ispirazione dell'arte di Kateřina Vincourová è l'onnipresente mondo della pubblicità. Nella sua opera l'ingrandimento di un telefono cellulare – *Call...* (*Chiama...*) – diventa una metafora dai molteplici significati, la cui interpretazione viene a un tempo suggerita e lasciata aperta all'osservatore. Per lei il cellulare non è soltanto una scatola magica che ci consente di metterci in contatto con chiunque in qualsiasi momento, di essere "in linea" virtualmente con tutto il mondo; esso è soprattutto un simbolo di speranza. *Call...* è formalmente e tematicamente collegato alla gigantesca bottiglia di *Malibu*, al cui interno la Vincourová ha creato un nuovo paradiso artificiale, secondo lo spirito degli slogan delle agenzie di viaggi che, per l'uomo moderno, continuamente esposto a concetti manipolativi di felicità, possono essere "più reali" della realtà.

La monumentalizzazione degli oggetti della vita quotidiana è una caratteristica della Vincourová, ma al contrario che negli ingrandimenti di Oldenburg e di altri artisti pop, nelle sue opere è spesso presente uno spazio interiore parallelo che diventa il vettore degli aspetti narrativi, un'altra microstoria.

Per quanto concerne il significato, gli spazi interiori possono essere interpretati in vari modi. L'aspetto esterno della sua ultima opera, un oggetto gonfiabile sintomaticamente denominato *Larvae*, oscilla tra l'animale e la macchina. Numerosi "ascessi parassiti" (contenenti oggetti di consumo come una bottiglia di Coca-Cola, una bottiglia di Champagne, un telefono cellulare ecc.) aderiscono al corpo principale della "larva-madre". Non risulta tuttavia chiaro chi dipende da chi e quando uno può esistere senza l'altro. Il riferimento alla condizione dell'uomo contemporaneo nella società dei consumi risulta evidente, ma l'opera si presta anche a interpretazioni "femministe". Lo stile narrativo della Vincourová non sfocia in un naturalismo del dettaglio, contrario alla sua estetica, ma in un'imponente espressione visiva. Le sue opere non si distanziano dall'osservatore ma lo costringono a formulare un'opinione non ambigua. La loro cospicua forma esterna, che si impone allo sguardo, è accentuata dall'utilizzo di colori primari e di materiali quali gomma, vinile e altre materie plastiche. Il forte impatto visivo scaturisce dalla loro concentrata carica interiore. L'intento della Vincourová è quello di indirizzarsi direttamente all'osservatore; la forza di attrazione delle sue opere deriva dalla loro capacità di irradiare una certa emozione, nella quale viene proiettata l'esperienza personale dell'artista e nella quale l'osservatore può cogliere il riflesso delle proprie sensazioni.

Olga Malá

***Call...*, 1999**
Inflatable object
Details

***Call...*, 1999**
Inflatable object,
120 × 500 × 450 cm

One of the inspirational sources of Kateřina Vincourová's art is the omnipresent world of advertising. In her treatment, the blow-up of a mobile phone (*Call...*) becomes a metaphor that has numerous meanings, the interpretation of which Vincourová both evokes and leaves them open. For her the mobile is not merely a magic box that allows one to make contact with anyone at anytime, and to be "on line" with virtually the whole world; it is above all a symbol of hope. *Call...* is formally as well as thematically linked to Vincourová's "giant" bottle *Malibu* in the innards of which she created a new artificial paradise in the spirit of travel agency slogans which, for modern man exposed to manipulative notions of happiness, may be "more real" than reality itself.
The monumentalization of everyday-life objects is characteristic of Vincourová, but as opposed to the pop-art-like, Oldenburgian blowing up, she often creates parallel inner space, which becomes the carrier of the narrative aspects, another micro-story.
As regards the meaning, the inner spaces can be understood in a various ways. The external look of her last work, an inflatable object symptomatically called *Larvae,* oscillates between an animal and a machine. Several "parasitic abscesses" containing such civilisation necessities as a Coca-Cola bottle, a bottle of champagne, a mobile phone, etc.), cling to the main body of the "mother-maggot". The "life-giving" nexus is not clear as to who is dependent on whom and when one can exist without the other. The content of this concept referring to the fatal determination of contemporary man by consumer society is apparent, but it also allows for other "feminist interpretations". Vincourová's narrative style does not lead her to a specific naturalism of detail which is unacceptable for her aesthetics; its essence is a visually impressive generous form. Her realisations do not keep their distance from the viewer, but on the contrary force him/her to form an unambiguous opinion. Their conspicuous outer form, which is hard to overlook, is accentuated by utilisation of clear primary colours and such materials as rubber, vinyl and other plastic materials.
The intense emotional attack made on the viewer comes from their concentrated inner charge. In her work, Vincourová strives for addressing her viewer directly; the attraction of her pieces consists of their ability to radiate a certain feeling, into which the personal experience of the artist is projected, while there is still a space for the viewer's fantasy and reflection of his/her own sensations.

Olga Malá

TAMÁS WALICZKY HUNGARY

Incapace di accettare la visione pratica, di routine, del mondo che gli sta intorno, Waliczky pratica delle tacche sulle superfici illusorie dei processi di spazio/tempo, mettendo a nudo le idee – costruite – che vi si celano dietro. L'artista ha lavorato come pittore, fotografo e cartoonist, e grazie alla sua eccezionale conoscenza delle tecniche di questi tre "mestieri" riesce a evocare i temi primordiali del mondo della realtà e dell'illusione con una palese naturalezza. Gli piace anche fare delle incursioni nel mondo delle fiabe; a volte ridisegna il mondo come se fosse visto con gli occhi di un bambino (*Garden*, 1992-1996) altre volte gli capita di mostrare un villaggio sferzato dalla pioggia, cristallizzando un istante del tempo che scorre (*Landscape*, 1996).
Time/Space, tuttavia, è un'opera intellettuale "purificata" da ogni intento narrativo: siamo invitati a osservare delle sculture virtuali, "cristalli di tempo", così le definisce l'artista, o, in altre parole, gli organigrammi dei segmenti di tempo bidimensionali del movimento umano. A proposito di questo suo lavoro, l'artista si è così espresso: "Questi cristalli esistono simultaneamente l'uno accanto all'altro nello spazio, e una telecamera virtuale (il cui angolo di osservazione è in certa misura il punto di vista privilegiato di Dio) può osservarli da qualsiasi posizione prescelta. Spostandosi attraverso i cristalli di tempo, la telecamera può riprodurre il movimento originale, ma da molte diverse prospettive e a velocità variabili".
György Szücs

Unable to accept mundane man's practical, routine-like view of his surroundings, Tamás Waliczky instead drops indentations on the ostensible surfaces of time/space processes, revealing a space of ideas lurking – constructed – behind. The artist had worked as a painter, photographer and cartoon animator, and with his exceptionally high-level knowledge of the skills of these overlapping "trades", Waliczky brings up the elemental issues of the world of reality and illusion with self-evident naturalness. He is happy to cross even into the world of tales; at times he re-draws the world through the eyes of a child (*Garden*, 1992-1996), at other times he will display a rain-beaten village, freezing one moment of continuous time (*Landscape*, 1996).
Time/Space, however, is an intellectual piece "cleansed" of all storey-telling, as a final result of which we are invited to observe virtual sculptures, "time crystals", as the artist calls them, or, in other words, the plastically shaped flow charts of the two-dimensional time-segments of human movement. Interpreting his own work, Waliczky maintains: "These crystals exist simultaneously alongside each other in space, and a virtual camera (whose viewing angle is to some extent the lofty vantage point of God) can observe them from any desired location. By travelling through the time crystals, the camera can re-produce the original movement, but from a diverse range of perspectives and at varying speeds".
György Szücs

Time / Space (Sculptures),
1996-2000
Stills from video projection

L'opera di Gillian Wearing dichiara apertamente il suo essenziale interesse per la natura umana. Le persone inquadrate in primo piano, a fuoco, da sole o in coppia, o divise in gruppi sociali distinti, rivelano idee di sé che sono in genere soppresse o passano inosservate. Sarebbe errato definire la Wearing come una videoartista, ma quella del video è una tecnica particolarmente adatta a ciò che essa vuole proporre con il suo lavoro: infatti è basata sul tempo ed esprime una certa veridicità nella sua registrazione di eventi in fase di svolgimento. I soggetti della Wearing sono talvolta figure emarginate, persone che non si comportano "normalmente" (come ad esempio la "donna con la faccia fasciata" e, di recente, una comunità di alcolizzati), e tuttavia il modo in cui vengono trattati suggerisce una forte continuità fra il loro

GILLIAN WEARING GREAT BRITAIN

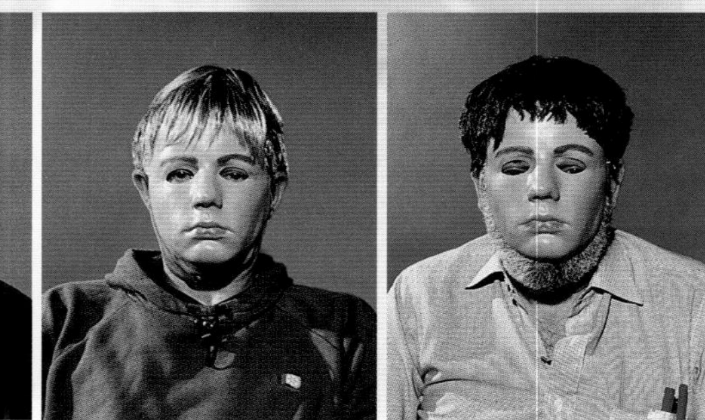

***Trauma*, 2000**
Stills from video projection
Courtesy Maureen Paley Interim Art, London

comportamento e ciò che potrebbe all'opposto essere considerato socialmente accettabile. Non è difficile identificarsi con la violenza, le folli fantasie, la paranoia e le ossessioni. Il titolo di una precedente serie di fotografie della Wearing, che raffigurano passanti dall'aspetto qualsiasi, è la chiave del significato dell'intera sua opera: *Signs that say what you want them to say and not Signs that say what someone else wants you to say* (*Segni che dicono quello che tu vuoi che dicano e non Segni che dicono quello che qualcun altro vuole che tu dica*).
In certi suoi lavori Gillian Wearing fa un uso paradossale delle maschere, ad esempio in *Confess all on video...* (*Confessa tutto sul video...*, 1994) e più di recente in *Trauma* (2000), dove i soggetti raccontano dei segreti nella consapevolezza che la loro identità non verrà svelata. Per loro non ha senso dire nient'altro che la verità, e per noi non ha senso ascoltarli – che cosa ce ne faremmo di quelle informazioni? – salvo il fatto che in qualche modo ciò coincide con la nostra personale esperienza di sapere cosa possiamo rivelare agli altri, quando e dove.
Le maschere hanno connotazioni criminali. Quelle indossate nei video della Wearing da persone che presumibilmente dicono quello che vogliono dire, sono molto simili alle maschere che si vedono spesso nei polizieschi televisivi, addosso a rapinatori di banche o a terroristi. Le uniformi della polizia, d'altra parte, che comunicano messaggi di rettitudine, sono segni di "ciò che gli altri vogliono che tu dica". La familiare umanità che tendono a celare riaffiora in *Sixty Minutes Silence* (*Silenzio di sessanta minuti*). Qui vediamo tre file di poliziotti in piedi, quelli in prima fila seduti come se fossero in posa per la foto annuale dell'effettivo. Nonostante essi siano praticamente immobili, la differenza tra i tentativi di mantenere un contegno e l'evidente irrequietezza – esacerbata dall'interminabile attesa – è molto eloquente.
Jonathan Watkins

***Sixty Minutes Silence*, 1996**
Still from video projection
Courtesy Maureen Paley Interim Art, London

Gillian Wearing's work overtly declares its essential concern with human nature. People are close-up, in focus, in ones or twos, or in distinct social groups, revealing ideas about themselves which are usually either suppressed or unnoticed. It would be wrong to describe Wearing as a video artist, but video is a particular medium which suits the proposition of her work – it is time-based and embodies a certain veracity in its recording of unfolding events.
Wearing's subjects are sometimes marginal figures, people not behaving "normally" (such as the "woman with the bandaged face" and, recently, a community of alcoholics) and yet her treatment suggests strong continuity between their behaviour and what otherwise might be considered socially acceptable. The violence, the mad fantasies, the paranoia and obsessions are not hard to identify with. The title of an earlier series of photographs by Wearing, depicting unremarkable passers-by, is a key to the meaning of her work overall: *Signs that say what you want them to say and not Signs that say what someone else wants you to say.*
There is a paradoxical use of masks in Wearing's work – for example, in *Confess all on video*..., 1994 and most recently in *Trauma*, 2000 – where the subjects tell secrets in the knowledge that their identities remain concealed. There is no point in them telling anything but the truth, and no point in us listening – what could we possibly do with this information? – except that it somehow squares with our own experience of knowing what we can divulge, when and where.
Masks have criminal connotations. Those worn in Wearing's videos, of people presumably saying what they want to say, have the same joke-shop quality as those often seen on TV crime programmes, worn by bank-robbers and terrorists. Police uniforms, on the other hand, with all the notions of rectitude they convey, are signs of "what other people want you to say". The familiar humanity which they tend to disguise surfaces during Wearing's *Sixty Minutes Silence.* Here we see three rows of police officers, standing, and sitting at the front, as if waiting to have their annual staff photograph taken. The difference between the officers' attempts at restraint and the fidgeting which occurs – exacerbated by the seemingly endless duration – is very eloquent despite the quietness.
Jonathan Watkins

CULT[...]CONTROL

(CONTROL ONESELF)

CULT [...] CONTROL (CONTROL ONESELF), **2001**
Installation mixed media
Project

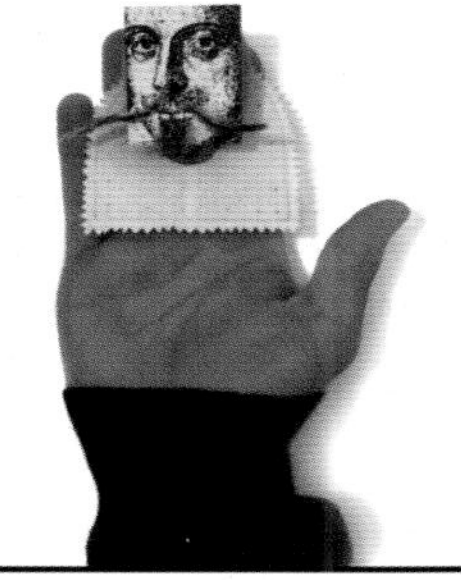

Dante Alighieri *Shakespeare* *Tolstoy* *Confucius* *Kafka* *Sch*

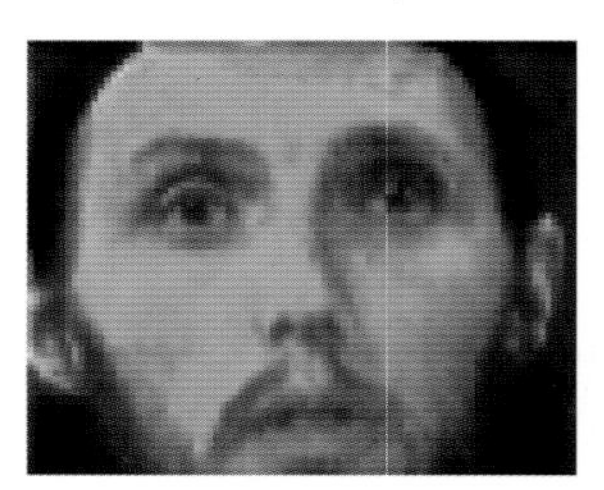
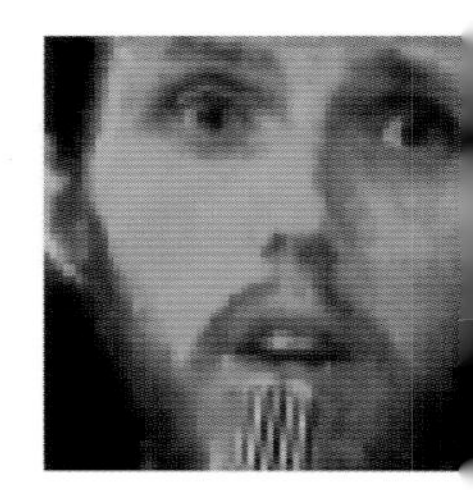

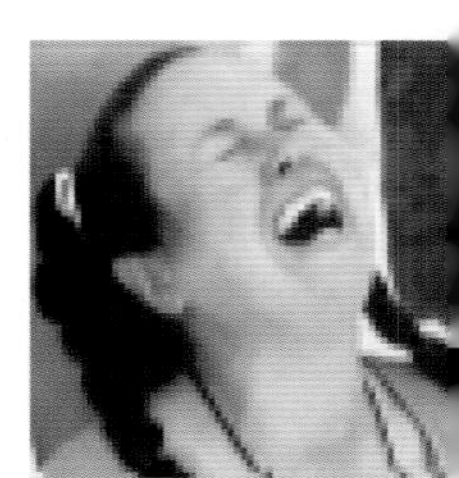

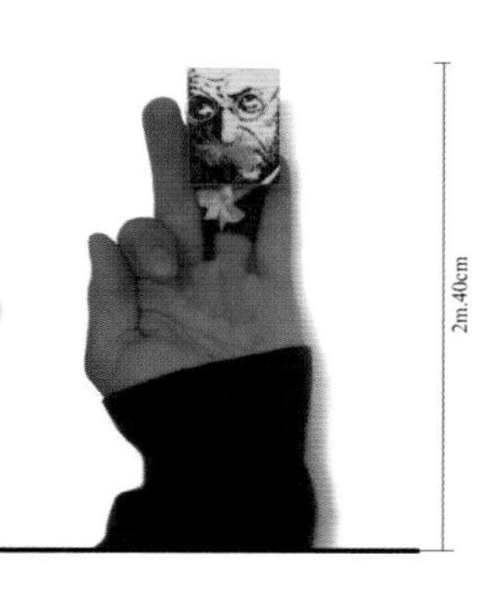

Jung

Vadim Zakharov potrebbe essere classificato come un esponente della generazione più giovane di artisti concettuali moscoviti. Si tratta tuttavia di un'etichetta convenzionale, se non altro perché l'assimilare una persona creativa a un determinato gruppo o movimento artistico presuppone sempre delle limitazioni che ovviamente verrebbero respinte da un artista indipendente (a meno che tale artista non sia il fondatore di quel movimento o il leader di quel gruppo). In questo senso, il caso di Zakharov è un po' un paradosso. Artista indubbiamente dotato di talento, egli ha assunto un ruolo preciso, ha volutamente abbracciato determinate convenzioni, si è deliberatamente autoclassificato all'interno di uno specifico gruppo artistico, e riflette su tutto questo, perché è un intellettuale. Appartenere a un certo ambito culturale, essere alla ricerca di un'identità, fare parte di una cerchia o esserne fuori: questi sono i problemi sempre presenti nelle sue opere. Zakharov – che oggi vive a Colonia, ma mantiene stretti contatti con gli artisti intellettuali moscoviti – ha esteso l'identità personale all'identità culturale.
L'installazione *Cult(...)control*, dedicata ai profeti della cultura, ai guru della società civilizzata – Jung, Toltsoj, Shakespeare, Confucio e altri – sembra sottoporre a un controllo lo stesso osservatore, a un esame di autoidentificazione nel relazionarsi all'uno o all'altro ambito, o culto. Allo stesso tempo l'installazione si autosottopone a una valutazione culturale in quanto oggetto di cultura, di arte. Tutto ciò, comunque, è fatto con eleganza e ironia, un esoterico gioco con le bambole, che è tipico di Zakharov quale rappresentante dell'arte contemporanea.
Leonid A. Bazhanov

VADIM ZAKHAROV RUSSIA

Works by Vadim Zakharov can be relatively classified as an artist of the younger generation of the Moscow conceptualists. This classifying will, however, be conventional, at least because any unconditional classifying of a creative person with a certain artistic group or trend always presupposes certain limitations that would naturally encounter resistance from an independent artist (unless this artist is the founder of this trend or leader of the group). In this sense, the case of Vadim Zakharov is somewhat paradoxical. Being an undoubtedly talented artist, he has deliberately taken on a certain role, deliberately entered certain conventions, deliberately classifies himself with a specific artistic group, and reflects upon it because he is an intellectual. The problem of belonging to a certain cultural circle, the problem of searching for identity, the problem of being part of a circle or of being outside it is always present in Zakharov's works. Vadim Zakharov, who is now living in Cologne but has close connections with Moscow's intellectual artists, has spread personal identity onto cultural identity.
The installation *Cult(...)control* depicting cultural prophets, the gurus of the civilised society – Jung, Tolstoy, Shakespeare, Confucius, and others, seems to subject its viewer himself to control, to an exam in self-identification, in relating oneself to one or another circle, or cult. At the same time, the installation subjects itself to a cultural evaluation as an object of culture, of art. All this, however, is done with elegance and irony or an esoteric play with dolls, which is typical of Zakharov as a representative of the contemporary art.
Leonid A. Bazhanov

ALICJA ŹEBROWSKA POLAND

Alicja Źebrowska appartiene alla giovane generazione di artisti polacchi la cui opera reagisce alle tendenze generali dell'arte contemporanea riflettendo esperienze personali e sensazioni soggettive, con un predominante interesse per il tema del corpo umano. Questa nuova "centralità del corpo" è caratterizzata da una forte carica espressiva e per alcuni artisti, compresa Alicja Źebrowska, è diventata lo strumento per esprimere delicati temi sociali spesso considerati tabù. Anche se l'interesse della Źebrowska si focalizza sulla donna all'interno delle categorie psico-sociali che ne fissano il ruolo nella società (per esempio il progetto dei finti matrimoni), al tempo stesso la sua riflessione assume una portata più vasta e il corpo diventa il campo di battaglia dei sessi. In un'epoca in cui non sembrano più esistere limiti all'utilizzo del corpo umano, l'opera della Źebrowska riesce ancora a scioccare l'osservatore con la sua brutalità e la sua franchezza.
Nelle sue composizioni fotografiche e nei suoi video la Źebrowska utilizza quasi esclusivamente modelli femminili, servendosi anche del suo corpo. Lei stessa ha posato per la controversa opera intitolata *Barbie's Birth* (*La nascita di Barbie*), ai confini dell'esibizionismo psicologico e fisico. Il sorprendente naturalismo del video sulla "nascita" di una bambola, che spinge per uscire dal grembo della Źebrowska, non è una provocazione fine a se stessa, ma una metafora che può essere interpretata come una feroce reazione simbolica all'ambivalenza del mondo attuale, dove tutto è relativizzato e sminuito e dal quale sono estromessi i valori fondamentali e l'innocenza originaria, che non possono sopravvivere allo stato puro e vengono quindi distanziati e ridicolizzati.
L'opera che la Źebrowska presenta a Milano è un poema visivo su un fantastico essere androgino denominato *Onone*. *Onone* è una parola artificiale creata dalla combinazione dei pronomi lui/lei (in polacco *on* e *ona*). Sottotitolata *World After the World* (*Il mondo dopo il mondo*), l'opera consta di una videoinstallazione e di una serie di "fotogrammi", immagini di transessuali e di esseri simili a ermafroditi raffigurati in vari stadi della loro esistenza transumana.
Questi esseri androgini, nella loro innocente nudità e con i loro goffi organi ermafroditi, ci appaiono estremamente vulnerabili. Tuttavia, sono proprio la loro ambivalenza sessuale e la loro "alterità" a trasformarli in creature innocenti. Sono esseri umani che in seguito a una catastrofe hanno ritrovato se stessi in un mondo diverso, in un "Mondo dopo il mondo". Sono gli unici rappresentanti di un'umanità colpevole ad avere forse la possibilità di iniziare una nuova vita su questa strana Arca di Noè.

Olga Malá

***ONONE* - *A World After the World*,**
1995-1999
Video installation,
c-prints,
100 × 100 cm

***ONONE* - *A World After the World*. *ASSIMILATIO*,**
1995-1999
Video installation,
c-print, 100 × 100 cm

***ONONE* - *A World After the World*. *CONTINUO*,**
1995-1999
Video installation,
c-print, 100 × 100 cm

Alicja Źebrowska belongs to those representatives of the younger generation of Polish artists whose work reacts to more general tendencies reflecting personal experiences, subjective feelings and interest in the theme of the human body. This new "body-centrism" bears a strong expressive charge and for some artists, including Alicja Źebrowska, it has become a tool for reflecting sensitive social topics which are often taboo. Even though it is obvious that Alicja Źebrowskaa's interest focusses on woman within the framework set by psycho-social determinants (for example in the project of fictitious marriages), at the same time the artist aims at a more general examination, while the body is viewed as a battlefield of genders. It needs to be pointed out that at present when artists often do not hesitate to utilise the human body without any restraint, Źebrowska's work can still shock the viewers by its brutality and openness.
In her arranged photographs and video screenings she almost exclusively employs female models, using her own body as well. She herself has posed for the controversial work called *Barbie's Birth* which was at

the edge of psychological and physical exhibitionism. The strikingly naturalistic video screening depicting the "birth" of a doll, which unaided pushes out of Żebrowska's womb, is not a self-fulfilling, purposeless gesture and provocation, but a metaphor. One can interpret it as a fierce, symbolic gesture reacting to the state of the world today, perhaps permanently ambivalent, where everything is made relative and belittled and in which fundamental values and original innocence, which probably does not have a chance to survive in a pure state, but only under other layers of distance and ridicule, are being forced out.

The work that Żebrowska presents in Milan is a visual poem on the theme of a fantasy-like androgynous being called *Onone*. *Onone* is an artificial word created from the combination of the words he/she in Polish (*on/ona*), which gives the project the apt name (subtitled *World After the World*), realised as a video installation and a series of "photograms", pictures of transsexual, hermaphrodite-like beings, depicted in various stages of transhuman existence.

Androgynous beings with bodies in the state of innocent nakedness and with clumsily large hermaphrodite organs appear to be very vulnerable. However, the hope is in their innocence, into which their otherness and sexual ambivalence have been transformed. They are beings who following a catastrophe have found themselves in a different world, in a "World after the World", as the only ones of the guilty mankind. Perhaps they still have a chance to start a new life on this strange Noah's Ark.

Olga Malá

Tag Play, **1999**
Stills from video projection

ARTUR ŹMIJEWSKI POLAND

I tardi anni novanta sono caratterizzati da un rinnovato interesse per il corpo umano, trascurato nei decenni precedenti. Per parecchi anni Artur Źmijewski ha lavorato sistematicamente con soggetti handicappati, un tema ancora tabù nell'Europa centrale degli anni ottanta, o che avrebbe perlomeno destato profondo imbarazzo. Nelle sue fotografie e videoinstallazioni Źmijewski usa corpi nudi di handicappati spesso accostati a corpi normali, intatti. Il nuovo umanesimo di Źmijewski si fonda sulla consapevolezza che nei confronti degli handicappati non basta soltanto la tolleranza e che il modo in cui ci rapportiamo a loro dipende in realtà dall'opinione che abbiamo di noi stessi.
Se l'arte ha finora richiamato la nostra attenzione soltanto sulle realtà ignorate e sulla devastazione dell'ambiente, esprimendo in tal modo il proprio giudizio sullo stato del mondo, oggi l'interesse è sempre più focalizzato sull'uomo e sui suoi stati mentali. Gli uomini che vivono ai margini della società, non in seguito a un fallimento o a una mancata autorealizzazione, ma a causa della loro personalità, ereditata o acquisita come risultato di un infortunio, si impongono alla nostra coscienza in opere di Źmijewski come *Eye for Eye* (*Occhio per occhio*, 1998). Le opere *I and AIDS* (*Io e l'AIDS*, 1996) e *Games People Play* (*Giochi che gioca la gente*, 1999), che mettono a confronto il comportamento di bambini ritardati con quello degli animali negli zoo, non sono soltanto potenti sensori sociali ma esprimono anche l'elementare rapporto dell'artista con lo spazio e il tempo. Con i suoi brevi incontri di corpi femminili e maschili che si sovrappongono e si intrecciano nelle

The late 1990s brought about an interest in the new concept of the human body which was neglected in the previous decades. For several years, Artur Źmijewski has been systematically dealing with handicapped people, a topic that in the 1980s would be a taboo in Central Europe or at least would have aroused intense embarrassment. In his photo and video installations, Źmijewski works with nudes of the handicapped which he often contrasts with intact, normal bodies. Źmijewski, who has reached a threshold of new humanism, works with the awareness that it is necessary for the handicapped not to be only a tolerated part of our society, and that the manner in which we relate to them represents a significant characteristic of the way in which we think of ourselves. If art has hitherto brought to our attention only the ignored reality and various devastated environments by means of which it was pointing to the state of the world, now it is more and more the man and his/her state of mind. The people who have landed at the margins of society not as the failures when they did not succeed in their own self-realisation, but who have been there from the very outset due to their peculiarity which they have either inherited or acquired as a result of an accident, are re-entering our consciousness through such works by Źmijewski as *Eye for an Eye* (1998). The works *I and AIDS* (1996) and the *Games People Play* (1999), which confront behaviour of retarded children and animals in a Zoo, are not only powerful social feelers, but at the same time express the artist's elementary relation to space and time. When Źmijewski creates brief encounters of female and male bodies overlapping each other in his photographs and *Eye for an Eye* video projection, he creates a

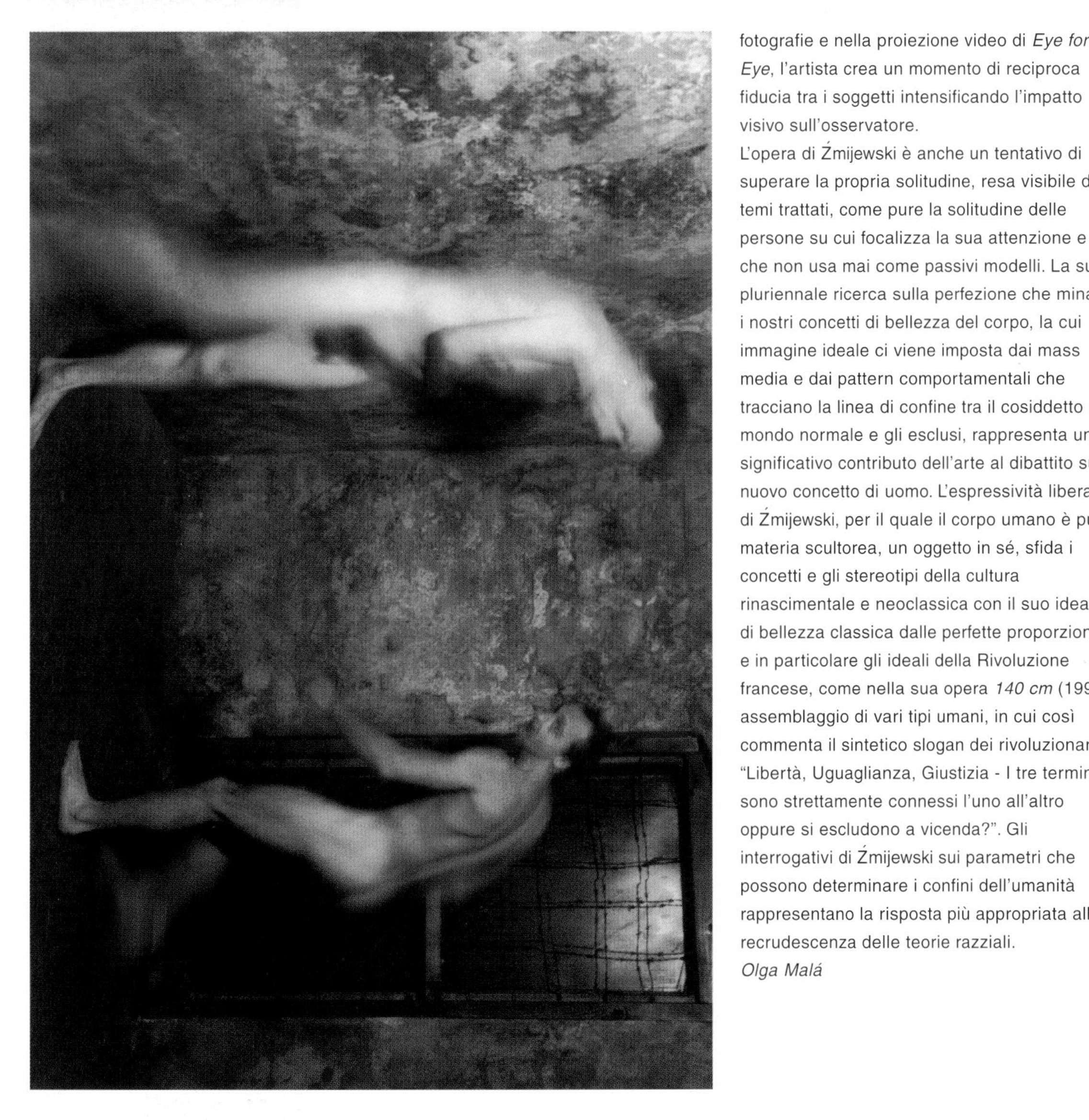

fotografie e nella proiezione video di *Eye for Eye*, l'artista crea un momento di reciproca fiducia tra i soggetti intensificando l'impatto visivo sull'osservatore.
L'opera di Źmijewski è anche un tentativo di superare la propria solitudine, resa visibile dai temi trattati, come pure la solitudine delle persone su cui focalizza la sua attenzione e che non usa mai come passivi modelli. La sua pluriennale ricerca sulla perfezione che mina i nostri concetti di bellezza del corpo, la cui immagine ideale ci viene imposta dai mass media e dai pattern comportamentali che tracciano la linea di confine tra il cosiddetto mondo normale e gli esclusi, rappresenta un significativo contributo dell'arte al dibattito sul nuovo concetto di uomo. L'espressività liberata di Źmijewski, per il quale il corpo umano è pura materia scultorea, un oggetto in sé, sfida i concetti e gli stereotipi della cultura rinascimentale e neoclassica con il suo ideale di bellezza classica dalle perfette proporzioni, e in particolare gli ideali della Rivoluzione francese, come nella sua opera *140 cm* (1999), assemblaggio di vari tipi umani, in cui così commenta il sintetico slogan dei rivoluzionari: "Libertà, Uguaglianza, Giustizia - I tre termini sono strettamente connessi l'uno all'altro oppure si escludono a vicenda?". Gli interrogativi di Źmijewski sui parametri che possono determinare i confini dell'umanità rappresentano la risposta più appropriata alla recrudescenza delle teorie razziali.
Olga Malá

moment of mutual confidence for the actors by heightening of the visual effect for the viewer.
Źmijewski's oeuvre is also about reaching beyond his own loneliness made visible by the selected topics, as well as the loneliness of specific people on whom he focusses his attention and who do not serve him as indifferent models. His meditation of many years on perfection which openly undermines the notions of the beauty of the human body, the image of which is forced on us by the contemporary mass media, and on the behavioural pattern, on the basis of which the relative dividing line between the so-called normal world and those others who seem to be excluded from this society, but at the same time require its increased attention, represents a significant contribution, by which contemporary art enters the discourse on the changing concept of man. Źmijewski's freed expression, stripped to the naked confession when he views the body literally as a purely sculptural matter, an object by itself without any side effects, challenges notions and stereotypes created by the Renaissance and Neoclassicist culture with its one-sided ideal of classical beauty and perfect proportions, and particularly the ideals of the French Revolution, when in his work *140 cm* (1999), pieced together from various human types, comments on its leading synthetic slogan summarising the status of man into three main points: "Liberty, Equality, Justice - Are the Three Terms Strictly Connected to One Another or Are they Mutually Exclusive?". Źmijewski's questions about the measure that could determine the border of man and define the extending field of humanity represent, due to its focus on variety, a most apt response to the surviving racial theories.
Olga Malá

BIOGRAFIE DEGLI ARTISTI ARTISTS' BIOGRAPHIES

Avvertenza / Foreword

Il numero accanto alla foto di ogni artista si riferisce alla relativa pagina nella parte catalogo.

The number near the photo of each artist refers to the relative page in the catalogue.

MARIO AIRÒ / ITALY
Born in 1961 in Pavia.
Lives and works in Milan.

Solo Exhibitions
1989
Spazio di via Lazzaro Palazzi, Milan.
1992
Galleria Massimo De Carlo, Milan.
"Unité d'habitation" (with Christian Philipp Müller), Galleria Massimo De Carlo, Milan.
1995
"Via col Vento", Galleria Massimo Minini, Brescia.
1996
"Cinque interventi facili", Palermo.
"Landescape", Le Consortium-L'Usine, Dijon.
1997
"Chanson d'amour", Galleria Massimo De Carlo, Milan.
Kunstalle Lophem, Lophem-Zedelgem.
Casa Masaccio, San Giovanni Valdarno.
Galleria S.A.L.E.S., Rome.
Galerie Weiss-Schloss, Zurich.
"Piper pa28" (with Massimo Bartolini), Studio Barbieri Arte Contemporanea, Venice.
Galleria Massimo De Carlo, Milan.
2000
"Springa, springa, springandela", Kunstalle Lophem, Lophem-Zedelgem.
2001
"La stanza dove Marsilio sognava di dormire... e altri racconti", Galleria d'Arte Moderna, Turin.

Group Exhibitions (Selected)
1988
"Venticinque per trentacinque miglia", Spazio di via Lazzaro Palazzi, Milan.
1993
"Nachtschattengewachse", Museum Fridericianum, Kassel.
Sonsbeek 93, Arnhem.
1994
"Prima Linea", Trevi Flash Art Museum, Trevi.
1995
"Anni 90 a Milano", Palazzo delle Stelline, Milan.
1996
"Exchanging Interiors", Museum van Loon, Amsterdam.
"Ultime Generazioni", XII Quadriennale d'Arte di Roma, Palazzo delle Esposizioni, Rome.
1997
"Fatto in Italia", Centre d'Art Contemporain, Geneva, ICA, London.
"Partito preso estate", Galleria Nazionale d'Arte Moderna, Rome.
"Passato Presente Futuro", XLVII Biennale di Venezia, Venice.
1997
"Bu!", Palazzo delle Papesse, Siena.
1999
"Minimalia", PS1, New York.
2000
"Over the Edges", S.M.A.K., Ghent.
"Quotidiana", Castello di Rivoli, Rivoli.
"Migrazioni", Centro per le Arti Contemporanee, Rome.

Bibliography (Selected)
1993
V. Smith, *Sonsbeek 93*, exhibition catalogue, Arnhem.
1995
B. Curiger, *Zeichen und Wunder*, exhibition catalogue, Kunsthaus, Zürich.
1996
G. Romano, *Blue Spirit*, exhibition catalogue, Palermo.
1997
Presente Passato Futuro, XLVII Biennale di Venezia, exhibition catalogue, Milano.
2001
La stanza dove Marsilio sognava di dormire... e altri racconti, exhibition catalogue, Galleria d'Arte Moderna, Torino.

PAWEL ALTHAMER / POLAND
Born in 1967 in Warsaw.
Lives in Warsaw.

Solo Exhibition
1992
Galeria a.r.t., Płock.
1993
"Studies from Nature", Galeria a.r.t., Płock.
"Diploma", Galeria a.r.t., Płock.
1994
"Fairy-tail", Galeria WOK, Warsaw.
1995
Galeria Miejsce, Cieszyn.
1996
"Life after Death", Galeria Kronika, Bytom.
Galeria Foksal, Warsaw.
1997
Kunsthalle Basel, Basel.
Bródno, Kino Tecza, Warsaw.
1998
Centrum Sztuki Współczesnej, Zamek Ujazdowski, Warsaw.
1999
Galerie Foksal, Warsaw.
2000
"Bródno 2000", Warsaw (public project).
2001
Chicago Museum of Contemporary Art, Chicago.

Group exhibition
1991
"Magicians and Mystics", Centrum Sztuki Współczesnej, Zamek Ujazdowski, Warsaw, Muzeum Akademii Sztuk Pieknych, Warsaw.
1992
"Die andere Seite", Ludwig Forum, Aachen.
"A Home Exhibition of Photographs", private apartment, Warsaw.
"Studies of the Nude", Galeria a.r.t., Płock.
"Polish Contemporary Art", Espace Periresc, Toulon.
1993
"Unvollkommen", Museum Bochum, Bochum.
"Sonsbeek '93", Arnhem.

1994
"Germinations 8", European Biennale for Young Artists, Academie St. Joost/Hogeschool, West-Brabant, Breda.
Galeria Zachęta, Warsaw.
1996
"The Garden of Arts", city park, Biala Podlaska.
"Me and AIDS", Kino Stolica, Warsaw.
1997
Documenta X, Kassel.
"Parteitag I", artists studios, Warsaw.
1998
"Passport: Exchange, (Ex)change", Temple Bar Gallery and Studios, Arthouse Multimedia Centre, Dublin, Galeria Zachęta, Warsaw.
"Parteitag II", Galeria a.r.t., Płock.
"There is Nothing like Bad Coincidence", Medium Gallery, Bratislava.
"Poliptyk", BWA, Katowice.
1999
"Artists-in-Residence", Hoffmann Sammlung, Berlin.
"City Sleepers, Midnight Walkers", Amsterdam (public project).
"Fauna", Galeria Zachęta, Warsaw.
"Welcome to Art World", Badischer Kunstverein, Karlsruhe.
2000
Biennale d'Art Contemporain de Lyon, Lyon.
"Manifesta 3", Ljubljana.
"Armateurs", Göteborgs Konstmuseum, Gothenburg.
2001
DAAD scholarship, Berlin.

Bibliography (Selected)
1996
Pawel Althamer, Galeria Foksal, Warszawa.
1997
Pawel Althamer, Kunsthalle Basel, Basel.
A. Szmyczyk, *A Seemingly innocent subversion of reality*, "SIKSI", summer.
2000
D. Cameron, *Manifesta 3*, "Artforum", XII.

BIRGIR ANDRÉSSON / ICELAND
Born in 1955 in Westman Islands. Lives in Reykjavík.

Education
1973-1977
Icelandic College of Arts and Crafts, Reykjavík.
1978-1979
Jan van Eyck Akademie, Maastricht.

Solo Exhibitions
1988
The Living Art Museum, Reykjavík.
Slúnkaríki, Ísafjörður.
1989
Galleri I I, Reykjavík.
Galleri Krókur, Reykjavík.
1991
Kunsthaus - Centre Pasquart, Biel.
The Municipal Art Museum, Reykjavík.
1993
The Living Art Museum, Reykjavík.
1994
c/o Sudi, Galerie & Edition, Bern.
1995
The Old Museum, Belfast.
Akureyri Art's Festival, Deiglan, Akureyri.
XLVI Biennale di Venezia, Venice.
1996
Galleri Sjónarhóll, Reykjavík.
Gerouberg, Cultural Centre, Reykjavík.
Sólón Íslandus, Reykjavík.
Project Room, Collective Gallery, Edinburgh.
1997
Neue Kunst im Hagenbucher, Heilbronn.
Kunstraum Wohnraum, Hannover.
Projektraum Voltmerstasse, Hannover.
Stadtgalerie Bern, Bern.

36
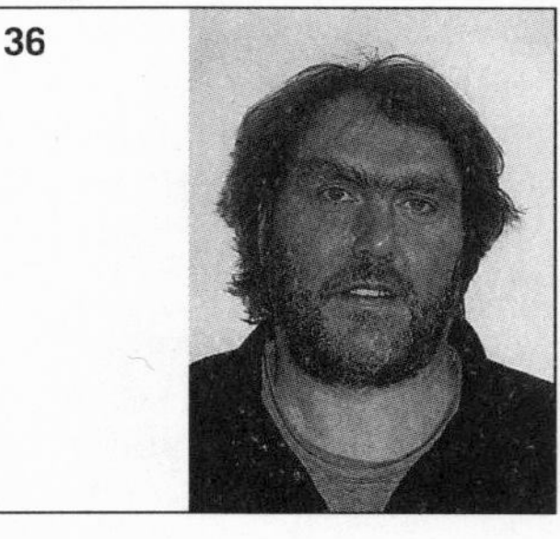

1998
Galleri Photo, Akureyri.
Galleri 20m, Reykjavík.
1999
Nils Stærk, Copenhagen.
2000
Galleri I8, Reykjavík.
The Yellow House Made Green, Reykjavík.
Slúnkaríki, Ísafjörður.
The Akademie of Reykjavík, Reykjavík.
National Gallery of Iceland, Reykjavík.

Group Exhibitions (Selected)
1975
"SÚM 75", Galleri SÚM, Reykjavík.
1976
"SÚM 76", Galleri SÚM, Reykjavík.
1978
"Four Young Artists", Galleri SÚM, Reykjavík.
1981
"Exsperimental Enviroment", Korpúlfsstaoir.
1982
Galleri Cosrydor, Reykjavík.
HM. Kjarvalsstaoir, Reykjavík.
1987
"The Black Cloud", Kjarvalsstaoir, Reykjavík.
1992
Galleriet, Vexjö.
"Icelandic Modern Sculpture", Kringlan, Shopping Centre, Reykjavík.
1993
"Systematiek", v.h. Toeval, Rotterdam.
1994
"Ludwig Gosewitz and his Icelandic Friends", Berlin.
1995
Ernst Múzeum, Budapest.
Galerie Niki Diana Marquardt, Paris.
1996
"Brhama Antartica", Galerie Nahcst St. Stephan, Vienna.
1997
Stadtgalerie Bern, Bern.
Studija Islandija, Vilnius.
Galerie Cult, Vienna.
1998
"Europa at the Bull", Kunstverein Bad Salzdetfurth.

Haselby Slott & Galerie Plasserien.
"Lundur", Lunds Konsthall, Lund.
"Carnegie Art Award",
all around Scandinavia.
Fort Sztuki Association, Kraków.
1999
"Firma, 99", Reykjavík.
"7/6, Austrian and Icelandic Artists",
Reykjavík, Graz.
2000
"ASÍ", Reykjavík.
"Edstranska Stiftelsen", Rooseum,
Malmö.
"Bedrock", Dalhousie Art Gallery,
Halifax.
"Out of the Map", Geroarsafn,
Kópavogur, Sète.
"The Old News", PS 122,
New York.

Bibliography (Selected)
1992
G. Árnason, *The Stuff of Culture*, "SIKSI", 3.
A. Meier, *Birgir Andrésson*,
Kunsthaus - Centre Pasquart, Biel.
1995
B. Nordal, *Birgir Andrésson*,
in *XLVI Biennale di Venezia*,
exhibition catalogue, Milano.
1996
G. Gunning, *Darkness Visible*,
"Atlantica", spring.
1999
Ó. Gíslason, *The Mathematics of Colours*, Lundur, Lunds Konsthall,
Lund.
H.B. Runólfsson, *Birgir Andrésson*,
Lundur, Lunds Konsthall, Lund.
2000
Ó. Gíslason, *The Icelandic Myth*,
Galleri i8, Reykjavík.
G. Volk, *Art on Ice. Art in America*.

HEDEVIG ANKER / NORWAY

Born in 1969 in Oslo.

Education
1991-1993
Art Academy, Bergen.
1993-1996
Fine Art, Art Academy, Oslo.
1997-1998
Vestlandets Kunstakademie,
Art Academy Bergen, Bergen.

40

1999
History of Art, University
of Bergen, Bergen.

Exhibitions
1995
"Via Foto", Fotogalleriet, Oslo.
"Artikulasjoner", Tegneforbundet,
Oslo.
"Inderlig - in the league", Galleri
Heer, Oslo.
"Tegning I tid", Galleri 21, Oslo.
1997
"Fotografier", Galleri EKKO, Bergen.
1998
Statens høstutstilling, Oslo
Degree exhibition, VKA, Bergens
Kunstforening and UKS, Oslo.
1999
"Høstutstillingens utvalgte",
Sandefjord Kunstforening.
Vestlandsutstillingen.
2000
"Oslo Open", Henie Onstad
Kunstsenter, Oslo.
Galleri Elenor, Oslo.

Grants and Awards
1999
Statens arbeidsstipend
for yngre kunstner.
2000
Statens etableringsstipend.
Ferdinand Finnes Gledepris.

Collections
Norsk Kulturrad, Oslo.
Henie Onstad Kunstsenter, Oslo.

Bibliography
1998
Samme samtid?, in "UKS-forum",
no. 3/4.
Tapet av det effektive nærvær",
in "UKS-forum", no. 1/2.
1999
Problem sett, in *Vibrasjoner*,
catalogue, Stavanger Kunstforening,
April.

EMMANUELLE ANTILLE / SWITZERLAND

Born in 1972 in Lausanne.
Lives and works in Lausanne.

Education
1991-1996
Ecole Supérieure d'Art Visuel,
Geneva.
1997-1998
Rijksakademie van Beeldende
Kunsten, Amsterdam.

Solo Exhibitions
1992
Galerie Rivolta, Lausanne.
1993
Galerie Espace Flon, Lausanne.
1996
Low Bet, Geneva.
1998
Attitudes, Geneva.
1999
Kunsthaus Glarus, Glarus.
"Change is Good", Museum
Fridericianum, Kassel.
Galerie Akinci, Amsterdam.
2000
Galerie Larivière, Paris.
Laurent Delaye Gallery, London.
2001
Galerie Hauser & Wirth
& Presenhuber.
Galerie Leyla Akinci, Amsterdam.

Group Exhibitions
1993
"Etat des lieux", Galerie Espace
Flon, Lausanne.
Répondeur, Geneva.
1994
"Vidéos", Galerie Espace Flon,
Lausanne.
1995
"Teil I", Projektraum, Zurich.
"Christmas-Show", Galerie
Art&Public, Geneva.
1996
"Cabines de bain", Attitudes,
Fribourg.

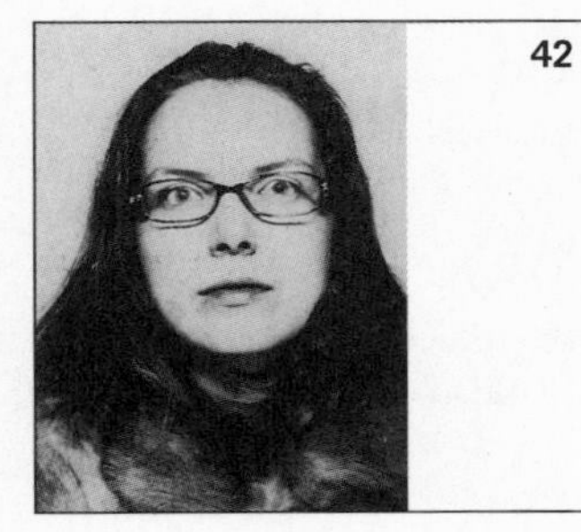

42

"Art 27 '96", Videoforum, Basel.
"Dernières nouvelles des Fonds", Mamco, Geneva.
1997
"Regards sur l'art contemporain I", Palais de Beaulieu, Lausanne.
1998
"Trapdoor", MK Expositieruimte, Rotterdam.
"Seamless", De Appel Foundation, Amsterdam.
Galerie Akinci, Amsterdam.
"Freie Sicht auf's Mittelmeer", Kunsthaus and Schirn Kunsthalle, Zurich, Frankfurt.
"Cairo Youth Salon", Akhenaton Art Centre, Cairo.
"Dogdays are over", Centre Culturel Suisse, Paris.
"Paravents", Galerie Patrick Roy, Lausanne.
1999
W 139, Amsterdam.
"Young", Fotomuseum Winterthur, Winterthur.
"Amnesic Cinémas", Galerie du Bellay, Haute-Normandie.
Kunsthalle Zürich, Zurich.
2000
"Eidgenössische Preise für freie Kunst 2000", Fri-Art, Centre d'Art Contemporain, Fribourg.
"Semaines européennes de l'image. Les trahisons du modèle", Luxembourg-Centre/Centre Culturel Français, Luxembourg.
"Pulsions", Centre Culturelle Suisse, Paris.
"Wouldn't be nice", Montevideo, Amsterdam.
"Over", Galerie Akinci, Amsterdam.
"Prophecies", Swiss Institute, New York.
"anticorps", Galerie Zürcher, Paris.
"Only connect", FRAC, Nord-Pas de Calais.
2001
Fri-Art, Centre d'Art Contemporain, Fribourg.
Migros Museum für Gegenwartskunst, Zurich.

Video Festivals
1994
ESAV, "Vidéo Art Plastique", Hérouville Saint-Clair.
1995
"Bandits-mages", Bourges.
Low Bet, "Festival vidéo", Geneva.
ESAV/Saint-Gervais, "Programme 6", Geneva.
1996
"Viper", Lucerne.
1997
Immagine Leggera, Palermo.
"S.I.V.", Saint-Gervais, Geneva.
1998
"Scope 3", Artists'Space, New York.
1999
"8e Biennale de l'Image en Mouvement", Saint-Gervais, Geneva.

Grants and Awards
1996
Fonds Cantonal de Décoration et d'Art Visuel de Genève, Geneva.
1999
Eidgenössischer Preis für Bildende Kunst.
2000
Eidgenössischer Preis für Bildende Kunst.
2001
Atelierstipendium Berlin, Berlin.

SIEGRUN APPELT / AUSTRIA

Born in 1965 in Bludenz.
Lives in Vienna.

Solo Exhibitions (Selected)
1992
Künstlerhaus Palais Thurn und Taxis, Bregenz.
1996
Raum für aktuelle Kunst - Prosart, Lucerne.
1998
"Napoli-Roma", Knoll Galéria, Budapest.
2000
"Siegrun Appelt", Galerie CharimKlocker, Vienna.

Group Exhibitions (Selected)
1996
20er Haus, Vienna.
"Cartografia", Galleria Museum, Bolzano.
1997
"It always jumps back / and finds its way", De Appel Foundation, Amsterdam.
"Unbeschreiblich Weiblich", Kunstmuseum, Saint Gall.
"Alpenblick", Kunsthalle Wien, Vienna.
1998
"Umgebung und Aussicht", Galerie Cora Hölzl, Düsseldorf.
"Reservate der Sehnsucht", ARTware projects, Dortmunder U.
"Stretch", Galerie Index at Tensta Konsthall, Stockholm.
1999
"Siegrun Appelt, John Bock, Metthew Antezzo", Galerie CharimKlocker, Vienna.
"Textures of memory", Kunstraum Neue Kunst, Hannover.
"Endzeit", Galerie Six Friedrich und Lisa Ungar, Munich.
2000
"Raumvorstellungen", Künstlerwerkstatt Lothringerstrasse 13, Munich.
"Gebaute Horizonte. Zeitgenössische Landschaften", Neue Galerie, Dachau.
"Videosommer", 14.1 Galerie, Stuttgart.
"98/99/2000", Kunsthalle, Krems.

44

Bibliography

1996

S. Folie, in *Cartografia*, Bolzano.

R. Fuchs, *Genaue Unschärfen*, in *EIKON .717*, Wien.

R. Fuchs, *Siegrun Appelt*, in *Coming up*, Museum Moderner Kunst, Wien.

1997

K. Bitterli, *Napoli-Roma*, in *Napoli-Roma*, Wien.

C. Hellweg, *My Own Private Eye*, in *It always jumps back / and finds ist way*, De Appel Foundation, Amsterdam.

W. Kos, *Toleranz gegenüber Unschärfen*, in *Alpenblick*, Kunsthalle, Wien.

2000

G. Bott, *Landschaft: Screen oder Garten*, in *Gebaute Horizonte. Zeitgenössische Landschaften*, Düsseldorf.

STEFANO ARIENTI / ITALY

Born in 1961 in Asola (Mantua).
Lives and works in Milan.

Solo Exhibitions

Studio Corrado Levi, Milan.
Galleria Guido Carbone, Turin.
Studio Guenzani, Milan.

1990

Galleria Alice, Rome.
Galleria Planita, Rome.
Galerie Daniel Buchholz, Cologne.
Studio Guenzani, Milan.
Galleria Massimo De Carlo, Milan.

1992

Galleria Il Capricorno, Venice.
Jay Gorney Gallery, New York.
Galerie One Five, Antwerp.
Galleria Massimo Minini, Brescia.

1993

Galerie Analix, Geneva.
Studio Guenzani, Milan.
Galleria In Arco, Turin.
Studio Guenzani, Milan.
Galleria Massimo Minini, Brescia.

1996

Studio Guenzani, Milan.
"Stanza delle illusioni informanti", Spazio Herno, Turin.
Galleria Il Capricorno, Venice.

1997

Galleria S.A.L.E.S., Rome.
"I murazzi dalla cima", Murazzi del Po, Turin.
Rowley Gallery, Royal Albert Memorial Museum and Art Gallery, Exeter.
Villa Celle, Santomato di Pistoia, Pistoia.

1998

Studio Guenzani, Milan.
Galleria In Arco, Turin.
"Corte di Dei", Murazzi del Po, Turin.

1999

Greengrassi, London.
Galerie Analix Forever, Geneva.
Italian Cultural Institute, Los Angeles.

2000

Galleria S.A.L.E.S., Rome.

2001

Nature Morte Gallery, New Delhi.
"Mostra per i bambini", Castello di Rivoli, Rivoli.

Group Exhibitions

1986

"Il cangiante", Padiglione d'Arte Contemporanea, Milan.

1988

"East meets west", ART LA88, Los Angeles.

1989

"Les Graces de la Nature, 6 Ateliers Internationaux des Pays de la Loire", FRAC Pays de la Loyre, Clisson.
'New Italian Art", Riverside Studios, London.

1990

"Aperto", XLIV Biennale di Venezia, Venice.

1991

"Una scena emergente", Museo Pecci, Prato.

46

1992

"Italiensk Samtidkunst", Skive Kunstmuseum, Skive.

1993

"La coesistenza dell'arte", XLV Biennale di Venezia, Venice.
"Future Perfect", Sacred Heart Convent (Holigercreutzehof), Vienna.

1994

"Cocido y Crudo", Museo Nacional Reina Sofía, Madrid.
"Prima Linea", Trevi Flash Art Museum, Trevi.

1996

"Ultime Generazioni", XII Quadriennale d'Arte di Roma, Palazzo delle Esposizioni, Rome.

1997

"Pittura italiana da collezioni italiane", Castello di Rivoli, Rivoli.
"Fatto in Italia", Centre d'Art Contemporain, Geneva, ICA, London.
"Città/Natura", Palazzo delle Esposizioni, Rome.

2000

"Migrazioni", Centro per le Arti Contemporanee, Rome.

Bibliography (Selected)

1986

C. Levi, *Il Cangiante*, exhibition catalogue, Padiglione d'Arte Contemporanea, Milano.

1990

R. Barilli, *Aperto, XLIV Biennale di Venezia*, exhibition catalogue, Milano.

1991

A. Barzel, E. Grazioli, *Una scena emergente. Artisti italiani contemporanei*, exhibition catalogue, Museo Pecci, Prato.

1993

L. Somaini, *La coesistenza dell'arte, XLV Biennale di Venezia*, exhibition catalogue, Milano.

1997

G. Verzotti, *Pittura italiana da collezioni italiane*, exhibition catalogue, Castello di Rivoli, Rivoli.

1997

C. Christov Bakargiev, L. Pratesi, M.G. Tolomeo,

Città/Natura, exhibition catalogue, Palazzo delle Esposizioni, Roma.
P. Colombo, F. Bonami, C. Christov-Bakargiev, *Fatto in Italia*, exhibition catalogue, Centre d'Art Contemporain, Geneva, ICA, London.
A. Vettese, D. Cameron, *Arienti*, Fondazione Sandretto Re Rebaudengo, Skira, Milano.

ART PROTECTS YOU / AUSTRIA

Jochen Traar born in 1960 in Essen. Lives and works in Vienna.

Education
1979-1984
Academy of Fine Arts, Vienna (Sculpture with Prof. Bruno Gironcoli).
Exhibitions and Projects
1986
Wiener Secession, Vienna.

48

1987
Kärntner Landesgalerie, Klagenfurt.
Galerie Skuc, Ljubljana.
1988
"Querfeld 1", Volksgarten, Vienna.
"Faciebat", Salzburger Kunstverein, Salzburg.
1989
"Das Manöver", Galerie REM, Vienna
"Die Utopie vom Frischen Mut", Künstlerhaus Klagenfurt.
1990
"Österreichische Kunst", Deichtorhallen, Hamburg.
1993
"28 Years", UMAS, Durham, Ontario.
1994
"Strategisches Objekt XXIV", Vienna.
"Art Protects You", Galerie Freund, Klagenfurt.
Galerie der Stadt Villach.
1995
"Art Protects You", MAK, Vienna.
1996
"Art Protects You", SCI-Arc, L.A.-Freeways, Los Angeles.
"Art Protects You", Steirischer Herbst, Graz.
1997
"Art Protects You", MAK and Wiener Ringstraße, Vienna.
"Art Protects You", Lemon Sky, Los Angeles.
L.A. Projects, MAK, Vienna.
1998
"Art Protects You", Muse X, Los Angeles.
"Art Protects You", Lifestyle, Kunsthaus Bregenz, Bregenz.
"Art Protects You", Universität Klagenfurt.
1999
"Art Protects You", Canal Grande, Venice.
2000
"Art Protects You", ICH-gegenüber, Strasbourg.
"Art Protects You", Johanniterkirche, Feldkirch.

HALLDÓR ÁSGEIRSSON / ICELAND

Born in 1956 in Reykjavík. Lives and works in Reykjavík.

Education
1972-1976
College vid Tjörnin, Reykjavík.
1977-1980
Université de Paris VIII (Dept. Arts Plastiques).
1983-1986
Université de Paris VIII (Dept. Arts Plastiques).

Solo Exhibitions (Selected)
1987
Brandts Klædefabrik, Kunsthallen, Odense.
Galleri Birgir Andrésson, Reykjavík.
The Living Art Museum, Reykjavík.
1989
Reykjavík Art Museum, Reykjavík.
Slunkariki, Ísafjördur.
1991
Galleri 11, Reykjavík.
1992
Slúnkaríki, Ísafjördur.
1993
The Labour Art Museum, Reykjavík.
1994
Galleri Birgir Andrésson, Reykjavík.
1996
Galerie L'Art du Temps, DRAC Auvergne, Clermont Ferrand.
1997
Galleri i8, Reykjavík.
1998
Reykjavík Art Museum (collaboration with composer Snorri Sigfus Birgisson), Reykjavík.
1999
Buchsenhausen Ausstellungsraum (with Paul Armand Gette), Innsbruck.
2000
Ljosaklif, Hafnarjördur.

50

Group Exhibitions (Selected)
1986
Maire de Trouville-sur-Mer, Trouville.
Galerie Lövenadler, Stockholm.
1988
Galleria Pelin, Helsinki.
1989
The Sculpture Association of Reykjavík, Reykjavík.
1992
Helsinki Modern Art Museum, Helsinki.
"Nordisk skulptur i parken", Gothenburg.
1993
Zamek Ujazdowski Castle, Warsaw.
Galeria Wyspa, Gdansk.
The Sculpture Association of Reykjavík, Hveragerdi.

1994
Reykjavík Art Museum,
Reykjavík.
1995
"Fountains", The Nordic House,
Reykjavík.
1996
"Icelandic Contemporary Art",
Ernst Múzeum, Budapest.
Ormeau Baths Gallery, Belfast.
"Nature in Icelandic Art", Reykjavík
Art Museum, Reykjavík.
1997
Cult G, Vienna.
"Kristnitaka", Skálholt.
1998
"Den Gyldne", Charlottenborg,
Copenhagen.
1999
"Syning fyrir allt", In Memorian
of Dieter Roth, Seydisfjördur.
2000
"The Seven Virtues", Thingvellir.
"Inuit Art", Sisimiut.

Installation and Performances (Selected)
1986
Maire de Trouville-sur-Mer, Trouville,
30 min.
1987
Brandts Klædefabrik, Kunsthallen,
Odense, 30 min.
1992
MIR, Reykjavík, 20 min.
1993
Zamek Ujazdowski Castle, Warsaw,
30 min.
Gallery Wyspa, Gdansk,
60 min.
The Living Art Museum, Reykjavík,
40 min.
1996
"Nordic Music Days", Hafnarhusid,
Reykjavík,
2 × 40 min.
1997
"On Iceland", The Living Art
Museum, Reykjavík, 25 min.
The University of Gothenborg,
Gothenborg.
1999
Buchsenhausen Ausstellungsraum,
Innsbruck, 45 min.
"Women and Democracy",
The City Theatre, Reykjavík.

2000
"The House of the 9 Cities",
The European Parliament, Brussels.
The Acute Angle Gallery, London.

ATELIER VAN LIESHOUT / HOLLAND

Joep van Lieshout born in 1963
in Ravenstein. Since 1987
lives and works in Rotterdam.
In 1995 he founded Atelier
van Lieshout (AVL). One of the many
applications that has become
AVL's trade mark are the fiberglass
constructions
in bright, conspicuous colors
such as red, yellow and orange.
At the moment AVL is building
an actual town: AVL-Ville.
It is a free state that has
all the facilities that are necessary
for man to live and work in.
For example a power plant, working
and living units, agricultural facilities,
and artworks such as a sawing

52

machine for lumbering trees,
a still to produce alcohol, a canteen,
and an emergency hospital.

Education
1980-1985
Academy of Modern Art, Rotterdam.
1985-1987
Ateliers '63, Haarlem.
1987
Villa Arson, Nice.

Solo Exhibitions (Selected)
1997
Museum Boijmans-
van Beuningen, Rotterdam.
1999
Museum für Gegenwartskunst,
Zurich.

Group Exhibitions (Selected)
1997
"Sculpture Projects 97", Münster.
2000
"Wonderland", St. Louis.

Awards
1992
Prix de Rome Award, Rome.
2000
Wilhelmina-ring, Sculpture Award.

Commissions (Selected)
1995
Mobile Home for the Kröller Müller
Museum, Otterlo
1998
Walker Art Center, the Good, the
Bad + the Ugly, Minneapolis.

BRIGITTE AUBIGNAC / FRANCE

Born in 1957 in Boulogne
Billancourt.

Education
1985
Diploma from the Ecole
des Beaux-Arts, Rouen.

Professional Experience
Professor of Drawing and Painting,
Musée des Arts Décoratifs, Paris.

Exhibitions
From 1990
Has become known for her small
oil paintings on the subject
of *Marie-Madeleine*, chosing
to present them in book form
including text and paintings.

At present there are three books
in existence, three titles consisting
of three panels of this work:
L'Abri Tranquille, 1996; *Après*

54

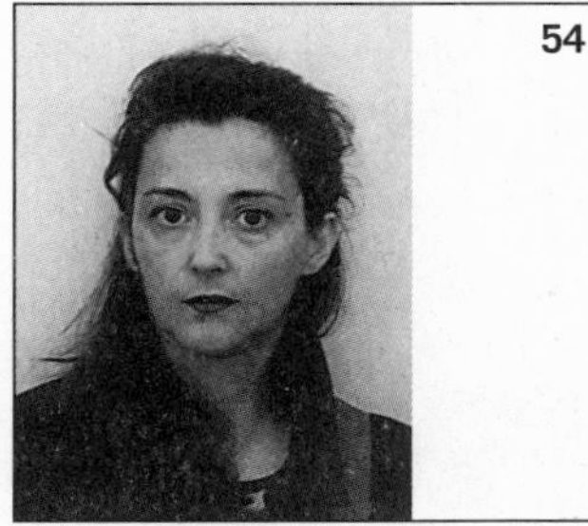

les Larmes, 1999; *Au Sanctuaire*, 2001.
The paintings for the first panel are exhibited in Milan.

MAJA BAJEVIĆ / BOSNIA-HERZEGOVINA

Born in 1967 in Sarajevo.

Education and Work-Study Experience
1996
Diploma of the ENSBA - multimedia section, atelier Bouraglio, Paris (with unanimous congratulations of the jury).
1997
Post-diploma studies, Ecole Nationale Superieure des Beaux-Arts, Paris.
2000-2001
Invited professor at the post-diploma studies, Ecole Nationale des Beaux-Arts de Lyon, Lyons.

Solo Exhibitions (Selected)
1998
"The Speaker", Sarajevska Zima, Sarajevo.
1999
"Black on white", Obala Art Centre, Sarajevo.
2000
"Woman at work II", Château Voltaire.

Group Exhibitions (Selected)
1999
"Visitors", ŠKUC, Ljubljana.
"Under construction", SCCA, Sarajevo.
"Minimum", Collegium Artisticum, Sarajevo.
2000
"Manifesta 3", Ljubljana.
"Kinema sarajevo", Galerija sodobne umetnosti Celje, Celje.
"Extended transformation", Natura naturans 5, Trieste.
"What am I doing here?", ŠKUC, Ljubljana.
"20 years of installation and sculpture in Bosnia and Herzegovina", National Gallery of Bosnia and Herzegovina, Sarajevo.
2001
Biennal de Valencia, Valencia.
International Istanbul Biennial, Istanbul.

Bibliography (Selected)
2000
TV Arte, "Metropolis", 19 June.
K. Siegel, in "Artforum", May.
M. Descombes, in "L'Hebdo", 29 June.
A. Dreyfus, in "Liberation", 11 September.
"Art press", no. 259.
2001
K. Deepwell, in "n. paradoxa", January.
D. Blazevic, in "Manifesta 3".
D. Blazevic, B. Pejic, Y. Enzler, *Woman at work and other stories*, exhibition catalogue.

56

MIROSLAW BALKA / POLAND

Born in 1958 in Warsaw.
Lives and works in Warsaw.

Education
1980-1985
Academy of Fine Arts, Warsaw.

Solo Exhibition (Selected)
1990
"Good God", Galeria Dziekanka, Warsaw.
"xxx", Galerie Nordenhake, Stockholm.
1991
"xxx", De Appel Foundation, Amsterdam.
"XI / My body cannot do everything I ask for", Burnett Miller Gallery, Los Angeles.
1992
"Bitte", Museum Haus Lange, Krefeld.
"36,6", The Renaissance Society, Chicago.
1993
"37,1 (cont.)", "Aperto '93", XLV Biennale di Venezia, Venice.
1994
"Laadplatform+7werken", Van Abbemuseum, Eindhoven.
"37,1", The Foundation, Los Angeles.
1995
"J'ai en ma possesion, un certificat de vaccination contre le cholera, la fievre jaune, le typhus, la variole", Le Creux de L'Enfer, Thiers.
"Dawn", Tate Gallery, London.
1996
"Pause", Galeria Foksal, Warsaw.
1997
"Revision 1986-1997", IVAM, Centre del Carme, Valencia.
"A, e, i, o, u", Kunsthalle Bielefeld, Bielefeld.
1998
"Hygiene", Galeria Labirynt 2, Lublin.
1999
"Be good", Barbara Gladstone Gallery, New York.
2000
"Quit", White Cube, London.
"Between meals", The National Museum of Art, Osaka.

58

Group Exhibitions (Selected)
1990
"Aperto", XLIV Biennale di Venezia, Venice.
1991
"Metropolis", Martin Gropius Bau, Berlin.
1992
Documenta IX, Kassel.
"The Boundary Rider", Ninth Biennial of Sydney, Sydney.

1993
"Sonsbeek 93", Arnheim.
"Douce Ouvres Dans l'Espace", Domaine de Kerguehennec.
1994
"Till Brancusi", Konsthall, Malmö.
"Tuning up-2", Kunstmuseum, Wolfsburg.
1995
"Rites of Passage", Tate Gallery, London.
"Ripple Across the Water", Watari Museum, Tokyo.
1996
"Distemper", Hirshhorn Museum, Washington D.
1997
"Niemensland", Museum Haus Lange, Krefeld.
1998
"Privacy" (with Luc Tuymans), Fundacão de Serralves, Porto.
XXIV Biennal Internacional de São Paolo, São Paolo.
1999
"Trace", First Biennial of Liverpool, Tate Gallery, Liverpool.
"Aspects-Positions", Museum Moderner Kunst Stiftung Ludwig Wien, Vienna.
2000
"L'autre moitié de l'Europe", Galerie Nationale du Jeu de Paume, Paris.
"Negotiators of Art", Centre of Contemporary Art-Laznia, Gdansk.
"Between Cinema and the Hard Place", Tate Modern, London.
"Absolut Ego", Musée des Arts Decoratifs, Palais du Louvre, Paris.

Bibliography (Selected)

1990
A. Renton, *Sculpture from Europe at the ICA and the Serpentine Gallery*, "Flash Art", no. 155.
1991
A. Przywara, *Miroslaw Balka*, interview, "Flash Art", No.160.
1992
J. Hoet, D. Zacharopulos, B. de Baere, P.L. Tazzi, in *Documenta IX*, Kassel.
C. Karavagna, *Miroslaw Balka*", "Kunstforum", vol. 118, p. 374.
1993
S. Morgan, *Into the trees*, "Frieze", no. 12, September-October, pp. 22-25.
L. Zeiger, *Miroslaw Balka at Museum Haus Lange*, "Art in America", no. 1.
1994
S. Kein Essik, *Mankind, the measure of all athings*, in *Die Rampe*, Van Abbemuseum, Eindhoven.
S. Morgan, *Last rites*, "Frieze", no. 14, January-February, pp. 22-25.
1995
J. Hoet, *Is there still a place for art?*, in *Ripple Across the Water*, Watari Museum, Tokyo, pp. 39-45.
A. Searle, *Until the End of the World*, "Frieze", September-October, pp. 41-43.
S. Watney, *Rites of Passage*, "Artforum", September, pp. 87.
Miroslaw Balka, in *Rites of Passage*, Tate Gallery, London.
1996
B. Adams, *Domestic Globalism at the Carnegie*, "Art in America", no. 2, pp. 32-37.
N. Benezra, *Miroslaw Balka: A Privacy which can be public* (Olga Viso, *Dissonant Themes in the Art of the 1990s*, in *Distemper*, Hirshhorn Museum, Washington D.C.).
1997
M. Bartelik, *Miroslaw Balka*, "Artforum", no. 36, November, p. 125.
Sacrifice of Love, in *Revision (1986-1997)*, IVAM, Valencia.
1998
D. Elliot, P.L. Tazzi, in *Wounds*, Moderna Museet, Stockholm.
Tate Report 1996-98, Tate Gallery, London.
1999
Art at the turn of the Millennium, B. Riemschneider, U. Grosenick, Taschen 1999.
S. Heaney, *The Bastion*, Three Stanzas, ICA, Philadelphia.
Miroslae Balka, Dreams, edited by F. Bonami and H.U. Obrist, Fondazione Sandretto Re Rebaudengo per l'Arte, Torino.
2000
A. Pagowski, *Pod wlos*, "Playboy", no. 3.
P. Piotrowski, B. Czubak, *Negotiators of Art Facing Reality*, Centre of Contemporary Art, Laznia.

JOËL BARTOLOMÉO / FRANCE

Born in 1957 in Bonneville.

Solo Exhibitions
1995
FRAC Limousin, curated by Frédéric Paul, Collection du FRAC 2.
1996
"D'ici là", curated by Eric Deneuville, Espace croisé, Euralille.
1997
"Maintenant ou jamais", Galerie Alain Gutharc, Paris.

60

1998
"#SOLOS#", curated by R. Jeune, Kunstmuseum, Bonn.
1999
"Désir: ...regretter l'absence de", Galerie Alain Gutharc, Paris.
2000
Fondation Yves Lambert, Nîmes.

Group Exhibitions (Selected)
1993
"Love Again", Kunstraum, Elbschloff, Hamburg.
"Ici Paris (Europe)", curated by Christine van Assche, Centre Georges Pompidou, Paris (travelling exhibition).
"Arrêt sur Image 3", La Zommée, Montreuil.
"A Bao A Qoui", EPE, Paris.
1994
"Points de vue (image d'Europe)", curated by Christine van Assche,

Centre Georges Pompidou, Paris (travelling exhibition).
"Ateliers 94", ARC Musée de la Ville de Paris, Paris.
Stadelijk Museum Bureau, Amsterdam.
"Autres directions", Espace Jules Vernes, Brétigny-sur-Orge.
"Champs magnétiques", Bordeaux.
1995
"Bonne Année", Galerie Alain Gutharc, Paris.
"6ème Semaine Internationale de Vidéo", selection, Saint-Gervais, Geneva.
"Mes vidéos", Centre Culturel d'Alexandrie, Alexandria.
"Mes vidéos", la Zommées, Elac Lyon, Lyons, Alençon.
"Sit down And Watch It", Artists Space, New York.
"Esthétique de l'ordinaire, mois de la Photo", Reims.
Bar le Couvent, Paris.
1996
Centre d'Art de Saint-Fors, Saint-Fors (video program).
"OFF PRIVATE videoprogramme", Florian Wurst, Braunschweig.
"Autoreverse 2", curated by S. Moisdonle, Magasin - Centre National d'Art Contemporain, Grenoble.
"Monstruosities 1/2", project by R. Jeune, Kleiner Festaal, Berlin.
"69/96 dédoublement et autoportraits par procuration", Gallerie Art et Essais, Rennes.
"Mes vidéos", CAPC, Bordeaux.
"MJC Saint-Gervais", Saint-Gervais, Geneva.
"Le film de famille", Maison de la Culture de Metz, Metz, Maison d'Arrêt.
1997
"7ème Semaine Internationale de Video", selection competition, Saint-Gervais, Geneva.
"Transit: 60 artistes nés après 60 - Œuvres du FNAC", curated by Christine Marcel, Ecole des Beaux-Arts, Paris, Vidéo Caisse des Dépôts et Consignations.
"Vidéoforme, Clermont-Ferrant", organized by Eric Souchère, Turbulence vidéo #19 mars 98, Clermont-Ferrant.
"Club du Capitaine PIP", curated by Xavier Franceschi, Centre d'Art de Brétigny-sur-Orge, Brétigny-sur-Orge.
"Beyond the Banal: French Art in the 90's", curated by Lynn Gumpert, Grey Art Gallery, New York.
Pittsburgh Center for the Arts, Pittsburgh (travelling exhibition in the Usa).
Nexus Contemporary Arts Center, Atlanta.
1998
"Prémisses, Invested Spaces in visual Arts, Architecture & Design from France: 1958-1998", Guggenheim Museum SoHo, New York, Centre Georges Pompidou, Paris.
"Every day", curated by Jonathan Watkins, Eleventh Biennial of Sydney, Sydney.
"C'est la vie Imago 98", curated by Hilde Teerlinck, Photography Centre of the University of Salamanca, Salamanca.
"C'est la vie (that's life)", Biennale de Montréal 98, curated by Hilde Teerlinck, Montreal.
"Vidéostore BRICKS+KICKS", curated by S. Moisdon-Trembley and Nicolas Trembley, Vienna.
"Le printemps de Cahors", curated by Gérôme Sans.
"L'étonnante gravité des choses simples", works from the collection of FRAC Limousin, Meymac.
"C'est la vie", curated by Hilde Teerlinck, Centre d'Art Contemporain de Bruxelles, Brussels.
"Legende", Centre Régional d'Art Contemporain de Sète, Sète.
1999
"Zauberhaft", curated by Elly Brose-Eierman, Dresden.
"Côte ouest, a season of french contempory art", selection of young french artists, curated by Christine van Assche, Santa Monica Museum of Art, Santa Monica.
"FIAC 99", Galerie Alain Gutharc, Paris, Parc des Expositions.
"Soft Resistance", curated by Nathalie Boutin and Marie-Blavhe Carlier, Galerie Gebauer, Berlin, project c/o Berlin.
"Level Zero Cinema", curated by Hilde Teerlinck, w139, Amsterdam.
"Events", Côté rue-galerie Yvon Lamber, Paris.
"Ideal, eine videothek von Karin Frei und Florian Wurst", Lucerne.
1999-2000
"Exit, art and cinema at the end of the century", curated by Jérôme Sans, Chisenhale Gallery, London.

ROLF BIER / GERMANY

Born in 1960 in Würzburg. Lives and works in Hannover and Berlin.
In 1984 he was among the founders of the "Artists in residence" (1984-1989), who create experimental projects in the urban environment.
In 1987-1988 developed his work in sculpture using more or less ephemeral materials or combinations of different medias.

Education
1980-1986
Hochschule der Bildenden Künste, Braunschweig.
Technische Universität, Braunschweig (Germanistik).
1987-1988
Chelsea School of Art, London (MA).
1994
Cité Internationale des Arts, Paris.

Awards
1996
Otto-Dix-Preis, Gera.
1997-1998
Premio Villa Massimo, Rome
Kunstpreis des Landes Niedersachsen.

62

2001
Stipendium Kunstfonds Bonn, Bonn.

Exhibitions
1991
"Allgemeine Genetik", Galerie Barz, Hannover.
1993
"Art Cologne - Sieben Skulpturen", stand of the Galerie Barz, Cologne.
"Freie Stücke des Besitzes und hire notwendige Erstreckung Skulpturen", Städtische Ausstellungshalle Münster, Münster.
1994
"Die zweite Wirklichkeit", Wilhelmpalais, Stuttgart.
1996
"Fishing for shapes?", project by R. Bier and R. Splitt, Künstlerhaus Bethanien, Berlin. Kunstverein, Braunschweig.
1997
"Was ist", Deutscher Künstlerbund, Rostock-Wismar.
1998
"Nonstop carriers", Galerie Knoll, Vienna.
"Claims and boulevards", Villa Massimo, Rome.
1999
"Relational Panorama", Kunstverein, Hannover.
"Kristallzimmer", Galerie Klaus Fischer und Runge, Berlin.
2000
"Wenn Maler und Bildhauer fotografieren", Museum Bochum, Bochum.
"Skulpturen", Kunstverein, Friedrichshaffen.

Bibliography
1992
M. Schneckenburger, *Korridor - eine Installation*, Hannover.
1994
U. Krempel, *Appartement, Malerei*, Kunstverein, Wunstorf.
1998
Claims and boulevards, exhibition catalogue, edited by J. Schilling, Villa Massimo, Roma.
U. Krempel, *Skulpturen*, Freunde aktueller Kunst, Wolfsburg.
1999
C. Brecht, R. Fuchs, E. Schneider, *Relational Panorama*, exhibition catalogue, Kunstverein, Hannover.

Films
Kunststreifzüge 1997, Rolf Bier - Begrenzt haltbar, produced by NDR III, 15 min., directed by Klaus Goldinger (first projection: September 1997)

RICHARD BILLINGHAM / GREAT BRITAIN
Born in 1970.

Education
1991-1994
Fine Art, University of Sunderland (BA, Hons) .

Professional Experience
2001
Artist in Residency, Irish Museum of Modern Art.

64

Solo Exhibitions (Selected)
1996
Anthony Reynolds Gallery, London.
1997
Luhring Augustine, New York.
Regen Projects, Los Angeles.
Galerie Jennifer Flay, Paris.
Galleria Massimo De Carlo, Milan.
1998
Anthony Reynolds Gallery, London.
British School at Rome, Rome.
2000
Museo d'Arte Contemporanea, Nuoro.
Ikon Gallery, Birmingham, Douglas Hyde Gallery, Dublin, Brno House of Arts, Brno, Hasselbad Centre, Gothenburg, Nikolaj Contemporary Art Centre, Copenhagen (travelling exhibition).

Group Exhibitions (Selected)
1996
"Herkunft?", Fotomuseum Winterthur, Winterthur.
"Life/Live", ARC Musée d'Art Moderne de la Ville de Paris, Paris, Centro Cultural de Belém, Lisbon.
"New Photography 12", Museum of Modern Art, New York.
"Full House", Kunstmuseum Wolfsburg, Wolfsburg.
1997
":Engel :Engel", Kunsthalle Wien, Vienna, Galeria Rudolfinum, Prague.
"Home Sweet Home", Deichtorhallen, Hamburg.
"Pictura Britannica", The Museum of Contemporary Art, Sydney.
"Sensation", The Royal Academy, London.
1998
"Wounds", Moderna Museet, Stockholm.
"Close Echoes, Public Body and Artificial Space", City Gallery, Prague, Kunsthalle Krems, Krems.
"Life is a Bitch", De Appel Foundation, Amsterdam.
"Sensation", Hamburger Bahnhof, Berlin.
"Remix", Musée des Beaux-Arts, Nantes.
1999
"La casa, il corpo, il cuore", Museum Moderner Kunst Stiftung Ludwig Wien, Vienna.
"Common People", Fondazione Sandretto Re Rebaudengo, Guarene d'Alba.
"Close-Ups, Contemporary Art and Carl Th. Dreyer", Nikolaj Contemporary Art Centre, Copenhagen.
2000
"Quotidiana", Castello di Rivoli, Rivoli.
"Bleibe", Akademie der Kunste, Berlin.

"Scene de la vie conjugale",
Villa Arson, Nice.
2001
"I Am a Camera", Saatchi Gallery, London.
XLIX Biennale di Venezia, Venice.

Awards
1997
The Citibank Private Bank Photography Prize.

OLAF BREUNING / SWITZERLAND

Born in 1970 in Schaffhausen.
Since 1995 lives and works in Paris.

66

Education
1988-1993
Professional training (photograph).
1992-1996
Advanced photography courses, Höhere Schule für Gestaltung.

Solo Exhibitions
1997
"Waldfest", BINZ 39, Zurich.
1998
"Woodworld", Kunsthaus Glarus, Glarus.
"Schlund / Chris C.", Kunsthalle St. Gallen, Saint Gall.
1999
"Woodworld", Centre d'Art Contemporain, Geneva.
"They live!", Ars Futura Galerie, Zurich.
2000
"Ugly yelp", Ars Futura Galerie, Zurich.
Swiss Institute, New York.
Galerie Air de Paris, Paris.
Museum zu Allerheiligen, Schaffhausen, Manor-Kunstpreis.

Group Exhibitions
1993-1996
"Die Klasse", Museum für Gestaltung Zürich, Zurich.
1997
"Gross und Klein", Museum für Gestaltung Zürich, Zurich.
1998
"Freie Sicht aufs Mittelmeer", Kunsthaus Zürich, Zurich.
"Freie Sicht aufs Mittelmeer", Kunsthalle Schirn, Frankfurt.
1999
"XN", Musée Espace des Arts, Chalon-sur-Saone.
"Städt. Wettbewerb für freie Kunst", Helmhaus Zürich, Zurich.
"Young", Fotomuseum Winterthur, Winterthur.
2000
"Wall 6", Galerie Air de Paris, Paris.
"Presumed Innocent", Capc Musée, Bordeaux.
"Au-delà du spectacle", Centre Georges Pompidou, Paris.
"Hypermental", Kunsthaus Zürich, Zurich.
2001
Swiss Institute, New York.
"Armory Show", Arndt & Partner Gallery, New York.

Grants and Awards
1997
Atelierstipendium binz 39, Zurich.
1998
Bundesstipendium freie Kunst.
UBS-Werkjahrstipendium.
Atelierstipendium Rom, Istituto Svizzero, Rome.
1999
Bundesstipendum freie Kunst.
Kiefer-Hablitzel Stipendium.
Moet-Chandon Stipendium.
Atelierstipendium New York, Stadt Zürich, Zurich.
2000
Manor-Kunstpreis, Schaffhausen.
Bundesstipendium freie Kunst.
Kiefer-Hablitzel Stipendium.

Bibliography
1997
Gross und Klein, exhibition catalogue, Museum für Gestaltung Zürich, Zürich.
1998
Freie Sicht aufs Mittelmeer, exhibition catalogue, Kunsthaus Zürich, Zürich.
Schlund/Chris C., Kunsthalle St. Gallen, St. Gallen.
Woodworld, Glarus, Kunsthaus Glarus, Glarus.
1999
Au-delà du spectacle, Centre Georges Pompidou, Paris.
Hypermental, Kunsthaus Zürich, Zürich.
Presumed Innocent, exhibition catalogue, Capc Musée, Bordeaux.
XN, exhibition catalogue, Musée Espace des Arts, Chalon-sur-Saone.
Young, exhibition catalogue, Fotomuseum Winterthur, Winterthur.

ALEXANDER BRODSKY / RUSSIA

Born in 1955 in Moscow.

Education
1978
Graduated from The Moscow Architecture Institute, Moscow.

Professional Experiences
1985
Member of Union of Architects of Russia.
1986
Member of Union of Artists of Russia.
1995
Professor of the Moscow Branch of the International Academy of Architecture, Moscow.

Solo Exhibitions
1989
University Art Gallery (with Ilya Utkin), San Diego State University, San Diego.

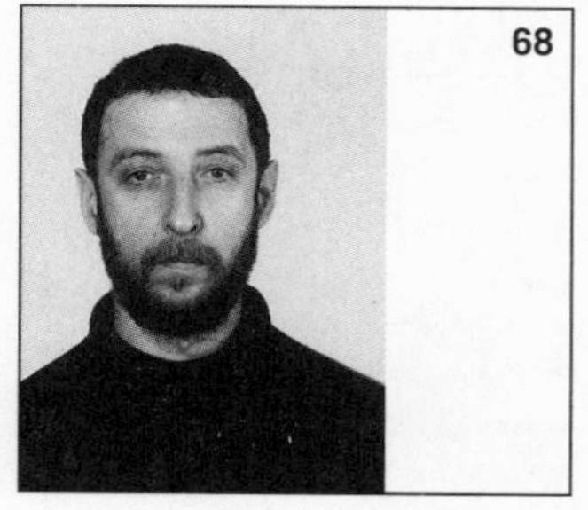
68

1995
"Canalis Utopicus", Regina Galerja, Moscow.
1996
"Visible Parts", Ronald Feldman Fine Arts, Inc., New York.
1996-1997
David Winton Bell Gallery (with Ilya Utkin), Providence.
1997
"Futurephobia", Marat Guelman Galerja, Moscow.
1997-1998
"Tochkiskhoda" ("Vanish Points"), State Museum of Architecture, Moscow.
1999
"Gray matter", Ronald Feldman Fine Arts Inc., New York.

Group Exhibitions (Selected)
1996
"The Moscow Studio: A Five-year printmaking retrospective 1991-1996", The Corcoran Gallery of Art, Washington DC.
1997
The Third International Art Fair, Moscow.

Bibliography (Selected)
1988
M.R. Benson, *Interview*, "Paper Classics", 18, no. 12, December, pp. 168-171.
1992
Palazzo and other projects, with essays by G. Burke, A. Rappaport, P. Walker, New Zealand: Wellington City Art Gallery, Wellington.
1993
N. De Oliveira, N. Oxley, M. Petry, *On Installation*, "Art & Design Magazine - Installation Art. 6-1".
1994
Alexander Brodsky & Ilya Utkin, The Poftal, The Netherlands European Ceramics Work Centre.
1996
The Moscow Studio: A Five-year printmaking retrospective 1991-1996, exhibition catalogue, The Corcoran Gallery of Art, Washington DC.
1997
The Third International Art Fair, exhibition catalogue, Moscow.
I 996 in Review: Public Art, "Art in America", vol. 85, no. 8, August, p. 12.

VERONIKA BROMOVÁ / CZECH REPUBLIC

Born in 1966 in Prague.
Lives and works in Prague.

70

Education
1982-1986
High School of Fine Arts, Prague.
1987-1993
University of Applied Arts, Prague (MA).

Solo Exhibitions
1991
"Secret photo album", Euroclub, Prague.
1993
"Around" (installation with M. Othová), Galeria Radost, Prague.
1996
"Out of photo 1, Mala stanica", Soros Centre, Skopje.
"Róza Extasy", Galeria Velryba, Prague.
"Lovers" (with K. Vincourová and M. Othová), Galeria JNJ, Prague.
"Month of photography", Michalský dvor Galeria, Bratislava.
1997
"Veronika Bromová-Photographs", Galeria G4, Cheb.
"Beauty and the Beast", Czech Centre, Paris, Chapel Gallery, Bruntál.
"On the edge of the horizon", The City of Prague Art Gallery, Old Town Hall, Prague.
"Zemzoo", Galeria Nová Síň, Prague.
"Various", City Gallery, Polička.
1999
"Zemzoo", XLVIII Biennale di Venezia, Venice.

Group Exhibitions
1992
"Her brother, His husband", Galeria Václav Špála, Prague.
"Women's house", Women's House Gallery, Prague.
"Columbus'Egg", Galeria Behémót, Prague.
1993
"Eurotika '93", Galerie Melkweg, Amsterdam.
"White Reichenstein", Galeria Behémót, Prague.
"New Names", Prague House of Photography, Prague.
1994
Biennial of Young Artists, The City of Prague Art Gallery, Stone Bell House, Prague.
"Muzzel", Galeria Frágner, Prague.
"Women's house", Štenc House, Prague.
1995
"Orbis Fictus - New Media in Contemporary Art", Galeria Valdstejn, Prague.
"Test Run", Mánes Exhibition Hall, Prague.
1996
"Exterior versus Interior", Galeria Cosmos, Bratislava.
"Urban Legends-Prague", Kunsthalle Baden-Baden, Baden-Baden.
1997
"Chimaera Contemporary Photo Art from Central Europe", Staatliche Kunsthalle, Halle.
"Paralleles Prague-Paris 97", Czech Centre, Bratislava.
"Angel, Angel", Galeria Rudolfinum, Prague.
1998
"Invented", Czech Centre, Berlin.
"Fiction Intimes", Centre Georges Pompidou - Espace Electra, Paris.
"Body and Photography", Salmovský Palace, Prague.
"Fictions Intimes", Parc de Montjuic, Centre Georges Pompidou, Paris, Fundació Joan Miró, Barcelona.
"Czech Art in the 90s", The City

of Prague Art Gallery, Golden Ring House, Prague (permanent exhibition).
"Art in the World 98", Passage de Retz, Paris.
"Close Echoes", The City of Prague Art Gallery, Prague.
1999
"Rondo", Ludwig Múzeum, Budapest.
"Certainty and Searching in Czech Photography", Chicago City Hall, Chicago.

Bibliography
1995
A. Cooke, interview, "Flash Art", no. 148, October, p. 55.
1996
J. Poetter, *Photographic Surgery in Urban Legends*, catalogue, Staatlische Kunsthalle, Baden-Baden.
1997
T. Bruthansová, *Jeune art tcheque*, "Art Press", no. 226, July-August, pp. 64-65.
O. Malá, *Veronika Bromová*, in *On the Edge of the Horizon*, catalogue.
D. Petherbridge, *The Quick and The Dead*, catalogue, Hayward Gallery, London, pp. 58-59.
K. Srp, *Something about Photography and Other Media*, "Artist", no. 3, pp. 12-13.
1998
O. Malá, K. Srp, in *Czech Art in the 90s*, catalogue of the permanent exhibition, The City of Prague Art Gallery, Golden Ring House.

MARIE JOSÉ BURKI / BELGIUM, FLEMISH COMMUNITY
Born in 1961 in Bienne.
Lives and works in Brussels.

72

Solo Exhibitions (Selected)
1989
Shedhalle, Zurich.
1991
Galerie Rachel Lehmann, Geneva.
1992
"Vidéaux, Le creux de l'enfer", Centre d'Art Contemporain, Thiers.
1993
Vereniging voor het Museum van Hedendaagse Kunst, Ghent.
"Blindsight," Galerie Zeno X, Antwerp.
Raum Aktueller Kunst, Vienna.
1994
"La morte" (with Adrian Schiess), Galerie Bruges, Brugge.
Galerie Rachel Lehmann, Lausanne.
Musée d'Art Moderne et Contemporain, Geneva.
1995
"Sans attribut", Kunsthalle Basel, Basel.
"Time after time", Art Gallery of York University, Toronto.
1997
"Exposition: Dawn", Galerie Nelson, Paris.
"A Dog in my Mind, Salzburger Kunstverein, Salzburg.
1998
Lehmann Maupin Gallery, New York.
Camden Arts Centre, London.
Kunsthalle Bern, Bern.
Kunstverein, Bonn.
1999
Kunsthallen Brandts Klaedefabrik, Odense.
Württenbergischer Kunstverein, Stuttgart.
Ateliers d'Artistes de la Ville de Marseille, Marseille.
2000
"Time After, Time Along, The River", outdoor projection and radio broadcast, commisioned by Public Art Development Trust, London.
"Mais que pouvait bien raconter Saint-François aux oiseaux", Musée d'Art et d'Histoire, Geneva.

Group Expositions (Selected)
1986
"Von Bildern", Kunsthalle, Bern.
1988
Centre d'Art Contemporain, Geneva.
"19&&", Magasin - Centre National d'Art Contemporain, Grenoble.
1991
"Extra Muros - Art Suisse Contemporain", Musée des Beaux-Arts, La Chaux-de-Fonds, Musée d'Art et d'Histoire, Neuchâtel, ELAC, Lyons.
1992
"La morte", Galerie Bruges , Brugge.
Documenta IX, Kassel.
1993
"L'objet théorique-de la main à la tête", Domaine de Kerguehennec, Centre d'Art Contemporain.
"Transitt", The National Museum of Contemporary Art, Oslo.
1994
"Prospekt Schweiz II - Natur, Kultur", Kunsthalle, Basel.
"Beeld/beeld", Museum van Hedendaagse Kunst, Ghent.
"Dialogue with the other", Kunsthallen Brandts Klaedefabrik, Odense.
1995
De Appel Foundation, Amsterdam.
"The event horizon", The Irish Museum of Modern Art, Dublin.
1997
"On the desperate and long neglected need for small events", Manhattan Centre, organisation Roomade, Brussels.
"Animaux et animaux", Museum zu Allerheiligen/Kunstverein, Schaffhausen.
1998
"Artificial, Figuracions contemporanies", Musée d'Art Contemporain, Barcelona.
"Travelling without moving", Galerie Friedrich, Bern.
"Reservate der Sehnsucht", Dortmunder U, Dortmund.
1999
"Encounters off the Block", The Contemporary Museum, Baltimor.
"Ecstatic memory", Art Gallery of Ontario, Toronto.
2000
"Close up", Kunstverein Freiburg, Freiburg, Kunstverein Baselland.

"Une mise en scène du réel: artiste/acteur", Villa Arson, Nice.
2001
"Close up", Kunstverein Hannover, Hannover.

Bibliography (Selected)

1988
A. Laurent, *Idéographies*, in *Marie José Burki*, catalogue, cahier of the artist, Pro Helvetia.
1992
Documenta IX, exhibition catalogue, Kassel.
D. Kurjakovic, *New swiss art*, in "Flash Art", no.165, Summer.
1994
L. Lambrecht, *Marie José Burki*, in "Flash Art", no. 178, October.
1995
C. Grunenberg, *Les mots et les images*, in *Marie José Burki*, exhibition catalogue, Kunsthalle Basel, Art Gallery of York University, Toronto.
D. Kurjacovic, *Das Zittern der Dinge*, in "Parquett", no. 44.
D. Kurjakovic, *Die Bewegung, die Differenz, zu einigen Arbeiten von Marie José Burki*, in *Marie José Burki*, exhibition catalogue, Kunsthalle Basel, Art Gallery of York University, Toronto.
L. Lambrecht, *Enige gedachten bij het oeuvre van Marie José Burki*, in *Marie José Burki*, De Appel Foundation, Amsterdam.
H.R. Reust, *Marie José Burki*, in "Artforum", April.
1996
A. Zwez, Tiermetaphern, Marie José Burki, in "Neue Bildende Kunst", no. 3, June-July, pp. 32, 33.
1997
J. Hofleitner, *Marie José Burki*, in "Camera Austria", no. 57/58.
1998
A. Cueff, *Détroits de la fable*, in *Marie José Burki*, Camden Arts Centre, London.
B. Fibicher, *Retroprojection*, in *Marie José Burki*, Kunsthalle Bern.
T. Griffin, *Marie José Burki*, in "Art in America", May.
D. Kurjacovic, *A Dog in my Mind*, in *Marie José Burki*, Kunsthalle Bern, Bern.
A. Pohlen, *Die Emotion aus der kühle der sachlichen Distanz gewinnen*, in *Marie José Burki*, Camden Arts Centre, London.
H.R. Reust, *Marie José Burki - eine Momentaufnahme*, in "Kunstbulletin", July-August.
M. Tarantino, *Unbelievable: Burki's Animals*, in *Marie José Burki*, Camden Arts Centre, London.
1999
P. Régnier, *Un bon coup de fourchette*, "Journal des Arts", October.
P. Unnützer, *Marie José Burki*, in "Kunstforum", 1-2 , no. 143.
2000
B. Schwabsky, *Marie José Burki*, in "Artforum", February.
F. Malsch, *Marie José Burki, Eric Lanz, Videoinstallationen, Musée de Carouge*, in "Kunstforum", no. 98.

GERARDO BURMESTER / PORTUGAL

Born in 1953 in Porto.
Lives and works in Porto.

Solo Exhibitions (Selected 90's)
1990
"Reencontro II", Galeria Pedro Oliveira, Porto.
1991
"Amadeo", Museu Municipal Amadeo de Sousa-Cardoso, Amarante.
1992
"Arquipélagos Vermelhos", Galeria Pedro Oliveira, Porto.
1993
"Contaminações", Galeria Pedro Oliveira, Porto.
1994
"Sobre o Desenho", Galeria Alda Cortez, Lisbon.
1995
"Centro", Galeria Pedro Oliveira, Porto.
1996
Galeria Fio de Prumo, Porto (installation).
1997
"Intenções", Galeria Pedro Oliveira, Porto.
1998
"Gerardo Burmester", anthological exhibition, Fundação de Serralves, Porto.
"Vinho, Pão e Água", Teatro Nacional São João, Porto (installation).
1999
"Arrogância", Galeria Pedro Oliveira, Porto.
2000
"Arrogância", Galería Tomás March, Valencia.

PEDRO CABRITA REIS / PORTUGAL

Born in 1956 in Lisbon.
Lives and works in Lisbon.

Solo Exhibitions (Selected)
1999
"Blind Cities #5", Galleria Giorgio Persano, Turin.
"Uber Licht und Raum", Museum Moderner Kunst Stiftung Ludwig Wien, Vienna.

"Da Luz e do espaço", Serralves-Museum of Contemporary Art, Porto.
2000
"Il silenzio in ascolto", Galleria Civica d'Arte Moderna e Contemporanea, Turin.
2001
"The silence within", Magasin 3 Stockholm Konsthall, Stockholm.
2002
"BALTIC", Newcastle (forthcoming solo exhibitions).

Portrait of the artist as young chauvinist, and sexist male (to be read as "pig")

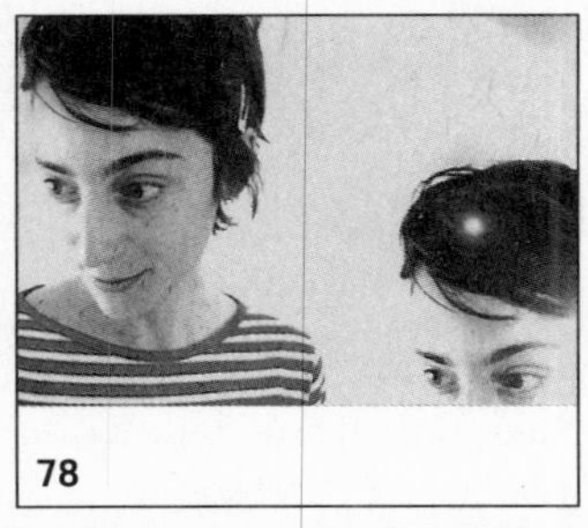

78

CATARINA CAMPINO / PORTUGAL

Born in 1972 in Lisbon.

Education

1988-1991

Technical course in graphic design, Escola de Artes Visuais António Arroio, Lisbon.

1989-1994

Experimental course in visual arts, Atelier Livre - At. Re, Escola de Artes Visuais António Arroio, Lisbon.

1990-1994

Full study plan, Ar.Co - Centro de Arte e Comunicação Visual, Lisbon (Drawing and Painting).

1994

Proficiency in English, Cambridge University Press, Lisbon.

1994-1996

Advanced course in visual arts, Ar.Co - Centro de Arte e Comunicação Visual, Lisbon.

Solo Exhibitions

1999

"Private Dancer, Art attack", Museu de Cerâmica, Caldas da Rainha.

Group Exhibitions

1995

"Sonodramas - três exercícios de audição visual", Festival Música Viva, Festas da Cidade, Lisbon.
"Todos diferentes, Todos iguais - sonodrama eleitoral", Exposição de Bolseiros e finalistas, Ar.Co - Centro de Arte e Comunicação Visual, Lisbon.
"Sonodrama LX24H - O Crime", Lisboa Fora de Horas, Organização C.E.N.T.A., Lisbon.

1996

"Projecto Ambulante - Atelier Livre, Ambulante - Atelier Livre", At.Re, Galeria Lino António, Escola de Artes Visuais António Arroio, Lisbon.
"A revolução sónica, Lab 6", Organização Re.Al/João Fiadeiro, Espaço Ginjal, Cacilhas.

1997

"Love is in the Air" (with Christian Rizzo), "Clown Age" (with Christian Rizzo), "Him and Sónia" (with Frans Poelstra), "Subatomic particles II" (with Paulo Raposo), Lab 7, Projecto Olho Real, Centro Cultural de Belém / Espaço Ginjal, Lisbon and Cacilhas.
"Carps 1997", Exposição de Bolseiros e Finalistas, Ar.Co - Centro de Arte e Comunicação Visual, Lisbon.

1998

"Blind Fate", Projecto Tabaqueira, Armazém da Antiga Tabaqueira, Lisbon.

1999

"Love is in the Air", Biennal da Maia, Maia.
"Imagining pain, Um Cálice de Dor", Instituto Franco-Portugais, Lisbon.
"Greatest Hits - No subtitles unfortunantelly, Dirty Balkans", Sommertheater Festival, Kampnagel Theater, Hamburg.
"Private Dancer - The Dj-mix version, Dirty Balkans", Sommertheater Festival, Kampnagel Theater, Hamburg.
"Un'altra Scala, Prévia (install)", Fórum Romeu Correia, Almada.
"Love is in the Air: The DJ Remix Version, Encontros Imediatos, Danças na Cidade", Lux, Lisbon.
"Private Dancer", Biennal dos Jovens Criadores, Braga.
"Private Dancer", Mostra de Vídeo Português, Videoteca de Lisboa, Lisbon.

2000

"Spanish Kiss, Emergências, Lugar Comum", Fábrica da Pólvora, Tercena.
"Greatest Hits - The Dance Series, Subsónyko VII", Galeria da Mitra, Lisbon.
"Private Dancer e Un'altra Scala", Megastore, Armazém do Ferro, Lisbon.
"Sem ti(tulo), NonStopOpeningLisboa", Galeria ZDB, Lisbon.
"Waterfall,VideoLisboa", Palácio das Galveias, Lisbon.
"Private Dancer, Subsónyko VIII", Cidade da Praia, Cap Verde.
"Private Dancer, VideoNonStop", Museu de Arte Moderna de Sintra, Sintra.
"Spanish Kiss Do-It-Yourself-Version, Projecto Microart", Portuguese Pavillion, Expo Hannover 2000, Hannover.
"Private Dancer, Milch", 2YK Galerie, Kunstfabrik, Berlin.
"Private Dancer, Sister Spaces", Southern Exposure, San Francisco.
"Waterfall", Galeria Mário Sequeira, Braga.
"Private Dancer", Colecção Banco Privado para Serralves, Museu Serralves de Arte Contemporânea, Porto.

2001

"S/Título (da série *Who* wants to live forever?)", Biennal C.P.L.P., Mercado Ferreira Borges, Porto.
"Him On' Sonia, Vamos tomar um chá à Maria?", Galeria Quarto da Maria, Edifício Artes em Partes, Porto.
"Spanish Kiss", Galería Mário Sequeira, ARCO, Madrid.

Collections

Banco Privado para Serralves, Museu Serralves de Arte Contemporânea, Porto.
Julião Sarmento.
Galeria Mário Sequeira, Braga.
Casa Fernando Pessoa Collection, Lisbon.

EUGENIO CANO / SPAIN

Born in 1961 in Madrid.
Lives and works in Madrid.

Solo Exhibitions

1989

"Descubra su interés", Sala Montcada, Fundació Caixa de Pensiones, Barcelona.

1990

"Spiritus vitae", Galería Sylvana Lorenz, Paris.
"La democracia es divertida", Sala Amadís, Madrid.

1991
"Black money", ARCO '91, Stand Galerie Sylvana Lorenz, Madrid.
"Compact", Galería Antoni Estrany, Barcelona.
"Holy Days", Galerie Sacré, Liege
1992
Galería Juana de Aizpuru, Madrid.
1995
Galería Fúcares, Madrid.
Galería Graça Fonseca, Lisboa.
1999
Galería Maior, Pollensa, Majorca.
"Axis", Sala La Gallera, Valencia.

Group Exhibitions
1988
"19&&", Magasin - Centre National d'Art Contemporain, Grenoble.
1989
"Aspects de la jeune sculpture contemporaine", Fondation Cartier, Jouy-en-Josas.
1990
"The Köln Show", Jablonka Galerie, Cologne.
"Confrontaciones", Museo Español de Arte Contemporáneo, Madrid.
1991
"El Espacio Y La Idea", Fundació Caixa de Pensiones, Barcelona.
1995
"Transatlantica The America & Europa Non-representativa", Museo Alejandro Otero, Caracas.
1998
"Die Neue Sammlung - La Nueva Colección", Museum Moderner Kunst Stiftung Ludwig Wien, Vienna.
"Sarajevo 2000", future collection of the Sarajevo Museum, Moderner Kunst Stiftung Ludwig Wien, Vienna.
1999
"La casa, il corpo, il cuore", Museum Moderner Kunst Stiftung Ludwig Wien, Vienna, Národni Galeri, Prague.
"Ars Aevi", Sarajevo Museum, Sarajevo.
2000
"Transpositions", Budapest Galéria, Budapest.

Bibliography
1989
A. Garcia, *La magia del objeto, la fuerza de la imagen*, in *Descubra su interés*, exhibition catalogue, Sala Montcada, Fundació Caixa de Pensiones, Barcelona.
1990
G. Picazo, *Una opción frente a la década de los 90*, in *Confrontaciones*, exhibition catalogue, MEAC, Madrid.
1995
R. Olivares, *Entrevista con Eugenio Cano*, in "Lápiz", April.
1999
F. Castro Florez, *Retombee. Anotaciones y citas para Eugenio Cano*, in *Axis*, exhibition catalogue, Sala La Gallera, Valencia.
J. Fuentes Feo, *El objeto que mira*, in *Axis*, exhibition catalogue, Sala La Gallera, Valencia.

ULF VERNER CARLSSON / NORWAY

Born in 1966 in Borås.
Lives and works in Oslo.

Education
1992-1993
School of Design and Crafts, Gothenburg.
1993-1994
Myndlista og Handidaskóli, Reykjavík.
1994-1998
Statens Kunstakademi, Oslo.

Solo Exhibitions
1996
"Ulf Verner Carlsson & Johannes Kanschat", Galerie Rotor, Gothenburg.
"Gameland Entertainment presenterer Johann Werner" (with Johannes Kanschat), Herlebsgate 10, Oslo.

82

"Hej, en utställning av Johannes Kanschat och Ulf Verner Carlsson", Konstens Hus, Varberg.
1997
"Hej" with Johannes Kanschat, Galleri GI at Oslo Kunstforening, Oslo.
1998
"Johannes Kanschat og Ulf Verner Carlsson", Zoo-Lounge, Oslo.

Group Exhibitions
1995
"COSTOS", Galleri F15, Moss.
"Via foto", Fotogalleriet, Oslo.
"Materiens bilder", Grønland Old Police Station, Oslo.
1997
"KPUV 8-21", Galleri 21/25, Oslo.
2000
"Momentum Park", Moss.
"Modellbyggerne", Kunstnernes Hus, Oslo.
2001
"Colors", Akershus Kunstnersenter, Lillestrøm (travelling exhibition).

Public Projects
1998
Seterbråten school, Oslo (in co-operation with Johannes Kanschat).

Collections
The Norwegian Council for Cultural Affairs.

Bibliography
1999
I. Blom, in "NU, The Nordic Art Review", no. 3.

MONICA CAROCCI / ITALY

Born in 1966 in Rome.
Lives and works in Turin.

Solo Exhibitions
1990
Galleria Guido Carbone, Turin.
1993
Galleria Guido Carbone, Turin.
1994
Sergio Tossi Arte Contemporanea, Prato.
Galleria S.A.L.E.S., Rome.

84

1995
Galleria Guido Carbone, Turin.
1997
Galleria S.A.L.E.S., Rome.
1998
Lotta Hammer Gallery, London.
Galerie Haus Schneider, Karlsruhe.
Galleria Raffaella Cortese, Milan.
Galleria d'Arte Moderna, Bologna.
Galleria Alberto Peola, Turin.
Newsantandrea, Savona.
"Teseo", Galleria S.A.L.E.S., Rome.
Galleria Raffaella Cortese, Milan.

Group Exhibitions (Selected).
1993
"Prima linea", Trevi Flash Art Museum, Trevi.
"Fike I.D.", 88 Room Gallery, Boston.
1996
"Transfer", Galleria Comunale d'Arte Moderna, Bologna.
"Collezionismo a Torino", Castello di Rivoli, Rivoli.
"Now Here - Get Lost", Louisiana Museum of Modern Art, Humlebaek.
"Ultime Generazioni", XII Quadriennale d'Arte di Roma, Palazzo delle Esposizioni, Rome.
1997
"Gothic", ICA The Institute of Contemporary Art, Boston.
"Partito Preso Estate", Galleria Nazionale d'Arte Moderna, Rome.
"Officina Italia", Galleria d'Arte Moderna, Bologna.
1999
"FWD Italia - Passaggi Invisibili", Palazzo delle Papesse - Centro Arte Contemporanea, Siena.
2001
"Su la testa!", Palazzo delle Papesse, Siena

Bibliography (Selected)

1994
L. Beatrice, C. Perrella, *Fantasmi*, exhibition catalogue, Sergio Tossi Arte Contemporanea, Prato.
F. Bonami, G. Di Pietrantonio, *Prima Linea*, exhibition catalogue, Trevi Flash Art Museum, Trevi.
1995
M. Beccaria, *Fake I.D.*, exhibition catalogue, 88 Room Gallery, Boston.
1996
D. Auregli, *Transfer*, exhibition catalogue, Galleria d'Arte Moderna, Bologna.
1996
A. Fuchs, L. Grambye, *Now Here*, exhibition catalogue, Louisiana Museum, Humlebaek.
1997
G. Grunenberg, *Gothic*, exhibition catalogue, The Institute of Contemporary Art, Boston.
1998
D. Auregli, *Monica Carocci*, exhibition catalogue, Galleria d' Arte Moderna, Bologna.
G. Romano, *Monica Carocci*, exhibition catalogue, Galleria S.A.L.E.S, Roma.
2000
S. Chiodi, *Espresso, arte oggi in Italia*, Electa, Milano.

FILIPA CÉSAR / PORTUGAL

Born in Porto. Lives and works in Lisbon and Berlin.

Education
1996
Fine Art Painting, Oporto Fine Art School, Porto (BA).
1997
Erasmus-Sócrates Scholarship,

86

Akademie der Bildenden Künste, Karlsruhe.
1999
Graduated in Fine Art Painting, Lisbon Fine Art School, Lisbon.
2000
Young Creators Scholarship, Centro Nacional de Cultura.
2000-2001
Post Graduation Scholarship, DAAD, Akademie der Bildenden Künste, Munich.

Solo Exhibitions
1997
"My bicycle's passion for yellow boxes", Akademie der Bildenden Künste, Karlsruhe.
1998
"G.O.D.- General Observation Downstairs", Faculdade de Belas Artes de Lisboa, Lisbon.
2000
"Falling Angel", Akademie der Bildenden Künste, Munich.

Group Exhibitions
1998
"(A) casos (&) materiais I", C.A.P.C., Coimbra.
"Index 3", Galeria João Graça, Lisbon.
"Finalistas FBAUL", Fundição de Oeiras, Oeiras.
"O Império Contra Ataca", Galeria ZDB, Lisbon.
1999
"Sete artistas ao décimo mês", Centro de Arte Moderna da Fundação Calouste Gulbenkian, Lisbon.
"Biennal de Maia 99", City's streets, Maia.
2000
"Depósito", Casa Fernando Pessoa, Lisbon,
"Southern Exposure, www.gotofrisco.net and Sister Spaces", San Francisco.
"Plano XXI - Portuguese Contemporary Art", G-mac, Glasgow.
"Hasenbergl Deluxe", Kunstbüro Hasenbergl, Munich.
"Left a good job in the city", Care of Milan.

"W.C. - Container- Phallus Anxiety", Edifício Artés em Partes, Porto.
"Petits Fours", Künstlerwerkstatt, Munich.
2001
"Disseminações", Culturgest, Lisbon.

RUI CHAFES / PORTUGAL

Born in 1966 in Lisbon.
Lives and works in Lisbon.

Education
1984-1989
F.B.A.U.L., Lisbon.
1990-1992
Kunstkademie, Düsseldorf (atelier of Gerhard Merz).

Solo Exhibitions (Selected)
1995
"Würzburg Bolton Landing", Centro de Arte Moderna da Fundação Calouste Gulbenkian, Lisbon.
1996
"Sombras que não são sombras", Galeria Camargo Vilaça, São Paulo.
1997
"Cristal", Galería Juana d'Aizpuru, Seville.
1998
"La face intérieure", Galerie Cent8, Paris.
2000
"Heilung für Deine Wunden", Galerie Kain Sachs, Munich.
"Durante o fim", Sintra Museu de Arte Moderna Colecção Berardo, Palácio Nacional da Pena, Parque Histórico da Pena, Sintra.
2001
"Kranker Engel", S.M.A.K., Stedelijk Museum voor Actuele Kunst, Ghent.

Group Exhibitions (Selected)
1991
"Tríptico", Museu van Hedendaagse Kunst, Ghent.
1993
"Western Lines", Hara Museum ARC, Gunma.
1994
"Drawing towards a distant shore: selections from Portugal", The Drawing Center, New York.
1995
XLVI Biennale di Venezia (with José Pedro Croft and Pedro Cabrita Reis), Venice.
1996
"Inklusion/Exklusion", Steirisher Herbst 96, Graz.
1997
"En la piel de Toro", Museo Nacional Reina Sofía, Palacio de Velázquez, Madrid.
1998
"Art Grandeur Nature", Parc de la Courneuve, Paris.
"7. Triennale der Kleinplastik/Europa Afrika", Stuttgart,.
2000
"Storm Centres", Poëziezomer, Watou.

Collections
Fundacão Luso-Americana para o Desenvolvimento.
Montepio Geral.
Centro Cultural de Belém, Lisbon.
Fondation Serralves, Porto.
Centro de Arte Moderna da Fundação Calouste Gulbenkian, Lisbon.
Caixa Geral de Depositos.
Museo Nacional Reina Sofía, Madrid.
Chiltern Sculpture Trust, Oxford (public art).
Museu do Chiado.
Museo Extremeno y Ibero-Americano de Arte Contemporaneo, Badajoz.
Camara Municipal de Santo Tirso, Santo Tirso (public art).
Museu de Arte Contemporanea, Funchal.
Expo 98, Lisbon.
The European Parliament, Brussels

Bibliography
1991
Uma sequência de outubro, with N. Judice, Europalia.
1992
Fragmentos de Novalis, selection, translation and drawings, Assirio & Alvim, Lisboa.
1995
Würzburg Bolton Landing, Assirio & Alvim, Lisboa.
1997
O lugar do Poço, with João Miguel Fernandes Jorge, Relogio de Agua, Lisboa.
1998
Harmonia, Canvas & Companhia, Oporto.

GOR CHAHAL / RUSSIA

Born in 1961 in Moscow.
Lives and works in Moscow.

Education
1972-1976
Drawing studio Tatiana Kiparisova.
1977-1978
Art School.

90

1983
First poetic experiences.
1985
Specialized Engineering studies (Honors).

Professional Experience
1993
Began working professionally.

Solo Exhibition
1990
First Gallery, Moscow.
1991
"ARCO-91", First Gallery, ARCO, Madrid.
1992
"The lower deepest", First Gallery, Moscow.
1993
"The Fields", Central House of Artists, Moscow.
1995
"Eye arming", Scola Galerja, Moscow.
1996
"309, 6 K", Exhibition Hall Fenix, Moscow.
1997
"Love1", Guelman Galerja, Moscow.

"MAN", Contemporary Art Centre, Moscow.
1998
"Gor Chahal 1989-1991", retrospective exhibition, Photobyennale '98, Manezh Galerja, Central Exhibition Hall, Moscow.
1999
"Protest Song", Fine Art, Moscow.
"Love", Sandmann + Haak, Hannover.
"I'm striding on the water", Galleria Sprovieri, Rome.
"Black light", Gallery on Trekhprudny Lane, Moscow.

Group Exhibitions
1987
"First randezvous", All-union Theatrical Society, Moscow.
1988
"The Labyrinth", Central Palace of Youth, Moscow.
1991
"Modern Moscow Art", Seibu Art Forum, Tokyo.
1992
"A Mosca..., a Mosca...", Villa Compoletto, Herculaneum, Galleria Comunale d'Arte Moderna, Bologna.
1996
ARTOTECA, National Centre for Contemporary Arts, Central House of Artist, Moscow.
1998
First International Biennale, Institute of Arts, Gumri.

Grants
1995-1996
Academy of Arts, Berlin.

Bibliography
1990
V. Miziano, *Gor Chahal*, "Flash Art International", no. 154, October, p. 168.
1995
Gor Chahal, Poetry, in *Russian Literature, Akademie der Kunste*, Drukhaus Berlin-Mitte, pp. 54-60.
1997
V. Salnikov, *Gor Chahal. Love*, "Khudozhestvenniy Dnevnik (Moskovskiy povodir)", October, pp. 30-31.

92

HERVÉ CHARLES / BELGIUM, FRENCH COMMUNITY
Born in 1965 in Nivelles.

Solo Exhibitions (Selected)
1991
Galerie L.A., Frankfurt.
1992
Galerie Détour, Namur.
Institut Français, Mainz.
1994
Galerie Damasquine, Brussels.
Galerie L.A., Frankfurt.
1995
Galerie Piatno, St-Idesbald.
1998
Galerie Nei Liicht, Dudelange.
2000
FNAC, Paris.
Galerie Velge & Noirhomme, Brussels.

Group Exhibitions (Selected)
1989
"Eighth National Open Photography Competition", Museum of Photography, Charleroi.
1990
"Preis für Junge Europaïsche Photographen", Berlinische Galerie, Martin Gropius Bau, Berlin, Leipzig, Bad Homburg.
1991
"Ninth National Open Photography Competition", Museum of Photography, Charleroi.
"La Photographie Belge", C.N.P., Palais de Tokyo, Paris.
1992
"Mai de la Photo", Reims.
"Zomer van de fotografie", Antwerp.
1993
"Pour une Histoire de la Photographie en Belgique", Museum of Photography, Charleroi.
1994-1995
"Transfigurations", Prague, Salamanca, Tenerife, Cologne, Kinshasa.
"European Photography Award", Bad Homburg.
1996-1997
Galerie Velge & Noirhomme, Brussels.
Galerie Nikki Diana Marquardt, Paris.
1999
"Liberté, libertés chéries ou l'art comme résistance à l'art", Botanique, Brussels.
2000
"Paysage", Musée des Beaux-Arts, Tourcoing.
"Tout est (si) simple", Centre d'Art Contemporain, Brussels.

Awards
1990
Second Prize at the "Preis für Junge Europaïsche Photographen", Deutsche leasing AG, Bad Homburg.
1991
First Prize at the "Ninth National Open Photography Competition", Museum of Photography, Charleroi.

OLGA CHERNYSHEVA / RUSSIA
Born in 1962 in Moscow.
Lives and works in Moscow.

Education
1981-1987
Academy of Cinematography, Moscow.
1993-1995
Rijksakademie van Beeldende Kunsten, Amsterdam.

Solo Exhibitions
1992
1.0. Galerja, Moscow.
"New Works", Galerie Storm, Amsterdam.

94

"Without Title" (with Anton Olshvang), Film-Museum, Moscow.
Galerie Kringst-Ernst, Cologne.
1993
Galerie Kringst-Ernst (with Anton Olshvang), Cologne.
"Pro Portsii", The State Russian Museum, Saint Petersburg.
1994
"Abdrucke" (with Anton Olshvang), Art 5-Galerie Inge Herbert, Berlin.
1996
"Ad oculus" (with Anton Olshvang), Institut of Theatre, Amsterdam.
"Since 1992 I don't have enough space", Rum, Malmö.
1997
"Single Works", Galerie Singel 74, Amsterdam.
1998
Galerie Christine Konig & Franziska Lettner (with Andrej Khlobystin), Vienna.
1999
"Any Drawings", Centre of Contemporary Art - Soros Fund, Moscow.
"Relatives Connections", Moscow Fine Art Gallery, Moscow.

Group Exhibitions (Selected)
1987
"17th exhibition of young artists", Exhibition Hall Kuznetsky Most, Moscow.
1988
"Furmanny pereulok", Moscow, Warsaw.
1989
"Towards the Object", Tsaritsyno Contemporary Art Museum, Moscow.
1991
"V izbah/in rooms", Dom Kultury, Bratislava.
1992
"A Mosca..., a Mosca...", Villa Compoletto, Herculaneum, Galleria Comunale d'Arte Moderna, Bologna.
1993
"Prospekt 93", Frankfurt am Main.
1994
"Watt", Witte de With, Rotterdam.
1995
"Nonkonformisten 1957-1995", Wilhelm-Hack-Museum, Ludwigshafen, Documenta Archiv, Kassel.
1996
"Photobiennale", Kuznetsky Most, Moscow.
1997
"Nouveaux mythes nouvelle realité", La Base, Levallois.
1998
"Fauna. Malyi manege", Moscow.
1999
"ACT '99, Austria-Moscow", Galerie der Universität für Gestaltung, Galerie Maerz, Linz, Zentrale Ausstellungshalle Bolshoy Manezh.

ATTILA CSÖRGÖ / HUNGARY

Born in 1965 in Budapest.
Lives and works in Budapest.

Education
1988-1994
Hungarian Academy of Fine Arts, Budapest (Painting and Intermedia Faculty).
1993
Rijksakademie van Beeldende Kunsten, Amsterdam.

Solo Exhibitions (Selected)
1994
"Three Solids", Óbudai Pincegaléria, Budapest.
1995
Goethe Institut (with Róza El-Hassan), Budapest.
1996
Stúdió Galéria, Budapest.
1998
Hungarian Cultural Institute, Bucharest.
1999
"Altered States" (with Antal Lakner), Galerija Škuc, Ljubljana.
"Spherical Vortex", Liget Galéria, Budapest.

96

Galeria Monumental (with Endre Koronczi), Lisbon.
2000
Galerie für Gegenwartskunst Barbara Claassen-Schmal, Bremen.
"Acqua Obliqua", Fioretto Arte Contemporanea, Padua.

Group Exhibitions (Selected)
1991
"Germination 6", Ludwig Forum, Aachen.
1994
XXII Biennal Internacional de São Paulo, São Paulo.
1996
"The Butterfly Effect", Mücsarnok, Budapest.
"3 × 3 from Hungary", Bard Collage, Annandale-on-Hudson, New York.
"Jenseits von Kunst", Ludwig Múzeum, Budapest, Neue Galerie, Graz.
"Multilingual Landscapes", Contemporary Art Centre, Vilnius.
"Computer World", The Tannery, London.
"Schwere-los", Landesgalerie am OÖ, Landesmuseum, Linz.
1997
"Dawn of the Magicians? II. Lost and Found", National Gallery, Prague.
"Zeitskulptur", Landesgalerie am OÖ, Landesmuseum, Linz.
"Sexmachine", Stúdió Galéria, Budapest.
"Sic!", Budapest Történeti Múzeum Fövárosi Képtára, Budapest
1998
"Obserwatorium", Centre for Contemporary Art, Ujazdowski Castle, Warsaw.
"Inter/Media/Art", Ernst Múzeum, Budapest.
"Jenseits von Kunst", Museum van Hedendaagse Kunst, Antwerp.
1999
"L'assunzione della techné / Tackling Techné", XLVIII Biennale di Venezia, Venice.
"Kunst der neunziger Jahre in Ungarn", Akademie der Künste, Berlin.
"After the Wall", Moderna Museet, Stockholm.

2000
"Uncontrolled", North Exhibitionspace, Copenhagen.
"Innovations, Inventions, Intuitions", Mücsarnok, Budapest.
"After the Wall", Ludwig Muzéum, Budapest, Hamburger Bahnhof, Berlin.
"Media Model", Mücsarnok, Budapest.
"What, how & for whom", Dom HDLU, Zagreb.
"Changes of Order", National Gallery Veletrzni Palace, Prague.

Bibliography (Selected)

1994
L. Beke, *Attila Csörgö*, in *XXII Biennal Internacional de São Paulo*, exhibition catalogue, São Paulo.
1995
L. Beke, *Csörgö Attila, El-Hassan Róza*, in *Csörgö Attila, El-Hassan Róza*, exhibition catalogue, Goethe Institut, Budapest.
B. Faa, *Hámozott terek / Geschälte Räume*, in *Csörgö Attila, El-Hassan Róza*, exhibition catalogue, Goethe Institut, Budapest.
1997
A. Zwickl, *Humour in Contemporary Art*, in *Sic!*, exhibition catalogue, Budapest Történeti Múzeum Fővárosi Képtára, Budapest.
1998
K. Kókai, *Attila Csörgö*, in *Springerin*, vol. VI, tome I, Wien.
1999
G. Andrási, *The Beauty of the Thought - Doubting in Form*, in *L'assunzione della techné / Tackling Techné. XLVIII Biennale di Venezia*, exhibition catalogue, Milano.
B. Bencsik, *Low-tech és geometria*. Magyar Lettre International, 36, 1999
J. Sturcz, *Tackling Techne*, in *L'assunzione della techné / Tackling Techné. XLVIII Biennale di Venezia*, exhibition catalogue, Milano.
2000
A. Zwickl, *Forma és szubsztancia között*, "Balkon", no. 5.

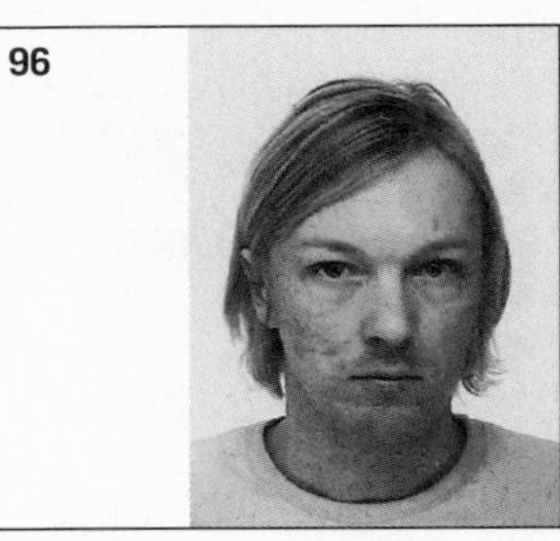
96

JONAS DAHLBERG / SWEDEN
Born in 1970. Lives and works in Stockholm.

Education
1992-1993
Gothenburg University, History of Art, Gothenburg.
1993-95
Lunds Technical University, Institute of Architecture.
1997
"Fabrica", Benetton's experimental studio in Venice.
1995-2000
Master of Fine Art, Malmö Art Academy, Malmö.

Exhibitions and Projects (Selected)
1996
"Det som inte finns", Service Gallery, Stockholm (group show).
"K-Tissue 96", Mellanrummet, Malmö Konsthall, Malmö (group show).
"tvaorna", Forum Galleriet, Malmö (group show).
"Viva Las Vegas" (with Nils Petter Lennartsson), Magistratsparken, Malmö
1997
"Ett drömspel", Magasinet, Wanås slottspark (group show).
1998
A project over three floors at Hansacompagniet, in collaboration with Nilsmagnus Sköld and Signells Advertising.
"Under-gang", Södersjukhuset, Stockholm (group show).
1999
Project studio in Berlin, Berlin.
"Zwischenraum" Kunstverein Hannover, Hannover (group show).
"Process" Wanås slottspark, Wanås (group show).
2000
Master degree show.
"Peep", Malmö.
"BIG Torino 2000", Turin Biennale, "Fine Art and New Media", curated by Robert Fleck and Chantal Prod'Homme, Turin.
"Rum i staden", Bohusläns Museum, Uddevalla (group show).
"IASPIS", new Stockholm Art Fair, Stockholm.
2001
Milch Gallery, London.

Grant
2000
Iaspis, Stockholm studio program grant, Stockholm.

Awards
1997
Stockholm Art Fair, student award and second prize.

FEDERICO DÍAZ / CZECH REPUBLIC
Born in 1971 in Prague.
Lives and works in Prague.

Education
1985-1987
Secondary Training School of Railway Engineering, Electrical Engineer of Locomotives.
1987-1990
Secondary Art School, Prague.
1990-1997
Academy of Fine Arts, Prague.
1996
Affiliation at the Academy of Applied Arts, Prague.

Solo Exhibitions
1997
"Federico Diaz, Tacuzcanzcan", The City of Prague Art Gallery, Prague.

100

1998
Galeria Václav Špála, Prague.
2000
"E-area", Veletžní palác (National Gallery), Prague.

Group Exhibitions
1991
Academy of Fine Arts, U Hybernů House, Prague.
1992
Festival International de la video et des arts électroniques, Locarno.
N.E.C. Video Festival, Tokyo.
1993
International Contemporary Art Forum, Arco, Madrid.
"European academies of visual arts", Fourth Biennial, Maastricht, The Academy of Fine Arts, U Hybernů House, Prague .
Prisma Art Gallery, Úluv, Prague.
"Zehn Jahre Alexander-Dorner-Kreis", Kubus Hannover, Hannover.
1994
"Kunstmuseum's exhibitions for the academy of fine art students", Ehrenhof, Düsseldorf.
"Netz Europa", Linz.
"Europa 94, Junge europäische Kunst in München", M.O.C., Munich.
Biennial of Young Artists, The City of Prague Art Gallery, Stone Bell House, Prague.
1995
"Test Run", Mánes Exhibition Hall, Prague.
"Hi-Tech", Moravian Museum, Brno.
"Orbis Fictus", Wallensteinian Riding Hall, Prague.
1996
"Memories of the future", Richter's Villa, Prague.
"Hi-Tech", House of Art of the City of Brno, Brno.
1998
"Art in the World 98", Lanterne magique artistes tcheques et nouvelles technologies", Galerie de Retz, Paris.

Bibliography
1994
O. Malá, K. Srp, *Dehibernation "Cyberspace", Bell '94, Biennial of Young Artists at the Stone Bell,* The City of Prague Art Gallery, Stone Bell House, Praha.
Netz Europa, Oberösterreichischen Landesgallerie, Linz.
J. Ševčíková, J. Ševčík, *Test Run*, Mánes Exhibition Hall, Praha.
1995
K. Sei, *Tracing Madia.*
A. Strohl, *Flusser and Beyond.*
J. Valoch, *Art and Computers.*
1998
O. Malá, K. Srp,in *Czech Art in the 90s*, catalogue of the permanent exhibition, The City of Prague Art Gallery, Golden Ring House, Praha.

MILENA DOPITOVÁ / CZECH REPUBLIC

Born in 1963 in Štemberk.
Lives and works in Prague.

Education
1982-1985
School of Applied Arts and Crafts, Uherské Hradiště.
1987-1994
Academy of Fine Arts, Prague.

Fellowships (Selected)
1996
The Fabric Workshop, Philadelphia.
1997
MAK Schindler Residency, Los Angeles.

Solo Exhibitions
1991
"Objects and Installations", City Gallery, Sternberk.
1992
Galeria MXM (with Jiří Kovanda), Prague.
1993
Galeria MXM, Prague.

102

1994
Leo Model Exhibition Hall (with Pavel Humhal), Jerusalem.
"You Must Remember This", Ronald Feldman Gallery, New York.
"Milena Dopitová in Context", The Institute of Contemporary Art, Boston.
1995
The City of Prague Art Gallery, Old Town Hall, Prague.
"Do not Be Afraid To Take That Big Stem", Galerie 86, Trier.
1996
Galeria MXM, Prague.
1999
"Guess if you're a friend of mine (II)", Galeria Jiří Švestka, Prague.
"Installations 1992-1999", House of Art, Brno.
"I'm Gonna Make you Wonder if you are my Friend", Galeria 761, Ostrava.
2000
"Come, I'll Show You the Way Through Paradise", Galeria Jiří Švestka, Prague, Foyer of the Czech Parliament's House of Commons, refused works for EXPO 2000, Hannover.

Group Exhibitions
1990
"Grand Concours International de Peinture 1990", Museum 2000, Luxembourg.
1991
"Contribution to Luck", Artist's Gallery, Munich.
"New Intimacy", Exhibition Hall ÚLUV, Prague.
"Aller Art", Galerie 68elf, Cologne.
1992
"Czech and Slovak Art", Galerie Maeght, Paris.
"D'une génération à l'autre", ARC Musée d'Art Moderne de la Ville de Paris, Paris.
"Between Aesop and Mowgli", Galeria Václava Špály, Prague.
"Frontiera", Bolzano.
"Her brother, Her husband", Galeria Václava Špály, Prague.
"The Boundary Rider", Ninth Biennial of Sydney, Sydney.

1993
"Women's Art" (with Mio Shirai, Pipilotti Rist, Jennifer Bolande), The City of Prague Art Gallery, Prague.
"Double Exit", Ludwig Forum, Aachen.
"Aperto '93", XLV Biennale di Venezia, Venice.
"Situation Prague, Dialogue of Two Generations", Kampnagel/Internationale.
"That, what is left", Stenc's House, Prague.
1994
The Institute of Contemporary Art, Boston.
"You Must Remember This", Roland Feldmann Gallery, New York, Carpenter Center, Boston.
"After the Spring", The Museum of Contemporary Art, Sydney, Canberra, Melbourne.
"Contemporary Art form Czech Republic", South London Gallery, XXII Biennal Internacional de São Paulo, São Paulo.
"Auszeit", Galerie der Künstler, Munich.
"The Bell 94", Biennial of Young Art, The City of Prague Art Gallery, Stone Bell House, Prague.
1995
"A New Europe-Supranational Art Biennial", Venice.
"Mattress Factory, Artists of Central and Eastern Europe", Pittsburgh.
"After Velvet Revolution", Museum of Contemporary Art, Helsinki.
"Beyond the Borders", Biennial 95, Kwangju.
"The Image of Europe", Nicosia. Galerie MXM, Kunsthalle Krems, Krems.
1996
"Urbane Legenden", Staatliche Kunsthalle, Baden-Baden.
"Kultur in Weiden-Portrait", Max-Reger-Halle, Weiden.
"Preobrazaj", Bosnia and Herzegovina Art Gallery, Sarajevo.
"Friend of Sculpure Space", Utiea, New York.
"Interior versus Exterior", továrna Cosmos, Bratislava.
Galerie Malá stanica, Skopje, Macedonia Villa Richterova vila, Prague.
"Young Art Fair-Liste 97", Basel.
"Neue Tschechische Kunst", Galerie Wessenberg, Konstanz.
"Quiet Messages-Czech art of the 1990s", Budapest Galéria, Budapest.
"Work of Art in a Public Space", Národni Galeri v Praze, Modern and Contemporary Art Collection, Prague.
1997
"Interactus 5", Accademia d'Ungheria in Roma, Rome.
"Sensibilities (Contemporary Art from Central Europe)", European Academy for the Art, London.
"Contemporary Art", The City of Prague Art Gallery, U Zlatého prstenu, Prague.
2000
"Transformation II", Venice.
"Aspect-Positions - 50 Years of Art in Central Europe 1949-99", Ludwig Múzeum, Budapest, Museum of XX Century, Vienna.
"Konfrontace", Czech Centre, London.
"19th and 20th Century Art (part II)", Museum of Modern Art, Prague.
"Mitteleuropäischer Kunst 1949-1999", Milan, Vienna, Budapest, Barcelona, Southampton.
"L'autre moitié de l'Europe", Galerie Nationale du Jeu de Paume, Paris.
"99 Cz", Václavské náměstí, Prague.
"ArtWorks", The Whitechapel Gallery, London.
"Girls Show 2000", Galeria Art EXPO, Bucharest, Galeria E. Filly, Ustí nad Labem.

Bibliography
1992
P. Humhal, *Letter from Prague*, "Flash Art", no. 166, October.
1993
J. Ševčíková, J. Ševčík, in *Ausst.-Kat. Zweiter, Ausgang.*
1994
J. Annear, *Velvet Underground*, "Vogue Australia", no. 4.
E. Lynn, *After the Bold Crush*, "Arts", June.
Nine to Five: Time to Czech Out the MCA, "Sydney", no. 5.
P. Overy, *Irreconcilable differences?*, "Art Monthly", no. 8-9.
ICA Boston: Milena Dopitová at The ICA, "Flash Art".
1995
O. Malá, *Milena Dopitová*, catalogue.
M. Smolíková, *První zvonění*, "Ateliér", no. 4.
1998
O. Malá, Karel Srp, in *Czech Art in the 90s*, catalogue of the permanent exhibition, The City of Prague Art Gallery, Golden Ring House, Praha.
J.E. Stein, *Out of the East*, "Art in America", no. 4.
1999
Kunstszene Prag, "Art", no. 2, March.

VLADISLAV EFIMOV AND ARISTARKH TCHERNYSHEV / RUSSIA

Vladislav Efimov born in 1964 in Moscow.
Aristarkh Tchernyshev born in 1968 in Lugansk.
They live and work in Moscow.

Education
1985
Graduated from the Moscow Auto Mechanical Academy, Moscow (Efimov).
Graduated from the Moscow State Technical University, Moscow (Tchernyshev).

104
104

Joint Projects
1996
"Galvani", Galerjia TV, Moscow.
"Opus Magnum", The Moscow Art Fair Gallery, Moscow.
"The Shining Prostheses", Galerjia TV, Moscow.
1999
"The mystery of the brain" (in the project "ACT '99, Austria-Moscow"), Galerie Maerz, Linz, Galerjia TV, Moscow.
2000
"The genetic gymnastics", Centre Dom, Moscow.
In the exhibition "Dynamic pairs", Central Exhibition Hall, Moscow, The State Russian Museum, Saint Petersburg.
2001
"The Shining Prostheses" - "Iskusstvo 2000", Stadtische Galerie, Rosenheim.

Grants
1995
Grant holder at the Academy of Arts, Berlin (Tchernyshev).
1995-1996
Grant holder at the Academy of Arts, Berlin (Efimov).

PAULA ERVAMAA / FINLAND

Born in 1974. Lives and works in Helsinki.

Education
1993-1996
Tampere School of Art and Communications, Tampere (BA).
1996-2001
Academy of Fine Arts, Helsinki.

Solo Exhibitions
1998
"Käytävä", Academy of Fine Arts, Helsinki.

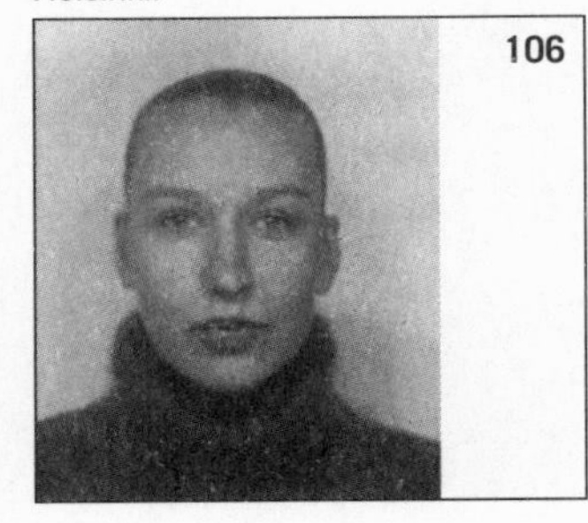
106

2000
Gallery of the Academy of Fine Arts, Helsinki.

Group Exhibitions
1996
Galleria White Room, Tampere.
Mältinranta Art Centre, Tampere.
2000
"DRAW 4", Galleria Cable, Helsinki.
Mänttä Art Festival, Mänttä.
2001
Vaasankatu 4, Helsinki.
Academy of Fine Arts, Helsinki.

Collections
Helsinki City Art Museum, Helsinki.

BRUNA ESPOSITO / ITALY

Born in 1960 in Rome.
Lives and works in Rome.

Group Exhibitions (Selected)
1985
"Picobello", I.B.A., Berlin.
1986
"Goldenes Loch", Kassel.
1991
"Heimat", Galerie Wewerka-Weber, Berlin.
1993
Biennale de Lyon, Lyon.
1995
"Arte-Identità-Confini", Palazzo delle Esposizioni, Rome.
1996
"Ultime Generazioni, XII Quadriennale d'Arte di Roma, Palazzo delle Esposizioni, Rome.
1997
"Fatto in Italia", Centre d'Art Contemporain, Geneva, I.C.A., London.
Documenta X, Kassel.
"Città/Natura", Palazzo delle Esposizioni, Rome.
1997
"La ville, le jardin, la mémoire", Villa Medici, Rome.
1999
"Arte al Centro, P.S.1. Italian Bureau selections 1998-2000", Cittadellarte, Fondazione Pistoletto, Biella.
"Dappertutto", XLVIII Biennale di Venezia, Venice.
"Indoor", Centre d'art Contemporain, Lyon.

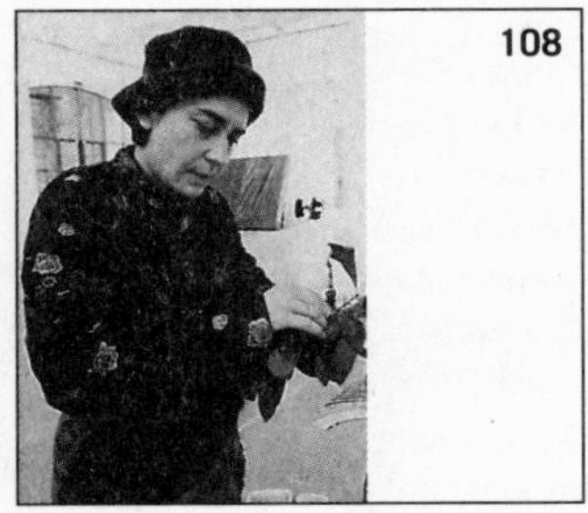
108

"Clocktower, PS1 Studio Artist", P.S.1., New York.
2000
"Migrazioni", Centro Arti Contemporanee, Rome.

Bibliography (Selected)
1997
C. Christov-Bakargiev, *La ville, le jardin, la mémoire*, exhibition catalogue, Villa Medici, Roma.
C. Christov-Bakargiev, L. Pratesi, M.G. Speranza, *Città/Natura*, exhibition catalogue, Palazzo delle Esposizioni, Roma.
P. Colombo, F. Bonami, C. Christov-Bakargiev, *Fatto in Italia*, exhibition catalogue, Centre d'Art Contemporain, Geneva, I.C.A. London.
D. De Dominicis, *Bruna Esposito Comunione con la natura nella sua Totalità*, "Flash Art", no. 96, February-March.
Documenta X, exhibition catalogue, Kassel.
1999
Dappertutto, XLVIII Biennale di Venezia, exhibition catalogue, Milano.
M.R. Sossai, *La passione etica dell'arte*, "Flash Art", no. 103, June-July.
2000
C. Christov-Bakargiev, *Bruna Esposito*, in *P.S.1 Italian Bureau*, Ed. Castelvecchi, Roma.

SYLVIE FLEURY / SWITZERLAND

Born in 1961 in Geneva.
Lives and works in Geneva.

Solo Exhibitions
1994
"Escape", Le Consortium, Dijon.

1995
"Façade Series", Museum of Contemporary Art, Chicago.
1996
"First Spaceship on Venus", Musée d'Art Moderne et Contemporain, Geneva.
Ecole Cantonale d'Art de Lausanne, curated by Lionel Bovier, Lausanne.
1997
"Skin Crimes", Galerie Bob van Orsouw, Zurich.
"Bedroom Ensemble", Galerie Mehdi Chouakri, Berlin.
"Is Your Makeup Crashproof?", Postmasters Gallery, New York.
1998
"First Spaceship on Venus and Other Vehicles", XXIV Biennal Internacional de São Paulo, São Paulo.
"Hot Heels", Migros Museum für Gegenwartskunst Zürich, Zurich.
1999
Villa Merkel, Galerien der Stadt

110

Esslingen am Neckar, Esslingen.
Art + Public, Geneva.
Philomene Magers Projekte, Munich.
2000
Galerie Hauser & Wirth & Presenhuber, Zurich.
Elisabeth Cherry Contemporary Art, Tuscon.
2001
"ZKM", Museum für Neue Kunst, Karlsruhe.

Group Exhibitions
1994
"Endstation Sehnsucht", Kunsthaus Zürich, Zurich.
"Das Jahrhundert des Multiple", Deichtorhallen, Hamburg.
1995
"Fémininmasculin / x/v", Centre Georges Pompidou, Paris (video).
"Der Zweite Blick", Haus der Kunst, Munich.
"Photocollages", Le Consortium, Dijon.
1997
"Some Kind of Heaven, Kunsthalle Nürnberg, Nuremberg, South London Gallery, London.
"P.O. Box", Portikus, Frankfurt, Kunstmuseum Bonn, Bonn, Museum für Gegenwartskunst, Basel.
"Home Sweet Home", Deichtorhallen, Hamburg.
"Check-In", Museum für Gegenwartskunst, Basel.
1998
"Freie Sicht aufs Mittelmeer", Schirn Kunsthalle, Frankfurt, Kunsthaus Zürich, Zurich.
"Lifestyle", Kunsthaus Bregenz, Bregenz.
"Malerei jenseits der Malerei", Ursula Blickle Stiftung, Kraichtal.
"Fast Forward / Body Check", Kunstverein Hamburg, Hamburg.
"Ghosts", Le Consortium, Dijon.
"Addressing the Century / 100 Years of Art and Fashion", Hayward Gallery, London, Kunstmuseum Wolfsburg, Wolfsburg.
"Dogdays Are Over", Centre Culturel Suisse, Paris.
1999
"Contemporary Swiss Art", Ludwig Múzeum, Budapest.
"Die Farben Schwarz", Landesmuseum Joanneum, Graz.
"Heaven", Tate Gallery, London, Kunsthalle Düsseldorf, Düsseldorf.
2000
"Customized. Art Inspired by Hot Rods, Low Riders and American Car Culture", ICA, Boston.
"John Armleder & Sylvie Fleury", Kunstmuseum St. Gallen, Saint Gall.
"Die scheinbaren Dinge", Haus der Kunst, Munich.
"Cosmos", Palazzo Grassi, Venice.
"What If", Moderna Museet Stockholm, Stockholm.
"Human Being and Gender", Biennial Korea.

CEAL FLOYER / GREAT BRITAIN
Born in 1968 in Karachi.
Lives and works in Berlin.

Education
1991-1994
Goldsmiths College, London (BA).

Solo Exhibitions (Selected)
1996
Gavin Brown's Enterprise, New York.
1997
City Racing, London.
Herzliya Museum of Art, Tel Aviv.
Lisson Gallery, London.
1998
Künstlerhaus Bethanien, Berlin.
1999
Casey Kaplan, New York.
Kunsthalle Bern, Bern.
2000
"Pinksummer", Genoa.
2001
Ikon Gallery, Birmingham.
inova, Milwaukee.

112

Group Exhibitions (Selected)
1995
"General Release: Young British Artists at Scuola di San Pasquale", XLVI Biennale di Venezia, Venice.
International Istanbul Biennial, Istanbul.
1996-1997
"Life/Live", ARC Musée d'Art Moderne de la Ville de Paris, Paris, Centro Cultural de Belém, Lisbon.
1997
"Material Culture: the object in British art in the 80's and 90's", Hayward Gallery.
1998
"Every day", curated by Jonathan Watkins, Eleventh Biennial of Sydney, Sydney.

1999
"Mirror's Edge", curated by Okwui Enzewor, Bild Museet, Umeå (travelling exhibition).
2000
"Making Time: Considering Time as a Material in Contemporary Video & Film", Palm Beach Institute of Contemporary Art, Palm Beach.
"Film/Video Works - Lisson Gallery at 9 Keane Street", Lisson Gallery, London.

Bibliography (Selected)

2000
I. Blom, *White Mischief*, "The Nordic Art Review", vol. II, pp. 70-75.
N. Israel, *Ceal Floyer*, "Artforum", February, pp. 119-120.
2001
R. Clark, *Ceal Floyer*, "The Guardian", 12 February.
D. Musgrave, *Ceal Floyer*, "Art Monthly", March, pp. 45-46.

MICHEL FRANÇOIS / BELGIUM, FRENCH COMMUNITY

Born in 1956 in Saint-Truiden.
Lives in Brussels.

Solo Exhibitions
1980
"Appartement à louer", Galerie ERG, Brussels.
1983
"Araignées", Fondation pour la Tapisserie, Tournai.
1984
Zeno X Gallery, Antwerp.
1986
Zeno X Gallery, Antwerp.
1987
"Belgica", Galleria La Planita, Rome.

114

1988
Vereniging voor het Museum van Hedendaagse Kunst, Ghent.
Galerie Christine & Isy Brachot, Brussels.
Musée d'Art Moderne, Brussels.
1989
"Espèces d'images", Galerie Camille von Scholz, Brussels.
"Het latijnse Noorden in vier scenes", Espace 251 Nord im Provinciaal Museum, Hasselt.
1990
Galerie Michel Vidal, Paris.
Galerie des Beaux-Arts, Brussels.
1991
Galerie Lumen Travo, Amsterdam.
"Le monde et les bras", Vereniging voor het Museum van Hedendaagse Kunst, Ghent.
1992
"Le monde et les bras", Palais des Beaux-Arts, Brussels.
Documenta IX, Kassel.
1993
Galerie Ulrich Gebauer, Berlin.
1994
Curt Marcus Gallery, New York.
XXII Biennal Internacional de São Paulo, São Paulo.
1995
Galerie Marie-Puck Broodthaers, Brussels.
Galerie Ursula Walbröl, Düsseldorf.
Galerie Jennifer Flay, Paris.
Galerie Ulrich Gebauer, Berlin.
1996
Curt Marcus Gallery, New York.
Städtische Plakataktion / Urban placarding, EDA, Dunkerque.
"Le monde et les bras. Une résidence terrestre", FRAC Limousin, Limoges.
Galerie Lumen Travo, Amsterdam.
International Istanbul Biennial, Istanbul.
1997
"Städtische Plakataktion / Urban placarding", Moulin Albigeois, Albi.
"Projekt mit den Patienten der Gefängnisklinik TBS De Kijvelanden", Rotterdam.
"Engrais, Orties et Pissenlits", Witte de With, Rotterdam, Tecla Sala, Barcelona.
"Städtische Plakataktion / Urban placarding", Liège, Belgrade, Tatihou.
1998
"Hyperspace", Marie-Puck Broodthaers, Brussels.
"A flux tendu", Moulin Albigeois, Albi.
"Bureau augmenté", Galerie Ulrich Gebauer, Berlin.
1999
"Un centre culturel mit sens dessus dessous", Centre Culturel, Saint-Truiden.
"Bureau augmente", Galerie Jennifer Flay, Paris.
"L'Exposition, la Boutique et le bureau", Palais des Beaux-Arts, Charleroi.
Bildseiten in der Zeitung "Le Matin" / Pages of images in the newspaper "Le Matin".
Ulrich Gebauer Galerie, Berlin.
ARCO, Madrid.
"Horror vacui" (with Ann Veronica Janssens), XLVIII Biennale di Venezia, Venice.
2000
"La plante en nous", Kunsthalle Bern, Bern, Haus der Kunst, Munich.
Bildseiten in der "Berner Zeitung" / Pages of images in the newspaper "Berner Zeitung".
2001
"Autoportrait contre nature", Argos, Bruxelles.
"Troc" (with Meshac Gaba), Galerie Lumen Travo, Amsterdam.
"Le jardin contre nature", Encore Bruxelles, Bruxelles.
"Le puits", Fundació Joan Miró, Barcelona.

MICHEL FRÈRE / BELGIUM, FRENCH COMMUNITY

Born in 1961 in Brussels.
Died in 1999 in Morlanwelz.

Solo Exhibitions
1985
Galerie Albert Baronian, Knokke le Zoute.
1986
Kunst Rai '86, Amsterdam.

116

1987
C.I.A.P., Hasselt.
Galleria Studio Massimi (with W. Swennen and N. Tordoir), Rome.
1988
Galerie Albert Baronian, Brussels.
1990
Galerie Albert Baronian, Brussels.
1991
Pamela Auchincloss Gallery, New York.
Galerie Tanit (with Herbert Hamak), Munich.
1992
Galerie Albert Baronian, Brussels.
1993
Jan Turner Gallery, Los Angeles.
Gentili Arte Contemporanea, Florence.
1994
Jean Bernier Gallery, Athens.
"Small Paintings", Kohn Turner Gallery, Los Angeles.
1995
Palais des Beaux-Arts, Charleroi.
Gentili Arte Contemporanea, Florence.
1996
Sidney Janis Gallery, New York.
Galerie Velge & Noirhomme, Brussels (paintings on paper).
Galerie Albert Baronian, Brussels (sculpture).
1997
"Sculture", Gentili Arte Contemporanea, Florence.
1998
Galerie Albert Baronian, Brussels.
1999
Galerie Vidal-Saint-Phalle, Paris (works on paper).
"Hommage à Michel Frère", Stand Galerie Albert Baronian, Art Brussels, Brussels.
Galerie Liliane & Michel Durand-Dessert, Paris.

Group Exhibitions
1984
"Puzzle", Palais des Beaux-Arts, Charleroi.
1985
Galerie Synergon-Baronian, Brussels.
"Jeune Peinture Belge", Palais des Beaux-Arts, Brussels.
Galerie Détour, Namur.
"Art Belge 85", Palais des Congrès, Brussels.
1986
"Sans Analogie II", Galerie Albert Baronian, Brussels.
"Au Cœur du Maelström", Palais des Beaux-Arts, Brussels.
1988
"Zapper!", Musée des Beaux-Arts, Mons.
"9ème Confrontation", Cogeime Art Moderne, Casino de Knokke.
"Salon de Montrouge", Aspects de l'Art Belge, Montrouge.
"Albert Baronian Gallery in ICC", ICC, Antwerp.
1989
"10ème Confrontation", Galerie Albert Baronian, Casino de Knokke.
1990
"Portrait d'une Collection d'Art Contemporain", Palais des Beaux-Arts, Charleroi.
1991
"Invitational", Tony Shafrazi Gallery, New York.
1992
Galerie Ghislaine Hussenot, Paris.
1993
Brooke Alexander Gallery, New York.
"Visions Contemporaines", Centre Borschette, Brussels.
1994
"P. Corillon, M. François, M. Frère, J-F.Octave", La Serre, Beaux-Arts de St.-Etienne, St.-Etienne.
1995
"Le Paysage Retrouvé", Galerie Renos Xippas Gallery (in collaboration with Albert Baronian), Paris.
"Leonkart Città del Desiderio", Centro Sociale Leoncavallo, Milan.
"Room with Views" (Albert Baronian and Patrick De Brock), Casino de Knokke.
1996
"Dérivations", Musée d'Art Moderne et d'Art Contemporain, Liège.
1998
"Evergreen", curated by Richard Milazzo, New York.
1999
"One Painting, Two Sculptures and Three-Hundred Photographs, Michel Frère, Abraham David, Christian & Elliot Schwartz", curated by Richard Milazzo, New York.
"Instrumenta Imaginis, Castellani, Tatafiore, Frère, Tirelli, Canevari, Vitagliano", curated by Flaminio Gualdoni, Galleria Civica di Arte Contemporanea, San Martino, Valle Caudina.
"Quand soufflent les vents du Sud", curated by Claude Lorent, Espace BBL and Musée de l'Art Wallon, Liège.
2000
"Prométhée et le Golem", curated by Ben Durant and Michel Clerbois, Salle Allende, ULB, Brussels.
"Les Premiers et les Derniers", Wallonie-Bruxelles Centrum, Paris, CRAC, Valence.

JÓZSEF GAÁL / HUNGARY
Born in 1960 in Tahitótfalu.
Lives and works in Budapest.

Education
1970-1974
Graphic School, Szentendre.
1974-1978
Secondary School of Fine and Applied Arts, Budapest.
1978-1983
Academy of Fine Arts, Budapest.
1983-1986
Postgraduate studies at the Academy of Fine Arts, Budapest.

118

Teaching Experience
1993
Professor at the Academy of Fine Arts, Budapest.

Solo Exhibitions (Selected)
1984
"Plant", Bercsényi Kollégium, Budapest.
1985
"Collages", Galéria 11 and Eötvös Klub, Budapest.
1989
"Prothesis", Óbudai Pincegaléria, Budapest.
1992
"Image of the Other World", Mücsarnok - Palme Ház, Budapest.
1993
"Imagien del otro mundo" (with Menyhért Tóth and József Szurcsik), Expo '92, Hungarian Pavillion, Seville.
"Ungari graafikanaitus" (with József Szurcsik), Mustpeade Maja Galeriis, Tallin.
1994
"Hommage à Henri Michaux", Stúdió 1900 Galéria, Budapest.
1995
"Homogram", Haus Ungarn, Berlin.
1996
"Frieze", Merlin Színház, Budapest.
"Uncreated", Stúdió 1900 Galéria, Budapest.
"Macula", Vigadó Galéria, Budapest.
1997
"Totentanz", Marienkirche, Berlin.
"Icon", Müvésztelepi Galéria, Szentendre.
"Nascente Luna", Galerie Mira-Maku, Vienna.
"Figura penetra", Donauraum, Vienna.
1999
"Signals of Moment", Institut Français, Budapest.
2000
"Summa", Miskolci Galéria, Miskolc.

Group Exhibitions (Selected)
1985
III International Triennial of Graphic Art, Nuremberg.
1986
Academy of Fine Arts, Sidney.
1987
"Magic Artworks", Budapest Galéria, Budapest .
European Engraving Triennial, Grado.
1988
5th Biennial of European Graphic Art, Heildelberg.
1989
"Ungarische Kunst der achziger Jahre", Passau.
"Ungerska Pass", Galerie Enkehuset, Stockholm.
"Symmetry and Asymmetry", Magyar Nemzeti Galéria, Budapest.
1990
"Studios in Budapest", Magyar Nemzeti Galéria, Budapest.
1991
"Studio '91", Magyar Nemzeti Galéria, Budapest.
"Art Hamburg", Congress Centre, Hamburg.
1992
"Hexagonale '91", International Painting Biennial, Cultural Centre Sezana.
International Drawing Triennial, Wroclaw.
1993
"Young Hungarian Artists in Finland", Imatra, Nurmesz, Kuopio.
"Macabre", Stúdió 1900 Galéria, Budapest.
"Exhibition of the School of Rome", Hungarian Academy, Rome.
1994
"Contemporary Print Art - Nagoya with Hungary", Nagoya.
"Contemporary Print Art", Citizen Gallery Toyota.
"Alagút/Tunnel", Hungarian Cultural Institute, Prague.
"Culturalia, Hungaros en el extranjero", Galería Brita Prinz, Madrid.
3rd Biennial of Graphic Art '94, Belgrade.
"L'art hongrois", Galerie AR, Lyons.
1995
"Arts as Thought - Art as Energy", International Drawing Triennial, Wroclaw.
1996
"Regard 18", Salons de la Mairie, Paris.
"Jahr/hundert/tausend/w/ende", Galerie Signal, Dortmund.
1997
"Dialogue", Szentendrei Képtár, Szentendre.
"Oil/Canvas", Mücsarnok, Budapest.
"Über die Sehnsucht", Galerie Doppelt, Vienna.
1998
"Unhaut", Forum Schloss Wolkensdorf.
"Labyrinth", 2nd International Triennial of Prints Prague '98, The City of Prague Art Gallery, Old Town Hall, Prague.
"Vorsich 13 Doppelt", Galerie Donauraum, Vienna.
"Chaos and Order", Vigadó Galéria, Budapest.
23th International Biennial of Graphic Art, Ljubljana.
"Kontravízie", Slovenská Národná Galéria, Bratislava.

Grants and Major Awards
1984
Award of the Lipót Hermann Foundation.
1985
Béla Kondor Commemorative Medal, XIIIth National Biannual Graphics Exhibition.
1986-1989
Derkovits Sholarship, Budapest.
1991
Scholarship, Hungarian Academy, Rome.
1999
Scholarship, Cité International des Arts, Paris.

Bibliography (Selected)
1988
A.M. Bakonyvári, *Új totemek*, "Müvészet", no. 11-12.
1989
L. Morgensen, *Ungerska pass nar laderfabrikens rans*, "Sydsvenskas", 25 May.
1990
M.-O. Andrade, *József Gaál*, "Artension", no. 18, November.
I. Hajdú, *Gaál József*, in *Budapesti Mütermek / Les Ateliers de Budapest*, Ed. Navarra, Paris.

1992
J. Sárosdy, *Idolos de lo efímero. Imagen del ostro mundo*, exhibition catalogue, Mücsarnok, Budapest.
1993
T. Novotny, *Három világ*, "Holnap", October.
1994
O. Merhán, *Gaál József müvészetéröl*, "Enigma", no. 2.
I. Sinkó, *Apropos Böhme*, "Új Müvészet", no. 9
K. Szipöcs, *Homo Humus*, "Balkon", no. 7
1995
A. Jász, *Bálványok fitymálása, avagy...*, "Balkon", no. 2.
1995-1996
A. Bohár, *Az ember világnélkülisége*, "Enigma", 1995/4-1996/1.
1996
A. Bán, *Lettre-arc+kép*, "Magyar Lettre Internationale", no. 20
A. Kováts, *Antropomorfizmus, figurativitás*, "Új Müvészet", no. 11
1997
J. Gaál, A. Jász, *Nosis hermeticus*, Budapest.
1998
J. Gaál, *Alaktalan*, Arcus Galéria, Budapest.
1999
J. Bárdosi, *Személyes labirintus*, in *Labirintus*, Müvészeti Mühely-Limes.
Z. Beke, *Maskara*, "Új Müvészet", no. 1-2
J. Gaál, A. Jász, *A pillanat jelzései*, Arcus Galéria, Budapest.
I. Sinkó, *Michaux, Gaál*, "Élet és Irodalom", 28 May.

RAINER GANAHL / AUSTRIA

Born in Bludenz. Lives and works in New York.

Solo Exhibitions (Selected)
1989
"Virtue in Objects", Museum Folkwangen, Essen (installation).
1990
Galerie Philomene Magers, Bonn.
1991
White Columns (White Room), New York.
Randy Alexander (with Matthew Antezzo), New York.
1992
Nordanstad-Skarstedt, New York.
Galleria Massimo De Carlo, Milan.
Galerie Roger Pailhas, Paris.
Dallas Museum of Art, Dallas.
1993
Person's Weekend Museum, Tokyo.
Ghislain Mollet-Viéville, Paris.
1994
Galerie Roger Pailhas, Paris.
Nordanstad Gallery, New York.

120

1995
Sandra Gering (with Matthew McCaslin), New York.
Galerie Philomene Magers, Cologne.
Blum & Poe, Los Angeles.
Contemporary Art Centre, Moscow.
Ice Box, Athens.
1996
Galerie Roger Pailhas, Paris.
Depot, Vienna.
Villa Arson, Nice.
Ghislain Mollet-Viéville, Paris.
Künstlerhaus Stuttgart, Stuttgart.
Thomas Solomon Garage, Los Angeles
1997
Galleria Massimo De Carlo, Milan.
"Educational Complex" (with four other artists), organized by Rainer Ganahl, Generali Foundation, Vienna.
1998
Kunsthaus Bregenz, Bregenz
1999
"Offene Handlungsräume", Paul Pedro Contemporary Art, Toronto.
XLVIII Biennale di Venezia (with five other artists or artist collectives), Venice.
Museum Moderner Kunst Stiftung Ludwig Wien, Vienna.
Max Protetch, New York.
2000
Galerie Nächst St. Stephan, Vienna.

Group Exhibitions (Selected)
1997
"Jingle Bells", Galleria Massimo De Carlo, Milan.
"Postproduktion", Generali Foundation, Vienna.
1999
"Man muß ganz schön viel lernen bevor man hier funktioniert", Frankfurter Kunstverein, Frankfurt.
"Illuminations", National Museum of Contemporary Art, Oslo.
"Kunst-Welten im Dialog", Museum Ludwig, Cologne, Lascaux2, Villa Arson, Nice.

KATHARINA GROSSE / GERMANY

Born in 1961 in Freiburg-Breisgau. Lives and works in Düsseldorf and Berlin.

Professional Experience
Since 2000
Professor at Kunsthochschule, Berlin-Weißensee.

Solo Exhibitions
1996
Overbeck-Gesellschaft, Lübeck.
1997
Petra Bungert Gallery, New York.
Galerie Conrads, Düsseldorf.
1998
Kunstverein Heilbronn, Heilbronn.
Todd Gallery, London.
Kunsthalle Bern, Projektraum.
"Sightspacific", Kunstverein Bremerhaven, Bremerhaven.
1999
Rheinisches Landesmuseum, Bonn.
Galerie Barbara Gross, Munich.

122

Open House, Chinati Foundation
Marfa.
2000
Galerie Mark Müller, Zurich.
Galerie Sfeir-Semler, Hamburg
2001
Artsonje Museum, Kyongju.
Galerie Nächst St. Stephan, Vienna.

Group Exhibitions
1995
Karo Dame, Aargauer Kunsthaus,
Aarau.
Karl Schmidt-Rottluff Stipendiaten,
Kunsthalle Düsseldorf, Düsseldorf.
1996
"Farbe - Malerei der 90er Jahre",
Kunstmuseum Bonn, Bonn.
1997
"Abstraction/Abstractions -
Geómétries Provisoires", Musée
d'Art Moderne, Saint-Etienne.
"Topping Out", Städtische Galerie
Nordhorn.
1998
"Every day", curated by Jonathan
Watkins, Eleventh Biennial
of Sydney, Sydney.
1999
"Chroma, Malerei der neunziger
Jahre", Kunsthalle Nürnberg,
Nuremberg.
"Viereck und Kosmos", Amden
and Kunsthaus Glarus, Glarus.
"Selections Fall '99", The Drawing
Center, New York.
1999-2000
"Zeitwenden", Kunstmuseum Bonn,
Bonn, Museum Moderner Kunst
Stiftung Ludwig Wien, Vienna.
2000
"Bleibe", Akademie der Künste,
Berlin.
"Das Gedächtnis der Malerei",
Aargauer Kunsthaus, Aarau.
"Preis der Nationalgalerie für junge
Kunst", Nationalgalerie
im Hamburger Bahnhof, Berlin.

Bibliography
1995
Katharina Grosse, catalogue,
with an essay by A. Denk, Schmidt-
Rottluff Stiftung, Düsseldorf.
1998
Katharina Grosse, with essays
by R. Kurzmeyer, E. Seifermann
and A. Zweite, Nürnberg.
1999
Katharina Grosse, exhibition
catalogue, with essays by N. Doll
and C. Schreier, Rheinisches
Landesmuseum Bonn, Bonn.

GRAHAM GUSSIN / GREAT BRITAIN
Born in 1960 in London.

Education
1981-1985
Middlesex Polytechnic, London (BA).
1989-1990
Chelsea School of Art, London (MA).

Solo Exhibitions
2000
"Screening of SPILL", Imperial
College, London, co-curation
of Nothing.NGCA, Sunderland CAC,
Viinius, Rooseum, Malmö.
Co-editing of Nothing book
published by August Media.
2001
Galerie Chantal Crousel, Paris
New Museum of Contemporary Art,
New Media Space, New York.

Group Exhibitions
1999
Screening of Film Stills, Site Gallery.
"Luftfarer", travelling exhibition
in Norway.
"Paint Land Beauty", NGCA,
Sunderland.
2000
"Geographies", Galerie Chantal
Crousel, Paris.
"Persistence of Vision", Focal Pont
Gallery.
"Southend Moment", Dundee
Contemporary Arts.
"British Art Show", Edinburgh,

124
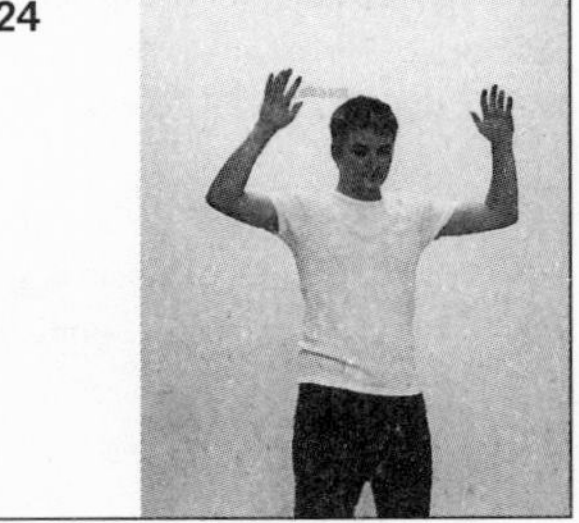

Southampton, Cardiff, Birmingham.
"New British Art 2000. Intelligence",
Tate Britain, London.
"Black Box Recorder", British
Council (touring show).
"Real Places?", Kunsthalle, Munster.
"Another Place Tramway", Glasgow.
"Artifice", Deste Foundation, Athens.
"Escape", Media City, Seoul.

Publications
1999
"Assembly", The Landscape
Foundation.

Bibliography
1999
J. Engberg, *Signs of Life*,
in *Melbourne International Biennial*,
exhibition catalogue, Melbourne.
Luftfarer, exhibition catalogue.
2000
V. Button, in *Intelligence, New British
Art 2000*, exhibition catalogue,
Tate Gallery, London.
Artifice, exhibition catalogue,
Deste Foundation, Athinai.
Black Box Recorder, exhibition
catalogue, British Council.
J. Millar, in *Escape*, exhibition
catalogue, Media City, Seoul.
British Art Show, exhibition
catalogue, Edinburgh, Southampton,
Cardiff, Birmingham.
S. Morrisey, *Contemporary Visual
Arts*, "Issue", no. 25.

FABRICE GYGI / SWITZERLAND
Born in 1965 in Geneva.

Education
1983-1984
Ecole des Arts Décoratifs, Geneva.
1984-1990
Ecole Supérieure d'Art Visuel,
Geneva.

Professional Experience
1997-2000
Teaches at Ecole Cantonale d'Art,
Lausanne.

Solo Exhibitions
1990
Galerie M/2, Vevey.

126

1991
Galerie Skopia, Geneva.
1993
La Régie, Geneva.
1994
Espace d'Art Contemporain, Lausanne.
1996
Galerie Bob van Orsouw, Zurich.
1997
Gramercy Art Fair, New York.
Galerie Bob van Orsouw, Zurich.
1998
Galerie Bob van Orsouw, Zurich.
1999
"Free Market", Kunsthof, Schule für Gestaltung, Zurich.
2000
Magasin - Centre National d'Art Contemporain, Grenoble.
2001
Chantal Crousel, Paris.

Group Exhibitions
1990
"7 artistes aménagent M/2", Galerie M/2, Vevey.
1994
"Migraçoes", Museu de Arte de São Paulo, São Paulo.
1996
Sixth International Biennial, Cairo.
1997
"My Swiss friends", curated by Via Lewandowsky, Lombard-Freid Fine Arts, New York.
"Des Histoires en formes", Magasin - Centre National d'Art Contemporain, Grenoble.
1998
"Freie Sicht aufs Mittelmeer", Kunsthaus Zürich, Zurich, Schirn Kunsthalle, Frankfurt.
"Nonchalance Revisited", Junge Schweizer Kunst, Akademie der Künste, Berlin.
1999
"Corps social", Ecole Nationale Supérieure des Beaux-Arts, Paris.
"The Edge of Awareness", Geneva, New York, São Paolo, New Dehli, Milan.
2000
"Xn oo", Lionel Bovier, Espace des Arts, Chalon-sur-Saone.
"Air air", Forum Grimaldi, Monaco.
2001
"Neue Welt", Frankfurter Kunstverein, Frankfurt.

Performances
1990
"Ligne droite", Galerie M/2, Vevey.
1994
"Authority Finger", Attitudes, Geneva.
1995
"Performance Domestique", Projektraum Zürich, Zurich, LowBet, Geneva.

Grants and Awards
1995
Grant Lissignol, Geneva.
1996
Second Prize at the Sixth International Biennial, Cairo.
1996-1998
Eidgenössischer Preis für freie Kunst.

Bibliography
1990
7 artistes aménagent M/2, exhibition catalogue, Galerie M/2, Vevey.
1993
Fabrice Gygi, exhibition catalogue, La Régie, Genève.
1996
Sixth International Biennial, exhibition catalogue, El Kair.
1997
Des Histoires en formes, exhibition catalogue, Magasin - Centre National d'Art Contemporain, Grenoble.
1998
L. Bovier, C. Cherix, *Fabrice Gygi*, "Flash Art International", Summer, p. 32.
Freie Sicht aufs Mittelmeer, exhibition catalogue, Kunsthaus Zürich, Schirn Kunsthalle, Frankfurt.
S. Müller, *Fabrice Gygi: Das Museum wird gewappnet für den Ernstfallì*, "Art", no. 7/98, pp. 74-79.
H.R. Reust, in "Artforum", November, p. 124.
1999
Corps social, exhibition catalogue, Ecole Nationale Supérieure des Beaux-Arts, Paris.
2000
Air air, exhibition catalogue, Forum Grimaldi, Monaco.
Fabrice Gygi, exhibition catalogue, Magasin - Centre National d'Art Contemporain, Grenoble.
Xn oo, exhibition catalogue, Espace des Arts, Chalon-sur-Saone.

JENS HAANING / DENMARK

Born in 1965 in Hørsholm.
Lives and works in Copenhagen.

Education
1988-1994
The Royal Danish Academy of Fine Art, Copenhagen.
1992-1993
Akademie der Bildenden Künste, Munich.

Solo Exhibitions
1992
Tapko, Copenhagen.
1994
Forum Galleriet, Malmö.
Galleri Nicolai Wallner, Copenhagen.
Lageret, Kunstforeningen Gl. Strand, Copenhagen.
1995
Galleri LXX, Århus.
Affiks, Lund.
1997
Galerie Mehdi Chouakri, Berlin.

128

1998
"Demo 1998/2", Århus Kunstmuseum, Århus.
Galerie Mehdi Chouakri, Berlin.
Fri-Art, Centre d'Art Contemporain, Fribourg.
Fundació la Caixa, Lleida.
2000
Galleri Nicolai Wallner, Copenhagen.
Centre d'Art Mobile, Besançon.

Group Shows (Selected)
1993
"Are you ready - On the count of zero", Galleri Nicolai Wallner, Copenhagen.
"Overdrive 1, 2 and 3", Copenhagen.
"Opening show", Galleri Nicolai Wallner, Copenhagen.
Museet for Samtidskunst, Roskilde.
"Edition Campbells Occasionally", Copenhagen.
1994
PIG, Oslo.
Rädskælderen Charlottenborg, Copenhagen.
1995
"Germination 8", de Beyerd, Breda, Zacheta, Warsaw, The Factory, Athens, Museo de Arte Moderno, Madrid (travelling exhibition).
"Wild at Heart", Galerie Jousse Seguin, Paris.
"RAM", Portalen, Hundige.
"Atomic", Rum for Aktuell Konst, Gøteborg, Oberwelt, Stuttgart, Titanik, Turku (travelling exhibition).
"Art against Aids", Galleri Nicolai Wallner and Galleri Michael Andersen, Copenhagen.
"5 + 1", I Nordfløjen, Charlottenborg, Copenhagen.
1996
City Space, Copenhagen.
"Traffic", CAPC Musée d'Art Contemporain, Bordeaux.
"Brekt bein - Ny dansk kunst", Kunstnernes Hus, Oslo.
"When the shit hits the fan", Overgaden, Ministry of Cultural Affairs (exhibition space), Copenhagen.
"W 159", Amsterdam.
"9 Dimensional Theory", Nikolaj Contemporary Art Centre, Copenhagen.
1997
"Des Histoires en Formes", Magasin - Centre National d'Art Contemporain, Grenoble.
"Human Conditions", Helsinki Taidehallin, Helsinki.
"Junge Kunst International '97", Overbeck-Gesellschaft, Lübeck.
"X-squared", Wiener Secession, Vienna.
"Louisiana Udstillingen 1997", Louisiana Museum of Modern Art, Humlebaek.
Fri-Art, Centre d'Art Contemporain, Fribourg.
Städtisches Museum Zwickau, Zwickau.
1998
"Bicycle Thieves", Thomas Blackman Associated Gallery, Chicago.
"Ontom", Galerie für Zeitgenössische Kunst, Leipzig.
"Momentum", Moss.
"Personne sait plus", Villa Arson, Nice.
"Secession - Das Jahrhundert der Künstlerischen Freiheit", Wiener Secession, Vienna.
"Hvis det var mig...", Århus.
"It all started in...", Mishkan le'omanut Museum of Art.
"Something Rotten", Museum Fridericianum, Kassel.
1999
Galleri Nicolai Wallner, Copenhagen.
"Module 2", Galleri LXX, Århus.
"Welcome to the Art World", Badischer Kunstverein, Karlsruhe.
"Street Life", Project Row Houses, Houston.
"Can You Hear Me?, 2nd Ars Baltica", Triennale of Photographic Art, Staatsgalerie Kiel, Kiel.
"Exhibition without Exhibition", project by Thilo Schulz.
"Inside Out, Overgaden", Ministry of Cultural Affairs (exhibition space), Copenhagen.
"New Nasubi Gallery, Cities on the Move", Louisiana Museum of Modern Art, Humlebaek..
"New Life", Mizuma Art Gallery, Tokyo.
"Midnight Walkers & City Sleepers", Amsterdam.
"Pop op", Holstebro Kunstmuseum / Kastrupgårdsamlingen.
2000
"The Invisible Touch", Kunstraum Innsbruck, Innsbruck.
"Organising Freedom", Moderna Museet, Stockholm.

Forthcoming Exhibitions (Selected)
Galerie Mehdi Chouakri, Berlin (solo).
United Art Space, Paris (solo).
"Unrealised Publics", Singapore.
"Amateurs", Göteborg Art Museum, Gothenburg.
"Transfer", Bienne.
"Aussendienst", Hamburger Kunstverein, Hamburg.
"Werkleitz Biennale 2000", Werkleitz/Zeigelei.
"The Fruitmarket", Edinburgh.
"I love Dijon", Le Consortium, Dijon.
"I believe in Düren", Kunsthalle Nürnberg, Nuremberg.
"Biennale des Arts", Dakar.
"On the Spot", Bern.
"Plan B", De Apple, Amsterdam.

Bibliography (Selected)
1995
A. Ring Petersen, in "Siksi", no. 4.
"Siksi", review by Å. Nacking, no. 2.
1996
L. Bang Larsen, *Jens Haaning, de Vleeshal, Middelburg*, "Frieze", no. 31, November-December.
"Flash Art", review by L. Bang Larsen, no. 189, Summer.
H. Fricke, in "Die Tageszeitung", July 27.
Jens Haaning, interview by N. Bourriaud, "Documents sur l'art", no. 8.
Jens Haaning, Middelburg Summer 96, "Zapp Magazin", no. 8, September.
A. Kindermann, D. Reinartz, *Szene Skandinavien*, "Art", no. 8, August.
"Permanent Food", no. 2.
"Siksi", review by M. Kramer, no. 3.
R. Vine, *How to succeed*

in Copenhagen, in "Art in America", December.
"Zapp Magazin", review by H. Fricke, no. 7, April.
1997
Jens Haaning Mehdi Chouakri, "Flash Art", review by P. Herbstreuth, no. 197, November-December.
Kritiker Umfrage - Harald Fricke, "Art", no. 1.
C. van Winkel, *Spiritual Teenage Moodmaker*, in "Archis", no. 4.
M.O. Wahler, *Habiter un lieu d'art*, "Kunst Bulletin", December.
1997-1998
L. Bang Larsen, *Alternative Learning, The Copenhagen Scene*, "Documents sur l'art", no. 11.
1998
Y. Bracman, *How and why did we get from H.C. Andersen to this?*, "New Art Examiner", July-August.
S. Hern, *Fünfundzwanzig Franken inklusive Kokosnuss*, "Neue Züricher Zeitung", FEUILLETON Freitag, October 10.
J.N. Jørgensen, *Jens Haaning 'Das Faserstoff Projekt'*, in "KUNSTmagasinet 1%".
M.O. Wahler, *Jens Haaning*, "Kunst Bulletin", September.
1999
L. Bang Larsen, *Social Aesthetics* , "Afterall", no. 1.
L. Bang Larsen, *Swiss Francs and a coconut*, "Art/text", no. 66, August-October.
2000
Jens Haaning, interview by N. Bourriaud, "Documents sur l'art", no. 12.

NIC HESS / SWITZERLAND

Born in 1968 in Zurich.
Lives and works in Zurich.

Education
1992-1996
Gerrit Rietveld Academie, Amsterdam and Hdk, Berlin.

Professional Experience
1997
Sketch and construction of an orphanage in the southeast of Tibet.

130
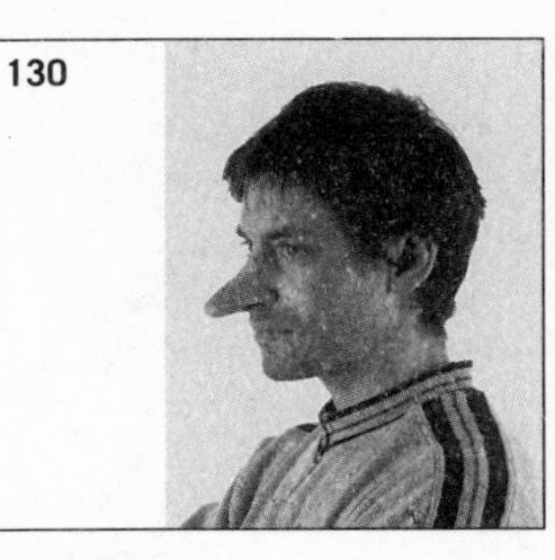

Solo Exhibitions
1998
"Ohne Tiere", Galerie Walcheturm, Zurich.
"Mit Tiere", Galerie Serge Ziegler, Zurich.
1999
"Transit 21" (with Kerim Seiler), Kunsthalle St. Gallen, Saint Gall.
2000
"Dolly II, one-man project", Kunst-Werke Berlin, Berlin.
"It's a man's world", Galerie Serge Ziegler, Zurich.
"Swinging Swindle", Queen's Museum, New York (project installation).
"Stadionneubau", Grieder von Puttkamer, Berlin.
"Together now", The Drawing Center's Drawing Room, New York.

Group Exhibitions
1998
"Freie Sicht aufs Mittelmeer", Kunsthaus Zürich, Zurich, Schirn Kunsthalle, Frankfurt.
"The pallidhouse", W139, Amsterdam.
1999
Migros Museum für Gegenwartskunst, Zurich.
"Peace für frieden", Migros Museum für Gegenwartskunst, Zurich.
2001
"1. Quadriennale", Casino 2001, SMAK, Ghent.
"One-man project, Dolly II", Kunst-Werke Berlin, Berlin.

Grants and Awards
2000
Grant of the Confederation Helvetica, Kunsthalle Zürich, Zurich.
Grant of the Confederation Helvetica, Fri-Art, Centre d'Art Contemporain, Fribourg.
Premio Michetti, Fondazione Michetti, Francavilla al Mare.
2001
Grant of Cantrade, Kulturstiftung.

Collections
Kunsthaus Zürich, Zurich.
Migros Museum für Gegenwartskunst, Zurich.
Kunstmuseum, Saint Gall.
Hotel Castell, Zuoz.

Publications
"Cahier d'Artist", The Drawing Paper.
"Peace für Fireden", Migros Museum für Gegenwart, Zurich.

Bibliography
1998
S. Maurer, *Visuelles Sampling*, "Züri tipp", 2 October.
1999
P. Meier, *Von der Baustelle in die Sauna*, "Neue Zürcher Zeitung", 14 May.
S. Omlin, *Seismograph gegenwärtiger Kunsttendenzen*, "Neue Zürcher Zeitung", 24 November.
T. Ribi, *Gelöster Umgang mit dem Frieden*, "Neue Zürcher Zeitung", 9 November.
2000
D. Hunt, *Raw Flux*, "ArtText", September.
J.-N. Jetzer, in "Kunst-Bulletin", July-August.
S. Maurer, *Diva & Sport*, "Züri tipp", 6 June.
M.C., *Hess@ Drawing Center*, "Flash Art", May-June.
Nic Hess, "The New York Times", 12 November.
I. Weinrautner, *Wirklichkeit aus zweiter Hand*, "Handelsblatt", 9-10 June.

HELI HILTUNEN / FINLAND

Born in 1960 in Heinola.
Lives and works in Helsinki.

Education
1980-1986
University of Industrial Arts, Helsinki.

1986-1990
Academy of Fine Arts, Helsinki.

Solo Exhibitions
1991
RUM, Pictura, Lund.
1992
Heinola Art Museum, Heinola.
1993
Galleria G., Helsinki.
1995
Kunsthalle Helsinki Studio, Helsinki.
Galleri Andreas Brändström, Stockholm.
1997
Galleria Artina, Helsinki.
Konstcentrum, Gävle.
1999
Galleria Kajo, Rovaniemi.
2000
Galleria Kari Kenetti, Helsinki.

Group Exhibitions (Selected)
1990
"Advent Exhibition", Helsinki City Art Museum, Helsinki.

132

"Graduating Students Exhibition", The Academy of Fine Arts, Helsinki.
"Young Artists' Exhibition", Kunsthalle Helsinki, Helsinki.
1991
"M'ARS 91 Exit", Mikkeli Art Museum, Mikkeli.
1993-1995
"Prejudices", Liljevalchs Konsthall, Stockholm.
"Nordic Arts Centre", Suomenlinna, Helsinki.
Oulu City Art Museum, Oulu.
Östergötlands Länsmuseum, Linköping.
Landskrona Konsthall, Landskrona.
Örebro länsmuseum, Örebro.
Museum of Contemporary Art, Warsaw.
Museum of Contemporary Art, Vilnius.
1994
"A View of Finland's Forests - Images and Experiences", Sara Hildén Art Museum, Tampere.
1995
"TAiDETTA", Karlskrona Konsthall, Karlskrona.
Västerås Konstmuseum, Västerås.
Norrköpings Konstmuseum, Norrköping.
Skövde Konsthall, Skövde.
Värmlands Museum, Karlstad.
KUB Kulturcentrum, Helsingborg.
Konstens Hus, Luleå.
1997
"Dark Side", Galleria Kari Kenetti, Helsinki.
"10", Lunds Konsthall, Lund.
"Biennal of Young Artists of Europe and Mediterranean", The Cable Factory, Helsinki.
1998
"What is Real?", The Third Finnish Photography Triennial, Kunsthalle Helsinki , Helsinki.
1999
"What is Real?", The Third Finnish Photography Triennial, Mikkeli Art Museum, Mikkeli.
Carnegie Art Award 1999, Sophienholm, Lyngby.
Carnegie Art Award 1999, Amos Anderson Art Museum, Helsinki.
Carnegie Art Award 1999, Kunstnernes Hus, Oslo.
"I confini dell'Europa", Casa delle Culture, Cosenza, Museo di Gallese, Viterbo.
"Photographie Finlandaise - Identité Fictive", Galerie Contretype, Brussels.
2000
Carnegie Art Award 1999, Barbican Art Gallery, London
Carnegie Art Award 1999, Kvarvalsstaðir, Listasafn Reykjavíkur, Reykjavík.
Carnegie Art Award 1999, Kungliga Akademien för de Fria Konsterna, Konstakademien, Stockholm.

Awards
Nominated for Ars Fennica 2001.

Collections
Museum of Contemporary Art, Kiasma, Helsinki.
Mikkeli Art Museum, Mikkeli.
Helsinki City Art Museum, Helsinki.
Oulu Art Museum, Oulu.
Collection Swanljung.
Saastamoinen Foundation.

EDGAR HONETSCHLÄGER / AUSTRIA

Born in 1963 in Linz. Artist and filmmaker, from 1989-1992 he lived and worked in New York; from 1992-1996 in Tokyo; and from 1997 to the present in Tokyo, Vienna and Los Angeles.

Education
1982-1987
Studies economics and art history.
1987
Art Institute, San Francisco.

Exhibitions
From 1988 on
Exhibits works in galleries in Europe, USA, Japan.
1993
"Schuhwerk", performance project, Tokyo, Yokohama
1995
"97-(13 + 1)", performance project, Tokyo, New York.
1997
Documenta X, Kassel.

Films and Film Festivals
1997
First feature film *MILK*.
1998
MILK, berlinale (Berlin Int. Film Festival), Berlin.
2000
"L+R", International Film Festival, Rotterdam (première).

134

2000 - Trilogy Colors (The History of Chocolate, Masaccio, In Times of Emergency), 34 min., betacam.
"Milk from the Blue Danube", Kunsthalle Wien, Vienna, Kunsthalle Krems, Krems, FIAC, Paris.

MARIANN IMRE / HUNGARY

Born in 1968 in Medgyesegyháza.

Education

1991
Graduated from Hungarian Academy of Fine Arts, Budapest.
1991-1994
Postgraduate studies, Hungarian Academny of Fine Arts, Budapest.

Solo Exhibitions

1992
"In memoriam...", Synagogue, Makó.
1993
"Levels" (with Mária Chilf), Liget Galéria, Budapest.
"Passive Imagination of Unfilled Spaces", Óbuda Pincegaléria, Budapest.
1995
"Inaudible Sounds", Ifjúsági Ház, Szeged.
1996
"Landscape Experiment I", Téli Galéria, Szentendre.
"Landscape Experiment II", Ferrera de Pallars.
1997
"St. Cecilia", Liget Galéria, Budapest.
2000
"Heart", Liget Galéria, Budapest.

Group Exhibitions (Selected)

1991
"Water Competition", Gödöllö.

136

"Diplome", Barcsay terem, Budapest, Iskola Galéria, Makó.
1992
"Exhibition of Makó Art Camp", Synagogue, Makó.
"Stúdió '92", Ernst Múzeum, Budapest.
1993
"Space Concepts", Budapest Galéria, Budapest.
"Blue Hall", Királyi Akadémia, Hague.
"Gallery by Night", Stúdió Galéria, Budapest.
"Book Objects", Országos Széchényi Könyvtár, Budapest.
"Exhibition of Makó Art Camp", Synagogue, Makó.
"MediaWave", Synagogue, Györ.
Sommerakademie, Salzburg.
"Epigon 2", Galerie KX, Hamburg.
1994
"7 Portoguese and 7 Hungarian Artists", Budapest Galéria, Budapest.
"Reduction", NA-NE Galéria, Budapest.
"Budapest-Berlin", Künstlerwerkstatt Bahnhof Westend, Berlin.
"Subway", Magyar Intézet, Prague.
1995
"PBK", St. Jacobi Kirche, Hamburg.
Biennial of Small Sculptures, Murska Sobota.
"The Least", Ernst Múzeum, Budapest.
1997
"Hidden, Ernst Múzeum, Budapest.
"Ornamentation", Szombathely.
1998
"The Opposite Bank, Art Camp '98, Miercurea Ciuc.
"Germination X", Athens.
"Station to Station", Living Art Museum, Reykjavík.
"Skin", Józsefvárosi Galéria, Budapest.
"Hungarian Contemporary Photography", Miskolci Galéria.
1999
Hungarian Academy, Rome.
"L'assunzione della techné / Tackling Techné", XLVIII Biennale di Venezia, Venice.
2000
"Undabdie post 2000", 4. Festival junger experimenteller Kunst, Berlin.
"The Second Gender", Ernst Múzeum, Budapest.

Awards and Grants

1992
Barcsay Prize.
1993
Internationale Sommerakademie, Salzburg.
1994
Hermann Lipót Prize.
Stipendium der Karl-Hofer Gesellschaft, Berlin.
1995-1998
Derkovits Scholarschip, Budapest.
1996
Prize of the Studio of Young Artists, Budapest.
1998
Scholarship, Hungarian Academy, Rome.

Bibliography (Selected)

1994
H. Wiesler, *Imre Mariann*, in *Budapest-Berlin*, exhibition catalogue, Künstlerwerkstatt Bahnhof Westend, Berlin.
1995
L. Beke, *Imre Mariann*, in *XII. Nemzetközi Kisplasztikai Biennálé*, exhibition catalogue, Murska Sobota.
K. Tímár, *Határtalan idö-napló*, "Magyar Narancs", 7 September.
M. Wucher, *Sütö Istvánné teleírt határidönaplója*, "Balkon", no. 12.
1996
G. Andrási, *A tér képe*, "Nappali Ház", no. 2.
J. Lopez, *L'art en el paisatge*, in *El paisatge en l'art moderne*, exhibition catalogue, Ferrera de Pallars.
P. Páldi, *Mariann Imre*, exhibition catalogue, Saarländisches Künstlerhaus, Saarbrücken.
E. Tatai, *A legkedvesebb*, "Balkon", no. 4-5.
1997
Z. Petrányi, *Rejtözködö müvészek, mellébeszélö müvészet*, in *Rejtözködö*, exhibition catalogue, Ernst Múzeum, Budapest.
1998
J. Sturcz, *Imre Mariann*, in *Természet és müvészet*,

exhibition catalogue, Vysoká Skola Vytvarnych Umení, Bratislava.
1999
E. András, *A test reprezentációja a kortárs magyar képzömüvészetben*, in *Erotika és szexualitás a magyar képzömüvészetben*, Liga, Budapest.
E. Tatai, *Tempting the Impossible*, in *L'assunzione della techné / Tackling Techné. XLVIII Biennale di Venezia*, exhibition catalogue, Milano.

IRWIN / SLOVENIA

The IRWIN group was established in 1983 in Ljubljana.
Dušan Mandić born in 1954 in Ljubljana.
Miran Mohar born in 1958 in Novo Mesto.
Andrej Savski born in 1961 in Ljubljana.
Roman Uranjek born in 1961 in Trbovlje.
Borut Vogelnik born in 1958 in Kranj.
They live and work in Ljubljana.

Education
Academy of Fine Arts, Ljubljana (all members of group).

Bibliography (Selected)
1986
C. Illes, *Suspended Animation*, "Performance", September.
1987
S. Kent, *Irwin*, "Time Out", 12 August.
1988
A. Tronche, *Irwin - entretien avec Anne Tronche*, "Opus International", September-October.
1989
N. Bourriaud, *Irwin*, "Flash Art", May-June.
E. Heartney, *Yugoslavia's Irwin Group: A Collision of Contradiction*, "New Art Examiner", May.
1990
R. Atkins, *Art Speak. A Guide to Contemporary Ideas, Movements and Buzzwords*, Abberville Press Publisher, New York.
1991
B. Groys, *The Irwin Group: More Total than Totalitarianism*, IRWIN - KAPITAL.
1993
G. di Pietrantonio, *Irwin - il nostro è il sogno di una piccola rivoluzione*, interview, "Flash Art" (Italian edition), no. 176, June.
S. Žižek, *Es gibt keinen Staat in Europa*, in *Padiglione NSK - Irwin, XLV Biennale di Venezia*, exhibition catalogue, Milano.
1996
A. Erjavec, *Postmodernizem in postsocialistično stanje*, M'ARS, Ljubljana, pp. 45-51, nos. 1, 2.
Historia del Arte, vol. XVI, *Ultimas Tendencias*, R. Martinez, Oceano-Instituto Gallach, Barcelona, p. 2888.
L. Kreft, *Umetnost na prehodu od politike h kulturi*, M'ARS, Ljubljana, pp. 35-39, nos. 1, 2.
1998
I. Arns, *Mobile States / Shifting Borders / Moving Entities. The Slovenian Artists' Collective neue Slowenische Kunst (NSK)*, exhibition catalogue, Centre for Contemporary Art, Ujazdowski Castle, Warsaw, pp. 68-76.
I. Arns, *Temporal Territories: NSK State in Time*, "Everything", 2 February.
M.J. Jacob, M. Benson, *Conversation at The Castle. Changing audiences and contemporary Art (Art festival of Atlanta)*, The MIT Press, Cambridge.
1998-1999
A. Bassin, *The Local and the Universal*, "Magazyn Sztuki", no. 20/21.

138

1999
Archives, pp. 53-58.
I. Arns, *Mobile States / Shifting Borders / Moving Entities. The Slovenian Artists' Collective neue Slowenische Kunst (NSK)*, exhibition catalogue, Warsaw, Centre for Contemporary Art Ujazdowski Castle, pp. 68-76.
I. Boubnova, *National Gallery's First International Show*, "Flash Art International", March-April.
R.E. Held, *Spectatorial Subjectivity, Irwin Live and the Artist Figure, Irwin-Three Projects*, exhibition catalogue, Centre for Contemporary Art Ujazdowsky Castle, Warsaw.
M. Gržinić, *Europa wird zum Phantom*, "Springerin", no. 1/V, March-June.
V. Misiano, *The Institutionalization of Friendship*, pp. 182-192.
Knjižna zbirka KODA. Ljubljana, organization of University students, Študentska založba, p. 197.
2000
P. Crowther, *The Oxford University Press*, edited by M. Kemp, chap. *Postmodernism*, London.
M. Gržinić, *Fiction Reconstructed*, Selene, Wien.

FRANS JACOBI / DENMARK

Born in 1960. Lives and works in Copenhagen.

Education
1982-1988
Studies at Royal Danish Academy of Art, Copenhagen.

Professional Experience
1994
Lecturer Royal Danish Academy of Art, Copenhagen.

Solo Exhibitions (Selected)
1994
Clausens Kunsthandel, Copenhagen.
Galerie von der Tann, Berlin.
1995
"Lets get lost", Stalke Kunsthandel, Copenhagen.
"Lets get lost", Galleri STRUTS, Oslo.

140

1996
"Imagine", Zoo Lounge, Oslo.
1998
"The day of Forever", Ringsted Galleriet, Ringsted.
"Sincerely yours", Galleri Rhizom, Århus.
1999
"Imagine", Galerie Anita Beckers, Frankfurt.
Galerie Schaper Sundberg, Stockholm.
2000
"The long kiss goodnight", Galleri Stalke, Copenhagen.

Group Exhibitions (Selected)
1994
"Miniatures", The Agency, London.
"City Slang", Kunstforeningen, Copenhagen.
"PIG", Gamlebyen, Oslo.
1995
"Disneyland After Dark", Uppsala Kunstmuseum, Uppsala.
1996
"Compartments: Escape Attempts", Fabrikken, Christiania.
"Disneyland After Dark", Kunstamt Kreuzberg/Bethanien, Berlin.
"EXIL", Overgaden, Copenhagen.
"Continue", Nikolaj Contemporary Art Centre, Copenhagen.
1997
"Berlin Art Fair m.", Galerie Stalke, Berlin.
"Louisiana Udstillingen 1997", Louisiana Museum of Modern Art, Humlebaek.
"HemArt", Hamar.
"S/LIGHT", Malmö Konstmuseum, Malmö.
1998
"Out of the North", Württembergischer Kunstverein, Stuttgart.
"Something is rotten in the State of Denmark", Museum Fridericianum, Kassel.
"Marketplace of Ideas", Wriston Art Centre, Appelton.
"Art Frankfurt m.", Galerie Stalke, Frankfurt.
1999
"Nur Wasser läßt sich leichter schneiden", Neumühlen, Hamburg.
"Anarchitechture", De Appel Foundation, Amsterdam.
2000
"Kvit Akse", Bergens Kunstforening, Bergen.
"SUR-FACE", Kunstforum München EV, Munich.
"We want to believe", Sparwasser, Berlin.
"flakk-the sensation of being abroad even when at home", Nordens Hus, Reykjavík.
2001
"CoMa", Sala de Exposiciones, Comunidad de Madrid, Madrid.

LIDY JACOBS / HOLLAND

Born in 1959 in Heerlen.
Lives and works in Rotterdam.

Education
1979-1984
Academy for Visual Arts, Rotterdam (Painting, Drawing and Design).

Solo Exhibitions
1994
"De pluchen tuin" (with Tim Maquire), Galerie Snoei, Art de Cologne, Cologne.

142

1997
Galerie Cokkie Snoei (with Arnold Mosselman), Rotterdam.
1999
"Heavy Petting", Groninger Museum, Groningen.

Group Exhibitions
1995
Galerie Cokkie Snoei, Art de Cologne, Cologne.
Cokkie Snoein/Torch at the "Art Basel", Basel.
1997
"Smart Show Goes To Sea", Cokkie Snoei/Torch at the "Smart Show '97", Stockholm, Helsinki.
"Angelus Novus", Gracie Mansion Gallery, New York.
1998
Gramercy Art Fair, Cokkie Snoei/Torch, New York.
1999
"Basel Kunstbeurs", Cokkie Snoei, Basel.
2000
"Beurs Madrid", Cokkie Snoei "APN", Paris.

Collections
Ministry of Foreign Affairs, The Hague.
Museum Boymans-van Beuningen, Rotterdam.
Private collections in the Netherlands, Germany, France, Italy, Switzerland and the United States.
Groninger Museum, Groningen.

Bibliography (Selected)
1997
Gracie Mansion Gallery, "Time Out New York", October 2-9.
R.M. Murdock, *Angelus Novus: Gracie Mansion Gallery New York, New York*, in "Zing magazine".
1999
S. van der Zijpp, *Heavy Petting*, "Groninger Museumkrant, 12ejaargang", no. 1.
2000
Villa d'Arte 2, "Galerieshopping", May-June.

Courtesy Cokkie Snoei.

HENRIK PLENGE JAKOBSEN / DENMARK

Born in 1967 in Copenhagen.
Lives and works in Copenhagen.

Education

1987-1994
Royal Danish Academy of Fine Arts, Copenhagen.
1992-1993
Ecole Nationale Supérieure des Beaux-Arts, Paris.
Institut des Hautes Etudes en Art Plastique, Paris.

Solo Exhibitions (Selected)

1991
"A man with no name is no man", Institute of Art History, University of Copenhagen, Copenhagen.
1992
"Hanig, Sneid und Speer", Lageret, Kunstforeningen, Copenhagen.
1995
"Neutron, Aperto", FRAC Champagne-Ardennes/ESAD, Reims.
"Untitled", Emmanuel Perrotin, Paris.
1996
"Nitrousoxide", Sweaborg, Nordic Art Centre, Helsinki.
"Laughing gas chamber", Galleri Nicolai Wallner, Copenhagen.
1997
"Untitled", The Pineapple, Malmö.
1998
"Untitled", Centre National de la Photographie, Paris.
"Untitled", Emmanuel Perrotin, Paris.
"Untitled", Caisse det Dépots et Consignations, Paris.
"Untitled", Arkipelag Projectspace, Stockholm.
"Untitled", Artpace, San Antonio.
1999
"Untitled", Ynglingagatan, Stockholm.
"Travel King", IASPIS, Stockholm.
"The End", Museu do Chiado, Lisbon.
2000
"Untitled", Chicago Project Room, Chicago.
"Nasdaq forever", Galleri Nicolai Wallner, Copenhagen.

Group Exhibitions (Selected)

1994
"Game Girl" (new technological images), Shedhalle, Zurich.
"Game Girl", Kunstverein Munich, Munich.
1995
"ARS 95", Museum of Contemporary Art, Helsinki.
1996
"Christmas stripping party", Index Gallery, Stockholm.
"Untitled", Emmanuel Perrotin, Paris.
"Now here", Louisiana Museum of Modern Art, Humlebaek.
"Manifesta 1", Rotterdam.
"Global Techno 2", Passage de Retz, Paris.
1997
"The End", Galleri Christian Dam, Copenhagen.
"Palace", Beret International Gallery, Chicago.

146

"Funny versus bizarre", Vilnius Art Centre, Vilnius, Riga Art Museum, Riga.
"Exogen", Nikolaj Contemporary Art Centre, Copenhagen.
"The Louisiana Exhibition", Louisiana Museum of Modern Art, Humlebaek.
"Das Fasserstoff Projekt", Fürstenberg.
1998
"Nuit Blanche", Musee d'Art Moderne de la Ville de Paris, Paris.
"Do all oceans have walls?", Bremen.
"Bicycle thieves", Chicago Project Space, Chicago.
"C.I.A.", Botkyrka Konsthal, Tumba.
"Global Techno", Parc de la Villette, Paris.
1999
"Formule 2", Künstlerhaus Bethanien, Berlin.
"Untitled", Emmanuel Perrotin, Paris.
"Grand opening show", Galleri Nicolai Wallner, Copenhagen.
"Laboratorium", Museum of Photography, Antwerp.
"Good Vibrations", Tomio Koyama Gallery, Tokyo.
"Ain't ordinarily so", Casey Kaplan, New York.
"Hitchcock", Kunsthalle Tirol, Hall.
"Dispensing with formalities", Copenhagen.
"Spread" Galerie Index, Stockholm.
2000
"Artificial Real", Low, Los Angeles.
"Nader Poster Project", Chicago.
"The sky is the limit", Taipei Biennial, Taiwan.
"Notorious", Brandts Kunsthal, Odense.
"Untitled", Galleri F15, Moss.
"Speculum", Kunstnernes Hus, Stavanger.
Interplay, Museum of Contemporary Art, Oslo.
Chicago Project Room, Los Angeles.
"I art" , Artnode, Stockholm.
"Transfert", public art project, Biel/Bienne.
"Edstrandska Priset", Rooseum, Malmö.

Bibliography

1996
Global Techno 2, exhibition catalogue, Passage de Retz, Paris.
Manifesta 1, exhibition catalogue, Rotterdam.
Now here, exhibition catalogue, Louisiana Museum of Modern Art, Humlebaek.
R. Vine, *Report from Denmark*, in "Art in America", October.
R. Vine, *Report from Denmark 2*, in "Art in America", December.
1997
L. Bang Larsen, *The subversive pleasures of Henrik Plenge Jakobsen*, in "Siksi", no. 3.
"Blocknote", no. 12 (insert).
Das Fasserstoff Projekt, exhibition catalogue, Fürstenberg.
"Q magazine", February (cover).
The Louisiana Exhibition, exhibition catalogue, Louisiana

Museum of Modern Art, Humlebaek.
"Zapp magazine", no. 9.
1998
Do all oceans have walls?, exhibition catalogue, Bremen.
"Frieze magazine", April/Spring.
C. Hahn, interview in "Artpress", February.
1999
Art of the Turn of the Millennium, Taschen Verlag, Köln.

ANN VERONICA JANSSENS / BELGIUM, FRENCH COMMUNITY

Born in 1956 in Folkestone.
Lives and works in Brussels.

Solo Exhibitions (Selected)
1990
Galerie Micheline Szwajcer, Antwerp.
1992-1993
Galerie Jennifer Flay, Paris.
1994
Espace d'Art Contemporain, Lausanne.
1995
"Begin the Beguine / Inside the Visible", curated by Cathy de Zegher, Fondation d'Art Kanaal, Kortrijk.
Galerie Micheline Szwajcer, Antwerp.
Centre Universitaire La Citadelle, Ancien Entrepôt des Tabacs, commissioner Mireille Geslin, Dunkerque.
"Etablissements d'en Face", curated by Alec De Busschère and Delphine Bedel, Brussels.
"Box", curated by Dirk Snauwaert, Nationale Loterij, Vereniging van de Tentoonstellingen van het Paleis van Schone Kunsten, Brussels.

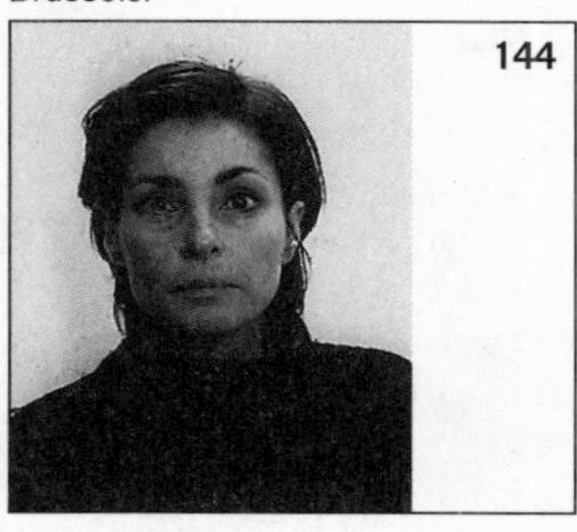
144

1996
"Voorstelling van een ronde vorm / Representation d'un corps rond", De Vleeshal, Middelburg.
"La Pichenette", Haus of Prints, Multiples and Drawings, Antwerp.
1997
"Blanlin-Evrart Award", Katholieke Universiteit Leuven, Leuven.
MUHKA (Museum van Hedendaagse Kunst Antwerpen), Antwerp.
1998
"Le bain de Lumière" (4 round aquariums and water: 130 × 0.40 cm, ed. 15), Haus of Prints, Multiples and Drawings, Antwerp.
1999
"Recent work", Galería Toni Tápies, Barcelona.
"Super Space" (13 installations in Utrecht), curated by Moritz Küng, 14th Festival a/d Werf, Utrecht.
"Horror vacui", XLVIII Biennale di Venezia, Belgian Pavillion, French Community of Belgium, curated by Laurent Jacob, org. Espace 251 Nord, with a text by Mieke Bal, Venice.
2000
"In the absence of light it is possible to create the brightest images within onself", Salzburger Kunstverin, Salzburg.
"MA.I" (for the Dance Festival by invitation from the choreographer Pierre Droulers), Tours.
2001
Kunstverein München, Munich.
Neue Nationale Galerie, Berlin.

Group Exhibitions (Selected)
1997
"Inside the Visible, An Elliptical Traverse of 20th Century Art in, of and from the Feminine", curated by Catherine de Zegher, Art Gallery of Western Australia.
"Lost in Space", curated by Moritz Küng, Kunstmuseum, Lucerne.
"Atelier Structure", curated by Etienne Tilman and Tapta, Musée Communal d'Ixelles/Ancienne Machine à Eau, Mons, Musée d'Art Moderne et d'Art Contemporain, Liège.

1998
"Aspects de l'art Actuel en Belgique", curated by Veerle van Durme, FRAC Nord-Pas de Calais, Dunkerque.
"De droom van eenfontein", De Vleeshal, Middelburg.
"Au milieu de nulle part" (works from the collection of FRAC Rhônes-Alpes), Angle Institut d'Art Contemporain, St-Paul-Trois-Châteaux, Drôme Provençale.
"Twee uur breed of twee uur lang. Over kunst en samenleving. Fascinerende Facetten van Vlaanderen", curated by Barbara Vanderlinden, Koninklijk Museum voor Schone Kunsten, Antwerp, Centro Cultural de Belém, Lisbon.
"Bureau augmenté", curated by Michel François, NICC, Antwerp.
"Every day", curated by Jonathan Watkins, Eleventh Biennial of Sydney, Sydney.
"Serlo ludere" (œuvres du FRAC Rhônes-Alpes, Le Hall), Ecole Nationale des Beaux-Arts de Lyon, Lyons.
"Wereld van verschil", Kunstenaressen in de Gemeentemusea Arnhem.
"Tussenin, in-between" (Pierre Bismuth, Ricardo Brey, Peter Buggenhout, Jo Huybrechts, Ann Veronica Janssens, Kurt Ryslavy) Museum Dhondt-Dhaenens, Deurle.
"(ID)entiteit", MUHKA, Antwerp.
1999
"Stimuli", curated by Karel Schampers, Witte de With and Museum Boymans-van Beuningen, Rotterdam.
"Small Stuff", curated by Hans Theys, Nicole Klagsbrun Gallery, New York.
"Schetsen, Tekeningen, Maquettes, Probeersels, Gepruts & Gebroddel", curated by Hans Theys, Herman Teirlinckxhuis, Beersel.
"Panorama 2000", Domtoren, CCCCC Centraal Museum, Utrecht.
"Perte de repères", FRAC Lorraine, Metz.
"Vloeibaar harnas", curated by Ph. van den Bosch, Exedra Centrum voor Kunst, Vormgeving

en Architectuur Hilversum.
"Trouble Spot Painting", MUHKA, Antwerp.
"Graaf de Ferraris - Hendrick Conscience", Gemeenschapscommissie van het Brussels Hoofdstedelijk Gewest, Brussels.
"Démarches", curated by Lut Pil, Cultureel Centrum Leuven, Leuven.
"...On the Sublime...", Centre for Contemporary Art, Roosem, Malmö.
"Liberté, libertés chéries ou l'art comme résistance... à l'art, Un regard posé sur dix années d'acquisitions de la Communauté française (1989-1998)", curated by Gita Brys-Schatan, Institut Supérieur pour l'Etude du Langage Plastique, Botanique, Brussels.
2000
"Another Dimension" (Wim Delvoye, Joëlle Turcinckx, James Lee Byars), a.o., b-space.be (Hyperspace), Brussels.
"Voici", curated by Thierry De Duve, Palais des Beaux-Arts, Brussels.
"The World on its Head", San Francisco Art Institute, San Francisco.
"The Return of Small Stuff", curated by Hans Theys, Museum Herman Teirlinck, Beersel.
"Poesie, Love, Sneeuwwitje, Pfft...", Museum Moderne Kunst, Arnhem.
"Danse - Arts Plastiques", Pierre Droulers (*samedi danse*), Ann Veronica Janssens (*plasticiens*), Michel François (choreographic project), Ferme du Buisson, Marne La Vallée.
"La répétition, la tête dans les nuages", Villa Arson, Nice.
"Audible Light", curated by Astrid Bowron, Museum of Modern Art, Oxford.
"Orbis Terrarum", curated by Moritz Kung, Museum Plantijn Moretus and and in several locations in the city, Antwerp.
"Lust Warande / Pleasure Garden", Tilburg.
2001
"Touch me...", Cultural Centres Strombeek, Sint-Niklaas & Roeselare, Rumbeke

JOHNNY JENSEN / DENMARK

Born in 1965 in Copenhagen.
Lives and works in Copenhagen.

Solo Exhibitions
1991
Fotografisk Galleri, Copenhagen.
1993
Galleri Image, Århus.
1996
Fotografisk Galleri, Copenhagen.
1997
"MALA Galeria ZPAF", Centre for Contemporary Art, Warsaw.
Centro Cultural São Paulo, III International Photo Meeting, São Paulo.
1998
The Museum of Art Photography (with Annet van der Voort), Odense.
Galleri Image, Århus.
1999
Billedhusetes Galleri, Copenhagen.
2000
Urban Galleri, Copenhagen.

148

Group Exhibitions (Selected)
1989
Fotografisk Galleri, Copenhagen.
1989-1990
"Danish photographers", travelling exhibition in Soviet Union.
1992
Saaremaa Photofestival.
"Tendencies. New Danish Photography", Fotografisk Galleri, Copenhagen.
"Out of the Eye", Kunstforeningen, Gl. Strandej, Copenhagen.
1993
"Tendencies. New Danish Photography", Nordjyllands Kunstmuseum, Ålborg.
The Art Centre of the Municipal League, Copenhagen.
Centre for Visual Art South Carelia, South Carelia.
"Staged Photography", Galleri Image, Århus.
"5 Facets of One Collection", The Museum of Art Photography, Odense.
1994
"NordFotoArt", Centre for Contemporary Art, Ujazdowski Castle, Warsaw.
1995
"Borealis 7, Desire", Helsinki City Art Museum and The Nordic Arts Centre, Helsinki.
"Desire", Louisiana Museum of Modern Art, Humlebaek.
1996
"Desire", Bergen Billedgalled, Bergen.
Galleri F15, Moss.
"Lost property", the permanent collections, The Museum of Art Photography, Odense.
"Desire", Hasselblad Centre and Gothenburg Museum of Art, Gothenburg.
"Desire", Turku Art Museum, Turku.
"The Danish Landscape", Photographic Centre, Copenhagen.
1997
"Status quo vadis", The Museum of Art Photography, Odense.
1998
"The Autumn Exhibition", Charlottenborg, Copenhagen.
1999
"From the Hidden", The National Museum of Photography, Copenhagen.
Fotomässan, Gothenburg.
"Notice board for the new millennium", Galleri Image, Århus.
2000
NIFCA's project room, Helsinki.

Collections
The Museum of Art Photography, Odense.
The National Museum of Photography, Copenhagen.
Centre for Contemporary Art, Ujazdowski Castle, Warsaw.

IVAN KAFKA / CZECH REPUBLIC
Born in 1952 in Prague.
Lives and works in Prague.

Education
1967-1971
Secondary Art School, Prague.

Professional Experiences
1974-1976
Meteorologist.
1990
Professor at the Internationalen Sommerakademie für bildende Kunst, Salzburg
Stipendium The Pollock-Krasner Foundation, Inc., New York.
Since 1997
Member of the Akademie der Künste, Berlin.

150

Solo Exhibitions (Selected)
1979
"Tale about Folding", Flapping, Raising, Industrial Design Museum, Prague.
"Object. Photography. Serigraphy", Salon of Photography, Lódz.
1980
"Questions", Galeria Gn, Gdansk.
1982
Galerie Hildebrand, Klagenfurt.
1985
"Documentation '76-'85", Macromolecular Chemistry Institute, Petřiny, Prague.
1987
"Installation and Documentation", Alvar Aalto Museum, Jyväskylä.
"Hill and Heaps", Galeria Wschodnia, Lódz.
1992
"1 Projekt", Galerie im Kultur-und Informationszentrum der ČSFR, Berlin.
"Drawings + Installation", The City of Prague Art Gallery, Old Town Hall, Prague.
1993
"ZUR.ZEIT, Ivan Kafka, Finsteres Licht", Kunsthalle Krems, Minoritenkirche.
1995
"Whirling Rage 1399-1995", Galeria Nová Síň, Prague.
1996
"Anylisis and Commentary", Shiseido, The Ginza Art Space, Tokyo.
1997
The Fine Art Gallery, Litoměřice.
XLVII Biennale di Venezia, Venice.
1998
"Ivan Kafka/Prag", Galerie IFA, Berlin.
2000
Festival Mittel Europa, Sachsen-Bayern-Böhmen, Klingenthal/Hraničná, Körnerberg.
"Ivan Kafka, Werkstatt Europa 2000, Positionen europäischer Gegenwartskunst", Forum Rottweil, Rottweil.

Group Exhibitions (Selected)
1977
Křenová Youth Club, Brno.
1978
"Tree", J. Funke Photography Gallery, Brno.
1979
"Four from Prague", Galeria Wielka 19, Poznan.
1981
"Sculptures and Objects in the Courtyards of Malá Strana", Neruda St. Theatre, Prague.
1982
"Meeting", Stromovka district of Prague.
1983
"Art symposium", Chmelnice-Mutějovice '83.
1988
"12/15 Better Later than Never group", Koloděje Riding School, Koloděje near Prague.
"Das gläserne U-Boot", Tabakfabrik Krems/Stein, Transart 1.
1990
"Tschechoslowakische Photographie der Gegenwart", Museum Ludwig, Cologne.
"Inoffiziel - Kunst der ČSSR 1968-89", Muzeum der Stadt Regensburg, Regensburg.
Old Town Courtyards, Prague.
"Dialogue / Prague / Los Angeles", Otis/Parson Gallery, Santa Monica Museum of Art, Arroyo Art Gallery.
Steinbildhauer-Symposion, Internationale Sommerakademie für Bildende Kunst, Salzburg '90, Salzburg.
"Three Artists from Bohemia", The Institute for Contemporary Art, P.S.1 Museum, Long Island City, New York.
1991
"Kunst, Europa, Haus Salve Hospes", Kunstverein Braunschweig, Braunschweig.
1992
"Prague-Bratislava. D'une génération à l'autre", ARC Musée d'Art Moderne de la Ville de Paris, Paris.
1993
"Art in Politics", Third Minos Beach Art Symposium '93, Crete.
"Akademie 1993", Akademie der Künste, Berlin.
1994
"Distant Voices", South London Gallery, London.
"Impermanent Places, Celebrate in Prague and in New York", World Financial Center, New York.
XXII Biennal Internacional de São Paulo, Pavilhão da Biennal-Prague Ibirapuera, São Paulo.
"Der Riss im Raum", Martin Gropius Bau, Berlin.
1996
"Schwere-los Skulpturen, OÖ. Landesgalerie am OÖ.", Landesmuseum, Linz.
1997
Ludwig Múzeum, Budapest.
"Schplatz", Kunsthalle Wien im Museumsquartier, Vienna.
"Prague 1997", Château de Beaumanoir, Bretagne.
"Pavillon, nicht alltägliche Orte", Artcircolo, Munich.
1998
NEXUS / Institut für Kunst, KTHL/, Künstlerische Vermessung eines städtischen Raumes, Linz.

1999
"Rondo", Ludwig Múzeum, Budapest.
1999-2000
"Aspekte/Positionen. 50Jahre Kunst aus Mitteleuropa 1949-1999", Museum Moderner Kunst Stiftung Ludwig Wien, 20er Haus, Vienna, Ludwig Múzeum, Budapest, Fundació Joan Miró, Barcelona, John Hansard Gallery, Southampton.
2000
"Das fünfte Element-Geld oder Kunst", Kunsthalle Düsseldorf, Düsseldorf.
"Samizdat, Alternative Kultur in Zentral - und Östeuropa - die 60er bis 80er Jahre", Akademie der Künste, Berlin.

Bibliography (Selected)
1982
J. Chalupecký, *The Lessons of Prague*, "Studio International", vol. 196, no. 1003.
J. Hlaváček, *Galerie Hildebrand catalogue*, Klagenfurt.
1992
J. Ševčíková, J. Ševčík, M. Nuridsany, *Prague-Bratislava, Jedna generace jinak / One generation a Different Way*, exhibition catalogue, ARC Musée d'Art Moderne de la Ville de Paris, Paris.
K. Srp, *Některé realizace Ivana Kafky / Several Realizations by Ivan Kafka*, exhibition catalogue, The City of Prague Art Gallery, Praha.
1994
L. Hlaváček, *XXII Biennal Internacional de São Paulo 1994*, exhibition catalogue, São Paulo, pp. 365-367, 369-370.
1996
J. Crane, *Ivan Kafka, Nová síň*, "Artforum", February, p. 93.
1997
Biennale Venedig, "Kunstforum", vol. 138, September-November, p. 454.
Die Biennale von Venedig, "Art-das Kunstmagazin", no. 8, pp. 32-33.
O. Malá, in *XLVII Biennale di Venezia*, exhibition catalogue, Milano, pp. 472-475.
1999
M. Leisch-Kiesl, J. Schwanberg, *Nexus, Künstlerische Interventionen im Standtraum, Ivan Kafka*, Wien-New York, pp. 122-129.
2000
R. Lange, *Das fünfte Element-Geld oder Kunst, Ivan Kafka*, exhibition catalogue, Kunsthalle Düsseldorf, Düsseldorf, p. 192, pl. 88.

ANDRÁS KAPITÁNY / HUNGARY

Born in 1964 in Bagos.
Lives and works in Budapest.

Education
1990-1996
Academy of Fine Arts, Budapest (Painting and Intermedia Faculty).
1996-1997
Postgraduate studies at the Academy, Budapest.

152

Solo Exhibitions
1993
Space-imaginations, Éri Galéria, Budapest.
1998
* SR, C3 (Centre of Communication and Culture), Budapest.
1999
"Morf", Collegium Budapest, Budapest.

Group Exhibitions
1991
"Interpenetration/Oil", Fészek Klub, Budapest.
1992
"Studentenfotogramme", Goethe Institut, Budapest.
"Spectrum", Tüzoltó Galéria, Budapest.
"Space-imaginations 2", Budapest Galéria, Budapest.
1993
"Collecting Future", Liget Galéria, Budapest.
"Tondo", Józsefvárosi Galéria, Budapest.
"Budapest-Berlin", Künstlerwerkstatt Bahnhof Westend, Berlin.
"Space-imaginations 4", Budapest Galéria, Budapest.
1994
"Budapest-Berlin", Mücsarnok-Palme Ház, Budapest.
"Space-imaginations 5", Budapest Galéria, Budapest.
1995
"Art Expo", Mücsarnok, Budapest.
1996
"Gesture and Gesture", Pécsi Galéria, Pécs.
"Network as Medium for Discovery", C3, Budapest.
1998
"Total Recall", Kortárs Müvészeti Intézet, Dunaújváros.
"Fine Weather, Inter/Media/Art", Ernst Múzeum, Budapest.
"Sehen im Gehen" (with Dóra Maurer), Treptowers, Berlin.
1999
"Perspective", Mücsarnok, Budapest.
"Exhibition of Holders of Derkovits Scholarship", Ernst Múzeum, Budapest.
"Intermedia Inductive Centre", ArtPool P60, Budapest.
"Jenseits von Kunst" (with Dóra Maurer), Hedendaagse Kunst, Antwerp.
2000
"Intermedia Inductive Centre", Galeria Medium, Bratislava.
"Coincidence", ArtPool P60, Budapest.
"Exhibition of Holders of Derkovits Scholarship", Budapest.
"Media Model", Mücsarnok, Budapest.
"Time Bridge 2000", ArtMill, Szentendre.

Grants
1991
Academy of Fine Arts, Rouen.
1992
Internationale Sommerakademie, Salzburg.

1993
Budapest-Berlin, Künstlerwerkstatt, Berlin.
1998
Scholarship Derkovits, Budapest.

Bibliography (Selected)
1996
A. Bohár, *Fent, lent, középen (Tér-képzetek V.)*, "Balkon", no. 1-2.
2000
M. Wagner, *Kapitány András*, exhibition catalogue, Collegium Hungaricum, Budapest.
2001
J. Kollár, *Az ezredvég virtuálfényei és -árnyai*, "Új Művészet", no. 1.

PERTTI KEKARAINEN / FINLAND
Born in 1965 in Oulu.
Lives and works in Helsinki.

Education
1984-1985
University of Industrial Arts, Helsinki.
1985-1989
Academy of Fine Arts, Helsinki.
1989
De Vrije Academie van Beeldenden Kunsten, The Hague.

Teaching Posts
1996-1998
Temporary Teaching in Academy of Fine Arts, Helsinki.
1997-1998
Teacher for graduating students, Fotohögskolan, Göteborg.

Solo Exhibitions
1990
Galleria Sculptor, Helsinki.
1991
Oulu Art Museum, Oulu.

1993
Galleria d'Arte, Helsinki.
1994
Galleri Andreas Brändström, Stockholm.
1995
Galleria Artek, Helsinki.
1996
Stichting de Bank, Enschede.
1997
Galleria Artek, Helsinki.
1999
Gävle Konstcentrum, Gävle.
Galleri Andreas Brändström, Stockholm.
Konttl, Klasma, Helsinki.
Galleria Kari Kenetti, Helsinki.
Akershus Art Centre, Lilleström.
2000
Galleri Stefan Andersson, Umeå.

Group Exhibitions (Selected)
1985
Annual Exhibition of Oulu Artists Association, Oulu.
"Playwood", Suomenlinna.
1986
"Young Artists' Exhibition", Kunsthalle Helsinki, Helsinki.
1988
Galleria Ässä, Helsinki.
"Muu ry.", Vaasa Art Hall, Vaasa.
Academy of Fine Arts, Galleria Stakon, Helsinki.
1989
"GIART-89", Gothenburg.
"Painters Associations 60th anniversary exh.", Pori Art Museum, Pori.
1990
"Katse 90-luvulle", Galleria Mikkola & Rislakki, Helsinki.
1992
"12 tilaa", Kerava Art Museum, Helsinki.
1993
Galleria Kaj Forsblom, Helsinki.
1994
"Smart Show", Galleri Andreas Brändström, Stockholm.
"Cologne Art Fair", Galleri Andreas Brändström, Stockholm.
"Focus on Finnish Art 1880-1980; Air, Water, Fire 1984-1985", The Azabu Museum of Arts & Crafts, Tokyo.
Takaoka Art Museum, Takaoka.
Nagano Prefectual Shinano Art Museum, Nagano.
Museum of Art, Fukuyama.
Daimaru Osaka, Shihsalbashi Exhibition Hall.
1995
"Study of the Head...", Helsinki Kunsthalle Helsinki, Helsinki.
Galleria La Mente e l'Immagine, Rome.
1996
"Venetian Subconscious (Kimmo Friman, Marjatta Airas, Pertti Kekarainen)", Palazzo Balbi-Valieri, Venice.
1997
"Dark Side", Galleria Kari Kenetti, Helsinki.
1998-1999
"What is Real", The Third Finnish Photography Triennial, Kunsthalle Helsinki, Helsinki.
Mikkeli Art Museum, Mikkeli.
1999
Galleri Box (with Jan Kaila), Gothenburg.
Tila-Espace, Museum Centre for European Photography, Paris.
Finnish Museum of Photography (with Jussi Niva and Marko Vuokola), Helsinki.
Retretti Art Centre, Punkaharju.
"Ars Baltica", tour exhibition, begins in Kiel and ends in Moderna Museet, Stockholm (2001).
2000
Kvit Akse, Bergen Kunstförening, Bomuls Fabriken, Arendal.

Grants
1988
City of Oulu.
1989
City of Oulu.
1990
The Finnish Cultural Foundation, Helsinki.
Arts Council of Finland, Helsinki.
1991
Taideakatemian säätiö.
A. Kordelin Foundation.
1993
City of Helsinki.
O. Öflund Foundation.

1994
1-year State Grant.
1995
A. Kordelin Foundation.
1996
The Finnish Cultural Foundation.
Arts Council of Finland.
1997
Arts Council of Finland.
1998
1-year State Grant.
1999
3-year State Grant.
2000
Hasselblad Foundation.

Public Works
First prize in competition for a public work to the University of Industrial Arts, Helsinki.

Collections
Finnish Museum of Photography, Helsinki.
Hasselblad Collection.
Harkonmäki Collection.
Helsinki City Art Museum, Helsinki.
Kiasma, Helsinki.
Museum of Contemporary Art, Tampere.
Paulo Foundation.
Wihuri Foundation / Rovaniemi Art Museum.
Malmö Art Museum, Malmö.
Stichting de Bank, Enschede.
State of Sweden.
Collection Swanljung.
Gothenburg Art Museum, Gothenburg.
Umeå Läns Landsting, Umeå.

ANNA KLEBERG / SWEDEN
Born in 1970 in Stockholm.
Lives and works in Stockholm.

Education
1990-1991
Chelsea College of Art and Design, London.
1992-1993
Kulturama, Stockholm (Photography).
1995-1997
Konstfack, Stockholm (Photography).

156

1997-1998
Konstfack, Stockholm (project).

Solo Exhibitions
1999
Andréhn-Schiptjenko, Stockholm.

Group Exhibitions
1996
Fiskestugan, Skanör.
1997
Fotomässan, Gothenburg.
Konstnärshuset, Stockholm.
1998
Psykologiska Instutionen, University of Stockholm, Stockholm.
c/o Konstfack, Livsformer, Stockholm.
Hordaland Kunstsenter, Bergen.
1999
"Stockholm Art Fair 2000", Andréhn-Schiptjenko, Stockholm.
"ArtForum Berlin", Andréhn-Schiptjenko, Berlin.

PACO KNÖLLER / GERMANY
Born in 1950 in Obermachtal-Donau. Lives in Berlin.

Education
1972-1978
Kunstakademie, Düsseldorf.

Solo Exhibitions
1978
Städtische Galerie, Ravensburg.
1979
Galerie Marzona, Düsseldorf.
"Aussperrung", Museum Bochum, Bochum.
1980
Kunsthalle Bielefeld, Bielefeld.
1982
"Feind oder Freund", Kunsthalle Düsseldorf, Düsseldorf.
"Der 24-Stunden-Mensch", Galerie Karsten Greve, Cologne.
1983
Galerie Vera Munro, Hamburg.
"Das Glück der Unterwerfung", Galerie Meyer-Ellinger, Frankfurt.
1984
"Verletze Achse", Ulmer Museum, Ulm.
1985
Galerie Thomas Wallner, Malmö.
Galerie Karsten Greve, Cologne.
Galerie Ahlner, Stockholm.
1986
Galerie Karsten Greve, Cologne.
1988
Nationalgalerie, Berlin.
Kunstverein, Hamburg.
1989
Galerie Thomas Wallner, Malmö.
1990
"Von Schälfe zu Schälfe", Kunstsammlung Nordrhein-Westfalen.
1991
Galerie Karsten Greve, Paris.
1992
Galerie Karsten Greve, Cologne.
1994
Galerie Franck & Schulte, Berlin.
Galerie Karsten Greve, Paris.
1995
Galerie Karsten Greve, Cologne.
1996
Galerie Franck & Schulte, Berlin.
1997
Staatliche Kunsthalle Karlsruhe, Karlsruhe.
"Nulla die sine linea"], Sprengel Museum, Hannover.
1998
Galerie Karsten Greve, Cologne.
Galleria Karsten Greve, Milan.
1999
Galerie Thomas Wallner, Malmö.
"Im Innern des Mandelkerns", Galerie Franck & Schulte, Berlin.
2001
"Im Schlaf hast du dir alles erlaubt", Galerie Karsten Greve, Cologne.

Film
1981-1982
Oder wie sieht die Welt aus, with Marina Achenbach and Erwin Michelberger for WDR, 73 min., 16 mm colors.

1983
Dok. 1, wall drawing, 15 min., 16 mm s/w.
1984-1985
Grund-Los, with Marina Achenbach for WDR, 30 min., 16 mm s/w.
2000
Du Diamant, du Sandkorn, 8 min., video.

Bibliography
1978
Paco Knöller, exhibition catalogue, with text by R. Hoghe, Städtische Galerie, Ravensburg.
1980
Paco Knöller, exhibition catalogue, with text by E. Franz, Kunsthalle Bielefeld, Bielefeld.
1982
Feind oder Freund, exhibition catalogue, with text by K. Schrenk, Kunsthalle Düsseldorf, Düsseldorf.
1984
Verletze Achse, exhibition catalogue, with text by D. Bauerle, Ulmer Museum, Ulm.
1986
Paco Knöller, exhibition catalogue, with texts by M. Hentschel and K. Leistikow, Galerie Karsten Greve, Köln.
1988
Paco Knöller, exhibition catalogue, with texts by B. Schmitz, K. Leistikow and P. Gorsen, Nationalgalerie, Berlin.
1989
Paco Knöller, exhibition catalogue, with text by A. Engelbert, Galerie Thomas Wallner, Malmö.
1990
Von Schälfe zu Schälfe, exhibition catalogue, with texts by U. Krempel, K. Schrenk and A. Krauss, Kunstsammlung Nordrhein-Westfalen.
1997
Paco Knöller, exhibition catalogue, with text by K. Schrenk, Staatliche Kunsthalle Karlsruhe, Karlsruhe.
Nulla die sine linea, exhibition catalogue, with text by U. Krempel, Sprengel Museum, Hannover.

PETER KOGLER / AUSTRIA
Born in 1959 in Innsbruck.
Lives in Vienna.

Solo Exhibitions (Selected)
1983
Galerie Krinzinger, Innsbruck.
1993
Kunsthalle zu Kiel, Kiel.
Galerie & Edition Artelier, Graz.
1994
"Kogler/Paysant", FRAC Languedoc-Rousillon, Montpellier.
1995
Wiener Secession, Vienna.
1996
Bonner Kunstverein, Bonn.
1997
Gesellschaft für aktuelle Kunst, Bremen.
1998
"Kogler & Plottegg", Johann Widauer, Innsbruck.
1999
"Baechler, Kogler, Oehlen, Zobernig", Galerie Ascan Crone, Hamburg.
"Kogler/Zobernig", Galerie Krinzinger, Vienna.
2000
Gallerie & Edition Artelier, Graz.
Kunsthaus Bregenz, Bregenz.

Group Exhibitions (Selected)
1986
"Aperto '86", XLII Biennale di Venezia, Venice.
1989
"Open mind", Museum van Hedendaagse Kunst, Ghent.
1992
Documenta IX, Kassel.
1993
"Binaera", Kunsthalle Wien, Vienna.
1994
"Hors Limites", Centre Georges Pompidou, Paris.

160

1995
"Pavillion of media", XLVI Biennale di Venezia, Venice.
1996
"Now here", Louisiana Museum of Modern Art, Humlebaek.
1997
Documenta X, Kassel.
1998
"Treshold", The Power Plant, Toronto.
"Lifestyle", Kunsthaus Bregenz, Bregenz.
1999
"Locally Interested", Institute for Contemporary Art, Sofia.
"Brno-Wien-Praha", Art Hall, Brno.
"Face to Face to Cyberspace", Fondation Beyeler.
"Wahlverwandtschaften", Vienna Festival, Sofiensäle, Vienna.
La Fondation Mamco, Geneva.
2000
"Stanze", Bolzano.
"Painting Zero Degree", Cranbrook Art Museum.

LAILA KONGEVOLD / NORWAY
Born in 1970 in Stavanger.
Lives and works in Bergen.

Education
1991-1993
Rogaland Artschool, Stavanger.
1993-1996
The National College of Arts and Crafts, Bergen.
1996-1997
The National Academy of Fine Art, Bergen.
1998
Master of Arts Degree, The National College of Art, Bergen.

162

Professional Activities
Member of BKFH, NBK,
The Association of Norwegian
Visual Artists.

Exhibitions (Selected)
1997
"Diagnose", Stavanger Society of Fine Art, Stavanger.
"Allégaten 41", University of Bergen, Bergen.
1998
"Nygårdsgaten 2A", apartment in central Bergen.
"Exit, Post Graduate Exhibition", The Western Norwegian Museum of Applied Art.
"John, 20:29", Biskops Arnö.
"The Writing On The Wall" (with Lasse Mellberg), Biskops Arnö.
"Bymidten B-27", Qaqortoq.
"The National Annual Autumn Exhibition", Oslo.
"Rhizome", Bergen.
1999
"Stunt" (with Pavel Büchler), Hordaland Art Centre, Bergen.
"Norwegian Board Of Culture Collection", UKS, Oslo.
"Bergman", Holden Gallery, MMU & Annual Programme, Manchester.
2000
"Oslo-Open", Henie-Onstad Kunstsenter, Oslo.
"Transatlantic", Galleri Sardin, Fedje (supported by Bergen European City of Culture 2000).
"Naust/Coastline", Reykjavík (collaboration between the Nordic European Cities of Culture in the Year 2000).
"Xs-Miniature Exhibition", Temp, Bergen.
"Vestlandsutstillingen", curated by Gavin Jantjes, The Western Norwegian Annual Exhibition.
2001
"By The Way", Bergen.
Galleri S.E, Bergen.

Grants
1998-2000
Working grant for young artists, Norwegian Board of Fine Art.

Awards
2000
Vestlandsutstillingens Award.

Collections
Norwegian Council of Culture.

ELKE KRYSTUFEK / AUSTRIA
Born in 1970 in Vienna. Lives and works in Rotterdam and Vienna.

Solo Exhibitions (Selected)
1997
Wiener Secession, Vienna.
Galleri Nicolai Wallner, Copenhagen.
1998
Galleria Il Capricorno, Venice.
Galerie Drantmann, Brussels.
303 Gallery, New York.
Emily Tsingou and Company, London.
1999
"Sleepingbetterland", Bahnwärterhaus, Galerie der Stadt Esslingen, Esslingen.
"In The Arms Of Luck", Centre Genèvois de Gravure Contemporaine, Geneva.
"Like nothing you've ever seen", Georg Kargl, Vienna.
Kunstwerke Berlin, Berlin.
"I am dreaming my dreams with you", Contemporary Art Centre, Vilnius.
2000
"Hollywoodland", Maison Levanneur, Chatou.
Galerie Drantmann, Brussels.
Gandy Gallery, Prague.
Portikus, Frankfurt.
Gallery Side 2, Tokyo.
Georg Kargl, Vienna.
Galleria Il Capricorno, Venice.
2001
Ars Futura Galerie, Zurich.

164

Group Exhibitions (Selected)
1998
XXIV Biennal Internacional de São Paulo, São Paulo.
"Life is a Bitch", De Appel Foundation, Amsterdam.
1999
"Peace", Migros Museum, Zurich.
"Generation Z", PS1, New York.
2000
"Leaving the Island", curated by Young Chul Lee, Rosa Martinez and Hou Hanrou, Pusan Metropolitain Art Museum, Pusan.
"There is something you should know", Österreichische Galerie Belvedere, Vienna.
"Living and working in Vienna", curated by Paulo Herkenhoff, Maaretta Jaukuri and Rosa Martinez, Kunsthalle Wien, Vienna.
"Presumed Innocent, childhood and contemporary art", curated by Marie-Laure Bernadac and Stéphanie Moisdon-Trembley, CAPC Musée, Musée d'Art Contemporain, Bordeaux.
2001
"Zero Gravity", Kunstverein Düsseldorf, Düsseldorf.
"Shopping", Generali Foundation, Vienna.

MISCHA KUBALL / GERMANY
Born in 1959 in Düsseldorf.
Lives and works in Düsseldorf.

Solo Exhibitions (Selected)
1984
Städtische Galerie, Düsseldorf.
1987
Städtische Galerie im Museum Folkwang, Essen.
Tibor de Nagy Gallery, New York.
1989
Tibor de Nagy Gallery, New York.
1990
Megazeichen, Mannesmann-Hochhaus, Düsseldorf.
1991
"B(l)aupause", Städt Museum, Mühlheim a.d. Ruhr.
"Welt/Fall" (with Vilém Flusser), Haus Wittgenstein, Vienna.

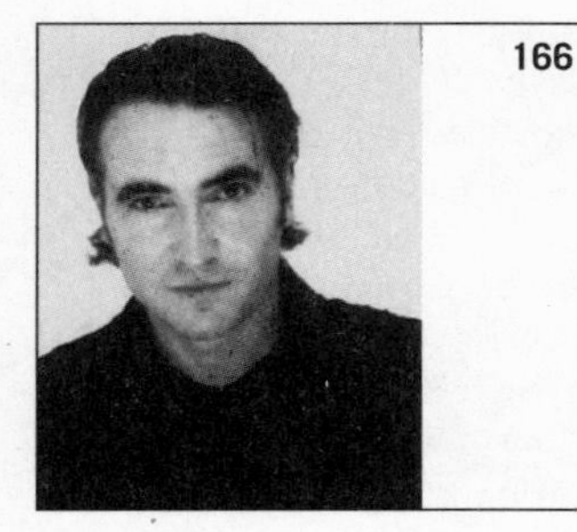

166

1992
"Projektionsraum 1:1:1", Galerie Konrad Fischer, Düsseldorf.
"Bauhaus-Block", Bauhaus, Dessau.
1993
"Double Standard", Stichting de Appel, Amsterdam.
"Bauhaus-Block", Museum Folkwang, Essen.
1994
"Refraction house", Synagogue, Stommeln-Cologne.
"Projektionen", Galerie Konrad Fischer, Düsseldorf.
"No-Place", Sprengel Museum, Hannover.
"Bauhaus-Block", Heidelberger Kunstverein, Heidelberg.
1995
"PROJEKTION/REFLEKTION", Kunst-Station Sankt Peter, Worldrorschach-Rorschachworld, Diözesanmuseum, Cologne.
1996
"Moderne, rundum/Vienna Version", Museum Moderner Kunst Stiftung Ludwig Wien, Vienna.
"Installationen/Projektionen/Videos", Galerie Konrad Fischer, Düsseldorf.
1997
"Project rooms", BM Contemporary Art Centre, Istanbul.
1998
"Project rooms", Kabinett für Aktuelle Kunst, Bremerhaven.
"Project rooms", Kölnischer Kunstverein, Cologne.
"Private Light / Public Light", XXIV Biennal Internacional de São Paulo, São Paulo.
1999
"Project rooms", Chicago Cultural Center, Chicago.
"Project rooms", Vedanta Gallery, Chicago.
"Project rooms", Galerie für Zeitgenössiche Kunst, Leipzig.
"Project rooms", Museum of Installation, London.
"Moderne, rundum", Birner & Wittmann, Nuremberg.
"Power of Codes", Tokyo National Museum, Tokyo.
"Light Traps", The Wood Street Galleries, Pittsburgh.
"Fischer's Loop", Galerie Konrad Fischer, Düsseldorf.
2000
"Schleudertrauma", Kunstverein Ruhr, Essen.
"Urban context, Projekt", Bunker Lüneburg, Lüneburg.
"Chicago sling", Vedanta Gallery, Chicago.
"Public stage", Staatliche Galerie Moritzburg, Halle.

Bibliography (Selected)
1987
U. Krempel, *Installation, Mischa Kuball*, Städtische Galerie im Museum Folkwang, Essen.
1990
U. Krempel, *Megazeichen, Mischa Kuball*, Heinenverlag, Düsseldorf.
1991
V. Flusser, *Welt/Fall, Mischa Kuball*, Juni-Verlag, Mönchengladbach.
K. Stempel, *B(l)aupause, Mischa Kuball*, Städtisches Museum, Mülheim a.d. Ruhr.
1992
T. Crockett, *World/Fall, Mischa Kuball*, Bollmann Verlag, Bensheim.
L. Schöbe, *Bauhaus-Block, Mischa Kuball*, Bauhaus-Dessau, Cantz Verlag, Ostfildern.
1993
N. Smolik, *Double Standard, Mischa Kuball*, Stichting de Appel, Amsterdam.
1994
U. Krempel, *NO-PLACE - eine Intervention im Sprengel Museum Hannover*, Hannover.
A. Zweite, G. Dornseifer, *Refraction house, Mischa Kuball*, Synagogue, Stommeln-Cologne, Kulturamt Pulheim.
1996
K. Irsigler, *Moderne, rundum / Vienna Version*, Museum Moderner Kunst Stiftung Ludwig Wien, Wien.
K. Winnekes, *Worldrorschach/ Rorschachworld*, Erzbischöfliches Diözesanmuseum Köln, Köln.
1997
G.A. Goodrow, H.U. Reck, *Project rooms, Mischa Kuball*, Verlag der Buchhandlung Walther König, Köln.
R. Speck, G. Theewen, *Six-pack-six / Mischa Kuball*, with an essay by G.A. Goodrow, Salon Verlag, Köln.
K. Stempel, *Perguntar / fragen / asking*, Casa das Rosas, São Paulo, Soap Factory, Minneapolis, Heinendruck, Düsseldorf.
1998
K. Stempel, *Private Light / Public Light, Mischa Kuball*, XXIV Biennal Internacional de São Paulo, São Paulo, with essays by K. Stempel, T. Bashkoff, J.A. Giannotti, Cantz Verlag, Ostfildern.
2000
H. Dähnhardt, R. Schulenburg (edited by), *Mischa Kuball - urban context*, exhibition catalogue, U. Krempel, M. Schneckenburger, D. Stegmann, P. Virilio, H.Dähnhardt, Projekt Bunker Lüneburg, Lüneburg.
F. Wappler, *Schleudertrauma / Mischa Kuball*, exhibition catalogue, texts by P. Friese, N.L. Kleeblatt, F. Wappler, Kunstverein Ruhr, Essen.

LUISA LAMBRI / ITALY
Born in 1969 in Como.
Lives and works in Milan and Berlin.

Solo Exhibitions
1996
Galleria Galliani, Genoa.
1999
Institute of Visual Arts, University of Wisconsin, Milwaukee.
Contemporary Art Centre, Vilnius.
Nordic Institute for Contemporary Art, Helsinki.
Studio Barbieri, Venice.
2000
Studio Guenzani, Milan.
Kettle's Yard, Museum

168

of Contemporary Art, Cambridge University, Cambridge.
Fotogalleriet, Oslo.
2001
Kunstverein Ludwigsburg, Ludwigsburg.
Palazzo Re Rebaudengo, Guarene d'Alba.

Group Exhibitions (Selected)
1995
"Out of Order", Aperto '95, Galleria d'Arte Moderna, Bologna.
1996
"L'Evidence. Photographies de Sylvie Eyberg, Luisa Lambri, Zoe Leonard, Paul Nougé, Seton Smith", Centre d'Art Contemporain, Geneva.
"Partito Preso", Galleria Nazionale d'Arte Moderna, Rome.
"Ultime Generazioni", XII Quadriennale d'Arte di Roma, Palazzo delle Esposizioni, Rome.
1997
"IX Triennale of Contemporary Art", National Museum of Modern Art, New Dehli.
"VII Biennale Internazionale di Fotografia", Palazzo Bricherasio, Turin.
1998
"Yesterday begins Tomorrow: Ideals, Dreams and the Contemporary Awakening", Bard College, Center for Curatorial Studies Museum, Annandale on Hudson, New York.
1999
"Dappertutto", XLVIII Biennale di Venezia, Venice.
"Clue", Netherlands Media Art Institute, Amsterdam.

Bibliography (Selected)
1997
A. Angelidakis, *Luisa Lambri*, Plan Libre, A&M Bookstore Ed., Milano.
1999
M. Gioni, *Blind Room*, exhibition catalogue, Nordic Institute for Contemporary Art, Helsinki.
E. De Cecco, in *Dappertutto, XLVIII Biennale di Venezia*, exhibition catalogue, Milano.
2000
S. Groom, *Luisa Lambri*, exhibition catalogue, Kettle's Yard, Museum of Contemporary Art, Cambridge University, Cambridge.
A. Kreuger, *Luisa Lambri's Images of Vilnius*, Manifesta 3, European Biennal of Contemporary Art, exhibition catalogue, Ljubljana.
L. Cerizza, *Espresso. Arte oggi in Italia*, Electa, Milano.
2001
F. Bonami, A. Kohlmeyer, *Luisa Lambri*, exhibition catalogue, Ludwigsburg Kunstverein Kreis, Ludwigsburg, Palazzo Re Rebaudengo, Guarene d'Alba.

ANDREA LANGE / NORWAY

Born in 1967. Lives and works in Oslo.

Education
1990-1991
Accademia di Belle Arti Pietro Vanucci, Perugia.
1991-1994
The National Academy of Fine Arts, Bergen.

Solo Exhibitions
1998
Galleri Sølvberget, Stavanger.
2000
"Chapelle Saint-Jacques" (with Pierre Lionel Matte), Saint-Gaudens.

170

Group Exhibitions (Selected)
1994
"The National Annual Autumn Exhibition", Kunstnernes Hus, Oslo.
1995
"DIXI - 34 emerging Norwegian artists", Langesgate, Oslo.
"Living Texture - Scandinavian Artproduction in the Nineties", Zurich.
Saga basement, Copenhagen.
Galleri Struts, Oslo.
1996
"Twisted", Forumgalleriet, Malmö.
"Brudd", Bergen Kunstforening, Bergen.
"The National Annual Autumn Exhibition", Kunstnernes Hus, Oslo.
"27.680.000 - Contemporary Nordic Art in the Mass Media", The National Swedish Radio P1.
"Straight from the Heart", Galleria Hippolyte, Helsinki.
"Signed - Sealed - Sold" (project for a supermarket with the artists group TAF), International Artists Centre, Poznan, Galeria Teraz, Sczeczin.
1997
"The Other Art", Galleri UKS, Oslo.
"Nor-A-Way" Stadtgalerie im Kulturviertel / Sophienhof, Kiel.
"OSS3", Galleri Sølvberget, Stavanger.
"Twisted", travelling exhibition in Norway.
1998
"UKS Biennal 98", Henie Onstad Kunstsenter, Oslo, Rogaland Kunstmuseum, Stavanger, Trondheim Kunstmuseum, Trondheim, Tromsø Kunstforening, Tromsø.
"Twelve Nights", USF Kulturhus Bergen, Bergen.
1999
"Social Committed Art", Stenersen Museet, Oslo.
"Signs of Life", Melbourne International Biennial, Melbourne.
Galerie 54, Gothenburg

Acquisitions and Collections
1995, 1998
Norwegian Council for Cultural Affairs.

1997
Robert Meyer Collection.
1998
Christian Bjelland Collection.
1999
Henie Onstad Kunstsenter, Oslo.

Bibliography
1994
The National Annual Autumn Exhibition, exhibition catalogue, Kunstnernes Hus, Oslo.
1995
DIXI - 34 emerging Norwegian artists, exhibition catalogue, Langesgate, Oslo.
1996
M. Arndtzén, *Mårten Arndtzén on art for the masses: 27.680.000*, "Siksi", no. 4, p. 84.
Brudd, exhibition catalogue, Bergen Kunstforening, Bergen.
Straight from the Heart, exhibition catalogue, Galleria Hippolyte, Helsinki.
The National Annual Autumn Exhibition, exhibition catalogue, Kunstnernes Hus, Oslo.
27.680.000 - Contemporary Nordic Art in the Mass Media, exhibition catalogue, The National *Twisted*, exhibition catalogue, Forumgalleriet, Malmö.
Swedish Radio P1.
1997
P. Herbstreuth, *Andrea Lange*, in *Nor-A-Way*, exhibition catalogue, Stadtgallerie im Kulturviertel / Sophienhof, Kiel, pp. 34, 46-49.
The Other Art, exhibition catalogue, Galleri UKS, Oslo.
1998
T. Borgen, *Andrea Lange: A Human Scale*, in *UKS Biennial 98*, exhibition catalogue, UKS Forum of Contemporary Art, no.1/2, pp. 12-15.
J. Ekeberg, *UKS Biennal 98*, Norwegian Annual Artbook, pp. 6, 76.
Twelve Nights, exhibition catalogue, USF Kulturhus Bergen, Norway
1999
J. Engberg, *Andrea Lange*, in *Signs of Life, Melbourne International Biennial*, exhibition catalogue, Melbourne, pp. 41, 49.
D. Palmer, *Signs of Life. Melbourne International Biennal*, "Frieze", no. 48, p. 100.
Social Committed Art, exhibition catalogue, Stenersen Museet, Oslo.

FABIEN LERAT / FRANCE

Born in 1960 in Paris.
Lives and works in Paris.

Solo Exhibitions
1991
Galerie Valloix, Paris.
1994
Centre d'Art Contemporain de Vassivière en Limousin.
1998
SOCA Gallery, Taipei.
1999
"Hors de soi", Galerie Duchamp, Yvetot, Le Quartier, Centre d'Art Contemporain, Quimper.
Galerie Anne de Villepoix, Paris.

Group Exhibitions
1986
Joblonsky Gallery, London.

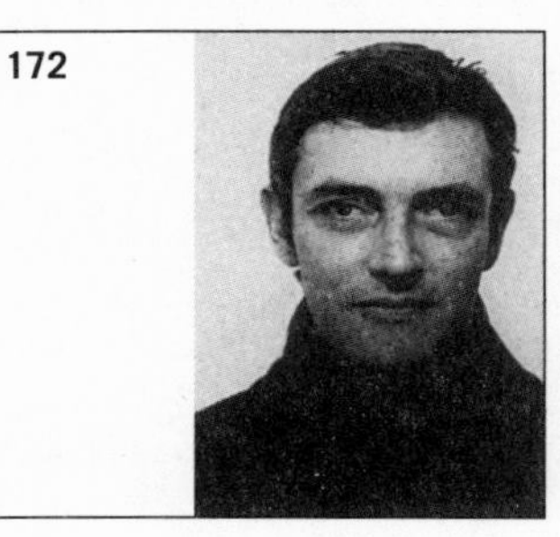
172

1987
Festival der Jungen, Alta Opera.
"The Frankfurt European Artists' Project", Art L.A. 87, Los Angeles.
1993
"Altro e Arte", Palazzo Falconieri, Rome.
"Villa(s)4", Villa Medici, Rome, Villa Lemot, Clisson.
1995
"La figure et le Lieu", Domaine de Kerguéhennec, Locminé.
"Insomnie", Domaine de Kerguéhennec, Locminé.
"Rose pour les garçons", Paris.
1997
"Remise en forme", Galerie Xippas, Paris.
1998
"L'abstraction & ses territoires", Le 19, Centre Régional d'Art Contemporain, Montbéliard.
1999
"Bilan/actualité 1991-98, 2ème partie", Centre d'Art Contemporain de Vassivière en Limousin.
"Art Packing", Osaka.

Projets *in situ*
1999-2000
"L'art d'être au monde-le monde en réparation", Dominique Truco, Poitiers.
1999-2000
3ème Biennale d'Enghien-les-Bains, Catherine Grout, Enghien-les-Bains.
Festival d'Irano, Osaka.

Bibliography
1991
Y. Michaud, *Fabien Lerat: quelque chose comme la lame d'une pensée.*
1993
O. Kaeppelin, *Entretiens avec Fabien Lerat*, exhibition catalogue, Villa Medici, Rome, Villa Lemot, Clisson.
F. Pérez, *Journal de voyage, 15/16, Villa Médicis.*
1994
V. Labaume, *Fabien Lerat*, "Art Press", no. 195.
1995
J.-M. Huitorel, *Insomnie*, "Art Press", no. 208.
1997
L. Albertazzi, *Galerie Xippas, catalogue*, Paris.
1998
P. Cyroulnik, in *L'abstraction & ses territoires*, exhibition catalogue, Le 19, Centre Régional d'Art Contemporain, Montbéliard.
1998
R. Yuan-Chien Chang, *Manteau*, SOCA Gallery catalogue, Taipei.
1999
M. Brugerolles, V. Labaume, Y. Le Claire, *Hors de soi*, co-edition of the Galerie Duchamp and Le Quartier.

JENÖ LÉVAY / HUNGARY

Born in 1954 in Budapest.
In 1982 he was one of the founders of the XERTOX Group.

Solo Exhibitions (Selected)

1982
Fiatal Müvészek Klubja, Budapest.
1984
Stúdió Galéria, Budapest.
1987
"Touchings II-III", Stúdió Galéria and Liget Galéria, Budapest.
1989
"Light-funnels", Zichy Palace, Budapest.
1992
"Embraced Earth", Budapest Galéria, Budapest.
1993
"Paternoster" (with Sherri Hay, Canada and Éva Molnár, Australia), University of Miskolc, Miskolc.
1995
"Personificated Ideas", Duna Múzeum, Esztergom.
1996
"Market of Promises", Budapest Art Expo, Budapest.
1999
MHM Computer Centre, Budapest.
2000
"Hidorofil", MissionArt Galéria, Budapest.
"Flying Bridge Plan", Tölgyfa Galéria and ABB Centre, Budapest.

Group Exhibitions (Selected)

1984
"International Xerox Art Exhibition", Liget Galéria, Budapest.
1986
"Diagonal (XERTOX)", Galerie Baboogou, Paris.

1987
"Revelation", Miskolci Galéria, Miskolc.
1989
"Message in Bottle" (XERTOX), Artestudio, Bergamo.
"Last Meditation" (XERTOX), Brussels.
1991
16th National Biennial of Graphic Art, Miskolc.
1992
"Epigone 2", Liget Galéria, Budapest.
1993
"Zweite Zeigenössische Ungarische Epigonen Ausstellung", KX Kampnagel, Hamburg.
"Book Objects, Országos Széchényi Könyvtár, Budapest.
1994
International Print Triennial, Kracow.
1994-1995
Transfer Point Events (40 times, 27 sites in Hungary and Romania).
1996
"Beyond Art", Ludwig Múzeum, Budapest.
18th National Biennial of Graphic Art, Miskolc.
1997
"Flying Bridge - Project", Duna Múzeum, Esztergom.
"Jenseits von Kunst", Neue Galerie, Graz.
International Print Biennial, Varna.
1998
"Bel tempo", Inter/Media/Arte, Trieste.
"Spirit-switch I-II", Vigadó Galéria, Budapest.
"Fine Weather", Inter/Média/Art, Ernst Múzeum, Budapest.
1999
"Kontravízie", Slovenská Národná Galéria, Bratislava.
23rd International Biennial of Graphic Art, Ljubljana.

Grants and Awards (Selected)

1987
Prize of the Ministry of Culture, 14th National Biennial of Graphic Art, Miskolc.
1992
Prize, International Art Camp, Györ.
1996
Grand Prize, 18th National Biennial of Graphic Art, Miskolc.
1997
3rd Prize, Transfer Point - House of Collaboration, Sinken Chiku Residential Design Competition.
1998
Grand Prize, National Biennial of Drawing, Salgótarján.
1999
Munkácsy Prize.
2000
Scholarship Hungart.
Scholarship, Hungarian Academy, Rome.

Bibliography

1994
F. Gerlóczy, *Une bourse de l'art pour l'art*, in "Courier International", 30 November.
I. Hajdú, *A müvészet zordon helyei*, in "Beszélö", 23 June.
J. Lévay, *Váltótér. Galéria egy matafora felett*, in "Balkon", no. 7-8.
1995
E. Richard, *Keeping Art above Water*, in "Budapest Week", 14 September.
C. Kovac, *Ile d'art sur le Danube*, in "Liberation", 25 April.
1996
P. Ernö P. Szabó, *Nyomatok, múlt és jövö között*, in "Új Müvészet", no. 11.
J. Lévay, *Müvész-részvét*, in "Symposium", April.
J. Lévay, P. Mújdricza, *Váltótér vagy nihilkatedrális*, in "Magyar Építömüvészet", April.
A. Zwickl, *Gedankenaktien auf Inselbörse*, in "Neue Bildende Kunst", no. 5.
1997
A. Kotányi, *Lévay Jenö kiállítása*, in "Balkon", no. 7-9.
J. Herzog, *House of Collaboration*, in "The Japan Architect", Annual Book.
2000
G. Szücs, *Hidrofile*, in "Új Müvészet", no. 8.

ISABELLE LÉVÉNEZ / FRANCE
Born in 1970 in Nantes.
Lives and works in Paris.

Solo Exhibitions
1997
Galerie Anton Weller, Paris.
Galerie La Box, Bourges.
1998
La Nouvelle Galerie, Grenoble.
1999
"Chez l'un, l'autre", rue Saint-Gilles, Paris.
2000
"Chez l'un, l'autre", Eglise Saint-Jacques du Haut Pays.
Galerie Anton Weller, Paris, Erban, Nantes.
Atelier du Centre National de la Photographie, Paris.

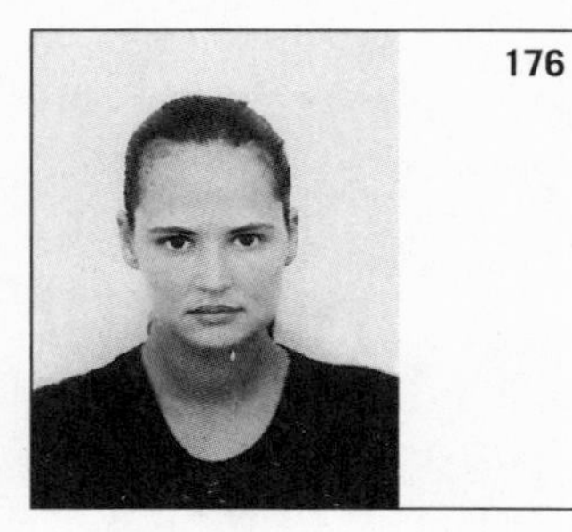
176

Group Exhibitions
1994
"Passages", Galerie Espace Turquetil, Centre Culturel Franco-Japonais, Paris.
Shimin Gallery, Nagoya.
1995
"Vitrines", Galerie Narkin Herthu, Paris.
"Pensée du dehors", La Ferme du Buisson, Noisiel.
1996
"Ma Bohême", with the collaboration of Michel Nuridsany, Galeria Gandy, Prague.
"Traits révélateurs", with the collaboration of Association IAPIF, Credac Ivry-sur-Seine.
"Chez l'un, l'autre", Galerie Anton Weller, Paris.
"SAGA", Galerie Anton Weller, Paris.
"Carted, exposition d'affiches", Galerie de l'Ecole des Beaux-Arts de Cherbourg, Cherbourg.
1997
Festival vidéo d'Hérouville Saint-Clair.
Centre d'Art de Haute-Normandie.
Espace Huit Novembre, realized by Léonor Nuridsany, Paris.
Piscines Gullin & Grand Parc, Bordeaux.
"Chez l'un, l'autre", Galerie Anton Weller, Paris.
1998
"Chez l'un, l'autre, Déplacements", Galerie Anton Weller, Paris.
Tribeca, Paris.
Institut Français, Berlin.
"Persona"Galerie Carousel, Paris.
Biennale de l'image, E.N.S.B.A., Paris.
Galerie Anton Weller, Paris.
1999
Zauberhaft, Dresden.
The Living Art Museum, Reykjavík.
"Confrontations, Bratislava", Fondation Guerlain.
"Demeures", Musée Zadkine, Paris.
"Totall receal", TV Galerja, Moscow.
Institut Français à Budapest, Budapest.
Galerie Françoise Vigna, Nice.
2000
"Le désir autrement", ODDC, L'Imagerie, Lannion.
"Le grand Réservoir", Kremlin-Bicêtre.
"Collection 2", FRAC Alsace.

Festivals and Video Diffusion
1992
"Bandits-mages", Bourges.
1993
"Turbulence vidéo", Champs magnétiques, Bordeaux.

Collections
FRAC Alsace.
Fond Municipal d'Art Contemporain de la Ville de Paris, Paris.
FDACD Seine-St-Denis, Saint-Denis.

ZBIGNIEW LIBERA / POLAND
Born in 1959 in Pabianice. Lives and works in Warsaw.

Education
1978-1980
Kopernik University, Torun.

Professional Experience
1983-1986
Worked with Tango Publication.
1986
Cooperated with artist group Sternenhoch.
Cooperated with Andrzej Partum.
1987-1989
Worked for Zofia Kulik.

Solo Exhibitions
1982
"Fotocollages and Drawings", Galeria Strych, Lodz.
1992
CSW Zamek Ujazdowski / Centre for Contemporary Art, Ujazdowski Castle, Warsaw.
Galeria Laboratorium, Centre for Contemporary Art, Ujazdowski Castle, Warsaw.
1993
"Works with Air and Elecricity", Galeria Na Mazowickiej, Warsaw.
1997
"Correcting Devices", Centre for Contemporary Art, Ujazdowski Castle, Warsaw.
Frauschou Gallery, Copenhagen.
1998
"Correct me if I'm Wrong", Guy McIntyre Gallery, New York.
2000
"A different type of Prison", American-European Art Associates, New York.

Group Exhibitions
1987
"What's up?", Dawna Fabrika "Norblin", Warsaw.
Biennale of the New Art, Zielona Gora.
"Erotic the Satire", Foto-Galerie Gauss, Stockholm.
"Rattling Machines and Fuminf

178

Chimneys, Video Exhibition", Atelier Dziekanka, Warsaw.
1989
"Supplements: Contemporary Polish Drawing", John Hansard Gallery, Southampton.
1990
"Bakunin in Dresden", Kunstpalast, Düsseldorf, Kampfnagelfabrik, Hamburg.
AVE Festival, Arnhem.
Querspur Video Festival, Linz.
1991
"Doppelte Identität", Landsmuseum, Wiesbaden.
"Kunst Europa", Bonner Kunstverein, Bonn.
"Multi-media Art Festival "WRO", Wroclaw.
1992
"Current Situation 3:3", Galerie Osto, Espoo.
"Mystical Perseverance and the Rose", Państwowa Galeria Sztuki, Sopot.
1993
"Emergency", "Aperto '93", XLV Biennale di Venezia, Venice.
"Unvolkommen", Museum Bochum, Bochum.
1994
"Minima media", Kunsthalle Elsterpark, Leipzig.
"Europa, Europa", Bundeskunsthalle, Bonn.
1995
"New I's for New Years", Kunstlerhaus Bethanien, Berlin.
Galerija Skuc, Ljubljana.
1996
"Universalis", XXIII Biennal Internacional de São Paulo, São Paulo.
"The Thing Between", Technische Sammlungen der Stadt, Dresden.
"Beyond Belief", Museum of Contemporary Art, Chicago, ICA, Philadelphia, Joselyn Art Institute, Omaha.
1998
"Medialization", Edsvik Konst, Stockholm.
"At time of writing", The Contemporary Art Centre, Warsaw.
1998-1999
"J. Antoni, W. Delvoye, C. Lemmerz, Z. Libera, M. Quinn", Faurchou Gallery.
1999
"Absence/Presence", K Nash Gallery, University of Minnesota, Minneapolis.
"After the Wall", Moderna Museet, Stockholm.
"Rondo", Ludwig Múzeum, Budapest.
"Pink for Boys, Blue for Girls", curated by K. Becker, Neue Gesellschaft für bildende Kunst, Berlin.
"Persuasion", Lombard/Fried Gallery, New York.
"Post-conceptual refleksions", Centre for Contemporary Art, Warsaw.
2000
Centre for Contemporary Art, Laznia, Gdansk.
"L'autre moitié de l'Europe", Galerie Nationale du Jeu de Paume, Paris.
"The Toy Show", Nikolai Fine Art, New York.

Bibliography (Selected)

1995
M. Goździewski, *Zbigniew Libera, New Is For Years*, exhibition catalogue, Kunstlerhaus Bethanien/CCA Ujazdowski Castle, p. 6.
A. Szymczyk, *A Conversation with Zbigniew Libera*, "Magazin Sztuki", Summer, pp. 43-52.
1996
P. Rypson, *Interview with Zbigniew Libera*, in *Universalis*, exhibition catalogue, XXIII Biennal Internacional de São Paulo, São Paulo.
1997
E. Bonde, *Jeg leger-ergo er jeg*, "Information", 12 February.
P. Kolczyńska, *Toys'R'Us - A world of Play Power and Plastic*, "LA Suitcase Magazine".
D.E. Murphy, *Lego Blocks Build a Polish Art Dispute*, "The Herald Tribune", 24-25 May.
P. Rypson, *Szokujaca zabawka*, "Polityka", April.
1998
Concentration Camp 1996, "Bulletin Trimestriel de la Fondation Auschwitz", no. special 60, July-September, pp. 203-206 (*Discussion*: pp. 225-237).
B. Czubak, *The Art of Legalising Rebellion*, "Magazyn Sztuki", February.
Z. Libera, *Analysis of the historical Representation of Auschwitz in Contemporary Art*, in L.K. Piotrowski, *Perspektywy dla designu przyszlości - od estetyki do anestetyki*, Istytut Kultury, Warszawa, pp.170-173.

ANNA LÍNDAL / ICELAND

Born in 1957 in Víðidal.
Lives and works in Reykjavík.

Education
1975-1978
College of Trades, Reykjavík (apprenticeship in garment making).
1981-1986
The Icelandic College of Art and Crafts, Reykjavík.
1984
AKI - Akademie voor Beeldende Kunst, Enschede (Exchange Program).
1988
Hochule der Kunste, Berlin (Exchange Program).
1987-1990
The Slade School of Fine Art, University College, London (higher diploma in Fine Art).

Solo Exhibitions
1990
The Living Art Museum, Reykjavík.
1991
Hvammstangi, V-Húnavatnsysla Iceland.

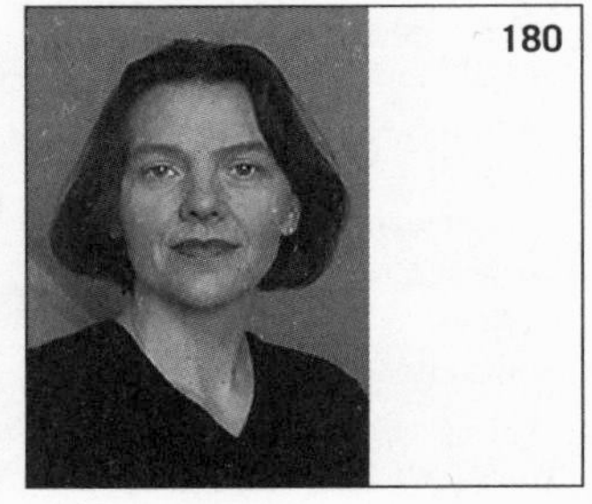

1992
Galleri Sævars Karls, Reykjavík.
1994
The Living Art Museum, Reykjavík.
1996
Sjónarhóll, Reykjavík.
1997
Ingólfsstræti 8, Reykjavík.
Galleri RAM, Oslo.
1998
The Living Art Museum, Reykjavík.
Safnasafnið, Svalbarðsströnd.
1999
Galerie Pascale Cottard-Olsson, Stockholm.
2000
Galleri Sævars Karls, Reykjavík.
Gerðuberg, The Reykjavík Cultural Centre, Reykjavík.
Künstlerhause Schloss Wiepersdorf.
2001
The Living Art Museum, Reykjavík.

Group Exhibitions (Selected)
1990
Bankside Gallery, London.
1992
Vaxjö Konsthall, Vaxjö.
1994
Reykjavík Municipal Art Museum, Reykjavík.
The Living Art Museum, Reykjavík.
Turku Art Museum, Turku.
1995
Reykjavík Municipal Art Museum, Reykjavík.
The Living Art Museum, Reykjavík.
Amos Andersons Museum, Helsinki.
Liljevalchs Konsthal, Stockholm.
1996
The National Gallery of Iceland, Reykjavík.
Eesti Kunstimuseum, Tallin.
The Contemporary Art Centre, Vilnius.
Malmö Konstmuseum, Malmö.
Ormeau Baths Gallery, Belfast.
1997
The National Gallery of Iceland, Reykjavík.
Konstcentrum Gävle, Gävle.
Reykjavík Municipal Art Museum, Reykjavík.
International Istanbul Biennial, Istanbul.
Kultur Bahnhof Eller, Düsseldorf.
Triennale Internationale de Tournai, Tournai.
1998
Villa du Park, Annemasse.
Galleri LNM, Oslo.
1999
Magasinet, Wanås.
Reykjavík Municipal Art Museum, Reykjavík.
The National Gallery of Iceland, Reykjavík.
2000
Kwangju Biennale, Kwangju.
"Exhibition of International Contemporary Art", Dalhousie Art Gallery, Halifax.

Bibliography (Selected)
1994
Skúlptúr / Skúlptúr / Skúlptúr, Icelandic Contemporary Art, pp. 70, 71.
X/Y Identity and Position in Contemporary Nordic Art.
1995
"Billedkunstneren", no. 9/10, p. 29 (front page).
"Siksi", no. 2 (project).
W. Easton, *Intention, Liljewalchs Konsthall. Stockholm*, "Siksi", no. 4, p. 60.
M. Erikson, *Intention.The 7th Nordic Textile Triennial. "Anna Líndal".*
1996
Anna Líndal, exhibition catalogue, Reykjavík, p. 16.
Nordisk Billedkunst 1995-1996, "Nordisk Katalog", no. 19.
Good Intentions. Some Recent Trends in Nordic Fiber Arts: William Easton, in "Fiberarts", vol. 23, no. 1, pp. 47-52.
1997
S. Eriksson, *Anna Líndal*, in *5th International Istanbul Biennial*, exhibition catalogue, Istanbul, pp. 138-139.
Anna Líndal, in *5th International Istanbul Biennial*, exhibition catalogue, 2, p. 101.
2000
Man + Space, exhibition catalogue, Kwangju Biennale, Kwangju, pp. 134-135.
Bedrock, exhibition catalogue, Dalhousie Art Gallery, Halifax, pp. 9-11, 28-29.

JENNY MAGNUSSON / SWEDEN
Born in 1970. Lives and works in Stockholm.

Education
1992-1995
Gerlesborgskolan, Stockholm.
1995-2000
Konsthögskolan Valand, Gothenburg.

Solo Exhibitions
2000
Galerie Rotor, Gothenburg.
2001
Galerie 54, Gothenburg.

Group Exhibitions
1996
Lödöse Museum.
1997
Elevstipendiat Stockholm Art Fair, Stockholm.
"Precis Exakt", Naturhistoriska Museet, Gothenburg.
1999
Galerie Box, Gothenburg.
2000
Galerie Shaper Sundberg, Stockholm.

Grants
1997
Stockholm Art Fair, Stockholm.
1998
Alexander Dicksons Donations fond.
1999
Otto och Charlotte Mannheimers fond.
2000
Otto och Charlotte Mannheimers fond.
Anna Ahrenbergs stipendie fond.
Iaspis atelje stipendium, Stockholm.

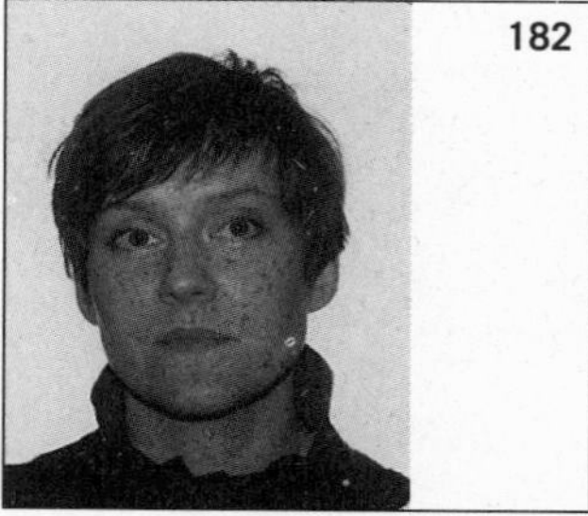
182

VLADO MARTEK / CROATIA

Born in 1951 in Zagreb.
Lives in Zagreb.
He is nomadic artist. His output includes actions, graffiti, murals, poetic agitations, texts on other atists, texts on his own work, and his own editions of postcards, prints, books. Author of ten collections of pre-poetry, drawings and prints, also in his own edition. He has published poetry in magazines.

Education

Graduated from Faculty of Philosophy, Zagreb.

Solo Exhibitions (Selected)

1987
"Sentimentalities", The Gallery of Contemporary Art, Zagreb.
1988
"Works on Papers", Galerie Ingrid Dacic, Tübingen.
1990
"Illustrations of Apparent Bewilderment", Home Gallery, Sarajevo.
1992
"Drawings and Collages", Galeria Potocka, Krakow.
1996
"Troubles with Ethics", Galerija Kapelica, Ljubljana,

Group Exhibitions (Selected)

1990
Museum des 20. Jahrhunderts, Vienna
"Zeichen im Fluss", Galeria hl. mesty, Prague.
1991
"Slovenian Athens", Moderna Galerija, Ljubljana.
1993
"New Croatian Art", Zagreb.

184

"New Identities - The New Europe", Pittsburgh Center for the Arts, Pittsburgh.
"The Horse who Sings - Radical art in Croatia", The Museum of Contemporary Art, Sydney.
1999
"Aspekte/Positionen - Kunst in Mitteleuropa von 1945 bis 2000", Museum des 20. Jahrhunderts, Vienna.

Bibliography (Selected)

1987
B. Stipančić, exhibition catalogue introduction, The Gallery of Contemporary Art, Zagreb.
1988
Ž. Koščević, *Vlado Martek - NIKE*, exhibition catalogue, München.
1993
S. Cramer, introduction, in *The Horse who Sings*, exhibition catalogue, The Museum of Contemporary Art, Sydney.
I. Zidić, introduction, in *Martek, Rituals of Auto-creation*, exhibition catalogue, Galerija Josip Račić, Zagreb.

PIERRE LIONEL MATTE / NORWAY

Born in 1961 in Tønsberg.
Lives and works in Oslo.

Artist's Statement

My work deals with Norwegian nationalism/patriotism, Eurocentric protectionism and our conceptions of "the other", the "unknown" as an enemy, a threat. Through humour and irony I investigate symbols, concepts, images of nationalism in popular mythology, tradition, history and contemporary politics. Recently I have used photography, texts, objects and installations to present metaphors and concepts that involve phenomena found in the familiar, in our daily lives. Central for this project is an ongoing private diary (started in 1997) in which I recall and investigate my own private stereotypes, prejudices and fears in confrontation with non-Norwegians/non-Westerners.

Education

1982-1984
Einar Granum Art School, Oslo.
1982-1984
The Art Academy, Trondheim.
1993-1994
Studies and research on contemporary art in Poland and Chile.

Professional Experience

Since 1988
Lectures in art and design history at several art schools in Norway.
1994-1999
Lectures on contemporary art from Poland and Chile, and Art and Feminism at art schools and several museums and art institutions in Norway and Poland.
Since 1996
Writer of art related articles for the art magazine "UKS - Forum for Contemporary Art".
1998
Text for exhibition catalogue *New Vibrations*, Rogal and Artists' Centre.

186

Solo Exhibitions (Selected)

1993
Trondheim Art Museum, Trondheim.
"Slowly their faces disappear", Galleri UKS (Young Artists Association), Oslo.
1995
"Ad HOK" (collaborative project with writer Gro Dahle), Høvikodden Art Centre, Bærum.
1996
"Contemporary memories" (with Victor Lind), curated by Andrea Lange, Galleri Struts, Oslo.
1997
The Art Association, Porsgrunn.

1998
"Battlefield", Trøndelag Artists' Centre, Trondheim.
"Muhammad Cheref Missing" (with Juan Brito Vargas), Galleri GUN, Oslo.
1999
"Battlefield", Sørlandets Artist's Centre, Kristiansand.
The Art Association in Arendal, Arendal.
2000
"Chapelle Saint-Jacques" (with Andrea Lange), Saint-Gaudens.

Group Exhibitions (Selected)
1990
The National Annual Autumn Exhibition, Oslo.
1992
The National Annual Autumn Exhibition, Oslo.
1993
"Memento Mori", Trondheim Art Museum, Trondheim.
1994
"Backyard Memories", site specific project in the Old Town (contribution to the exhibition project in the Old Town), Oslo.
1995
"The Spring-exhibition", Young Artists Association Gallery, Oslo.
1996
"Signed - Sealed - Sold" (project for a supermarket with the artists group TAF), International Artists Centre, Poznan, Galeria Teraz, Sczeczin.
The National Annual Autumn Exhibition, Oslo.
"Schengen - access to the world" (a public space billboard project with the artists group TAF) for the City of Oslo.
1997
"Shelter" (international group show connected to the Millenium Jubilee of the City of Trondheim), Trondheim.
Collaborative photo/calendar project with Ketil Nergaard.
"Screens" (with Ketil Nergaard) (international group show about art and new technology) Trondheim.
"The Millenium City" (a computer based work for the Millenium Jubilee in Trondheim), Trondheim.
1998
"The National Annual Autumn Exhibition", Oslo.
1999
"Someday something unexpected may happen", Polish Sculpture Centre, Oronzko.
"The National Annual Autumn Exhibition", Oslo.
"The Sculpture Biennale", curated by Lars Nittve (Director of Tate Modern, London), Stenersen Museum, Oslo.
"Social Committed Art" (exhibition connected to the Jubilee of the Workers Union), Stenersen Museum, Oslo.
2000
"Oslo Status 1000/2000" (connected to the Oslo Millenium Jubilee), Oslo.

Collections
1992, 1998
Norwegian Arts Council.
1998
Trondheim City.

BAS MEERMAN / HOLLAND

Born in 1970 in Hilversum. Lives and works in Berlin and Amsterdam.

Solo Exhibitions
2000
Studio d'Arte Cannaviello, Milan.
"À Querelle", Rupertinum, Salzburg.
"À Querelle", De Praktijk, Amsterdam.
2001
"Springtime in Paris", Galerie Hoffmann, Paris.

Group Exhibitions
1999-2000
"Figuration, Trend oder Außenseiter?", Ursula Blickle Stiftung, Kraichtal, Rupertinum, Salzburg, Museon, Bolzano (travelling exhibition).
2000
"Europa differenti prospettive nella pittura", Fondazione Michetti, Francavilla al Mare.
"Codici virtuali Sintesi di un'indagine dei linguaggi pittorico-fotografici", Bologna.
2000-2001
"Op de huid bekeken", SBK, Amsterdam.

Bibliography
1996-1998
Getekend Dagboek 1996-1998, catalogue, Galerie De Praktijk, Amsterdam.
Figuration, exhibition catalogue, Ursula Blickle Stiftung, Kraichtal, Rupertinum, Salzburg; Museion, Bolzano.
2000
Bas Meerman, catalogue, Studio d'Arte Cannaviello, Milano.
Codici virtuali, catalogue, Museo Salara, Bologna, Editore Edisai srl, Ferrara.

188

JEAN-LUC MOULÈNE / FRANCE

Born in 1955 in Reims.
Lives and works in Paris.

Solo Exhibitions
1989
"Œuvres", Galerie J&J Donguy, Paris.
1994
"Œuvres", Kunsthalle Lophem, Bruges.
"Situation II", Institut Français de Thessalonique, Thessaloníki.
"Œuvres", Galerie Jamar, Antwerp.
Galerie Anne de Villepoix, Paris.
"Figures de passage", Le Confort moderne, Poitiers.
1995
"Œuvres", Ecole des Beaux-Arts, Nantes.
"Architecture de Seuil", Kunsthalle, Lophem, Bruges.
"Œuvres", Le Collège, FRAC Champagne-Ardennes, Reims.

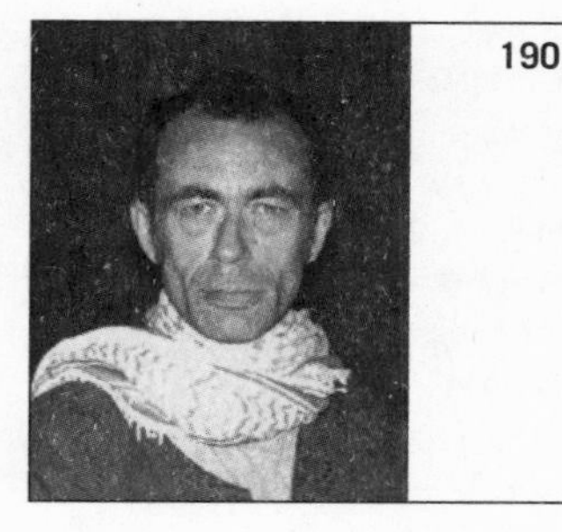

1996
"Disjunktions", DAAD Galerie, Berlin.
"Produkt/Bedingungen", Tageszeitung.
Ecole Régionale des Beaux-Arts, Valence.
1997
ARC Musée d'Art Moderne de la Ville de Paris, Paris.
"Berlinbilder", Galerie Gebauer, Berlin.
"Collection 97", Kunsthalle Lophem, Bruges.
1998
"Zeznanie", Bunkier Szutuki, Krakow.
"Jardins", Domaine Orenga de Gaffroy, Petrimonio (Corsica).
"Œuvres/Produits", Centre of Contemporary Art, Kitakiushu.
"Unplugged, Jean-Luc Moulène", CCA, Kitakyushu.
1999
Galerie Anne de Villepoix, Paris.
"Vingt-Quatre Objets de Grève présentés par Jean-Luc Moulène", La Galerie, Noisy-Le-Sec.
"Berlinbilder", Ecole Supérieure d'Art, Grenoble.

Group Exhibitions (Selected)
1991
"Lieux communs, Figures singulières", ARC Musée d'Art Moderne de la Ville de Paris, Paris.
1992
"Une Seconde Pensée du Paysage", Domaine de Kerguehennec, Centre d'Art Contemporain, Locminé.
"Ici Ailleurs" (with K. Landers, U. Meister), Galerie Anne de Villepoix, Paris.
1993
"Urbaner Raum", Galerie Peter Kilchmann, Zurich.
"Versions du paysage", CREDAC, Ivry.
1994
"Europa'94 - Junge europäische Kunst in München", Munich.
1995
"Nouvelles acquisitions", FRAC-Bourgogne, Dijon.
"Cosmos", Magasin - Centre National d'Art Contemporain, Grenoble.
"Insomnie", Domaine de Kerguehennec, Centre d'Art Contemporain, Locminé.
"V .Jouve, J.-L. Moulène, J.-L. Schoellkopf, B. Streuli", Galerie Anne de Villepoix, Paris.
1996
"Austerlitz Autrement" ("Potatoe Show", with the collaboration of Malachi Farell), Grande Verrière de la Gare d'Austerlitz, Paris.
"Travelling Eye", Museum in Progress, Vienna.
"Museum in Progress", Le Collège, FRAC Champagne-Ardennes, Reims.
"Photos Leurres", Galerie du Jour Agnès B, Paris.
"Nouvelles acquisitions 95", Le Collège, FRAC Champagne-Ardennes, Reims.
"Commande Publique", Ministère de la Culture, rue Saint-Honoré, rue des Bons Enfants, Paris.
1997
"The Art of Everyday: France in the 90's", Thomas W. Sokolowski and Lynn Gumpert, Grey Art Gallery, New York.
Pittsburgh Center for the Arts, Pittsburgh.
Nexus Contemporary Art Center, Atlanta.
"Point(s) de vue", commissioner Philippe Piguet, FRAC Provence-Alpes-Côte d'Azur, Marseille.
"Connexions Implicites", E.N.S.B.A., Paris.
"Photography in Europe 1997", Green on Red Gallery, Dublin.
"C'est ici que nous vivons", FRAC Rhône-Alpes, Galerie Esca, Nîmes.
Documenta X, Kassel.
1998
"Remake - art/cinéma/appropriation/attitudes", Ecole d'Art de Grenoble, Grenoble.
"Jeux de Genres", Espace Electra, Paris.
"Photographie as Concept", Fourth International Foto-Triennial, curated by Renate Wiehager, Esslingen.
"Zeitgennössische Fotokunst aus Frankreich, Contemporary Photographic Art from France", Neuer Berliner Kunstverein, Berlin. Stätdische Galerie, Göppingen. Stätdisches Museum, Zwickau. Kunstverein, Halle.
1999
"Premilleniumtension", Luxembourg.
"Orient-Orient", Musée de Beaune, Beaune.
"La ville, le jardin, la mémoire", Villa Medici, Rome.
"In the CityTrafic", FRAC Haute-Normandie, Sotteville-Lès-Rouen.
"Laboratorium", commissioners Philippe Piguet, Hans Ulrich Obrist and Barbara Vanderlinden, Provinciaal Museum voor Fotografie, and in several locations in the city, Antwerp.
2000
"Cette culture qui vient de la rue", Galerie Municipale, Vitry-sur-Seine.
"Réalités: hommage à Courbet", 10 neuf, Centre d'Art Contemporain, Montbéliard.
"Saint-Germain des Prés / Parcours".
"39 Objets de Grève", Forbach, Carreau de la mine.

Bibliography
1993
Jean-Luc Moulène, edited by J.-F. Chevrier, Mishkan le Omanut Museum of Art, Ein Harod.
1994
Jean-Luc Moulène, Kunsthalle, Lophem, Bruges.
D. Truco, *Le produit de l'exposition*, J.-F. Chevrier, *L'artiste comme consommateur*, J.-L. Terradillos: *Entretien*, in *Figures de passage*, Le Confort Moderne, Poitiers.
P.P. Politis, in *Jean-Luc Moulène - Situation II, Nocturne athonite*, Institut Français de Thessalonique.
1995
Une dernière, with Vincent Labaume, Ecole des Beaux-Arts, Nantes.

1996
F. Meschede, in *Disjunktions*, DAAD Galerie, Berlin.
1997
V. Labaume, in *Déposition*, ARC Musée d'Art Moderne de la Ville de Paris, Paris.
1999
Vingt-Quatre Objets de Grève présentés par Jean-Luc Moulène, La Galerie, Noisy-Le-Sec.

JOHAN MUYLE / BELGIUM, FRENCH COMMUNITY

Born in 1956 in Charleroi.
Lives and works in Liège and Valenciennes.

Solo Exhibitions
1988
"Les Reines mortes", Galerie Métropole, Brussels.
1989
"Un Amour discret", Appolo Huis, Eindhoven.
"L'Amie du magicien", Atelier Ste Anne, Brussels.

192

1991
"Melchior Chocolat Antoine", Galerie Ascan Crone, Hamburg.
"Les Neiges éternelles de Domodossola", Museo Immaginario, Domodossola.
"Tout va bien, l'ordre règne", Galleria Alberto Weber, Turin.
"Des Nouvelles du monde?", Anciens Etablissements Sacré, Liège.
"L'Impossibilité de régner", curated by Dirk Snauwaert, Palais des Beaux-Arts, Brussels.
1992
"L'Impossibilité de régner", Galerie de Paris, Paris.
"What a wonderful world", Galerie Lucien Bilinelli, Brussels.
1993
"La chute d'Icare", Foire d'Art Actuel 93, Galerie Lucien Bilinelli, Brussels.
"Hoe langer, hoe meer schandelijke herineringen", Museum het Kruithuis, St. Hertogenbosch.
"Des nuées de scrupules. Les images du plaisirs", FRAC Loire, Fontenay le Comte.
"Manneken Flipske 1er", Brussels.
1995
"Chacun son destin" (with Ch. Samba), Foire d'Art Actuel 95, Galerie Lucien Bilinelli, Brussels.
"Qu'il ait décidé de vivre une autre vie", Espace Mariani, Solre le Château.
"Manneken Hipske 1er", Brussels.
1997
"Holyworld", Atelier de la Ville de Marseille, Marseille.
"Promis, juré", Galerie de Paris, Paris.
"Heureusement que la pensée est muette", Centre Nicolas de Stael, Braine.
"Des nuées de scrupules", Médiathèque de Trith St.- Léger.
"Les sourires d'une longue patience", Centre d'Art Contemporain, Brussels.
"La mort viendra et elle aura tes yeux", L'Hippodrome, Douai.
1998
"Loin s'en faux", Ecole des Beaux-Arts de Nîmes, Nîmes.
"Plutôt la Honte", EROA Dupleix, Landrecies.
"We don't know him from Eden" (artist representative of the French Community of Belgium), curated by C. De Croes, XXIV Biennal Internacional de São Paulo, São Paulo.
1999
"Disgrace", The George Rodger Gallery, KIAD I, Maidstone.
"Disgrace", The Herbert Read Gallery, KIAD I, Canterbury.
"Que el mundo tenga su perdida", Centro Wilfredo Lam I prod. C. W.L & C.A.C B, Cuba.
"Disgrace", The University of Brighton Gallery, Brighton.
"Quand les jours meilleurs se font attendre", Coeur St. Lambert, Liège, prod. Espace 251 Nord & MET.
2000
"Aimer rire et chanter", La parade, FC Chiroux, Liège.
"We don't know him from Eden", Aspex Gallery, Portsmouth.
"Tempus Exit", intégration rue Marconi / Art public apprivoisé I Brussels I GB.

Group Exhibitions (Selected from 1998)
1998
"Vitrine" (with Michel François & Ann Veronica Janssens), intégration rue des Tanneurs 75, Brussels.
"Le devenir du monde / Artissima", Galerie Lucien Bilinelli, Brussels.
1999
Brussels Art Fair, Galerie Lucien Bilinelli, Brussels.
"L'énervé de Jumièges (Petits Arrangements)", FRAC Loire à la Chapelle Saint-Lyphard, La Ferté-Bernard.
"La vie en rose" (Demeures)", Musée Zadkine, Paris.
"Angèle et Angelo" (acquisitions of contemporary works by the French Community), Musée d'Art Moderne de Liège, Liège.
"La vie en rose (Quand soufflent les vents du sud)", Musée d'Art Wallon de Liège, Liège.
2000
"Foire du livre", French Community of Brussels Belgium, Brussels.
"Au paradis, en enfer", Brussels Art Fair, Galerie Lucien Bilinelli, Brussels.
"Demain malheur, jamais ailleurs, Quand soufflent les vents du sud".
"La misère cachée, 2000 ans d'art wallon", Musée d'Art Wallon, Liège.
"Non si puo ridere della felicità", Milan Art Fair, Galerie Lucien Bilinelli, Milan.
"Le bonheur des autres, le malheur des uns, World wild flags", Liège.
"La vierge noire, Machin-machines", Donjon de Vez, Paris.
"Affiches Mona Lisa",

artist/initiatives NICC, Antwerp.
"Le bonheur des autres, le malheur des uns, World wild flags", New York.
"La misère cachée", exhibition Eurégionale-Cercle Littéraire, Liège.
"La chute d'Icare", Musée des Arts Modestes (MLAM), Sète.

2001
"La misère cachée, Eurégio Meuse-Rhin: ici se construit l'Europe", Europlatz, Aachen.
"Demain malheur, jamais ailleurs", Messagerie de l'Art Contemporain, ISELP, Brussels.
"La vie en rose", soundstation - "Masculin, féminin", Liège.
"L'impossibilité de régner, Chacun son destin et c.ie", ExitCongoMuseum, Musée Royal de l'Afrique Centrale, Brussels.

IRINA NAKHOVA / RUSSIA

Born in 1955 in Moscow.
Lives and works in Moscow.

Education
Graduated from the Moscow Polygraphic Institute, Moscow.
Member of the unofficial artists' group, now known as the Moscow Conceptual School.

Solo Exhibitions
1990
"Momentum Mortis", Phyllis Kind Gallery, New York.
1991
"Partial Triumph II", Galería Berini, Barcelona.
1992
"In Memoriam", Chicago International Art Exposition, Special Project Installation, Chicago (by invitation).

194

"Recent Works", Phyllis Kind Gallery, New York.
1993
"Careful With Your Eyes", Galerie 60, Umea.
1995-1996
"Friends and Neighbors", Cranbrook Art Museum, Bloomfield Hills.
"Feast for the Gods", XL Galerja, Moscow.
1996
Daddy Needs to Relax, Obscuri Viri Galerja, Moscow.
1997
What I Saw, XL Galerja, Moscow.
"Power of Painting: Food Painting", Bunting Gallery, Royal Oak.
1998
"Showroom: Installation with 'Big Red'", Galerie Eboran, Salzburg.
"Honeybuns Performing Göthe's Werter" (with Günter Unterburger), Galerie im Alcatraz, Hallein.
1999
"Big Red", XL Galerja, Moscow.
"Archeology of the Room", Obscuri Viri Galerja, Moscow.
2000
Rupertinum, Salzburg.
Tallinn City Gallery, Tallinn.
"Raw Space", ARC Gallery, Chicago.

Group Exhibitions (Selected)
1990
"Summer Atelier", Messelgelande, Hannover.
"Working Woman", Oktjbrskaja Exhibition Hall, Moscow.
"The Work of Art in the Age of Perestroika", Phyllis Kind Gallery, New York.
"Iskonstvo: Stockholm-Moscow-Berlin", Kulturhuset, Stockholm.
1991
"Moscow Avant-Garde Art", MANI Museum, Frankfurt.
1992
"Installations", Tzaritzino Museum, Bratislava.
"A Mosca..., a Mosca...", Villa Compoletto, Herculaneum, Galleria Comunale d'Arte Moderna, Bologna.
1993
"Addresse Provisoire", Musee de la Poste, Paris.
"Baltic Sculpture 93", Gotlands Art Museum, Visby.
"After Perestroika: Kitchenmaids or Statesmen", Independent Curators Incorporated (ICI) (travelling exhibition in USA-Canada, six museums).
1994
"Dialogue with the Other", Kundsthallen Brandt's Klaedefabrik, Odense
"Dialogue with The Other", Norrkoping Konst Museum, Norrkoping.
"Cetinje Biennial", Cetinje Art Museum, Cetinje.
"Monumental Propaganda", Smithsonian International Gallery, Washington, DC.
1995
"Cathedral of Time Project", a collaborative installation organized by Irina Nakhova, Michigan Central Depot, Detroit.
"Non-Conformists in Russia, 1957-1965"; Wilhelm-Hack Museum, Ludwigshafen am Rein, Documenta Halle, Kassel, Staatliches Lindenau Museum, Altenburg, Manez Galerja, Moscow (travelling exhibition).
"From Gulag to Glasnost: Nonconformist Art from the Soviet Union, 1956-1986, The Norton and Nancy Dodge Collection", Jane Voorhees Zimmerli Art Museum, Rutgens, The State University of New Jersey, New Brunswick.
"Laughter Ten Years After", travelling exhibition in USA-Canada, six museums and galleries.
1997
"Russian Art in Fifteen Destinies", Mucharnok, State Exhibition Hall, Budapest.
"4 × Margareta", Kalmar Konstmuseum, Budapest.
1998
Upper Austrian Regional Museum, Linz.
1999
"Sculpture-Figure-Woman", Stadtische Kunstsammlungen, Chemnitz.
"Conceptualist Art: Points of Origin 1950s-80s", Queens Museum, New York, Walker Art Center, Minneapolis.

"Contemporary Art from 1950's to 1980's from Tzaritzino Museum Collection", Central House of Artists, Moscow.

KRISTOFFER NILSON / SWEDEN
Born in 1969 in Stockholm.
Lives and works in Stockholm.

Education
1995-1996
Pernbys School of Painting.
1996-2001
Konstfack, University College of Arts, Crafts & Design.

Solo Exhibitions
1999
"System", Galerie Flach, Stockholm.

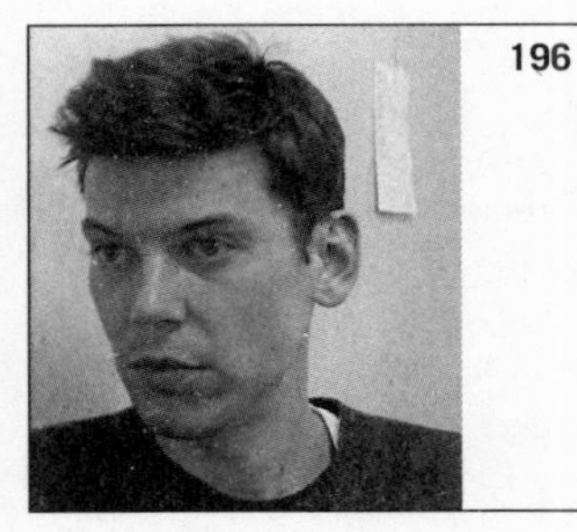
196

2000
Drawings, Bror Hjorts Museum, Uppsala.
"Fokus", Galerie Flach, Stockholm Art Fair, Stockholm.

Group Exhibitions (Selected)
1995
"The Hotel", Hotell Gustav Vasa, Stockholm.
1996
"German Field Studies", Vita havet, K-fack, Stockholm.
"Service", Galerie Service, Stockholm.
"Smart Show", Stockholm, Helsinki.
1996-2000
"Life Foundation Projects", Stockholm.
1997
"Transformations", Gävle Slott, Gävle.
1998
"The Global Tendency Machine", Tredje spåret, Stockholm.
"Cultural Capitals", Art Node, Stockholm.
1999
"Blick", Moderna Muséet, Stockholm.
"120 p.", Galleri Enkehuset, Stockholm.
"Small Little Truths", Life Gallery, Stockholm.
2000
"Art Volume", c/o Stockholm, Götgatan, Stockholm.

HANS-ULRICH OBRIST / SWITZERLAND
Born in 1968 in Zurich. Lives and works in Paris, London, Vienna, Berlin, Rotterdam, New York and numerous Southeast-Asian cities.

Professional Experience
Cutting edge curator with an awareness for the necessity of linking art, science and society and thus opening new fields of experience.
Since 1993 he runs the program Migrateurs at the Musée d'Art Moderne de la Ville de Paris, and is a curator for the Museum in progress, Vienna.
Since 1997 he is editor in chief of "Point d'Ironie", published by Agnès B.
He has edited the writings of Gerhard Richter, Louise Bourgeois, Gilbert & Georges, Maria Lassnig and Leon Golub.

Since 1991 he has curated numerous exhibitions
1991
"The Kitchen Show", Saint Gall.

198

1992
"Gerhard Richter", Sils Maria Hôtel Carlton Palace, Paris.
1993
"The Broken Mirror" (with K. Koenig), Vienna.
1994
"Life/Live" (with L. Bossé), Paris, Lisbon.
1996
"Do it" (30 versions so far since 1994; american tour 1997-2001).
1997
"Cities on the Move" (with H. Hanru), Vienna, Bordeaux.
1998-2000
"La ville, le jardin, la mémoire" (with L. Bossé and C. Christov-Bakargiev), Villa Medici, Rome.
1999
"Cities on the Move" (with H. Hanru), London, Helsinki, Bangkok
1999-2000
"Laboratorium" (with B. Vanderlinden), Anwerp.
"Retrace your steps: Remember tomorrow", London.
2000
"Rumor City", Fri-Art, Centre d'Art Contemporain, Fribourg, and Bordeaux.
2000-2001
"Mutations: Evenement culturel sur la ville contemporaine" (with R. Koolhaas, S. Kwinter, S. Boeri), Bordeaux.

ANTON OLSHVANG / RUSSIA
Born in 1965 in Moscow.
Lives and works in Moscow.

Education
1982-1988
Moscow Art Theatre School, Moscow.
1995-1997
Rijksakademie van Beeldende Kunsten, Amsterdam.

Solo Exhibitions
1989
"New Works", Sculpture Studio, Glasgow.
1991
"Anton Olshvang: New Works", Galerie Krings-Ernst, Cologne.

1992
Galerie Storm (with Olga Chernycheva), Amsterdam.
1993
"Black and White Ritual", Film Museum, Moscow.
1994
Galerie Krings-Ernst (with Olga Chernycheva), Cologne.
"Poly-ether", The State Russian Museum, Saint Petersburg,
1.0. Galerja, Moscow.
"June", Stroganov Palace, The State Russian Museum, Saint Petersburg.
1995
"Abdruecke" (with Olga Chernycheva), Galerie Art 5-III, Berlin.
1996
"Ad Oculus" (with Olga Chernycheva),

200

Theatre Institute, Amsterdam.
1999
"Living Emptiness", Moscow Fine Art Gallery, Moscow.
"Battlefields", The Samara State Museum of Art, Samara.
2001
"Battlefields", Centre for Contemporary Art, Kurgan.

Group Exhibitions (Selected)
1989
"Eidos", Palace of Youth, Moscow.
1990
"Furmanny Pereulok", Moscow, Warsaw.
1991
"Soviet Art from Tsar to Perestroyka", Setagaya Museum of Art, Tokyo.
1992
"A Mosca..., a Mosca...", Villa Compoletto, Herculaneum, Galleria Comunale d'Arte Moderna, Bologna.
1993
"Kontext Kunst", Kuenstlerhaus, Graz.
"Exchange I: Moscow-Amsterdam Project", Centre of Contemporary Art, Moscow.
1994
"Europe 94", Munich.
1995
"Radar", Galleria Comunale, Rome.
1996
"Feed and Greed", Österrechisches Museum für Angewandte Kunst (MAK), Vienna.
1997
Biennale of Contemporary Art, Contemporary Art Museum, Cetinje.
1998
"Democracy Show", Gate Foundation, Amsterdam.
2000
"Manifesta 3", Ljubljana.
"Innocent Life", Centre for Contemporary Art, Vilnius.
"Native Americans", ICDC, Washington, DC
2001
"Days of Happiness", Watari Museum of Contemporary Art, Tokyo.

JOÃO ONOFRE / PORTUGAL

Born in 1976 in Lisbon.
Lives and works in Lisbon.

Solo Exhibitions
2001
ARCO - Cutting Edge section, Madrid.

Group Exhibitions (Selected)
1998
"Biennal A.I.P.", Europarque, St. Maria da Feira.
1999
"António Cachola Collection - Portuguese Art, years 80-90", MEIAC - Museo Ibero-Americano de Arte Contemporânea, Badajoz.
"7 Artistas ao 10° Mês", curated by João Pinharanda, Centro de Arte Moderna da Fundação Calouste Gulbenkian, Lisbon.
"MA Fine Art Show", Goldsmiths College, London.
"Non-stop opening", Central Point Gallery, London.

202

Biennal da Maia, Maia.
"Chainstore", curated by Naomi Fox, Trinity Buoy Wharf, London.
"Acasos & Materiais", curated by Paulo Mendes, CAPC, Coimbra.
2000
"The Mnemosyne Project", CAPC, curated by Delfim Sardo, Coimbra.
"Performing Bodies", curated by Helena Blaker, Iwona Blazwick, Sophie Mckinlay and Adrian George, Tate Gallery of Modern Art - Millbank, London.
"Full Serve", curated by Kenny Schachter, Rove - West 27th Street, New York.
"Plano XXI - Portuguese Contemporary Art", curated by Paulo Mendes and António Rego, Intermedia Gallery, Glasgow.
XXVI Biennal de Pontevedra, curated by María de Corral, Pontevedra.
"Olhar da Contemporaneidade", curated by Ilídio Nunes, Lisbon.
"Arritmia", curated by João Sousa Cardoso, Mercado Ferreira Borges, Porto.
"I hate New York", curated by Kenny Schachter, Rove - Shoreditch High St., London.
"Sweet & Low", Rove - Lispenard St., curated by Kenny Schachter, New York.
2001
"Opponents", curated by Siebren de Haan, Paraplufabriek, Nijmegen.
"União Latina Prize", Centro de Arte Moderna da Fundação Calouste Gulbenkian, Lisbon.
"Disseminations", curated by Pedro Lapa, Culturgest, Lisbon.

JULIAN OPIE / GREAT BRITAIN

Born in 1958 in London.
Lives in London.

Education

1979-1982
Goldsmith's School of Art, London.

Solo Exhibitions

1983
Lisson Gallery, London.
1985
Institute of Contemporary Arts, London.
1991
Kunsthalle, Bern.
1993
Hayward Gallery, London.
1994
Kunstverein, Hannover.
1996
Gallery Bob van Orsouw, Zurich.
1997
Barbara Thumm Gallery, Berlin.
1999
Gallery Bob van Orsouw, Zurich.
Barbara Thumm Gallery, Berlin.
2001
Lisson Gallery, London.

Group Exhibitions

1985
XIIIème Biennale de Paris, Grande Halle de la Villette, Paris.
1986
XVII Triennale di Milano, Milan.
"Correspondentie Europa", Stedelijk Museum, Amsterdam.
1987
Documenta VIII, Kassel.
1990
"Objectives: The New Sculpture", Newport Harbour Art Museum, Newport Beach.
Seventh Biennial of Sydney, Sydney.
1993
"Machines for Peace", Ex-Yugoslavian Pavillion, XLV Biennale di Venezia, Venice.
Serpentine Gallery, London.
1997-1998
Ninth Triennale-India, Lalit Kala Akademi, New Dehli.
1998
"Every day", curated by Jonathan Watkins, Eleventh Biennial of Sydney, Sydney.
2000
"New British Art 2000. Intelligence", Tate Britain, London.
"Between Cinema and the Hard Place", Tate Modern, London.

Awards

1995
Sargant Fellowship, The British School, Rome.
1995-1996
Residency at the Atelier Calder, Saché.

Public Commissions

1995
Cinq Matiments de Banlieue, FRAC Aquitaine, Cloître des Annonciades, Bordeaux.
1997
Imagine you are moving, commissioned and funded by BAA Plc as part of the BAA Art Programme in association with the Public Art Development Trust.
2000
Two Cars Three People Two Buildings a Cow and a Sheep, Wolfsberg.

ANA TERESA ORTEGA / SPAIN

Born in 1952 in Valencia.
Lives and works in Valencia.

Solo Exhibitions

1990
Galería Visor, Valencia.
Galería Lucas Gandia, Valencia.
1992
Galería Spectrum, Saragossa.
1994
Palacio de la Gravina, Alicante.
1995
Sala de Exposiciones Ibercaja, Valencia.
Galería Fúcares, Almagro, Ciudad Real.
Galería Visor, Valencia.
1996
Galería Vanguardia, Bilbao.
Galería Bacelos, Vigo.
1998
Galería Edgar Neville, Alfafar, Valencia.
1999
Sala Metronom, Barcelona.
Galería Alejandro Sales, Barcelona.
2000
Galería Trayecto, Vitoria.

Group Exhibitions

1989
"10 Jahre 10 Künstler", Mainz.
1992
Autoría y Anonimatos", Club Diario Levante, Valencia.
1994
"La Imagen Frágil", Fundació Caixa de Pensiones, Barcelona.
1995
"Entre la Pasión y el Silencio", Arles, Fototeca de La Habana, Havana.
1996
"Ecos de la Materia", Museo Extremeño e Iberoamericano de Arte Contemporáneo, Badajoz.
"Femenino Plural", Palazzo Medici-Riccardi, Florence.
1997
"La Imagen Reconstruida", Centro de la Imagen, Mexico City.
"Procesos", Centro de Artes Visuales, Lima.
1998
"Miradas", Galería Xavier Fiol, Palma de Majorca.
"De Imagen y Soportes", Huesca Imagen, Huesca.
1999
"Bordes Inasibles", Palacio de Revillagigedo, Gijón, Oviedo, Sala Amárica, Vitoria.
"Optical Alussions", Reales Atarazanas, Valencia.

Bibliography

1995
G. Picazo, *Presencias esparcidas*, "Kunstforum", no. 129.
1998
E. Mira, *Exilios: Figuras de la identidad y la memoria. Ana Teresa Ortega*, Galería Edgar Neville, Alfafar.

CORNELIA PARKER / GREAT BRITAIN

Born in 1956 in Cheshire.
Lives and works in London.

Solo Exhibitions (Selected)

1995
"The Maybe" (collaboration with Tilda Swinton), Serpentine Gallery, London.

1996
"Avoided Object", Chapter Arts Centre, Cardiff.

1997
"ArtPace", San Antonio.

1998
Serpentine Gallery, London.
"Deitch Projects", New York.

1999
Frith Street Gallery, London.
Science Museum, London.

2001
Galleria d'Arte Moderna e Contemporanea, Turin.
"1995 ICA", Philadelphia.
Aspen Museum of Art, Aspen.
Chicago Arts Club, Chicago.
ICA, Boston.

Group Exhibitions (Selected)

1996
"Something The Matter: Helen Chadwick, Cathy de Monchaux, Cornelia Parker", Museo Municipal de Bellas Artes, Rosario, Centro Cultural Recoleta, Buenos Aires, Museu Nacional de Belas Artes, Rio de Janeiro, Galeria Athos Bulcao, Brasilia (travelling exhibition).

1997
"The Turner Prize", Tate Gallery, London.
"Material Culture", Hayward Gallery, London.

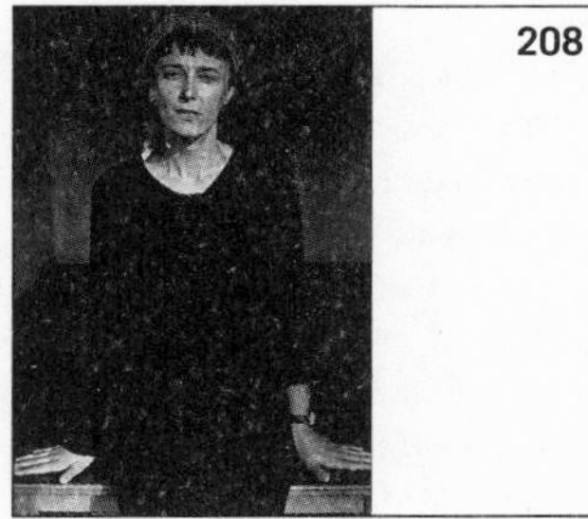

208

1998
"Silver and Sirup: Selections from the History of Photography", Canon Photography Gallery at the V&A, London.
"Thinking Aloud", Kettle's Yard, Cambridge, Cornerhouse, Manchester, Camden Arts Centre, London.
"Sarajevo 2000", Museum Moderner Kunst Stiftung Ludwig Wien, Vienna.
"New Art from Britain", Kunstraum Innsbruck, Innsbruck.
"Video / Projection / Film", Frith Street Gallery, London.
"Natural Science", Stills Gallery, Edinburgh.

1999
Melbourne First International Biennial, Melbourne.
"Violent Incident", Tate Gallery, Liverpool.
"Contemporary British Artists", Denver Art Museum, Denver.
"Postmark: An Abstract Effect", Site Santa Fé, Santa Fé.
"Powder", Aspen Museum of Art, Aspen.
"Appliance of Science", Frith Street Gallery, London.

2000
"Between Cinema and a Hard Place, Tate Modern Interventions", Milwaukee Art Museum, Milwaulkee.
"Documents and Lies", Optica Gallery, Montreal.

Awards, Commissions, Projects and Residencies

1996
City Space, commission for European City of Culture, Copenhagen.

1997
Nominated for the Turner Prize, Tate Gallery, London.
"International Artist in Residence", ArtPace Foundation for Contemporary Art, San Antonio.

1998-1999
"Artist in Residence", Science Museum, London.
International Association of Art Critics Prize Best Show by an Emerging Artist, for Mass: Colder Darker Matter at "Deitch Projects", New York.

2001
Commission for Victoria & Albert Museum, London.

Bibliography (Selected)

1991
Eigen + Art (edited by), *Cornelia Parker - Neither From Nor Towards.*
C. Parker, A. Searle, *Cornelia Parker - Cold Dark Matter: An Exploded View*, exhibition catalogue, Chisenhale Gallery.

1993
J. Watkins, *Cornelia Parker - In Suspense*, exhibition catalogue, Ausstellungshaus im Grassimuseum Leipzig.

1994
L. Buck, *Something the Matter*, exhibition catalogue, published by the British Council for the XXII Biennal Internacional de São Paulo, Thames Hudson, Ltd, London.

1996
G. Brett, C. Parker, S. Cameron, A. Payne, *Cornelia Parker - Avoided Object*, exhibition catalogue, Chapter Arts Centre, Cardiff.

1997
M. Archer, G. Hilty, *Material Culture*, exhibition catalogue, Hayward Gallery, London.
V. Button, *The Turner Prize 1997*, exhibition catalogue, Tate Gallery, London.

1998
S. Bann, D. Hopkins, *Natural Science*, exhibition catalogue, Stills Gallery, Edinburgh.
L.G. Corrin, *Cornelia Parker*, exhibition catalogue, Serpentine Gallery, London.

1999
F. Bonami, *Powder*, exhibition catalogue, Aspen Art Museum, Aspen.

2000
J. Morgan, B. Ferguson, Bruce, C. Parker, *Cornelia Parker - The Institute of Contemporary Art Boston*, exhibition catalogue, ICA, Boston.

MARKO PELJHAN / SLOVENIA
Born 1969 in Šempeter pri Gorici.
Lives and works in Ljubljana.

Education
University of Ljubljana, Ljubljana (Theatre and Radio directing).

Professional Experience
1992
Founded the arts organization Projekt Atol in the frame of which he works in the performance, visual arts, situation and communications fields.
1995
Founded the technological branch of Projekt Atol PACT SYSTEMS, co-founded LJUDMILA.
From 1996 on
Worked at LJUDMILA (Ljubljana Digital Media Lab) as a programs coordinator on many different fields.

He is also coordinator of the international INSULAR TECHNOLOGIES initiative (www.insular.net) and the Makrolab (makrolab.ljudmila.org) project as well as coordinator of flights for zero-gravity artistic projects in conjunction with the Yuri Gagarin Cosmonaut Training Centre in Moscow.
His work has been presented at major international exhibitions such as Documenta X in Kassel, the 2nd Johannesburg Biennale, Ars Electronica, Media City Seoul and Manifesta.

Performances, Theatre Projects, Projects, Situations (Selected)
1992
"Egoritem I, II, III", Moderna Galerija, Ljubljana.

1993
"RSS Atol", performance, Moderna Galerija, Ljubljana.
1995
"Egoritem IX - that's what the symmetriad consciousness will look like!", Lisbon.
"Teritorij", MIR-a, Ljubljana.
1997
"178 Degrees East-Another Ocean Region", The Performance Space, Sydney.
"MAKROLAB, Wardenclyffe Situation No. 1", Documenta X, Kassel.
"Wardenclyffe Situation No. 2", Bauhaus, Dessau.
1998
"Sundown", Museum of the History of the City of Luxembourg, Luxembourg.
"Wardenclyffe Situation No .4", V2, Rotterdam.
"Sistem-7", Ljubljana.
"SOLAR", Ars Electronica 98, Linz.
"Wardenclyffe Situation No. 9", Method of utilising radiant energy, Steim.
1999
"Trust-System 15", PS1, New York.
"Sky Area", Lehmbruck Museum, Duisburg.
2000
"EMM - Electronic Media Monitoring Console", Brussels.
"EMM - Electronic Media Monitoring Console", Technisches Museum, Dunaj.
"Polar", Canon Artlab, Tokyo.
"Makrolab II", Rottnest Island.
"TCEP-900", ZKM, Karlsruhe.

Group Exhibitions (Selected)
1993
"Diskurs 93", Giessen.
"Antwerpen 93", Cultural Capital of Europe, Antwerp.
1994
"ISEA 94", Helsinki.
1995
"Champ Libre", Montreal.
"Incident-festival Belluard-Bollwerk", Fribourg.
"Ostranienie 95", Bauhaus Theater, Dessau.
1996
"National Review of Live Art", Glasgow.
"Eurokaz 96", Zagreb.
"Urbanaria", SCCA, Ljubljana.
"Sense of Order", Moderna Galerija, Ljubljana.
1997
"Code Red", Sydney.
Documenta X, Kassel.
2nd Johannesburg Biennale, Johannesburg.
"U3, Trienale sodobne slovenske umetnosti", Ljubljana.
"Kartografi-Cartographers", Muzej Suvremene Umjetnosti, Zagreb.
1998
"Wiretap 3.98", Rotterdam.
"Ostranienie 98", Dessau.
"Manifesta II", Luxembourg.
"Ars Electronica 98", Linz.
1999
"Sarajevska Zima", Sarajevo.
"Generation Z", PS1, New York.
"Connected Cities", Duisburg.
"Video 2000", Berlin, Bonn.
"After the Wall", Moderna Musset, Stockholm.
"Aspects-Positions 50 Years of Art in Central Europe 1949-1999", Museum Moderner Kunst Stiftung Ludwig Wien, Vienna.
2000
Festival of Perth, Perth.
"Bruxelles-Brussel, Cultural Capital of Europe-2000", Brussels.
"Media City Seoul", Seoul.
"DEAF", Rotterdam.
"2nd Space Art Forum", London.
"Tech-Nicks", London.
"Millenium", Trafo, Budapest.
"Home", Art Gallery of Western Australia, Perth.
"Worthless-Invaluable", Moderna Galerija, Ljubljana.
"Why What for Whom", Muzej Revolucije, Zagreb.
"WIO-World.information.org", Brussels.
Musee d'Art Moderne de la Ville du Paris, Paris.
"L'autre moitié de l'Europe", Galerie Nationale du Jeu de Paume, Paris.
"WIO-World.information.org", Vienna.
"Artlab 10", Hillside Plaza, Tokyo.
"City", ZKM, Karlsruhe.
"U3, Trienale sodobne slovenske umetnosti", Ljubljana.

Bibliography (Selected)

1993

I. Štaudohar, *Novi V-efekt*, "Maska", February-May.

1994

L. Stepaačič, *Urbanaria: Prvi del. Dokumenti*, Skice, SCCA.

1996

J. Birringer, *The Utopia of Post-Utopia*, "Theatre Topics", February.

1997

Documenta X, book, Cantz Verlag, Ostfildern.

Š. Mlakar, *Marko Peljhan*, "M'ARS", no. 1.

P. Stulzmann, *Marko Peljhan*, in *Documenta X*, guide, Cantz Verlag, Ostfildern.

Trade Routes - History and Geography, 2nd Johannesburg Biennale.

M. Higgs, *Vive Les Sixties*, in "Art Monthly", no. 209.

L. McGough, *Reengineering the City*, Urbanaria part two, SCCA.

1998

J. Birringer, *Makrolab-heterotopia*, in "Performing Arts Journal", no. 60.

L. Haskel, *Pretty Good Pirates*, "Mute", no. 9.

Infowar, Ars Electronica, catalogue.

I. Zabel, *The Immaterial world of signals*, "Index", no. 2.

1999

After the Wall. Art and Culture in Post Communist Europe, exhibition catalogue, Moderna Musset, Stockholm.

Aspects Positions, 50 years of art in Central Europe, exhibition catalogue, Museum Moderner Kunst Stiftung Ludwig Wien, Wien.

Connected Cities, exhibition catalogue, Cantz Verlag, Köln.

Video Art in Slovenia 1969-1998, Open Society Institute.

2000

M. Gioni, *The Beach: Utopia 2000*, "Flash Art", no. 213, Summer.

Home, exhibition catalogue, AGWA, Tom Mulcaire, Marko Peljhan-Projekt Atol, AGWA.

Media City Seoul, exhibition caralogue, Jeremy Millar, Seoul.

V. Misiano, *Marko Peljhan, Fresh Cream*, Phaidon Press, London.

PAUL MICHAEL PERRY / HOLLAND

Born in 1956 in London.
Lives and works in Groningen.

Exhibitions

1984

"Performance", Jan Haanzaal, Groningen.

1985

"Crisis of Keerpunt", Performance, Kunst, Arnhem.

"Liebesmahle", Paleis voor Schone Kunsten, Arnhem.

1986

"Artists from the Jan Haanzaal", Galerie MES, Groningen.

"Plaatsmaken" (Rousseau), Museum Gerardus van der Leeuw, Groningen.

1987

"A Priori Sculpture", Makkom, Amsterdam.

"Cum Suis", De Zaak, Noordkunst, Zuidlaren.

212

"Capital Gains", Galerie 't Venster, Rotterdam.

"Capital Gains", De Zaak, Groningen.

1988

"I Wish I Could Tell", Galerie Hans Gieles, Amsterdam.

"Central Exhibition", Noordkunst, Zuidlaren.

"Fort", Beelden voor Blinden en Zienden, Kortenhoef.

"Pinhole Pornography", De Zaak, Kunst RAI, Amsterdam.

"The Plumber's Cocktail Lounge", De Zaak, Groningen.

"Cum Suis", De Zaak, Groningen.

1989

"Capital Gains", Fodor Museum, Amsterdam.

"IS in de HAL", Fonds voor Beeldende Kunst, Rotterdam.

"Condemned to Making Sense", Perspektief, Rotterdam.

"Appropriate Choice", De Zaak, Kunst RAI, Amsterdam.

1990

"Metafysisch Interieur", Artists International Research, Amsterdam.

"Municipal Art Acquisitions 1989", Fodor Museum, Amsterdam.

"Recent Macramé", Galerie Hans Gieles, Amsterdam.

"First Blossom", Arti et Amicitiae, Amsterdam.

1991

"Capital Gains", Galerie Tanya Rumpff, Haarlem.

"Licentia", Gemeentemuseum Arnhem, Arnhem.

"Municipal Art Acquisitions 1990", Fodor Museum, Amsterdam.

"Fons voor Binnen", Galerie Fons Welters, Amsterdam.

1992

"Brain", Oxenaar, Stoop & Partners, Gorinchem.

"Kunst RAI", De Zaak, Amsterdam.

"Multiple Difference", Galerie Fons Welters, Amsterdam.

"Allocations", World Horticulture Exhibition, Zoetermeer.

"Multiples", Galerie Tanya Rumpff, Haarlem.

1993

"Abri (shelter)", Bergkerk, Deventer.

"Good", Associated Publishers, Amsterdam.

"TAZOO II", De Vleeshal, Middelburg.

"Amsterdam, Een Rijke Stad", ICA, Amsterdam.

"Temporary Autonomous Zoo I", Festival a/d Werf, Utrecht.

"Animals", Galerie Tanya Rumpff, Haarlem.

"Abri (shelter)", Stedelijk van Abbemuseum, Eindhoven.

"Welcome Stranger", Stadhouderskade 112, Amsterdam.

"Vrij Spel", Gemeentemuseum Arnhem, Arnhem.

1994

"Body Armor (TAZOO V)", Triple X Festival, Amsterdam.

"Ant Farm (TAZOO IV)", Festival a/d Werf, Utrecht.
"TAZOO III", Stedelijk Museum Bureau A'dam, Amsterdam.
1995
"Kiosk de Combat/Safe Haven", New Balance, Vilnius.
"Infections", Park Wolfslaar, Breda.
"Le Dépeupleur", Galerie Froment & Putman, Paris.
1996
"L'Arche de Noé", Magasin - Centre National d'Art Contemporain, Grenoble.
"Art Meets", Charlottenborg, Copenhagen.
"Amsterdam 2.0", Bureau Phantom Railroad, Amsterdam.
1997
"(P)reservations", Provinciaal Museum, Hasselt.
"(P)reservations", Voormalig Bonnefantenmuseum, Maastricht.
"Green", Case Study House Omega, Utrecht.
"Metaphors of Space and Time", De Paviljoens, Almere.
"Caleidoscoop", CBK Groningen, Groningen.
"The People's Choice", Kunsthal, Rotterdam.
"Wat af is, is niet gemaakt", Utrechtse School, Utrecht.
"A selection from Art Meets", Kunstruimte Wagemans, Beetsterzwaag.
1998
"Manuals for the 21st Century", Impakt Festival, Utrecht.
"St(*)boretum", Arboretum Belmonte, Wageningen.
"Acquisitions", Groninger Museum, Groningen.
1999
"The Mind on Scale", Arti et Amicitiae, Amsterdam.
"Private Room Public", De Paviljoens, Almere.
"Space Unlimited-2", De Appel, Amsterdam.
2000
"Is Er Straks Nog...", Arti et Amicitiae, Amsterdam.

CRISTIANO PINTALDI / ITALY

Born in 1970 in Rome.
Lives and works in Rome.

Solo Exhibitions
1991
"Trasmissioni", Galleria 2RC., Rome.
1992
"Avvistamenti", Galleria Sprovieri, Rome.
"Mosca 1992", Aidan Galerja, Moscow.
1995
"1995", Galleria Il Ponte, Rome.
1996
"Recomb-Hack", Studio Ercolani, Bologna.
1997
"La coscienza dell'incoscienza", Studio d'Arte Enzo Cannaviello, Milan.
1998
"1998", Galleria d'Arte Moderna, Bologna.
"Il Futuro nella Memoria", Villa Domenica, Treviso.
1999
"Jump", Galleria Franco Noero, Turin.
"Earth 1999", Galeria Mario Sequeira, Braga.
2000
"2000", Galleria Milleventi, FIAC, Paris.

Group Exhibitions (Selected)
1992
"Non era Cipango", Cittadella Museale, Cagliari.
1993
"Xenografia", XLV Biennale di Venezia - Sezione Eventi, Venice.
1994
"Senza titolo", Castello di Rivara, Turin.

214

1996
"Collezionismo a Torino", Castello di Rivoli, Rivoli.
"Identità e differenze", XIX Esposizione internazionale della Triennale, Palazzo d'Arte, Milano.
"Ultime Generazioni", XII Quadriennale d'Arte di Roma, Palazzo delle Esposizioni, Rome.
1997
"Defrag", Angelo Iama, Osaka.
"Officina Italia", Galleria d'Arte Moderna, Bologna.
"Trasmissione", Musée Espace des Arts, Charlon-sur-Soane.
1998
"Mito e Velocità", Galleria d'Arte Moderna, San Marino.
"Facts & Fictions", Galleria In Arco, Turin.
2000
"L'altra metà del cielo", Rupertinum, Salzburg.
"Futurama", Museo Pecci, Prato.
"Sui generis", Padiglione d'Arte Contemporanea, Milan.

Bibliography (Selected)
1995
G. Stella, *Cristiano Pintaldi,* exhibition catalogue, Galleria Il Ponte, Roma.
1996
Ultime Generazioni, XII Quadriennale d'Arte di Roma, exhibition catalogue, Palazzo delle Esposizioni, Roma.
1998
R. Daolio, *Cristiano Pintaldi,* exhibition catalogue, Galleria d'Arte Moderna, Bologna.
1999
L. Beatrice, *Facts & Fictions,* exhibition catalogue, Galleria In Arco, Turin.

JAUME PLENSA / SPAIN

Born in 1955 in Barcelona.
Lives and works in Barcelona.

Solo Exhibitions (Selected)
1990
Galerie de France, Paris.

1991
P.S. Gallery, Tokyo.
1992
Galería Carles Taché, Barcelona.
The Royal Scottish Academy, Edinburgh.
1993
"Mémoires Jumelles", Galerie de France, Paris, Galerie Alice Pauli, Lausanne.
1994
"The Personal Miraculous Fountain", The Henry Moore Studio-Dean Clough, Halifax.
"Wonderland", Galería Gamarra y Garrigues, Madrid.
Galleria Civica Modena, Modena.
"Jaume Plensa. Un Sculpteur, une Ville", Valence.
1995
Städtische Galerie, Göppingen.
1996
Centre de Cultura Sa Nostra, Palma de Majorca.
"Islands", Richard Gray Gallery, Chicago.
Scognamiglio & Teano, Naples.
"Close up", Office in Tel Aviv, Tel Aviv.
"Blake in Gateshead", Baltic Flour Mills, Gateshead.
Fundació Joan Miró, Barcelona.
1997
Galerie Nationale du Jeu de Paume, Paris.
Malmö Konsthall, Malmö.
Städtische Kunsthalle Mannheim, Mannheim.
"Wie ein Hauch", Galerie Volker Diehl, Berlin.
1998
"Water", Fonds Régional d'Art Contemporain de Picardie, Amiens.
Galerie Pièce Unique, Paris.
"Dallas?...Caracas?", The MAC, The Mckiney Avenue Contemporary Art, Dallas, Fundación Museo Jacobo Borges, Caracas.
Palazzo Forti, Verona
1999
"Love Sounds", Kestner Gesellschaft, Hannover.
"Wanderers Nachtlied", Museum Moderner Kunst Stiftung Ludwig Wien and Palais Liechtenstein, Vienna.
"Komm mit, komm mit!", Rupertinum, Salzburg.
"Bruit", Galerie Daniel Templon, Paris.
Tamada Projects Corporation, Tokyo.
"Etwas von mir", Kunsthalle zu Kiel, Kiel.
2000
"Chaos-Saliva", Museo Nacional Reina Sofía, Palacio de Velázquez, Madrid.
"Twin Shadows", Lelong Gallery and Richard Gray Gallery, New York.
2001
"Obra recent", Galería Toni Tápies, Barcelona.
"Logbook", Galerie Diehl-Vorderwuelbecke, Berlin.

216

Bibliography
1997
Jaume Plensa, exhibition catalogue, with texts by J. Berger, D. Abadie, H. Jürgen-Buderer and interview by M.J. Borja-Villel, Fundació Joan Miró, Barcelona, Galerie Nationale du Jeu de Paume, Paris, Malmö Konsthall, Malmö, Städtische Kunsthalle, Mannheim.
1999
Jaume Plensa, Love Sounds, exhibition catalogue, with text by C. Ahrens and interview by M. Stoeber, Kestner Gesellschaft, Hannover.
2000
Jaume Plensa, Chaos - Saliva, exhibition catalogue, with texts by C. Ahrens, B. Cotoir, D. von Drathen, J. Jimenez, S. Nordgren and interview by A. Chillida, Museo Nacional Reina Sofía, Palacio de Velázquez, Madrid.

BERNARD QUESNIAUX / FRANCE
Born in 1953 in La Flèche (Le Mans). Lives and works in Tessalonica.

Solo Exhibitions (Selected)
1987
Galerie Gutharc Ballin, Paris.
1989
DRAC Lorraine, Metz.
Musée de Toulon, Toulon.
Institut Français de Madrid, Madrid.
Galerie Gutharc Ballin, Paris.
1990
Galerie Koma, Mons.
Abbaye de Saint-André, CAC, Meymac.
1991
Espace Jules Vernes, Brétigny-sur-Orge.
Galerie Gutharc Ballin, Paris.

218

1992
Salle Saint-Jean, Hôtel de Ville, Paris.
Parvis 2, CAC, Tarbes.
1993
Institut Français de Turin, Turin.
FIAC, Galerie Alain Gutharc, Paris.
1995
Institut Français de New York, New York.
Galerie Wullkopf, Darmstadt.
1996
Institut Français, Prague.
Institut Français, Alexandria.
Galerie Nanky de Vreeze, Amsterdam.
Institut Français, Amsterdam.
Galerie de la Cité, Luxembourg.
Horst Dietrich Galerie, Berlin.
Galerie Bucciali, Colmar.
1997
Centre Culturel de l'Espale, Le Mans.
Galerie La Navire, Brest.

1998
Galerie Alain Gutharc, Paris.
Galerie Nanky de Vreeze, Amsterdam.
1999
Institut Français de Thessalonique, Thessaloníki.
2000
Institut Français de Valence, Valencia.

Group Exhibitions
1986.
"Les peintres à suivre", Ecole des Beaux-Arts, Paris.
1987
"De l'origine de la peinture", Musée d'Art Moderne, Strasbourg.
Salon de Montrouge, Montrouge.
1988
Olympic Club, Séoul.
"Jeunes créateurs dans la ville", Rochefort.
1989
"1789-1989, le témoignage de la peinture", Avranches.
"Babylone à l'œuvre, Musée de l'Œuvre de Notre-Dame, Strasbourg.
FIAC, Galerie Gutharc Ballin, Paris.
1990
"Salon de mars", Galerie Gutharc Ballin, Paris.
1991
"Salon de Montrouge", Prix de la Ville, Montrouge
1992
"De Strasbourg à Budapest", Budapest.
1995
"Autour du cirque", Paris, Prague, Bratislava, Zurich, Frankfurt.
1997
"Gramecy Art Fair", Fred Dorfman, New York.

Film
L'homme à la renverse, film by Jean-Baptiste Mathieu, produced by Compagnie de l'Observatoire.

Bibliography
1987
"Eighty", no. 16, January-February.
De l'origine de la peinture, Musée d'Art Moderne de Strasbourg.
1988
Bernard Quesniaux, l'art de peindre, Abbaye de Mondaye.
1989
1789-1989, le témoignage de la peinture, exhibition catalogue.
1990
Bernard Quesniaux, Meymac.
1991
Poids et mesures, Edition Jeanne Dehenry, Montpellier.
Quesniaux, Espace Jules Vernes, Parvis 2, Co-édition Gutharc Ballin.
1992
Bernard Quesniaux, Editions Centre d'Arts Plastiques de Saint-Fons.
Bernard Quesniaux, Guy Le Meaux, Antoine Revay, Hôtel de Ville de Paris.
1993
Quesniaux de poche, Institut Français de Turin.
1999
La machine à peindre, Institut Français de Thessalonique.

HELI REKULA / FINLAND
Lives and works in Helsinki.

Solo Exhibitions (Selected)
1993
"Muotokuvia - Portraits", Galleria Hippolyte, Helsinki.
1995
"Häpeä Ja Halu - Shame and Desire", Galleria Muu, Helsinki.
"Luontotutkielmia - Nature Studies", Helsinki City Art Museum, Helsinki, Galleria Kluuvi, Helsinki.
1997
"Pyhiinvaellus - Pilgrimage", Helsinki City Art Museum, Helsinki,
Galleria Kluuvi, Helsinki,
Galleri Struts, Oslo.

220

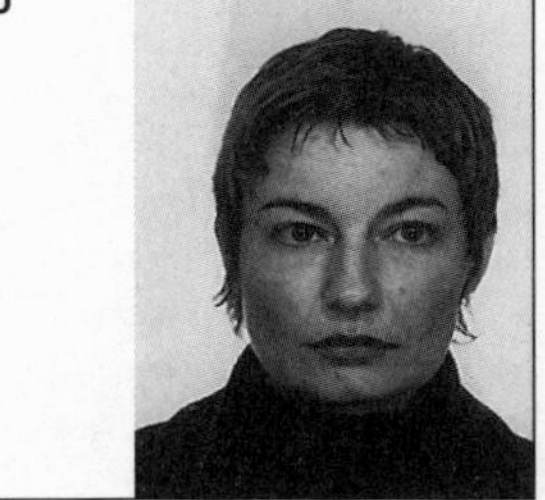

1998
"Paradise Lost", Stedelijk Museum "Het Domein", Sittard.
1999
Nordisk Videokunst, Uppsala Artmuseum, Uppsala.
2000
Artspace 1%, Copenhagen.
Galleria Kari Kenetti, Helsinki.
Fotogalleriet, Oslo.

Group Exhibitions (Selected)
1994
"Lady Shave", Galleria Kluuvi, Helsinki.
1995
"Art Attack", Scandinavian Art Happening, Oslo.
"Smart Show", Stockholm.
"Living Texture", Scandinavian Art Productions, Zurich.
"Lux Sonor", Kunsthalle Helsinki, Helsinki.
1996
"Body as Membrane", Kunsthallen Brandts Klaedefabriken, Odense, The Nordic Arts Centre, Helsinki.
"Postmorality", Sofia.
"When the Shit Hits the Fan, Scandinavian Art in Recent Time", curated by Tone O. Nielsen, Overgaden, Copenhagen.
"Women Breaking the Boundaries of Art", The Lönnström Art Museum, Rauma.
"Likat - Sju Flickor", Galerie Otto Blonk, Bergen.
1997
"Darkside", Galleria Kari Kenetti, Helsinki.
"Unknown Adventure - Positions of Contemporary Finnish Art Sophienhof", Kiel & Kunsthalle, Rostoc.
1998
"Alastomat Ja Naamioidut (Naked and Masked)", Helsinki City Art Museum, Helsinki.
"Photo / Realities - Biennale Syd", Kristiansand Art Museum.
"Mikä on Todellista - What is Real?", The Third Triennial of Photographic Art, curated by Ulia Jokisalo, Kunsthalle Helsinki, Helsinki, Mikkelin Taidemuseo, Mikkelin.

1999
"MMM... But not for Marabou", Stockholm Art Fair, curated by Frame & AV-ARKKI, Stockholm.
"Pink for Boys, Blue for Girls", curated by K. Becker, Neue Gesellschaft für bildende Kunst, Berlin.
"Come In and Find Out", curated by Klara Wallner, Podewill, Berlin.
"Photographie Finlandaise, Identité Fictive", Galerie Contretype, Brussels.
"Nuoret / Vanhukset (Young ones / Old ones)", curated by Mika Hannula and Tere Vaden, Wäinö Aaltonen Museum of Art, Turku.
"666999 - six days, six events, six countries", Annecy.
1999-2001
"Can You Hear Me?", Second Ars Baltica Triennal of Photographic Art, curated by Kathrin Becker and International Board.
2000
"Shoot - Moving Pictures by Artists", Malmö Konsthall, Malmö.
"Identité Fictive", Centre Culturelle des Institututions Européens, Luxembourg.
Centre Cultural, Varegem.
Finnish Institute, Paris.
Impakt Festival 2000, Utrecht.
Premate, curated by Arjon Dunnevind.
"The Future is Now", video program curated by Artspace 1%, Stockholm Art Fair, Stockholm.
"Momentum - Nordic Biennale of Contemporary Art", Moss

Works on Film and Video
1991
Hotelli - Hotel, 16 mm / BW / Com-mag.
1995
Luontotutkielmia - Nature Studies, S-VHS 13 min.
1998
Pyhiinvaellus - Pilgrimage, 35 mm / digital betacam, 10 min.
Täällä Tänään, Huomenna Mennyttä, Here Today, Gone Tomorrow, 4 min, orig. S-16 mm, color, digital betacam, production: Chrystal Eye / Iippo Pohjola.
2000
Vyyhti - Skein, video installation for two video projectors, DVD, 2,52 min., production Lasse Saarinen / Kinotar Oy.

Film Works and Videos Shown in the Programs of the Following Festivals and Screenings
1992
Tampere Film Festival, Kotimainen kilpailusarja, Tampere.
No Budget Film Festival, Hamburg.
Iisalmen Kamera.
Espoo Ciné.
Off Festivaali, Espoo.
Cinema Jové '92, Valencia.
London Film Festival, London.
Pleasure Dome, Toronto.
Metro Arts, Brisbane.
Institute of Contemporary Arts, Brisbane.
1993
No Budget Film Festival, Q-Theatre, Helsinki.
1995
Muu Media Festival, Helsinki.
1996
Muu Media Festival, Helsinki.
1997
Short Spring, Bio Illusion, Helsinki.
Women in Film and New Media, Nordic Glory, Jskylä.
1998
French - Baltic - Nordic Video and New Media Festival, Tallinn.
Muu Media Festival, Helsinki.
1999
Invideo, Milan.
Transmediale, Berlin.
Tampere Film Festival, National and International Competition, Tampere.
Roxy - Art and Experimental Film and Video Festival, Visby.
If Forum - Forum of Interdependent Film, Tokyo.
Kettupäivät, Helsinki.
Videomedeja Novi Sad, Novi Sad.
2000
Suomi Video, Centre d'Art Santa Monica, Barcelona.
Transmediale, Berlin.
Pärnu Film Festival.
Ifu's open Spaces, "Recreating Human Beings", screening and seminar, Hannover.

Collections
Stedelijk Museum Het Domain, Sittard, Hollsnf.
Helsinki City Art Museum, Helsinki.
Museum of Contemporary Art, Kiasma.
The Finnish Museum of Photography, State Art Collection, Helsinki.

Bibliography (Selected)
1994
A. Elovirta Siksi, *The Grotesque Moment*, "Nordic Art Rewiev", no. 1.
1995
Finland: The Ideological Body. The Grotesque Moment: Corpo/Real Anxities, "Magazyn Sztuki, Art Magazine Quarterly", no. 84.
K. Lintonen, *Luontotutkielmia - Nature Studies*, "Valokuvalehti", no. 6.
1996
A. Elovirta *Body as Membrane, Masking and Unmasking of the self in Heli Rekula's works*, catalogue.
T.O. Nielsen, *When the Shit Hits the Fan*, catalogue.
1997
"Taide - art magazine", no. 3, cover + artists pp. 32-33.
1998
Alastomat ja Naamioidut, Helsinki City Art Museum
Biennale Syd, Photo/Realities, catalogue, Sorlandets Kunstmuseum.
Mikä on Todellista - What is Real, The Third Triennial of Photographic Art, catalogue, Kunsthalle Helsinki.
Paradise Lost, Stedelijk Museum Het Domain, catalogue.
1999
Come In and Find Out, exhibition catalogue, edited by K. Waliner, vol. II.
Frames - Viewing Finnish Contemporary Photography, Frame Finnish Fund for Art Exhange.
Rosa für Jungs, Hellblau für Mädchen, Pink for Boys, Blue for Girls, exhibition catalogue.
The Young Ones, the Old Ones, exhibition catalogue, conversation with T. Vaden about M. Derens works, Wäivö Aaltonen Art Museum.

2000
Park - Momentum - Nordic Festival of Contemporary Art 2000, exhibition catalogue, text written by S. Huits (Stedelijk Museum, Het Domein).
The Artists Body, Phaidon Press, London.

LOIS RENNER / AUSTRIA

Born in 1961 Salzburg.
Lives in Vienna.

Solo Exhibitions (Selection)
1995
Salzburger Kunstverein, Salzburg.
1996
Raum Aktueller Kunst, Vienna.
1997
Jesco von Puttkammer, Berlin.

222

1998
Kunsthaus Bregenz.
2000
Kuckei+Kuckei, Berlin.
Galerie Kerstin Engholm, Vienna.

Group Exhibitions (Selection)
1993
"Making Art", Kunstverein für Kärnten, Klagenfurt.
1995
"Pittura Immedia. Malerei in den 90er Jahren", Neue Galerie am Landesmuseum Joanneum, Graz.
"Modelle", Raum aktueller Kunst, Vienna.
1996
"Wunderbar", Kunstverein Hamburg.
1997
"Formalismus", Österreichische Galerie Belvedere, Vienna.
2000
"Insight out - Landschaft und Interieur als Themen zeitgenössischer Photographie", Kunstraum, Innsbruck, Kunstraum, Hamburg, Kunsthaus, Baselland.
"Constructed Reality", Galerie L.A., Frankfurt.
"La casa il corpo il cuore - Konstruktion von Identitäten", Museum Moderner Kunst, Sammlung Ludwig and 20er Haus, Vienna.
"In de Ban van de Ring", Summer project 1999 in Hasselt.
"Nachbilder", Kunsthaus Zürich, Zurich.
"Aller Anfang ist Merz - von Kurz Schwitters bis heute", Sprengel Museum, Hannover, Kunstsammlung Nordrhein-Westfalen, Düsseldorf, Haus der Kunst, Munich.
"Lebt und arbeitet in Wien", Kunsthalle Wien, Vienna.

Bibliography
1993
Making Art, with text by C. Kravagna, Kunstverein für Kärnten.
1994
Formforschungswerk, interview with S. Eiblmayr, Salzburger Kunstverein, Salzburg.
1995
Neue Galerie am Landesmuseum, with text by P. Weibel, Joanneum, Graz.
1996
Wunderbar, with text by S. Schmidt-Wulffen, Kunstverein, Hamburg.
1997
Artists in Residence, with text by P. Weibel, Neue Galerie am Landesmuseum Joanneum.
1997-1998
Formalismus, with texts by R. Puvogel, T. Trummer, Österreichische Galerie Belvedere.
1998
Lois Renner, with texts by E. Köb, A. Spiegl, Kunsthaus Bregenz, Bregenz.

CHRISTIAN RIEBE / GERMANY

Born in 1963 in Lubecca.
Lives and works in Hannover.

Education
1984-1990
Studied Art in Hannover.

Professional Experience
Member of the Deutschen Künstlerbund.

Solo Exhibitions
1989
Kunstverein Wolfenbüttel, Wolfenbüttel.
1993
Kunstverein Gifhorn, Gifhorn.
1995
Leipziger Galerie für Zeitgenössische Kunst, Leipzig.

Group Exhibitions
1988
"Kunststudenten stellen aus", Kunstverein, Bonn.
1990
Deutscher Künstlerbund, Berlin.
1991
Deutscher Künstlerbund, Darmstad.
"Kunst auf Papier", Leipzig.
1992
"Zehn Künstler aus Hannover", Hiroshima.
1993
"8. Nationale der Zeichnung", Augsburg.
Galerie Eva Poll, Berlin.
"Ausstellung zum Villa Massimo Preis", Potsdam.
1994
"9. Nationale der Zeichnung", Augsburg.
1995
"Gift / trucizna", Hannover, Posznan.
1996
Deutscher Künstlerbund, Nuremberg.
"Babele II", Rome.
1997
"Deutsch-russische Künstlerbücher", Galerie Ifa, Berlin.
"Kunststücke", Galerie Eva Poll, Berlin.

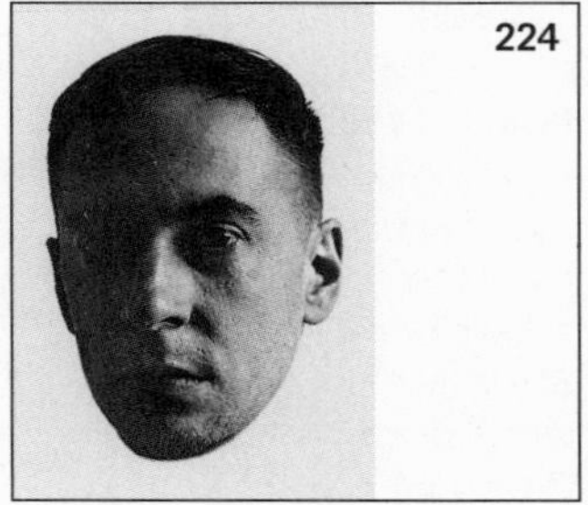
224

1998
"Große Kunstaustellung", Haus der Kunst, Munich.
1999
Niedersächsische Biennale.
"13. Nationale der Zeichnung", Augsburg.
"Ausstellung zum Kunstpreis der Volksbanken", Sprengel Museum, Hannover.
2000
"La Revue Anarchiste", Sprengel Museum, Hannover, St. Pancras Chambers, London.

Scholarships and Awards
Scholarship from Sparkassenstiftung.
Scholarship from the Landes Niedersachsen.
Travelling scholarship from the Alexander Dorner Kreises.
Premio Villa Massimo, Rome.
Annual scholarship from the Landes Niedersachsen.
Volksbank Award of Hannover.

Bibliography
1989
Kassiber aus dem städtischer Niemandsland, "Bauwelt", no. 24.
1993
Do swidanija, Niedersächsisches Ministerium für Wissenschaft und Kunst, Hannover.
1994
Staircase 3: Christian Riebe, Leipzig.
1996
Christian Riebe: Valzer lenti, Roma.
1999
Aus glücklichen Tagen, CD, Trinkont/Indigo, München.
2001
Gifts from the forest, CD, Sputnik / IDEE Co., Tokyo.

GUIA RIGVAVA / RUSSIA
Born in 1956 in Tbilisi. Lives and works in Moscow and Munich.

Education
1978
Graduated from the Moscow State Institute of Foreign Affairs, Moscow.
1986
Graduated from the Moscow Surikov State Art Institute, Faculty of Painting.

Professional Experience
1986-1991
Taught at the Tbilisi Art Academy, Tbilisi.
1990-1991
Art director in several film productions in Tbilisi.

Solo Exhibitions (Selected)
1993
"You are helpless, or, all in all it does not seem so bad", Media Performance, TV Galerja, Contemporary Art Centre, Moscow.
1994
"I hate the State", 1.0. Galerja, Moscow.
1995
"Cut in the matter", Galerie Mosel & Tschechow, Munich.
1997
"Stars & Asses", Art Media Centre, TV Galerja, Contemporary Art Centre, Moscow.

Group Exhibitions (Selected)
1992
"Heat & Conduct", Mappin Art Gallery, Sheffield, Arnolfini Gallery, Bristol.
1993
"Identity - Selfhood", Ateneum Museum of Contemporary Art, Helsinki.
1994
"Fallwallfall", Martin Gropius Bau, Berlin.
"Exchange II/ Datsja", Almere, Flevopolder.

1995
"No Man's Land", Nikolaj Contemporary Art Centre, Copenhagen.
"Kraftemessen", Kunstlerwerkstatt Lothringerstrasse, Munich.
"Interregnum", Kunsthalle Nürnberg, Nuremberg.
1999
"Exit", Chisenhale Gallery, London.
2000
"L'autre moitié de l'Europe", Galerie Nationale du Jeu de Paume, Paris.
"Die Mysterien finden in Hauptbahnhof Statt", Galerie Mosel & Tschechow, Munich.

Films
1992
Home, in the Munich film festival.
1993
On the edge, Film Festival, Locarno (prize winner).
Master class in Experimental Educational led, with Alexander Brener.
Program of the Contemporary Art Centre, Moscow.

Bibliography
2000
Fresh Cream, exhibition catalogue, Phaidon Press, London.

FRANCISCO RUIZ DE INFANTE / SPAIN
Born in 1966 in Vitoria-Gasteiz. Lives and works in Paris, Strasbourg and Auberive.

Solo Exhibitions
1992
"Metamorfosis", Saint-Gervais, Geneva.
"Centro de Tránsito para Adolescentes", Sala Amárica, Museo de Bellas Artes, Vitoria-Gasteiz.
"Je suis un bon garçon", Rueil-Malmaison, Paris.
1995
"Los huesos blandos", Galería Elba Benítez, Madrid.

1997
"Los sonidos de Supervivencia", La Ferme du Buisson, Marne-la-Vallée, Paris.
1998
"Learning White", Impackt, Utrecht.
"Habitación de lenguajes n° 1", Kunsthalle Bonn, Bonn.
"Simuladores de vuelo", Ujazdowski Castle, Warsaw.
"Habitación de lenguajes n° 2 y 3", Museo Nacional Reina Sofía, Madrid.
2000
"Roble Macizo / Haritz hutsa", Galeria Windsor Kulturgintza, Bilbao.
"Gran crudo", Galería Elba Benítez, Project Room ARCO, Madrid.
2001
"Los inacostumbrados. La menagérie de verre", Paris (installation).

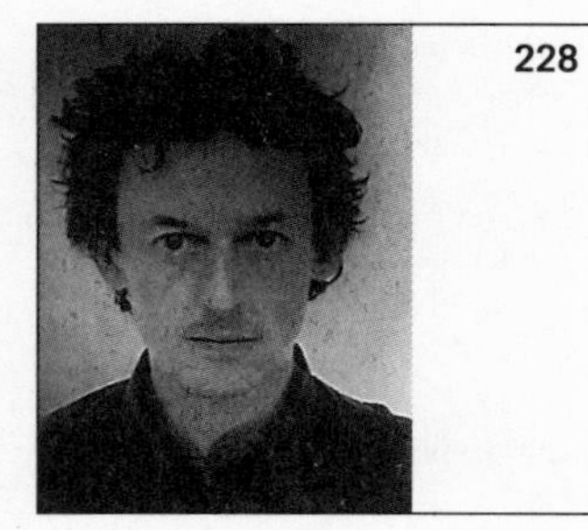
228

Group Exhibitions (Selected)
1991
"Estado de coma. Germinations VI", Ludwig Forum, Aix-La Chapelle.
1992
"El reformatorio (falsos gemelos). Visionarios Españoles", Museo Nacional Reina Sofía, Madrid.
1993
"El reformatorio (falsos gemelos). Visiones privadas", Museo Carrillo Gil.
1997
"Rain machine. World Wide Video", Stedelijk Museum, Amsterdam.
1999
"Mixing the air (sabotage). Looking for a place", III Biennal Site Santa Fe, Santa Fe (installation).
2000
"Explicando Colisiones. Movimiento Aparente", EACC, Castellon (audiovisual installation).
"La construcción del Puzzle", La torre herida por el rayo", Guggenheim Museum, Bilbao (installation).
"Essitations. Non Lieu n° 1", rue Saint-Nicolas, Paris (audiovisual installation).
2001
"Conversation. Visibilità Zero", Palazzo Colonna Genazzano, Rome (installation).

Bibliography
1997
Elementos de Vocabulario, monograph, with text by S. de Gorbea and R. Alonso.
Visibilità zero, exhibition catalogue, with text by V. Valentini and A. Lissoni.
1999
Espacio uno, exhibition catalogue, with interview by C. Alvarez Basso, Museo Nacional Reina Sofía, Madrid.
2000
Fresh Cream, exhibition catalogue, with text by O. Zaya, Phaidon Press, London.
Leçons de Survie, monograph, with texts by R. Alonso, E. Bonet, V. Valentini, P. Bongiovanni, F. Ruiz de Infante, Editions Emmy de Matelaere, Paris.

ILKKA SARIOLA / FINLAND

Born in 1969 in Laukaassa.
Lives and works in Veikkola.

Education
1989-1993
Academy of Fine Arts, Helsinki (BA).
1993-1995
Academy of Fine Arts, Helsinki (MA in Media department 1995).

Solo Exhibitions
1991
Exhibition Space at The Academy of Fine Arts, Helsinki.
1992
Gallery of The Academy of Fine Arts, Helsinki.
1993
Graduation Exhibition at Gallery of The Academy of Fine Arts, Helsinki.
1995
Galleria Kluuvi, Helsinki.
Qaqortoq, Greenland.
1998
Galleria Titanik, Turku.
1999
"Drawings", Galleria Muu, Helsinki.
2000
"Virtaus/Drifting", Galleria Kari Kenetti, Helsinki.

Group Exhibitions
1986
Rauma Art Museum, Rauma.
1992
"Nuoret kukot", Tenalj von Fersens Place, Helsinki.
1993
"Mäntän ensimmäiset kuvataideviikot", Mänttä.
1994
"SMART", Art-festival, Muu-Ry partecipation, Stockholm.
"Identity-exhibition", Contemporary Art Centre, Moscow.
"Muu-exhibition", Jutempus Building, Vilnus.
1995
"SMART", Art-festival, Stockholm.
"The young", Kunsthalle Helsinki, Helsinki.
1996
"Alastom minä", Alvar Aalto Museum, Jyväskylä.
"ArtGenda", Öksnehallen, Copenhagen.
"Finnish Thanatology", Borey Galerja, Saint Petersburg.
"Finnish Thanatology 2", Galleria Workshop, Helsinki.
"Komp i Box", Galleria Anhava, Helsinki.
"Puhelu", Contemporary Art Museum, Tampere.
"Kroppsnära", Norrköpings Art Museum, Norrköpings.

230

1997
"Kroppen i Konsten", Henie-Onstad Art Centre, Oslo.
"Ihon alla", Alvar Aalto Museum, Jyväskylä.
"Kropsnaer", West-Själlands Art Museum, Soro.
1998
"Likansnand", Kjarvalstadir, Reykjavík.
"Amorph 98", Performance-festival, Helsinki.
1999
"EuCrea!", Contemporary Art Museum Kiasma, Helsinki.
2000
"StandArt", Nordic Live Art Festival, Göteborg.

Video Festivals
1990
Kuopio 2, International Video Festival, Kuopio.
Lahti 4, AV-biennal, Lahti.
WRO Sound Basis Visual Art Festival, Wroclaw.
1991
Muu-media Festival, Helsinki.
AVE Festival.
1992
Lahti 5, AV-biennal, Lahti.
1993
Muu-media Festival, Helsinki.
Multimedia Centre, Riika, Latwia.
"Low Budget", Video Festival Vivid, Helsinki.
1999
"KynnysKino 2", Ateneum-sali, Helsinki.

Grants
1994
Nordic Art Centre, 1,200 mk and travelling costs to Greenland.
Centre Comission of Art, 1,500 mk.
1995
Centre Comission of Art, 15,000 mk.
Helsinki City 3,000 mk.
1996
Kulttuurirahasto, 20,000 mk.
AVEK, 5,000 mk.
SLEIPNIR-travelling grant 18,600 DKk.
1997
Centre Comission of Art 6,000 mk.
Centre Comission of Art, travelling grant 2,800 mk.
2000
SLEIPNIR-travelling grant 2,572 mk.
Uusimaa Art Comission, working grant 10,000 mk.

Collections
Helsinki City Art Museum, Helsinki.
Alvar Aalto Museum, Jyväskylä.
Academy of Fine Arts, Helsinki.
Keskisuomalainen Collections, Jyväskylä.

HRAFNKELL SIGURDSSON / ICELAND

Born in 1963 in Reykjavík.
Lives and works in London.

Education
1982-1986
Icelandic College of Arts, Reykjavík.
1988-1990
Jan van Eyck Akademie, Maastricht.

232

Solo Exhibitions
1990
Jan van Eyck Academie, Maastricht.
1991
"RUM 91", Lund's University, Lund.
1992
Galerie van den Berge, Goes.
1993
Solon Islandus, Reykjavík.
1996
Galleri I8, Reykjavík.
Living Art Museum, Reykjavík.
1997
The Groucho Club, London.
2000
"Portraits-Project", Dyrid, Reykjavík.
2001
Galleri I8, Reykjavík.

Group Exhibitions
1991
"View indicator", Galerie van den Berge, Goes.
1992
"Iceland-Holland", The Water Tower, Vlissingen.
1993
"Verk", Butlers Wharf, London.
1994
"Icelandic Arts Festival", London.
1996
"Visions of Nature", Reykjavík Municipal Museum, Reykjavík.
1997
"Recent Acquisitions", National Gallery of Iceland, Reykjavík.
1998
"Summer exhibition", Reykjavík Municipal Museum, Reykjavík.
"Lundur", Lunds Konsthall, Lund.
"Nirvana", The Window Gallery, British Embassy, Prague.
"Hunting of the Snark", Living Art Museum, Reykjavík.
1999
"Off the map", Kópavogur Municipal Museum, Kópavogur.
"Landscapes", National Gallery of Iceland, Reykjavík.
2000
"En dehors des cartes", Contemporain Centre Régional d'Art, Sète.
"Epal", Reykjavík Municipal Museum, Reykjavík.
"Aratta" (collection of Petur Arason), Kópavogur Municipal Museum, Kópavogur.
"Art Cologne", Galleri I8, Reykjavík.
2001
"Go Europe", Museum of Photography, Braunshweig.
"Icelandic Art", O Art Museum, Shinagava.

Collections
National Gallery of Iceland, Reykjavík.
Municipal Museum, Reykjavík.
Municipal Museum, Kópavogur.

ANTONI SOCIAS / SPAIN

Born in 1955 at Inca (Majorca).
Lives and works in Palma de Majorca.

Solo Exhibitions
1976
"No sea tímido, pose con los artistas" (with Miquel

Barceló), Estudi d'Art, Barcelona.
Galería 4 Gats, Palma de Majorca.
1982
Sala Pelaires, Palma de Majorca.
1985
"Silenci Basic (Tres exposiciones simultáneas en azul, rojo y amarillo)": "Azul", Galería Egam, Madrid, "Rojo", Galería René Metrás, Barcelona, "Amarillo", Sala Pelaires, Palma de Majorca.
1987
"Cruor", Galería Angel Romero, Madrid.
1988
"Cruda", Sala Pelaires, Palma de Majorca.
Galería Rafael Ortiz, Seville.
1989
"Resnou" (with Luis Pérez-Minguez), Sa Llotja, Palma de Majorca.
1990
Marunouchi Gallery, Tokyo.
1992
"Christiane", Galería Angel Romero, Madrid.
1993
"Hambre Directa", Galería Rafael Ortiz, Seville.
"Cabeza de Hombre y Cuerpo de Cocodrilo", Galería René Metrás, Barcelona.
1995
"Mapa Oficial Actualizad", Galería Angel Romero, Madrid.
1996
Galería René Metrás, Barcelona.
1997
"M.e.U.", Centre d'Art Sa Cuartera, Inca (Majorca).
Galería Rafael Ortiz, Seville.
1998
XXIV Biennal Internacional de São Paulo, São Paulo.
1999
Galería Gianni Giacobbi, Palma de Majorca.
Galería Urania, Barcelona.
Galería René Metrás, Barcelona.
2000
"Acreció", Casal Solleric, Palma de Majorca.

Group Exhibitions
1982
Bienal Hispanoamericana de México.
1987
"Pintado en Mallorca", Centro Cultural Conde Duque, Madrid.
1992
"Live the balcony open", panorama of contemporary photography in Spain, La Caixa, Barcelona.
2000
"L'Art dans le monde", Pont Alexandre III, Paris.

Bibliography
1998
P. Herkenhoff, *El valor del taller mental*, in *Acreción*, exhibition catalogue, Casal Solleric, Palma de Mallorca.
La mirada, interview by R. Olivares, in "Lápiz", no. 146.
S.B. Olmo, *Antropofagia y proceso, XXIV Biennal Internacional de São Paulo*, exhibition catalogue, São Paulo.
S.B. Olmo, *Escalas de un proceso turbulento*, in *Acreción*, exhibition catalogue, Casal Solleric, Palma de Mallorca.
R. Weiss, *Impressions of an unstable moment*, in *Acreción*, exhibition catalogue, Casal Solleric, Palma de Mallorca.

RICKARD SOLLMAN / SWEDEN

Born in 1965 in Västerås.
Lives and works in Stockholm.

Education
1984-1986
The Nordic School of Arts, Kokkola.
1996
Royal University College of Fine Arts, Master of Fine Arts.

236

Solo Exhibitions
1991
Galerie Magnus Karlsson, Västerås.
1996
Galerie Mejan, Stockholm.
1999
Galerie Flach, Stockholm.

Group Exhibitions (Selected)
1994
"Anno Domini", The Polytechnic School, Warsaw.
1995
"Hotellet", Hotell Gustav Vasa, Stockholm.
1996
"Projekt", Galerie TRE, Stockholm.
"Smart Show", Stockholm.
1997
"Smart Show", Stockholm, Helsinki.
1998
Stockholm Art Fair, Galerie Flach, Stockholm.
1999
"Ten New Titles", Västerås Konstmuseum, Västerås.
Stockholm Art Fair, Galerie Flach, Stockholm.
2000
"Liste 2000", Galerie Flach, Basel.
"The flying moose, Art and Design", Konstnärshuset, Stockholm.

THE ICELANDIC LOVE CORPORATION / ICELAND

Sigrun Hrolfsdottir born in 1973.
Dora Isleifsdottir born in 1970.
Joni Jonsdottir born in 1972.
Eirun Sigurdardottir born in 1971.
They live and work in Reykjavík.

Education
1992-1996
The Icelandic College of Arts and Crafts (all members of group).
1996
Pratt Institute, New York (Hrolfsdottir).
1996-1998
Hochschule der Künste, Berlin (Sigurdardottir).
1997-1999
Royal Academy of Art, Copenhagen (Jonsdottir).

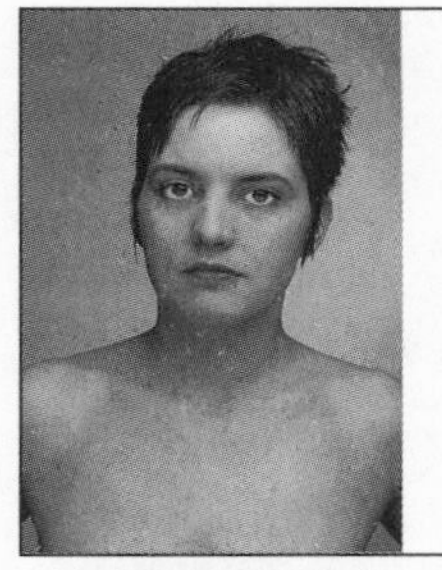

238

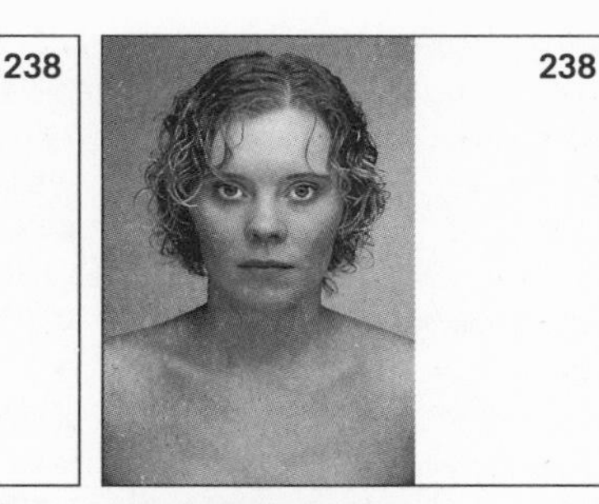

238

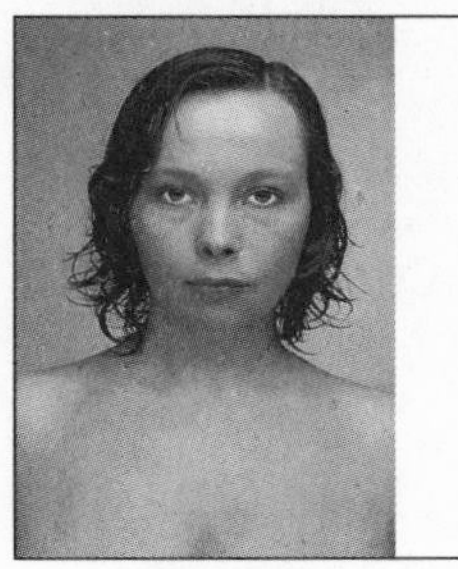

238

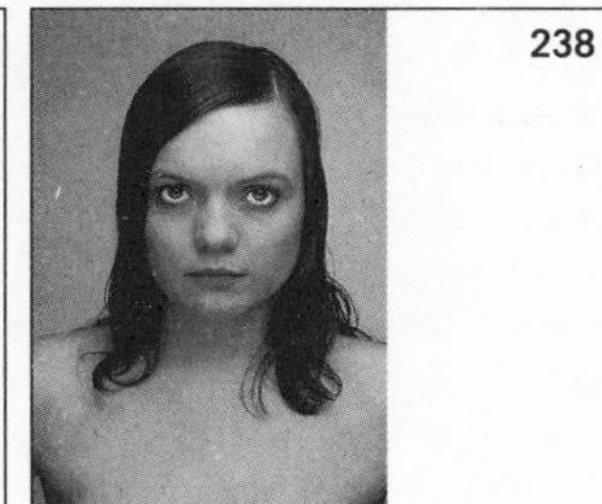

238

Solo Exhibitions (Selected)
1996
"Kiss Performance", National Television, RUV.
"Laboratory L.O.V.E", Café Mokka, Reykjavík.
1997
"Freedom-Beauty-Freetime", Gerduberg Cultural Centre, Reykjavík.
"Global Love", Roter Salon, Berlin.
1998
"The Revival II", The Brooklyn Bridge, New York.
2000
"Ongarden", Galleri I8, Reykjavík.

Group Exhibitions (Selected)
1998
"A Fresh Start II. Momentum", Moss.
"Hotel Paradise, -30/60+", Kjarvalsstair, Municipal Art Centre, Reykjavík.
1999
"Higher Beings", Midnight Walkers and City Sleepers, The Red Light District, Amsterdam.
"Women Good Enough to Eat" (video).
"Get Together, Art as Teamwork", Kunsthalle Wien, Vienna.
2000
"Hope", Centre for Contemporary Art, Sète.
"Blow Job", Batofar, Paris.
"Higher Beings", Batofar, Paris.
"White, Black, Grey - Never Reason with Nature", Gerdarsafn Museum, Kópavogur.
2001
"The future is beautiful", New Years Party, Esjuberg Pioneers House, Reykjavík.

Bibliography
1997
Armed with Oblivion, "Siksi", Fall.
1998
Laboratory LOVE, "Momentum".
1999
Icelandic Love Corporation, Get together, Kunst als Teamwork.
2000
Art on Ice, "Art in America", vol. 88, issue 9.
Höhere Wesen, in "Kunstforum", vol. 152.
2001
Blow Job, "N-Paradoxa", vol. 6, Winter.

THORVALDUR THORSTEINSSON / ICELAND

Born in 1960 in Akureyri.
Lives and works in Reykjavík.
Thorvaldur Thorsteinsson also works as an author. Many of his works have been performed in theatres, television and radio. He has received awards for some of his books and will be published in Germany, Spain, Greece and other countries.

Education
1977-1981
School of Fine Art, Akureyri.
1981-1982
University of Iceland (Icelandic and Literature).
1983-1987
Icelandic College of Arts and Crafts.
1987-1989
Jan van Eyck Akademie, Maastricht.

Solo Exhibitions (Selected)
1998
"Marilyn...", installation in a United Airlines flight between Los Angeles and New York
"Song Concert", Galleri 20m2, Reykjavík.
1999
"Visiting Hour", Galerie van den Berge, Goes.
"Retrospective", Reykjavík Cultural Centre, Reykjavík.
"Liederabend", Galerie Nemo, Eckernförde.
2000
"Waiting Room", The Corridor, Reykjavík.

Group Exhibitions (Selected)
1998
"Nuit Blanche", Musée d'Art Moderne de la Ville de Paris, Paris.
1999
"Midnight Walkers-City Sleepers", Amsterdam.
"Welcome To The Art World", Badischer Kunstverein, Karlsruhe.
2000
"The Future is Now", Nordic Video Archive, Stockholm.

240

"Shoot" (moving images by artists), Malmö Konsthall, Malmö.
"Amateur/Eldsjäl", Göteborgs Konstmuseum, Gothenburg.
Töölönlahti Bay Art Garden, Helsinki.

GRAZIA TODERI / ITALY

Born in 1963 in Padua.
Lives and works in Milan.

Solo Exhibitions

1994
Galleria Fac-Simile, Milan.
1995
Galerie de l'Eole, FRAC Languedoc-Roussillon, Montpellier.
Studio Casoli, Milan.
"Bye, Bye, Baby" (with Liliana Moro), Galerie Jago, Paris.
Galleria Artra (with Massimo Bartolini), Milan.
1996
Galleria Scognamiglio & Teano, Naples.

242

1998
Castello di Rivoli, Rivoli.
FRAC Bourgogne, Dijon.
Galleria Giò Marconi, Milan.
Casinò Luxembourg, Luxembourg.
Galerie des Franciscains, St. Nazaire.
1999
"Projektraum", Museum Ludwig, Cologne.
Galleria S.A.L.E.S., Rome.
2000
Galerie Meert-Rihoux, Brussels.
Galerie Michel Rein, Paris.
Western Front, Vancouver.
2001
The Project, New York.
Galleria Giò Marconi, Milan.
Dot, London.

Group Exhibitions (Selected)

1993
"Aperto '93", XLV Biennale di Venezia, Venice.
1995
"Familiar Places", Institute of Contemporary Art, Boston.
1996
"Such Is Life", Serpentine Gallery Lawn, London.
"New York Video Festival", Film Society of Lincoln Center, New York.
"Ultime Generazioni", XII Quadriennale d'Arte di Roma, Palazzo delle Esposizioni, Rome.
"Fuzzy logic", Institute of Contemporary Art, Boston.
1997
International Istanbul Biennial, Istanbul.
"Rooms with a view", Guggenheim Museum SoHo, New York.
"Fatto in Italia", Centre d'Art Contemporain, Geneva, ICA, London.
1998
"Every day", curated by Jonathan Watkins, Eleventh Biennial of Sydney, Sydney.
"Voyager", Palazzo delle Papesse, Siena.
1999
"Exit, art and cinema at the end of the century", Chisenhale Gallery, London.
"Get Together. Art as Teamwork", Kunsthalle Wien, Vienna.
"Grazia Toderi, Monica Bonvicini, Liliana Moro", De Appel Foundation, Amsterdam.
"Dappertutto", XLVIII Biennale di Venezia, Venice.
2000
"Himmelfahrt", Diozesanmuseum, Munich.

Bibliography (Selected)

1995
S. Risaliti, *Zuppa dell'eternità e luce improvvisa*, exhibition catalogue, FRAC Languedoc-Roussillon, Montpellier.
1998
R. Martinez, S. Risaliti, *Grazia Toderi*, exhibition catalogue, Casinò Luxembourg, Luxembourg.
N. Spector, G. Toderi, *Grazia Toderi*, exhibition catalogue, Castello di Rivoli, Rivoli.
1999
P. Allmann, *Grazia Toderi. Il decollo*, exhibition catalogue, Museum Ludwig, Köln.
Dappertutto, XLVIII Biennale di Venezia, exhibition catalogue, Milano.
L. Cherubini, *Over the Rainbow*, exhibition catalogue, De Appel Foundation, Amsterdam.
2000
B. Curiger, *Grazia Toderi*, in *Fresh Cream Contemporary Art in Culture*, Ed. Phaidon, London.

MILICA TOMIĆ / SERBIA

Born in 1960 in Belgrade.
Lives and works in Belgrade.

Education

1990
Academy of Fine Arts, Belgrade (MA).

Solo Exhibitions (Selected) and Projects

1999
"I am Milica Tomić", CYGNET / Virtual Gallery, Shiseido (web project).
Galerie im Taxispalais, Innsbruck.
2000
"Ich heisse Milica Tomić", Kunsthalle Wien, Vienna.
Galerie CharimKlocker, Vienna.
Museum voor Moderne Kunst, Arnhem.
"ARTIST STATEMENT", Facade Project, Wiener Secession, Vienna.

Group Exhibitions

1998
"Roteiros, Roteiros, Roteiros... (EUROPA)", XXIV Biennal Internacional de São Paulo, São Paulo.

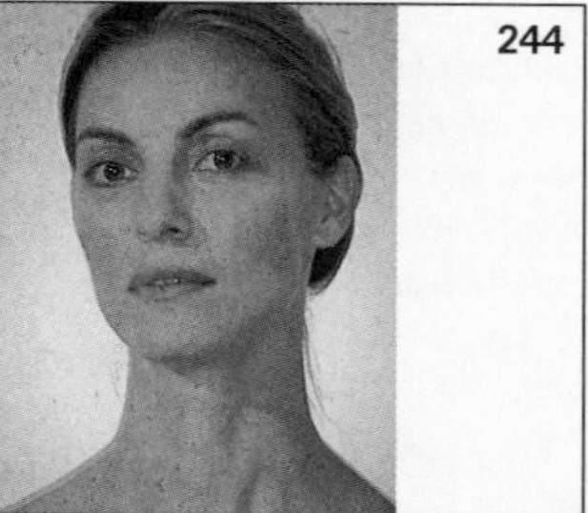
244

"Focus Belgrade", Galerie IFA, Berlin.
1999
"After the Wall", Moderna Museet, Stockholm, Budapest, Berlin.
"Aspects/Positions 50 years of Art in Central Europe 1949-1999", Museum Moderner Kunst Stiftung Ludwig Wien, Vienna, Budapest, Barcelona.
2000
"2000+ Arteast collection", Moderna Galerija, Ljubljana.

Bibliography (Selected)

1999
B. Andjelković, B. Dimitrijević, *Traps of Identification. Three Videos by Milica Tomić*, exhibition catalogue, Galerie im Taxispalais, Innsbruck, Kunsthalle Wien, Vienna, Museum voor Moderne Kunst, Arnhem.
R. Mocnik, *The Nation as a Zero Institution*, exhibition catalogue, Galerie im Taxispalais, Innsbruck, Kunsthalle Wien, Vienna, Museum voor Moderne Kunst, Arnhem.
G. Schoellhammer, *Wunden der Identitaet, springerin*, Haefte für Gegenwartkunst, vol. 5, tome 4.
B. Srbljanović, *A Tall Woman*, exhibition catalogue, Galerie im Taxispalais, Innsbruck, Kunsthalle Wien, Vienna, Museum voor Moderne Kunst, Arnhem.
B. Srbljanović, *Mere-version*, exhibition catalogue, Galerie im Taxispalais, Innsbruck, Kunsthalle Wien, Vienna, Museum voor Moderne Kunst, Arnhem.
2000
Chuo Koron, "Politics & society", no. 4/14, May.
E. Cowie, *Perceiving Memory and Tales of the Other. The Video Art of Milica Tomić, camera austria*, "International", no. 72.
B. Stojanović, *Milica Tomić. The Politics of Memory, camera austria*, "International", no. 72.
Y. Vollkart, *Überleben und Exploraterrarismus. Den posthumanen Raum neu kartografieren*, in U. Biemann, *Been there and nowhere.*

PATRICK TOSANI / FRANCE

Born in 1954 in Boissy-l'Aillerie. Lives and works in Paris.

Education
1973-1979
Etudes d'architectures, Paris.

Solo Exhibitions
1983
Galerie Liliane & Michel Durand-Dessert, Paris.
1985
"Livre", Galerie Liliane & Michel Durand-Dessert, Paris.
1986
Takagi Gallery, Nagoya.
1987
Institute of Contemporary Arts, London, Watershed, Bristol, Cambridge Darkroom, Cambridge.
Takagi Gallery, Nagoya.
1988
"Livre", Galerie Liliane & Michel Durand-Dessert, Paris.
1990
Galerie Reckermann, Cologne.
1991
Magasin - Centre National d'Art Contemporain, Grenoble.
Kunsthalle St.Gallen, Saint Gall.
1992-1993
"Patrick Tosani Photographer", The Art Institute of Chicago, Chicago, The Crysler Museum, Norfolk (Virginia), Santa Monica Museum of Art, Santa Monica, Musée du Québec, Québec (travelling exhibition).
1993
Galerie Rodolphe Janssen, Brussels.
ARC Musée d'Art Moderne de la Ville de Paris, Paris.
1994
Palais des Beaux-Arts, Charleroi.

246

Mizuma Art Gallery, Tokyo.
Imura Art Gallery, Kyoto.
1995
Galerie Reckermann, Cologne.
Gallery One, Tokyo.
Centre d'Art Contemporain, le Parvis 3, Pau.
"Livre", Centre d'Art Contemporain, Saint-Priest.
1997
Museum Folkwang, Essen.
1998
Centre National de la Photographie, Paris.
Galerie Liliane & Michel Durand-Dessert, Paris.
Zabriskie Gallery, New York.

Group Exhibitions
From 1983
Centre Georges Pompidou, Paris.
Palais de Tokyo, Paris.
The Solomon R. Guggenheim Museum, New York.
Walker Center, Minneapolis.
National Museum of Modern Art, Tokyo.
Museum of Contemporary Art, Los Angeles.
Musée d'Art Contemporain, Nîmes.
Circolo dell'Arsenale, Venice.
National Museum of Contemporary Art, Seoul.
Maison Européenne de la Photographie, Paris.
Metropolitan Museum of Photography, Tokyo.

PEDRO TUDELA / PORTUGAL

Born in 1962. Lives and works in Porto.

Education
1987
Graduated in Fine Arts.

Professional Experience
1992
Founder of the multimedia project [MLd].
Since 2000
Member of the Virose Association.
Co-founder of *@c* project.

Solo Exhibitions (Selected)
1992
"Mute... Life", Galeria Atlântica, Porto.
1994
"D'Heart Side", Galeria Atlântica, Porto.
1996
"Phase 3 eye can see", Galeria Canvas, Porto.
1997
"Rastos", Fundição Cupertino de Miranda, V.N. Famalicão.
1998
"Still", Galeria Canvas, Porto.
1999
"Target", CAPC, Coimbra.
2000
"série z", Casa Triângulo, São Paulo.

Group Exhibitions (Selected from the 90s)
1992
"Identidade/Diversidade", Cultura Portuguesa Actual, Círculo de Bellas Artes, Madrid.
1993
"Tradición,Vangarda e Modernidade do Século XX Portugués", Galicia, Santiago de Compostela.
1997
"Anatomias Contemporâneas", Fundição de Oeiras.
1998
"Fisuras na Percepción", XXV Bienal de Arte de Pontevedra, Pontevedra.
1999
"[pt.25]", Quartel. arte trabalho revolução, Porto.
"Quarto da dor / house of pain", w.c. container, Porto.
2000
"Col. Banco Privado / Serralves", Museu de Serralves, Porto.

Performances and Audio Productions (Selected)
2001
"Still. Performance com MLd", Capela da Fundação de Serralves, Serralves, Re[mix]/casa da música, Porto.
"BSO para os jardins de Serralves", Museu de Arte Contemporânea Serralves, Serralves.
"Berlier nächte", concert with *@c*, Museu de Arte Contemporânea Serralves, Serralves.
"Metropolis vs. MuteLife dept." bso Fritz Lang/movie, Grande Auditório do Rivoli Teatro Municipal.
"Co-Lab, encontros de música improvisada", with *@c*, Pequeno Auditório do Rivoli Teatro Municipal.

Collections (Selected)
Museu de Arte Contemporânea, Serralves.
Centro de Arte Moderna da Fundação Calouste Gulbenkian, Lisbon.

JAVIER VALLHONRAT / SPAIN
Born in 1953 in Madrid.
Lives and works in Madrid.

Solo Exhibitions (Selected)
1989
Abbaye de Montmajour, Arles.
1990
Parco Photographers Gallery, Tokyo.
1991
Galerie L.A., Frankfurt.
1993
Prinz Gallery, Kyoto.
1994
Galería Juana Mordó, Madrid.
1995
Hamiltons Gallery, London.
1996
Centre d'Art de Santa Monica, Barcelona.
Galería Helga de Alvear, Madrid.
1997
Golbert Brownstone Gallery, Paris.
Centro Nacional de Exposiciones, Sala Julio González, Madrid.
1999
Galería Helga de Alvear, Madrid.
2000
Galerie L.A., Frankfurt.
2001
"ARCO' 01", Project Room ETH (video projection).

Group Exhibitions
1987
La Vieille Charité, Marseille.
1988
Musée d'Art Moderne, Paris.
1991
Museo Nacional Reina Sofía, Madrid.
1992
Fundació Caixa de Pensiones, Barcelona.
1994
Fondation Cartier, Cahors.
1996
Philadelphia Museum of Art, Philadelphia.
1999
Galerie L.A., Frankfurt.
2000
"Una mirada española", Istituto Cervantes, Rome.
"Propuesta 99", Santiago de Compostela, Gijón, Saragossa.
"Roma 2000", MEAC, Madrid.

Bibliography
1994
Conversation with Salomé Cuesta, "Lápiz", no. 100/101.
1999
S.B. Olmo, *La fotografía como reflexión*, in *Javier Vallhonrat, Biblioteca de Fotógrafos - Photobolsillo*, La Fábrica-Tf, Madrid.
J. Ribalta, *Espectáculos fotográficos*, exhibition catalogue, Galerie Wolfgang Gmyrek, Düsseldorf; Galería Helga de Alvear, Madrid.
Javier Vallhonrat Trabajos Fotográficos (1991-1996), exhibition catalogue, with text by A. Montesinos and interview by J. Ribalta, MEAC, Madrid.

JAN VAN IMSCHOOT / BELGIUM, FLEMISH COMMUNITY
Born in 1963 in Ghent.

Solo Exhibitions
1997
Provinciaal Museum voor Beeldende Kunst, Hasselt.

252

1999
Vereniging van het Museum voor Hedendaagse Kunst, Ghent.
"The color of a common dream", Galerie Gebauer, Berlin.
2000
"How to sell your wife - Confession of a painter", Bonakdar Jancou Gallery, New York.
2001
SMAK, Ghent.

Group Exhibitions
1998
EV+A, Limerick.
"Aspects de l'art Belge", FRAC, Nord-Pas de Calais, Dunkerque.
1999
"Trouble Spot", Muhka, Antwerp.
"Trattendosi", Zitelle, Venice.
2000
"11th Vilnium Painting Triennal", Contemporary Art Centre, Vilnius.
"The oldest possible memory", Sammlung Hauser und Wirtz, Saint Gall.
"Epifanie", Heverlee.
2001
Squatters, Porto Cultural Capital 2001, Porto.

Supporting Havana, 1999
Oil on canvas 80 × 100 cm
Courtesy Bonakdar-Jancot Gallery, New York

GYULA VÁRNAI / HUNGARY

Born in 1956 in Kazincbarcika.
Lives and works in Dunaújváros.

Education
Studied mathematics, physics and music.

Professional Experience
Worked as a typographer.

Solo Exhibitions (Selected)
1990
Óbudai Társaskör Galéria, Budapest.
1991
Stúdió Galéria, Budapest.
1993
Liget Galéria, Budapest.
1995
Liget Galéria, Budapest.
1996
Goethe Institut, Budapest.
Szent István Király Múzeum, Székesfehérvár.
1997
"Changing Slowly" (with Tibor Várnagy), Bartók 32 Galéria, Budapest.
1999
"Philophony", Víziválrosi Galéria, Budapest.

Group Exhibitions (Selected)
1989
"Blue Pencil", Duna Galéria, Budapest
1991
"Oscillation I-II", Siesta basta, Komarno, Mücsarnok, Budapest.
1992
"Gallery by Night", Stúdió Galéria, Budapest.
"Analogue", Budapest Galéria, Budapest.
"Hairy Mirror", Arts Lab, Liverpool.
1993
"Gallery by Night", Stúdió Galéria, Budapest.
"Forms of the Mind", Óbudai Társaskör Galéria, Budapest.
"Zweite Zeitgenössische Ungarische Epigonen Ausstellung", KX Kampnagel, Hamburg.
2nd Exhibition of Epigone Contemporary Artists, Liget Galéria, Budapest.
Audiovisual Experimental Festival, Arnhem.
"Small Things", Fészek Galéria, Budapest.
"Real Small", Randolph Street Gallery, Chicago, Delta Axis Art Center, Memphis, Art in General, New York.
1994
"7+7", Budapest Galéria, Budapest.
"Transicoes. Arte contemporánea portuguesa e Húngara", Sociedade National de Belas Artes, Lisbon.
"Gallery by Night", Stúdió Galéria, Budapest.
"Sei Dabei! Festival", Valentinskamp 41, Hamburg.
"More than Ten", Ludwig Múzeum, Budapest.
1995
"Gallery by Night", Stúdió Galéria, Budapest.
"Zusammenziehende Häuser", Kunsthaus, Hamburg.
1996
"Permutations and Combinations", Labdaház, Prague.
1997
"Súly-talan/Schwere-los", Landesgalerie am OÖ, Landesmuseum, Linz, Kortárs Müvészeti Múzeum, Ludwig Múzeum, Budapest.
"Sic!", Budapest Történeti Múzeum Fövárosi Képtára, Budapest.
1998
"Makett", Haus Ungarn, Berlin.
2000
"Media Model", Mücsarnok, Budapest.

Awards
1989
Scholarship Smohay.
Scholarship Derkovits.

Bibliography (Selected)
1991
L. Beke, *Komáromi Kiállítás / Vystava v Komárne / Komarno Exhibition*, in *Oscillation*, exhibition catalogue, Mücsarnok.
E. Sasvári, *Kacatszövedékek*, "Új Müvészet", no. 7.

254

I. Hajdú, *Jelképes titkok - titkos jelképek*, "Beszélő", no. 2.

1992

M. Vida Galambos, *Az, ami*, "Új Művészet", no. 4.

1993

G. Andrási, *A gondolat formái*, "Nappali Ház", no. 2.

F. Szijj, *Fénydarab*, "Nappali Ház", no. 4.

1994

B. Bencsik, *Polifónia*, "Árgus", no. 1.

G. Boros, *Kontaktálás, Polifónia*, "Balkon", no 1.

A. Horányi, *Reprezentáció, Több mint tíz*, "Balkon", no. 12.

1995

K. Varga, *Volt*, "Balkon", no. 1.

Z. Vécsi Nagy, *A nagy berendezkedés*, "Balkon", no. 4.

1996

T. Várnagy, *Ajtókból kapu*, "Balkon", no. 12.

1997

A. Zwickl, *Humour in Contemporary Art*, in *Sic!*, exhibition catalogue, Budapest Történeti Múzeum Fővárosi Képtára, Budapest.

ANGEL VERGARA SANTIAGO / BELGIUM, FRENCH COMMUNITY

Born in 1958 in Mieres.
Lives and works in Brussels.

Exhibitions

1990

"Cafe del año", Galerie Innexistent, Antwerp.

1991

"Gelateria del Año", G. von der Milwe, Aachen.

"Straatman", BFJV, Galerie des Beaux-Arts, Brussels.

"Maison BBFBE and V", Espace 251 Nord, Liège.

256

1992

"Café de la Galerie des Beaux-Arts", Galerie des Beaux-Arts, Brussels.

1993

"Salon Public", Galerie de l'Ancienne Poste, Calais.

1994

"Chapellerie Haute", Xavier Hulkens Galerie, Brussels.

"Le bar d'en face", Brussels.

1995

"Cambio del Año", AREL, Revin (public art).

"Le chahut", Centre d'Art N. de Staal, Braine-l'Alleud.

"Supermarché de l'Année", Maison Belge, Cologne.

"Rippel Bar", "Ripple across the Water", Watari Museum, Tokyo.

"Maisons cerveaux", FRAC, Rheims.

1996

"Miroiterie de l'année", Galerie St. Lukas, Brussels.

"Fonteyne en paradijs", Galerie Vera van Laar, Antwerp.

"L'heure de tous. Actions Urbaines", FRAC, Metz.

1997

"Sala dal año", "Who loves Bruxelles", Encore, Brussels.

"Fetishimage", Witte de With, Rotterdam.

"Radio del año", "Pica en Flandes on Line projects", Barcelona

"Genuine fiction, The Real Thing", W39, Amsterdam.

1998

"La cucina", CCAC, Zerynthia Fundation, Serre di Rapolano.

"Consulting yourself", Galerie R. Borgemeister, Berlin.

"Walking Voice Press Agency", Art Forum Berlin, Berlin.

1999

"Cafeteria Vergara", SMAK, Ghent.

"Hueveria Madrilena", act 1, Arco Art Film Foundation, Madrid.

"Indoor, Straatman propaganda", CAM, Lyons.

"straatman agenda", Galerie Stella Lohaus, Antwerp.

2000

"You are America, I am the theater","The world on its head", Art Institute of San Francisco and Art File Foundation.

"Meeting Point Straatman", Over the Edges, Ghent.

"Straatman au Palais", "Voici", PBA, Brussels.

"Vlaamse Black", Antwerp.

"Straatman Lottery", "As it is", Ikon Gallery, Birmingham.

"Civil War Vehicle", "Diasporrical Thoughts, Liebaert Projects", Courtrai.

2001

Straatman Public Art", Galerie Stella Lohaus, Antwerp.

GERT VERHOEVEN/ BELGIUM, FLEMISH COMMUNITY

Born in 1964 in Louvain.
Lives and works in Bertem.

Solo Exhibitions

1996

"PAPA M'A + préproductions", Roomade vzw, Brussels.

Galerie Xavier Hufkens, Brussels.

1998

Sint-Lukasgalerij, Brussels.

"Auto-Mio in Auto-MUHKA", MUHKA, Antwerp.

Galerie Xavier Hufkens, Brussels.

1999

Galerie Philip Nelson, Paris.

Galleria Gianluca Collica, Catania.

2000

Christine Burgin Gallery, New York.

Galerie Philip Nelson, Paris.

2001

Palais des Beaux-Arts, Brussels.

Galleria Tucci Russo, Turin.

Galerie Xavier Hufkens, Brussels.

Group Exhibitions

1994

"Prix de la Jeune Peinture Belge", Palais des Beaux-Arts, Brussels.

258

1995
"Dora Garcia, Dianne Hagen, Liza May Post, Anne-Marie Schneider, Gert Verhoeven, Stephen Wilks", Bart Cassiman, Galerie Philip Nelson, Paris.
"East", G. Penone and Marian Goodman, Norwich Gallery, Sainsbury Centre for Visual Arts, Norwich.
1996
"Kunstwerken verworven door de Vlaamse Gemeenschap in 1994 en 1995", MUHKA, Antwerp.
1997
"Maakt Kunst Staat?", Provinciaal Museum Hasselt.
"OE... pica en flandes. El Trajecte", Lieve Foncke Capella de l'Antic Hospital de la Santa Creu, Barcelona.
1998
"Raconte-moi une histoire: la naration dans la peinture et la photographie contemporaines", Yves Aupetittallot, Magasin - Centre National d'Art Contemporain, Grenoble.
"Two hours wide or two hours long, Through Art and Society", Barbara Vanderlinden, Centro Cultural de Belém, Lisbon, Museum voor Schone Kunsten van Antwerpen, Antwerp.
"Selection Fall OE98", The Drawing Center, New York.
1999
"La consolation, een keuze uit de Verzameling van de Vlaamse Gemeenschap", Magasin, Centre National d'Art Contemporain, Grenoble.
"EO (European Community Projects), Portfolio", Vienna.
"Sympatikus, Einblicke in das vegetative Nervesystem der Kunst von heute", Veit Loers, Städtliches Museum Abteilberg, Mönchengladbach.
"Trouble Spot Painting", Narcisse Tordoir and Luc Tuymans, NICC and MUHKA, Antwerp.
"De dia", Liebaert Projects, Kortrijk.
2000
"Low Video", Gallery Veridata, Chicago.
"The persistence of painting - Reflexive Figurations", Galerie Ferdinant van Dieten-d'Eendt, Amsterdam.
"Group show", Galleria Gianluca Collica, Catania.
"Clockwork 2000, National and International Studio Program 1999-2000", PS1 Center for Contemporary Art, New York.
"Open Days at PS1", PS1 Center for Contemporary Art, New York.
2001
"Group show", Galerie Xavier Hufkens, Brussels.

GITTE VILLESEN / DENMARK

Born in 1965 in Ansager.
Lives and works in Copenhagen

Education
1987-1990
University of Copenhagen, Copenhagen (Literature).
1991-1992
Det Fynske Kunstakademi, Odense.
1992-1999
The Royal Danish Academy of Fine Art, Copenhagen.

Solo Exhibitions
1994
"It was a Wonderful period full of Happiness and a loss of a lot of money" (with Willy Bøtker), Peter Lands flat, Copenhagen.
1995
"Three Times Ludo", Galleri Nicolai Wallner, Copenhagen.
"Willy as DJ", Galleri LXX, Århus.
1997
Project room, Åarhus Museum of Art, Århus.
1998
"Kathrine makes them and Bent collects them", Galleri Nicolai Wallner, Copenhagen.
1999
"Ingeborg the Busker Queen", Institute of Visual Art, Milwaukee.
"Søren Vellings Small Towns Museum", Institute of Visual Art, Milwaukee.
"Ingeborg, Søren, Kathrien and Bent", Wiener Secession, Vienna.

260

Group Exhibitions (Selected)
1993
"Fribillet", Nansensgade and Galleri Nicolai Wallner, Copenhagen (opening show).
1994
"Opening Show", Galleri Struds, Oslo.
"Gitte Villesen and Annika Lundgren", Saga Basement, Copenhagen, Galleri med balkong, Trondheim.
1995
"Varje gång jag ser dig", a space rented for the occasion, Malmö, Index Galleri, Stockholm.
"Atomic", Oberwelt, Stuttgart, Titanic, Helsinki.
"Timeslice", The National Museum of Fine Arts, Copenhagen.
"Ram" Portalen, Køge Bugt Culture House, Hundige, Videofestival, Freidburg Kunsthal, Freidburg.
"Exotic", Galerie Peter Kilschmann, Zurich.
"2 dimensional teori", Nikolaj Contemporary Art Centre, Copenhagen.
1996
"27.680.000", a media project shown on the two national TV-channels in Sweden.
"Electronic Undercurrents", The National Museum of Fine Arts, Copenhagen.
"Out of Shape", Arken, Museum of Modern Art, Ishøj.
"Monstrosities 1/2", Video Festival, Berlin.
"Up-date", Turbinehallerne, Copenhagen.
"The Scream - Borealis 8", Arken, Museum of Modern Art, Ishøj.
1997
"Artcalls", telephone numbers in Copenhagen.

"10", Nordic Female Art, Lunds Kunsthal, Lund.
A video program arranged by MOMA, Mitsui Fudasan's lobby, New York.
"New Documentaries", MOMA, New York.
"Letter and Event", Apex Art, New York.
Gallery Mehdi Chouakri, Berlin.
"Human Conditions", Centre of Contemporary Arts, Helsinki.
"A Scenic DeTour Through Commodity", Maastricht.
"JOY-JOY", Transmission Gallery, Glasgow.
SMart Project space, ALMANAC, Art on Television, Amsterdam.
1998
"Fleeting Portraits - Flüchtige portraits", Neue Gesellschaft für bildende Kunst e.V., Berlin.
"Jonge Deense kunst", Sint-Lukasgalerij, Brussels.
"Out of the North: Contemporary Art from Denmark and Sweden", Württembergischer Kunstverein, Stuttgart.
"Manifesta 2", Luxembourg.
"Bicycle Thieves", 400 Gallery, Chicago.
"La sphere de l'intime - Le printemps de Cahors", Cahors.
"Det extra", Riksutställningar, RIX, Linköbing, Uppsala Konstmuseet, Uppsala, Gävle Konstcentrum, Gävle, Musett, Kristinehamn and Tensta Konsthall, Tensta.
"Here Now - New Art from Denmark", Art Space, Sydney.
"Come Closer", Liechtensteinische Staatliche Kunstsamlung, Liechtenstein, Nikolaj Contemporary Art Centre, Copenhagen, Ludwig Múzeum, Budapest.
"Boomerang", Nikolaj Contemporary Art Centre, Copenhagen.
1999
Melbourne International Biennial, Melbourne.
Télé[o], Ecran Total c/o Erban, Nantes.
"Come in and find out", vol. 1", Art Club Berlin, Berlin.
Video screening, Moderna Musset, Stockholm.
Video screening, Salon 3, London.
2000
"Still or: My eyes can only look at you", Gallerie Enja Wonneberger, Kiel.
"Wonderful Copenhagen", Stadtgallerie, Kiel.
"Naust", Øygården/Bergen.
"Contacts", Centre d'Art Contemporain, Fribourg.
"Organising Freedom", Moderna Museet, Stockholm, Charlottenborg, Copenhagen.

KATEŘINA VINCOUROVÁ / CZECH REPUBLIC

Born in 1968 in Prague. Lives and works in Prague and Berlin.

Education
1986-1988
Surikov Academy of Fine Arts, Moscow.
1988-1994
Academy of Fine Arts, Prague.
Headlands Center for Art.

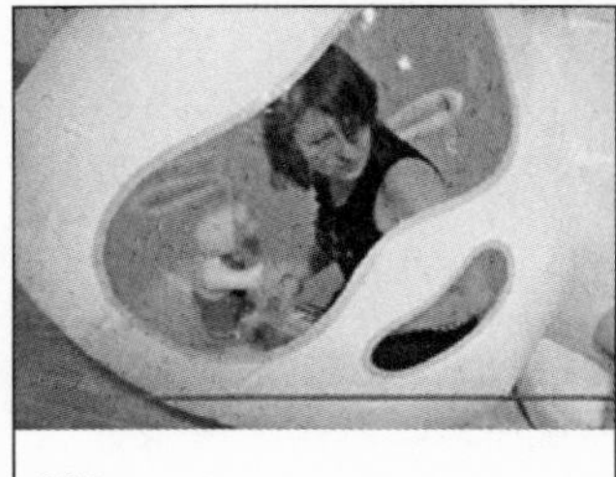

262

Solo Exhibitions
1991
"Superbread", Galeria Na bidýlku, Brno.
"The Quick and the Dead" (with Tomáš Mašín and Elen Řádova), Galerie Vruchtengel, Kassal.
1992
"Sunday", Galeria Behémót, Prague.
1994
"Targets", Galeria Caesar, Olomouc.
1995
Galeria Nová Síň, Prague.
1996
Galeria U dobrého pastýře, Brno.
1997
"Le rose", Galerie Météo, Paris.
Galeria Špála, Prague.
1999
The City of Prague Art Gallery, Prague.

Group Exhibitions
1990
"15 Students of the Prague Academy", Vienna.
"Student's exhibition", U Hybernů Exhibition Hall, Prague.
1991
"The Egg of Columbus", Galeria Behémót, Prague.
"Between Aesop and Mowgli", Galeria Václava Špály, Prague.
1992
"Post Security", Galerie 5020, Salzburg.
1993
"Students of the Art Schools of Prague", Kunstmuseum, Düsseldort.
"Women's Accommodation Rooms", Štenc's House, Prague.
"Ventilation", Atelier Toit-de-monde, Vevey.
"Netz Europe", Linz.
1994
"Zvon 94", Biennial of Young Czech Artists, The City of Prague Art Gallery, Prague.
1995
"Test Run", Mánes Exhibition Hall, Prague.
"Fly Beetle, Fly", Cologne.
1996
Galeria JNJ, Prague.
"Interior versus Exterior", Cosmos Factory, Bratislava.
"Respekt", Richter's Villa, Prague.
1997
"Home Sweet Home", Diechtorhallen, Hamburg.
"Parallels", Czech Centre, Paris.
1998
"Contemporary Collection-Czech Art in the'90s", The City of Prague Art Gallery, Prague.
"Discurs Feminin", House of Arts, Brno.
"Close Echoes", The City of Prague Art Gallery, Prague, Kunsthalle Krems, Krems.
1999
"Symphathikus", Stätisches Museum Abteiberg Mönchengladbach, Mönchengladbach.

Awards

1993

Alexander Dorner Prize, Hannover.

1996

Jindřich Chalupecký Prize, Prague.

TAMÁS WALICZKY / HUNGARY

Born in 1959 in Budapest.
Lives and works as a media artist in Budapest.

Professional Experience

1968-1983

He started out by creating cartoon films, and parallel with this activity; he worked as painter, illustrator and photographer.

1983

He began working with computers.

1992

Artist-in-residence at the ZKM Institute for Visual Media.

1993-1997

Member of the research staff at the Institute for Visual Media.

264

Guest professor at the HBK Saar Saarbrucken (from 1997 to the present).

1998-1999

Artist-in-residence at the IAMAS in Gifu.

Selected Exhibitions

1986

"Digitart I.", Museum of Fine Arts, Budapest.

1988

Galerie Robert Doisneau, Nancy.
"Ars Electronica", Linz.

1989

"Video-Visions", Frankfurt.
"Europa Electronica", Naples.
"Scan Video Festival", Tokyo.
"Ars Electronica", Linz.

1990

"Siggraph", Las Vegas.
SISEA, Second International Symposium of Electronic Art, Groningen.
Video Festival Bergamo, Bergamo.
Los Angeles International Film Festival, Los Angeles.
"Hungarian Artists and the Computer", Lille.
"Tendances Multiples", Centre Georges Pompidou, Paris.
Galerie 172, Paris.
"Ars Electronica", Linz.
"Imagina", Monte Carlo.

1991

IVCA Festival, London.
"Imagina", Monte Carlo.
"Video Art, XII. Festival et forum international de Locarno", Locarno.

1992?

"Internationales Festival des Animationsfilms", Berlin.
"Le Festival du dessin animé et du film d'animation", Brussels.
"TISEA", Third International Symposium on Electronic Art, Sydney.

1993

"Mediale", Hamburg.
"Mediawave", Györ.
"WRO '93'", Wroclaw.
"MUU Media Festival", Helsinki.
London Film Festival, London.
"Siggraph", Anaheim.
"MultiMediale 3", ZKM Karlsruhe, Karlsruhe.
"Imagina", Monte Carlo.

1994

"Europa-Europa", Kunst und Ausstellungshalle der Bundesrepublik Deutachland, Bonn.
"Version 1.0", Geneva.
"Techno Art", Ontario Science Centre, Ontario.
Adelaide Festival, Melbourne.
"7. Internationales Trickfilmfestival", Stuttgart.
Hong-Kong International Film Festival, Hong-Kong.
"Videonale", Bonn.
"Ars Electronica", Linz.
"Video Art, XII. Festival et forum international de Locarno", Locarno.

1995

"ISEA", International Symposium on Electronic Art.
"MultiMediale 4", ZKM Karlsruhe, Karlsruhe.
Tokyo Metropolitan Museum of Photography, Tokyo.
"Arslab", Turin.
Biennale de Lyon, Lyons.

1996

"The Butterfly Effect", Budapest.
NTT/ICC Gallery, Tokyo.

1997

"MultiMediale 5", ZKM Karlsruhe, Karlsruhe.

1998

Leeds Metropolitan University Gallery, Leeds.
The Fruitmarket Gallery, Edinburgh.
Offenes Kulturhaus, Linz.
"Deaf '98", Rotterdam.
"Ars Electronica", Linz.

1999

"Perspectiva", Budapest.
"The Interaction '99", Ogaki.
"MediaTime", Bolzano.

2000

"Enter Multimediale", Prague.
"Digital Alice", Seoul.
Tokyo Metropolitan Museum of Photography, Tokyo.

Awards (Selected)

1986

DIGITART Computer Graphics Festival, Budapest (Third Prize).

1988

Prix Ars Electronica, Linz (Honorary Mention in Animation Category).
P.L.E.I.A.S. Festival, Paris (First and Second Prizes in 2D and 3D Category).

1989

Prix Ars Electronica Festival, Linz (First Prize - "Golden Nica" - Computer Graphics Category).

1990

Prix Ars Electronica Festival, Linz (Honorary Mention - Interactive Category).

1991

IMAGINA Festival, Monte Carlo (Third Prize - Art Category).
Locarno Videoart Festival, Locarno (World Graph Prize).
Siggraph Electronic Theatre Selection, Las Vegas.

1992
Artist-in-residence at ZKM, Karlsruhe.
1993
Siggraph Electronic Theatre Selection, Anaheim.
1994
"Electronie d'Arte e Altre Scritture", Turin, Milan, Bologna, Florence, Rome (First Prize).
1996
Commission of photoARTS2000, Huddersfield, England, to create an interactive
artwork for the Year of Photography and the Electronic Image.
1997
Artist-in-residence at ZKM, Karlsruhe.
1998
Prix Ars Electronica, Linz (Award of Distinction - Computer Animation Category).
Artist-in-residency at IAMAS, Ogaki.
2000
"Mediawave", Györ (First prize in Animation Category).

Bibliography (Selected)
1988
M.G. Mattei, *L'est Elettronico*, "Zoom".
1989
H.W. Franke, *Pix Ars Electronica, Preise Für Computergraphik*, in *Kunstforum International*, vol. 103, Ruppichteroth.
1990
Tamás Waliczky, The Manifesto of Computer Art, in *Digitart*, catalogue, Budapest.
F.W. Kluge, *Genugend Ideen*, in *Horizont.*
A. Hemery, *Tamás Waliczky: Un Infographiste Venu de l'Est*, in *Micro Systèmes*, Paris.
T. Kyriakoulakos, *Tamás Waliczky: Le Poete de l'intime*, in *Tech Images*, Paris.
F. Dany, Takis Kyriakoulakos, *souvenirs du futur; pictures*, in *L'image*, Paris.
B. Swain, *Eastern Promise*, in *Audio-Visual*, London
S. Gorewitz, *Prophet without Honor (Computer Video Artist Tamás Waliczky)*, "The Independent".
S. Bode, *East Is East*, in *Videographic*, London.
F.W. Kluge, *Tamás Waliczky, Experimentelle Arbeit Am Bewegten Bild*, in *Mediagramm*, Karlsruhe.
1994
F. Holtz-Bonneau, *Création Infographique* (with some parts about T.W.), Addison-Wesley.
1995
Tamás Waliczky, Der Garten, in *Interface 2 Documentation*, Hans-Bredow-Institut, Hamburg.
A. Szepesi, *Der Wald / The Forest*, in *Artintact 2*, ZKM/Institut für Bildmedien, Cantz Verlag, Ostfildern.
M. Cerciello-Bachy, *Tamás Waliczky*, in *Biennale de Lyon*, exhibition catalogue, Lyons, Biennale d'Art Contemporain, Paris.
1996
A.-M. Duguet, *Tamás Waliczky*, text in the exhibition catalogue for the NTT/ICC Gallery, Tokyo.
M. Shirai, *A Mechanism For Reorganizing The World*, text in the exhibition catalogue for the NTT/ICC Gallery, Tokyo.
P.L. Capucci, *L'affettivita dello spazio*, "Domus", October.
1998
L. Manovich, *The Camera and the World; New Works by Tamás Waliczky*, in *Continental Drift*, Prestel, München-New York.
L. Manovich, *The Art Of Tamás Waliczky*, in *Focusing - ZKM digital arts*, edition no. 1, Cantz Verlag, Ostfildern.
1999
S. Inada, *A Toy to View the World as You Want (Interview with Tamás Waliczky)*, "Iamas Annual".
2000
P. György, *Én Egy Opció Vagyok*, interview with Tamás Waliczky, "Pergö Képek".
S. Drühl, *Tamás Waliczky - Der Zeitkünstler*, in *Kunstforum International*, vol. 151, Ruppichteroth.
T. Iguchi, *The 20th Century 100 Art Matrix*, "BT Monthly Art Magazine".
2001
L. Manovich, *Cinema As Cultural Interface* (with some parts about Tamás Waliczky), MIT Press.

GILLIAN WEARING / GREAT BRITAIN

Born in 1963 in Birmingham.
Lives and works in London.

Education
Goldsmiths' College, University of London, Fine Art (BA, Honors).

Solo Exhibitions (Selected)
1994
Maureen Paley Interim Art, London.
1995
"Western Security", Hayward Gallery, London.
1996
Le Consortium, Dijon.
1996-1997
Maureen Paley Interim Art, London.
1997
Jay Gorney Modern Art, New York.
"10-16", Chisenhale Gallery, London.
Kunsthaus Zürich, Zurich.
1998
Centre d'Art Contemporain, Geneva.
1999
Maureen Paley, Interim Art, London.
2000
Serpentine Gallery, London.
Gorney Bravin+Lee, New York.
2001
"Sous Influence", Musée d'Art Moderne de la Ville de Paris, Paris.
Fundación "la Caixa", Madrid.

Group Exhibitions (Selected)
1993
"BT Young Contemporaries", Cornerhouse, Manchester (travelling exhibition).

1995
"Brilliant! New Art from London", Walker Art Center, Minneapolis.
"British Art Show 4", travelling exhibition through Great Britain.
1996
"Life/Live", co-curated by Laurence Bosse & Hans-Ulrich Obrist, ARC Musée d'Art Moderne de la Ville de Paris, Paris.
"Playpen & Corpus Delirium", Kunsthalle Zürich, Zurich.
"The Cauldron", Henry Moore Institute, Leeds.
"Pandaemonium; London Festival of Moving Images", ICA, London.
1997
"The Turner Prize 1997", Tate Gallery, London.
"Sensation, Saatchi Collection", Royal Academy of Art, London.
"I.D.", Nouveau Musée, Villeurbanne.
1998
"Real/Life: New British Art", Japanese Museum Tour, Tochigi Prefectural Museum of Fine Arts, Tochigi, Fukuoka City Art Museum, Fukuoka, Hiroshima Museum of Contemporary Art, Hiroshima, Tokyo Museum of Contemporary Art, Tokyo.
"Sensation, Saatchi Collection", Museum für Gegenwart, Berlin.
1999
"Common People", Fondazione Sandretto Re Rebaudengo per l'Arte, Guarene d'Alba.
2000
"New British Art 2000. Intelligence", Tate Britain, London.
"Let's Entertain", Walker Art Center, Minneapolis (travelling exhibition).
"Quotidiana", Castello di Rivoli, Rivoli.
2001
"Confidence pour confidence", Casino Luxembourg, Luxembourg.
"Film Festival Rotterdam", Museum Boymans-van Beuningen, Rotterdam.
"Century City", Tate Modern, London.

Bibliography (Selected)

1996
The Cauldron, exhibition catalogue, The Henry Moore Institute, Leeds.
1997
Signs that say what you want them to say and not Signs that say what someone else wants you to say, Maureen Paley Interim Art, New York.
Gillian Wearing, in *Wiener Secession*, exhibition catalogue, Wien.
1999
Gillian Wearing, monograph, Phaidon Press, New York.
2001
Gillian Wearing, exhibition catalogue, ARC Musée d'Art Moderne de la Ville de Paris, Paris.
Gillian Wearing, exhibition catalogue, Fundación "la Caixa", Madrid.

Courtesy Maureen Paley Interim Art, London

VADIM ZAKHAROV / RUSSIA
Born in 1959 in Duschanbe. Lives and work in Moscow and Cologne.

Education
1977-1982
Pedagogical Institute, Department of Visual Arts and Graphics, Moscow (Education).

Solo Exhibitions (Selected)
1983
"SZ (Skersis/Zakharov)", APTART Galerja, Moscow.
1984
APTART Galerja, Moscow.
1989
Kunstverein, Freiburg im Breisgau.
Galerie Peter Pakesch, Vienna.
1990
"Brothers Karamazoff" (with Viktor Skersis), Galerie Sophia Ungers, Cologne.
1991
"Das Weissanstreichen von Peter und dem Wolf auf dem Territorium der Garnitur von Madame Schleuse", Galerie Walcheturm, Zurich.
1992
"Alexander Puschkin the Bookpublisher", L Galerja, Moscow.
"Provincial bubbles of Cologne Pastor", Deweer Art Gallery, Otegem.
1994
"Typographische Erhebung", Galerie Sophia Ungers, Cologne.
"A. Krupp von Bohlen und Halbach Stiftung", Katalogförderung.
1995
"Der letzte Spaziergang durch die Elysischen Felder", Kunstverein, Cologne.
1996
"Stories of the Black Widow", project for the National Academy of Fine Art, Oslo.
"Funny and Sad Adventures of a Foolish Pastor", project for Atopic Site, Tokyo.
1997
"Japanisches Heft N 3. Begegnung mit einem Rocker auf dem Christusgrab im Dorf Schingo (Provinz Aomori)", Galerie Carla Stützer, Cologne.
"Deadend Of Our Time" (with S. Anufriev), ICA, Moscow, Obskuri Viri, TV Galerja, Moscow.
1998
"Letzter Punkt des Verlegers Pastor Zond. Verlegerstatigkeit 1992-98", Galerie Hohenthal und Bergen, Berlin.
1999
"Psychedelics of Choose", Project for the Academy of Fine Art, Odense.

Group Exhibitions (Selected)
1978-1982
APTART Galerja, Moscow.
1983
"Come Yesterday and You'll be First", City without Walls, New York, New Jersey.
1986
"APTART", The New Museum of Contemporary Art, New York.

268

1987
"First Exhibition in Avantgardists' Club", KLAVA, Moscow.
"Retrospektive der Arbeiten von Moskauer Künstlern 1957-87", Ermitage Galerja, Moscow.
1988
"I live, I see", Kunstmuseum, Bern.
"8 Artists from USSR", Galerie de France, Paris.
1989-1990
"10 + 10", MAM, Fort Worth, MOMA, San Francisco, Albright Knox Gallery, Buffalo, Museum of Modern Art, Washington, Krimskij Val, Moscow.
1989
"Wien-Moskau-New York", Messepalast, Vienna.
"100 years of Russian art - from private collections in the USSR", Barbican Gallery, London.
1990
"Contemporary Russian Artists", Museo d'Arte Contemporanea Luigi Pecci, Prato.
"Between Spring and Summer", ICA, Boston, TAM, Tacoma.
"In the USSR and Beyond", Stedelijk Museum, Amsterdam.
1991
"Mani Museum - 40 Moskauer Künstler im Frankfurter Karmeliterkloster", Frankfurt.
"BiNationale (Israelische-Sowjetische Kunst um 1900)", Kunsthalle, Düsseldorf, The Israel Museum.
"Metropolis", Internationale Kunstausstellung, Martin Gropius Bau, Berlin.
1992
"Kunst Heimat Kunst", Steirischer Herbst, Graz, Schloßpark, Eybesfeld.
1993
"Trade Routes", The New Museum, New York.
"Die Sprache der Kunst", Kunsthalle Wien, Vienna, Kunstverein, Frankfurt.
1994
"Fluchtpunkt Moskau", Ludwig Forum, Aachen.
"Ritratto Autoritratto", Trevi Flash Art Museum, Trevi.
1995
"Heart of Darkness", Kröller-Müller Museum, De Hoge Veluwe.
"Kräftmesse. Privatisierungen", Kunstlerwerkstatt Lothinger Straße 13, Munich.
1995-1996
"Flug, entfernung, verschwinden, Konzeptuelle moskauer Kunst", Galerie Hlavniho Mesta Prahy, Prague, Haus am Waldsee, Berlin, Stadtgalerie im Sophienhof, Kiel.
1996
"Ostsee Biennale-96. Bekannt(-)Machung", Kunsthalle, Rostock.
1997
"Fort! Da! Cooperations", Villa Merkel, Galerie der Stadt Esslingen, Esslingen.
"2000 minus 3. ArtSpace plus Interface", Steirischer Herbst, Graz.
1998
"Vollkommen Gewönlich", Kunstverein Freiburg im Marienbad, Marienbad, Germanische Nationalmuseum, Nuremberg, Kunstverein, Braunschweig, Kunsthalle, Kiel.
1999-2000
"Zeitwenden: rückblick und ausblick", Kunstmuseum, Bonn, Museum Moderner Kunst, Vienna.
2000
"L'autre moitié de l'Europe", Galerie Nationale du Jeu de Paume, Paris.
2000-2001
"Amnesia", New Museum Weserburg, Bremen.

Bibliography (Selected)
1995
M. Broodthaers. Korrespondenzen, Oktagon Verlag, Stuttgart.
Der letzte Spaziergang durch Elysischer Felder, Kölnischer Kunstverein, Cantz Verlag, Stuttgart.
Flug Entfernung Verschwinden. Konzeptuelle Moskauer Kunst, Cantz Verlag, Stuttgart.
Kräftemesse, Cantz Verlag, Stuttgart.
Heart of Darkness, Kröller-Müller Museum, Otterlo.
1997
Ford! Da! Cooperations, Cantz Verlag, Stuttgart.
2000 minus 3. ArtSpace plus Interface, Steirischer Herbst, Graz.
Mystical Correct, Salon Verlag, Köln.
1998
Someone Else with My Fingerprints, Salon Verlag, Köln.
Vollkommen Gewönlich, Kunstverein Freiburg im Marienbad, Kunstfonds e. V., Wienand, Köln.
Präprintium. Moskauer Bücher aus dem Samizdat, Edition Temmen, Bremen.
1999-2000
Zeitwenden rückblick und ausblick, Kunstmuseum, Bonn.
2000
L'autre moitié de l'Europe, exhibition catalogue, CD-Rom, Galerie Nationale du Jeu de Paume, Paris.
2000-2001
Amnesia, exhibition catalogue, New Museum Weserburg, Bremen.

ALICJA ŹEBROWSKA / POLAND

Born in 1966 in Zakopane.
Lives and works in Krakow.

Education
1978-1981
Institute of the Lublin University, Lublin.
1990-1992
Visiting student at the Department of Sculpture of the Academy of Applied Arts, Vienna.
1991
Diploma at Wander Bertoni studio at the Academy of Applied Arts, Vienna.

Professional Experience
1993-1995
Cooperation with the Galeria Zderzak, Krakow.

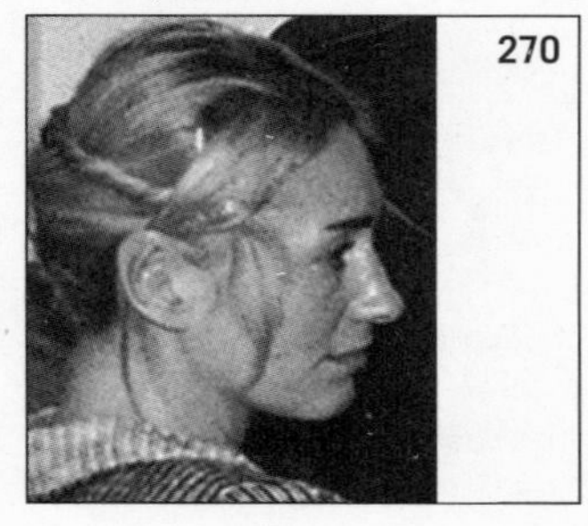
270

1996
Member of Fort of Art Association.

Solo Exhibitions (Selected)
1990
"Graphics, sculpture", Galerie Bel Etage, Vienna.
1991
"Sculpture 1988-91", Academy of Applied Arts, Vienna.
1992
"Post-diploma, sculpture, objects", Academy of Applied Arts, Vienna.
1994
"Original Sin, video installation", Galeria Zderzak, Krakow.
"Original Sin", Forum OST-WEST, Bergisch-Gladbach.
1997
"Onone-World After the World, photography, video", Contemporary Art Centre, Warsaw.
1998
"Metatrauma, photography, video", BWA, Krakow.

Group Exhibitions (Selected)
1991
"Co-ordinates 19° 57,6'E + 50° 3,9'N", Krakow.
20 Mikoljska Street (installation *Oh, how nice!*).
1993
Milton Knights (sculpture, objects, installation)
1995
"Raum", Parochial Kirche, Berlin (Body).
"Anti-bodies", Centre for Contemporary Art, Ujazdowski Castle, Warsaw (video installation).
1996
"Woman About Woman", BWA, Bielsko-Biala.
1998
"Stone and Flesh", London (video installation).
1999
"Contemporary Polish Photography", Polish Institute Gallery, Paris, Galeria Format, Kracow.
"Blue Fire", Third Biennal of Prague, Young Artists from Central Europe, curated by Olga Malá and Karel Srp, The City of Prague Art Gallery, Prague.
2000
"Negotiators of Art. In the Face of Reality", curated by Bozena Czubak, Centre of Contemporary Art LAZNIA, Gdansk.

Bibliography
1995
M. Gozdziewski, *Original Sin-Marek Gozdziewski about Alicja Żebrowska*, "Art Magazine", no. 6-7.
K. Piotrowski, *Art in a somatic society*, "Art Magazine", no. 2-3.
1997
H. Böhne, *A Journey into the Body and Beyond - The Art of Alicja Żebrowska*, "Art Magazine", no. 3-4.
P. Leszkowicz, *Alicja Żebrowska's Sins: Art and Abortion (an essay inspired by Ann Snitow's seminar "Theories of Gender in Culture")*, New York.
P. Leszkowicz, *On both sides of the mirror-in search of third millennium sexuality.*
1999
M. Bakke, *An open body.*
P. Piotrowski, *Znaczenia Modernizmu*, Dom Wydawniczy REBIS, Poznan.

ARTUR ŹMIJEWSKI / POLAND
Born in 1966 in Warsaw.
Lives in Warsaw.

Education
1990-1995
Faculty of Sculpture of Academy of Fine Arts, Warsaw.
1995
Diploma at the studio of Professor Grzegorz Kowalski.

Solo Exhibitons
1994
"Akty", Galeria a.r.t., Płock.
"Tożsamość dzidzi", Galeria Przyjaciół A.R., Warsaw.
"Nudles", Galeria a.r.t., Płock.
1995
"The Babe's Identity", Galeria Przyjaciół A.R., Warsaw.
1996
"Sardine's Song", Galeria a.r.t., Płock.
1998
"An eye for an eye", Galeria 2, Centre of Contemporary Art, Ujazdowski Castle, Warsaw.
1999
"Ausgewählte arbeiten", Galeria Wyspa, Gdánsk, Poland Tag Play, Galeria a.r.t., Płock.

Group Exhibitions (Selected)
1991
"Cardinał, Wieczerza", Galeria Dziekanka, Warsaw.
1994
"On a lovely meadow I send serial white stool off into space", Stolica Cinema, Warsaw.
"Sculpture from Movement", Galeria Aspekty, Warsaw.
"Mobile Sculpture", Galeria Czereja, Warsaw.
1995
"Transhumation", Pictures Gallery Kaunas.
1996
"Me and AIDS", Galeria Czereja, kino Stolica, Warsaw, Galeria a.r.t., Płock, Artistic Society Water-tower, Bydgoszcz, Galeria Wyspa, Gdansk.
"Generation 96", BWA, Katowice.
"A.R. Friend's Gallery", Museum of Xawery Dunikowski, Warsaw.
1997
"Parteitag (exhibition of art)", Inżynierska 3, Warsaw.
"I International Art Meeting Katowice 97", BWA, Katowice.
"Photography '97", Pałac Sztuki, Kraków.
"Exhibition of the Polish participants of the10th edition of the Europaen project for young artists Germinations", Galeria Zachęta, Warsaw.
"Passport: Exchange", Temple Bar Gallery and Studios, Dublin

272

"Warsaw 98", Galeria Sztuki Współczesnej Zachęta, Warsaw.
1998
"Fragment of the Collection 3", Galeria Sztuki Współczesnej Zachęta, Warsaw.
"Oikos", Muzeum Okręgowe, Bydgoszcz.
"Germinations 10. Europejski projekt dla młodych artystów", Sala wystawowa Akademii Sztuk Pięknych, Athens.
"The Figure in Polish Sculpture of the 19th and 20th Century", Centre of Polish "Sculpture", Orońsko, Galeria Zachęta, Warzaw.
2000
"Scene 2000", Centre for Contemporary Art, Ujazdowski Castle, Warsaw. "In Freiheit/endlich, Polische Kunst nach 1989", Kunsthalle Baden-Baden, Baden-Baden.

Bibliography (Selected)

1993
"Czereja", no. 2, 4.
"Czereja", no. 3, 5.
"Czereja", no. 4, 10.
1995
"Czereja", no. 5.
Ulubiona teoria sztuki, "Magazyn Sztuki", no. 6/7, pp. 176-187.
1998
L. Gorczyca, *Nieforemna czlowiekowatość Źmiji*, in *At the Time of Writing*, CSW Zamek Ujazdowski, Warsaw, pp. 62-63, fig. 1.
M.A. Potocka, in *Germinations X*, The Factory, Athens School of Fine Arts, p. 276.
1999
Galeria a.r.t. 1992-1997, red. A. Szymczyk, Płock, pp. 176-187.
Galeria a.r.t. 1992-1997, red. A. Szymczyk, Płock (zawiera wywiady i artykuly).

OPERE IN MOSTRA
ARTWORKS EXHIBITED

MARIO AIRÒ / ITALY

Unité d'habitation, 1994
Installation mixed media
540 × 312 × 375 cm
Private collection

PAWEL ALTHAMER / POLAND

White Bus, 2001
Bus covered with white tape
Various dimensions
Ad hoc project

BIRGIR ANDRÉSSON / ICELAND

Cities, countries and regions of the world in Iceland towns and villages, 1995-2000
30 photographs
47 × 42 cm each

HEDEVIG ANKER / NORWAY

Unitled 1-6, 2000
6 photographs
105 × 110 × 8 cm each
Courtesy Henie Onstad Art Center, Høvikkoden (Oslo)

EMMANUELLE ANTILLE / SWITZERLAND

Wouldn't it be nice, 1999
Video projection, 14 min., colour, sound

SIEGRUN APPELT / AUSTRIA

Fünfhaus # 2, 3, 5, 6, 8, 9, 10, 12, 14, 15, 2000
10 photographs
77 × 88 cm each

Fünfhaus (Kendlerstrasse / Schanzstrasse), 2000-2001
Video, 30 min., colour, sound

STEFANO ARIENTI / ITALY

Cartoline, 1990
Polystyrene, 150 panels
200 × 100 × 5 cm each; neon

Iris, 1990
Plasticine on poster
95 × 121 cm
Collection Gianni Aglietta, Biella

Stanza ad Arles, 1990-1994
Plasticine on poster
97 × 137 cm
Collection of the artist

ART PROTECTS YOU (JOCHEN TRAAR) / AUSTRIA

Man made skies, 1998-2001
Interactive video projection
Various dimensions

HALLDÓR ÁSGEIRSSON / ICELAND

The meeting of the volcanos Hekla and Vesuvio, 2001
Installation mixed media
(welded lavastones, plaster reproductions, icecubes, metal box, 10 × 280 × 180 cm),
280 × 180 m
Performances, May 17-18 2001, Palazzo della Triennale, Milan

ATELIER VAN LIESHOUT / HOLLAND

Compost toilet and shower cabin, 2001
Installation mixed media
(toilet and shower cabin; garden)
Ad hoc project

BRIGITTE AUBIGNAC / FRANCE

Les Mules, 1995
Oil on canvas
12.8 × 12.8 cm
Collection of the artist

La Prière, 1995
Oil on canvas
12.3 × 12.6 cm
Collection of the artist

De Bon Matin, 1995
Oil on canvas
16.2 × 12.6 cm
Collection of the artist

Le Quotidien, 1995
Oil on canvas
12.5 × 11.5 cm
Collection of the artist

La Source, 1996
Oil on canvas
16.5 × 11.2 cm
Collection of the artist

L'Eau Bienheureuse, 1996
Oil on canvas
16.7 × 11 cm
Collection of the artist

Le Petit Linge, 1995
Oil on canvas
13.8 × 9.6 cm
Collection of the artist

Le Petit Bazar, 1995
Oil on canvas
4.3 × 9.9 cm
Collection of the artist

Le Feu, 1996
Oil on canvas
15.5 × 12.6 cm
Collection of the artist

Le Soir, 1995
Oil on canvas
10 × 13.5 cm
Collection of the artist
Le Temps de la Lecture, 1996
Oil on canvas
18.5 × 10.8 cm
Collection of the artist

Le Portrait, 1995
Oil on canvas
14.5 × 13.6 cm
Collection of the artist

La Visite, 1996
Oil on canvas
12.5 × 11.5 cm
Collection of the artist

Marie-Madeleine Simplement, 1997
Oil on canvas
12 × 11.5 cm
Collection of the artist

MAJA BAJEVIĆ / BOSNIA-HERZEGOVINA

Women at work, 1999
Video projection, colour, sound
Courtesy Moderna Galerija Ljubljana, Ljubljana

MIROSLAW BALKA / POLAND

The bath, 2000
Installation mixed media (wooden floor, salt, steel cable with hair, 50 drawings of children)
1000 × 400 cm
Collection of the artist

JOËL BARTOLOMÉO / FRANCE

Opération séduction, 1999
Video installation, 11 min., colour, sound
Courtesy Galerie Alain Gutharc, Paris

ROLF BIER / GERMANY

Pulse - human version, 1997-1999
Photograph
208 × 150 cm

Bunte Steine, 2001
Acrylic on canvas
300 × 150 × 4.5 cm

Domino, 1998-2001
Patchwork of blankets, cardboards, stones
30 × 300 × 300 cm

Relating history, 2001
Sculpture of polystyrene, adhesive tape, bricks
200 × 55 × 110 cm

RICHARD BILLINGHAM / GREAT BRITAIN

Jason Chopping,
Video projection, 2.52 min, colour, sound
© the artist, courtesy Anthony Reynolds Gallery, London

Untitled (Jason Eating), 1995
C-print on aluminium
158 × 105 × 2.5 cm
© the artist, courtesy Anthony Reynolds Gallery, London

Untitled (Jigsaw), 1995
C-print on aluminium
120 × 80 × 2.5 cm
© the artist, courtesy Anthony Reynolds Gallery, London

Untitled (Coiled Cat), 1995
C-print on aluminium
50 × 75 × 2.5 cm
© the artist, courtesy Anthony Reynolds Gallery, London

OLAF BREUNING / SWITZERLAND

King, 2000
Video installation (video, colour, sound; armour, 240 × 250 × 160 cm)
Various dimensions
Courtesy of the artist and Ars Futura Galerie, Zurich

ALEXANDER BRODSKY / RUSSIA

Coma, 2000-2001
Installation mixed media
290 × 800 × 400 cm (wooden podium, 40 × 400 × 800 cm; metallic construction, 250 × 700 × 250 cm; clay model of town; 14 canisters and droppers with oil; 6 lamps, 3 videos)
The project has been realised with the partnership of the Marat Guelman Galerja, Moscow
Collection of the artist

VERONIKA BROMOVÁ / CZECH REPUBLIC

Beauty and the Beast, 1997
Installation mixed media (*Cocoon*, cinetic object, feathers, motor, aluminium construction, plexiglass, 230 × ø 90 cm; 1 c-print, 105 × 140 cm)
Various dimensions

MARIE JOSÉ BURKI / BELGIUM, FLEMISH COMMUNITY

A Dog in my Mind, 1997
Video installation (3 video projections on newspapers on walls)
Various dimensions

GERARDO BURMESTER / PORTUGAL
Sobre o Desenho II, 1994
sculpture, wood and felt
80 × 275 × 170 cm
Courtesy Galeria Pedro Oliveira, Porto

PEDRO CABRITA REIS / PORTUGAL

Cidades Cegas#5, 1999
Installation mixed media (plywood, tar and aluminium roofing felt, aluminium window frames, acrylic paint on glass)
300 × 1500 × 100 cm
Courtesy Galleria Giorgio Persano, Turin

CATARINA CAMPINO / PORTUGAL

Un'altra Scala, 2001
Video installation (video, 15 min. loop, colour, sound; wooden model of piano, 150 × 250 × 200 cm)
Various dimensions
Ad hoc project

EUGENIO CANO / SPAIN

La casa del cuerpo del corazón. El cuerpo del corazón de la casa. El corazón de la casa del cuerpo, 1998-1999
Installation mixed media
(3 pieces: sculpture, different materials, 267 × 300 × 300 cm; sculpture, different materials, 345 × 180 × 120 cm; mixed media on canvas, 363 × 130 cm)
Various dimensions
Collection of the artist

ULF VERNER CARLSSON / NORWAY

Untitled, 2001
Installation
Plasticine on wall
Various dimensions

MONICA CAROCCI / ITALY

Il bagno 2, 1995
Video projection, 30 min., w/b, sound
5 photographs, 70 × 100 cm each
Courtesy Raffaella Cortese, Milan

FILIPA CÉSAR / PORTUGAL

Untitled (Twirler), 1999
Video projection, 5.30 min. colour
Courtesy Fundaçã de Serralves, Porto

RUI CHAFES / PORTUGAL

Ne dors pas, 1999
Sculpture, iron
120 × 260 × 280 cm
Courtesy Galerie Cent 8, Paris

GOR CHAHAL / RUSSIA

Joy, 2000
Video installation
(3 video projections; 12 prints on canvas: 9 pieces, 150 × 200 cm each, 1 piece, 140 × 150 cm, 1 piece, 160 × 120 cm, 1 piece, 110 × 162 cm)
Various dimensions
Courtesy of National Centre for Contemporary Art, Moscow

HERVÉ CHARLES / BELGIUM, FRENCH COMMUNITY

Etna 1503, 2000
Print on diasec
152 × 152 × 0.6 cm
Courtesy Galerie Velge et Noirhomme, Brussels

Vulcano 2308, 2000
Print on diasec
152 × 152 × 0.6 cm
Courtesy Galerie Velge et Noirhomme, Brussels

Etna 1206, 2000
Print on diasec
152 × 152 × 0.6 cm
Courtesy Galerie Velge et Noirhomme, Brussels

OLGA CHERNYCHEVA / RUSSIA

Garden n. 2, 2000
Installation mixed media (10 light boxes, 68.5 × 65 cm each; plants)
Collection of the artist

ATTILA CSÖRGÖ / HUNGARY

Event-Curve, 1988
Installation mixed media
(lamp, disc, plexiglass, motor)
67 × 35 × 23 cm
Courtesy Institute of Contemporary Art, Budapest

Event-Curve II, 1988
Installation mixed media
(lamp, disc, plexiglass, motor)
67 × 35 × 23 cm
Collection Paksi Képtár, Budapest

Event-Curve III, 1988
Installation mixed media
(lamp, disc, plexiglass, motor)
67 × 35 × 23 cm
Collection of the artist

JONAS DAHLBERG / SWEDEN

Untitled, 2001
Video installation (video; metal table platform, 90 × ø 250 cm; circular wooden model, 30 × ø 225 cm)

FEDERICO DÍAZ / CZECH REPUBLIC

Flower, 2001
interactive installation mixed media
300 × ø 500 cm
Ad hoc project

MILENA DOPITOVÁ / CZECH REPUBLIC

Labyrinth, 1999
Installation mixed media
(*Labyrinth*, iron construction,
65 × ø 560 cm; *A Coffin Snit*,
10 photographs, 100 × 140 cm each)

VLADISLAV EFIMOV AND ARISTARKH TCHERNYCHEV / RUSSIA

Genetic Gymnastics, 2000
Installation mixed media (3 videos;
31 photographs: 25 pieces,
20 × 15 cm each, 4 pieces,
60 × 60 cm each, 2 pieces
143 × 60 cm each)
Courtesy of National Centre
for Contemporary Art, Moscow

PAULA ERVAMAA / FINLAND

Skeleton, 1998
Ink on paper and canvas
112 × 43 cm
Collection of the artist

Feelings which are stored into the memory, 1998
Ink on paper and canvas
100 × 120 cm
Collection of the artist

Drawing trip to a paradise lake, 1998
Ink on paper and canvas
100 × 120 cm
Collection of the artist

BRUNA ESPOSITO / ITALY

E così sia..., 2000-2001
Installation mixed media (stove,
pirex pot, crown of laurel, legumes
and cereals)
400 × 400 cm

SYLVIE FLEURY / SWITZERLAND

Bubbles, 2001
Video projection on wall painting
Dimensions variable
Ad hoc project
Courtesy Galerie Hauser & Wirth
& Presenhuber, Zurich

CEAL FLOYER / GREAT BRITAIN

Downpour, 2001
Video projection, colour, sound
Courtesy Lisson Gallery, London

MICHEL FRANÇOIS / BELGIUM, FRENCH COMMUNITY

Psycho-Jarden, 2000-2001
Installation mixed media (wood, sand,
cactus, bottles, galvanized panels,
magnets)
Dimensions variable
Collection of the artist

MICHEL FRÈRE / BELGIUM, FRENCH COMMUNITY

Untitled, 1993
Oil on canvas
212 × 269 × 12.5 cm
Private collection

Constable England I, 1993
Oil on canvas
179 × 256 × 11 cm
Courtesy Galerie Albert Baronian,
Brussels

Untitled, 1999
Oil on canvas
117 × 190 cm
Courtesy Galerie Albert Baronian,
Brussels

JÓZSEF GAÁL / HUNGARY

Triptych (Harpy, Idol, Moloch), 1998
Oil on canvas
Harpy, 170 × 114 cm
Idol, 180 × 133 cm
Moloch, 170 × 113 cm
Collection of the artist

RAINER GANAHL / AUSTRIA

Portraits, the language of emigration, 2000
Installation mixed media
Videos and 4 series of c-prints:
- Il linguaggio dell'emigrazione, Eugenio Calabi
Language of Emigration, Eugenio Calabi
7 c-prints, 51.5 × 61.5 cm each
1 c-print, 61.5 × 86.5 cm
1 video
- Il linguaggio dell'emigrazione, Mario e Silvana Sonnino
Language of Emigration, Mario and Silvana Sonnino
7 c-prints, 51.5 × 61.5 cm each
2 c-prints, 61.5 × 86.5 cm each
2 videos
- Il linguaggio dell'emigrazione, Gastone e Lea Orefice
Language of Emigration, Gastone e Lea Orefice
7 c-prints, 51.5 × 61.5 cm each
2 c-prints, 61.5 × 86.5 cm each
2 videos
- Il linguaggio dell'emigrazione, Anna Maria Funaro
Language of Emigration, Anna Maria Funaro
7 c-prints, 51.5 × 61.5 cm each
1 c-print, 61.5 × 86.5 cm
1 video
Ad hoc project

KATHARINA GROSSE / GERMANY

Untitled, 2001
Wall painting
Various dimensions
Ad hoc project

GRAHAM GUSSIN / GREAT BRITAIN

Spill, 1999
Video projection, 12 min., b/w

Feedback (*Feedback set up and recorded in the artist's studio and played back at random in another space*) *(Feedback registrato nello studio dell'artista e riprodotto in un altro luogo in maniera casuale)*, 2000
Sound installation and vinyl text
on wall
Various dimensions

FABRICE GYGI / SWITZERLAND

Snack Mobile, 1998
Installation mixed media
(wood, metal, synthetic texture)
240 × 100 × 100 cm
Collection of the artist,
store Mamco

JENS HAANING / DENMARK

Arabic joke, 2001
Bill board posters
Dimensions variable
Ad hoc project

NIC HESS / SWITZERLAND

Die Menschen werden nichts davon wissen, 2001
Installation mixed media (white wall
with peep hole and UV fluorescent
drawing on wood, 140 × 200 cm)
Courtesy Serge Ziegler Galerie,
Zurich

HELI HILTUNEN / FINLAND

Jalkihehku (*Afterglow*), 1999-2000
Oil, acrylic, ink, photography
13 pieces, 50 × 40/60 cm each
Courtesy Galleria Kari Kenetti,
Helsinki

EDGARD HONETSCHLÄGER / AUSTRIA

Colors (The history of chocolate, Masaccio, In times of emergency), 2000
Film trilogy, 33 min., colour, sound

MARIANN IMRE / HUNGARY

Saint Cecilia, 1997
Installation mixed media
(concrete figure, 208 × 60 × 5 cm;
plexiglass figure, 200 × 80 × 0.5 cm;
knotted thick threads)
350 × 208 × 80 cm
Courtesy Magyar Nemzeti Galéria,
Budapest

IRWIN / SLOVENIA

Was ist Kunst, 1985-2001
Installation mixed media
(10 paintings, 50 × 70 cm each;
9 trophies)
Various dimensions
Collection of the artists

FRANS JACOBI / DENMARK

Untitled, 2001
Sound installation and stickers
on windows
Various dimensions

LIDY JACOBS / HOLLAND

Willy and Bear, 1999
Soft sculptures
Willy, 450 × 350 × 150 cm
Bear, h 70 cm
Courtesy Groninger Museum,
Groningen

HENRIK PLENGE JAKOBSEN / DENMARK

EVERYTHING IS WRONG, 1996-2001
4 gouaches
150 × 150 cm each
Courtesy Galleri Nicolai Wallner,
Copenhagen

ANN VERONICA JANSSENS / BELGIUM, FRENCH COMMUNITY

Représentation d'un corp rond II,
1996-2001
Installation mixed media
(light projection and fog)
Various dimensions

JOHNNY JENSEN / DENMARK

Meeting Place I # 1, 3, 4, 5,
1999-2000
Laser direct c-prints on aluminium
80 × 100 × 2.5 cm each
Collection of the artist

Meeting Place II # 4, 5, 7, 8,
1999-2000
Laser direct c-prints on aluminium
80 × 100 × 2.5 cm each
Collection of the artist

IVAN KAFKA / CZECH REPUBLIC

On potent impotence, 1989-2000
Installation mixed media
(50 electric mechanisms,
6 × 7 × 2 cm each; 50 second
hands, 13 cm each, asynchronic
interval 1 sec.; 50 white pedestals,
100 × 6 × 2 cm each;
white wooden floor)
300 × 600 × 450 cm

ANDRÁS KAPITÁNY / HUNGARY

Parasite. SR*, 1995-1998
Video installation (video projection,
colour; 40 video graphics:
10 pieces, 63 × 85 cm each,
30 pieces, 15 × 20 cm each)
Various dimensions
Collection of the artist

PERTTI KEKARAINEN / FINLAND

Density, 2001
3 c-prints on diasec
178 × 220 × 3.5 cm each
Courtesy of the artist, Galleria Kari
Kenetti and Galleria Voges + Deisen,
Helsinki
Ad hoc project

ANNA KLEBERG / SWEDEN

Modelhus VII, XIV, XVI, XVII, 2000
4 c-prints on MDF board
50 × 75 × 5 cm each

Berg I, II, 2000
2 c-prints on MDF board
185 × 200 × 5 cm each

PACO KNÖLLER / GERMANY

Unter der männlichen Schädeldecke,
2000-2001
12 drawings on paper
30 × 60 cm each
Collection of the artist

PETER KOGLER / AUSTRIA
Untitled, 2000
Silcscreen on canvas
200 × 200 × 5 cm

Untitled, 1995
Silcscreen on canvas
180 × 180 × 5 cm

Untitled, 1996
Silcscreen on canvas
120 × 120 × 5 cm

LAILA KONGEVOLD / NORWAY

St. Matthew 20: 29-34 / Christ healing the blind men of Jericho, 2001
Marble dust
400 × 1000 cm
Collection of the artist
Ad hoc project "Milano Europa 2000"

ELKE KRYSTUFEK / AUSTRIA

L'Arena di Milano, 2001
Installation mixed media
Untitled,10 videos
10 fabrics, 200 × 150 cm each
10 acrylics on canvas,
180 × 140 × 2.5 cm each
Tower, 300 × 70 × 70 cm,
12 photographs on aluminium,
100 × 70 × 2 cm each
Chair, 140 × 100 × 70 cm,
4 photographs, on aluminum,
100 × 70 × 2 cm each
Table, 100 × 70 × 100 cm,
3 photographs, on aluminium,
100 × 70 × 2 cm each
Garbage can, 100 × 70 × 70 cm,
4 photographs on aluminum,
100 × 70 × 2 cm each

MISCHA KUBALL / GERMANY

Lightsluice, 2001
Installation mixed media
(white wooden construction, lights)
300 × 544 × 800 cm

LUISA LAMBRI / ITALY

Senza titolo, 2001
Video, loop, colour
Ad hoc project
Senza titolo, 2001
10 cibachromes on aluminium,
70 × 100 × 5 cm each
Ad hoc project
Courtesy Studio Guenzani, Milan

ANDREA LANGE / NORWAY

Refugee Talks, 1998
Video projection, 33 min.,
colour, sound
Courtesy Henie Onstad Art Center,
Høvikkoden (Oslo)

FABIEN LERAT / FRANCE

Ellipse, 2000-2001
Installation mixed media
(metal, resin, fabric)
220 × 300 × 700 cm
Ad hoc project

JENÖ LÉVAY / HUNGARY

Transfert Point - Flying Bridge Project, 1994-2000
Installation mixed media (tubular
scaffolding, 850 × 740 × 720 cm;
12 c-prints, video projection)
Collection of the artist

ISABELLE LÉVÉNEZ / FRANCE

Pénitences, 1997
Video installation (video, colour,
sound; writing in chalk on green wall)
250 × 850 × 350 cm
Courtesy Galerie Anton Weller, Paris

ZBIGNIEW LIBERA / POLAND

The body master, 1994-1998
Installations mixed media
(mixed media objects,
124 × 112 × 59 cm each;
2 advertising boards,
61 × 66.5 cm each)
Courtesy Paulina Kolczynska
Fine Art, New York

You can Shave the Baby, 1995
2 dolls in original boxes
56 × 26 × 13 cm each
Courtesy Paulina Kolczynska
Fine Art, New York

The Doll you Love to Undress, 1998
2 sets of 3 dolls in original boxes
46 × 21 × 10 cm each
Courtesy Paulina Kolczynska
Fine Art, New York

ANNA LÍNDAL / ICELAND

Borders, 2000
Video sculpture (wooden and metallic
shelf, oranges, houseplants,
4 monitors)
200 × 270 × 55 cm

JENNY MAGNUSSON / SWEDEN

Untitled, 2001
Installation mixed media
Various dimensions
Ad hoc project

VLADO MARTEK / CROATIA

Troubles with ethics, 1982-2000
Installation mixed media
Untitled 1, natron paper, acrylic,
90 × 62 cm
Untitled 2, natron paper, acrylic,
90 × 62 cm
Artisti armatevi, screenprint,
29 × 21 cm
Read Majakovsky's Poems,
screenprint, 29 × 21 cm
Menti lo stato, ready-made, 6 × 5 cm
Eat meat, text, paper, acrylic, size A4
Poetic Objects Sickle, natron paper,
acrylic, 90 × 62 cm

PIERRE LIONEL MATTE / NORWAY

Siege, 1997
C-print
100 × 110 cm

Massacre, 1997
C-print
100 × 130 cm

The ritual execution of the olives,
1997
C-print
100 × 130 cm

Show time, 1999
Installation mixed media
(painted food, kitchenware
on kitchen table, 100 cm)
90 × ø 100 cm

Attacking guerrilla-coconuts, 1997
Installation (coconuts, paint)
Various dimensions

BAS MEERMAN / HOLLAND

Getekend dagboek, 1996-2000
100 pencils on paper
30 × 21 cm each
Collection of the artist

JEAN-LUC MOULÈNE / FRANCE

04.08.1996 (Nu assis), 1996
Photograph
90 × 110 cm

16.07.1996 (Nu vert), 1996
Photograph
90 × 110 cm

02.04.1997 (Nu fond de teint), 1997
Photograph
300 × 400 cm

JOHAN MUYLE / BELGIUM,
FRENCH COMMUNITY

Qu(ch)i mangerà, vivrà, 2000-2001
Installation mixed media
(oil on canvas on wooden panels;
mechanical and electronic elements)
440 × 350 × 210 cm
Ad hoc project

IRINA NAKHOVA / RUSSIA

Big red, 1998
Inflatable object (160 × 500 cm
Courtesy National Centre for
Contemporary Art, Moscow

KRISTOFFER NILSON / SWEDEN

System, 2001
Graphite on chalk on MDF board
6 pieces, 59.5 × 42 cm each;
2 pieces, 66 × 20,4 cm each; 2
pieces, 46.2 × 23.8 cm each; 1 piece
43 × 26.8 cm; 1 piece 42 × 30 cm

HANS ULRICH OBRIST /
SWITZERLAND

Concept and curation
Urban Rumours, 1999 ongoing
Installation:
Stefano Boeri (Italy)
with Susanna Loddo, Guido Musante,
Mauro Giuliani
Viaggio d'acqua (La Doccia), 2000
Mixed media
640 × 190 × 140 cm
Production by Fri Art, Fribourg
and Mutations / Arc en Rêve,
Bordeaux

ANTON OLSHVANG / RUSSIA

Battlefield, 1999-2000
Installation mixed media
(40 photographies, 74 × 100 cm
each; 2 carpets)
Various dimensions
Collection of the artist

JOÃO ONOFRE / PORTUGAL

Untitled, (extract from "Martha", a film
by Rainer Werner Fassbinder), 1998
Video projection, colour, sound
Courtesy Fundação de Serralves,
Porto

JULIAN OPIE / GREAT BRITAIN

Amanda jumper skirt boots, 2000
Vinyl on aluminium
187.5 × 54.8 × 15 cm
Courtesy Lisson Gallery, London

Female Nude Lying up on Elbow,
2000
Vinyl on aluminium
207 × 380 × 4 cm
Courtesy Lisson Gallery, London

Junction 11, 2000
Vinyl on aluminium
240 × 188 × 9.5 cm
Courtesy Lisson Gallery, London

ANA TERESA ORTEGA / SPAIN

Sin título (Jean Genet), 2000
Photograph
150 × 100 × 7 cm
Courtesy Galeria Visor, Valencia

Sin título (Samuel Beckett), 2000
Photograph
150 × 100 × 7 cm
Courtesy Galeria Visor, Valencia

Sin título (Milan Kundera), 2000
Photograph
150 × 100 × 7 cm
Courtesy Galeria Visor, Valencia

CORNELIA PARKER /
GREAT BRITAIN

Meteorite lands on Milano, 2001
Fireworks
Performance 18 maggio 2001, Milan
Ad hoc project

Neither from nor towards, 1992
Installation (beachcombed
housebricks from a house that fell off
the white cliffs of Dover)
400 × 366 × 244 cm
Courtesy of the artist and Frith Street
Gallery, London

MARKO PELJHAN / SLOVENIA

Trust - System 22 Anechoic II - radio phase, 2001
Installation mixed media
(missile mockup, 510 × 325 cm;
14 light boxes, anechoic material)
Collection Zavod Projekt Atol,
Ljubljana
Ad hoc project

PAUL MICHAEL PERRY / HOLLAND

Body Armour, 1994
Installation mixed media
(kevlar, poly resin, straw)
Various dimensions
Courtesy Groninger Museum,
Groningen

CRISTIANO PINTALDI / ITALY

Senza Titolo, 2000
Acrylic on canvas
150 × 200 × 4 cm
Collection Monica Menini

Senza Titolo, 2000
Acrylic on canvas
150 × 195 × 4 cm
Private collection, Bologna

JAUME PLENSA / SPAIN

Love Sounds I, 1998
Alabaster, iron, plastic, light, sound
212 × 120 × 228 cm

Love Sounds II, 1998
Alabaster, iron, plastic, light, sound
212 × 120 × 115 cm

BERNARD QUESNIAUX / FRANCE

Descend sale bête, 1999
Silcscreen and acrylic on canvas
380 × 570 cm
Courtesy Galerie Alain Gutharc, Paris

Graphic poupic, 1999
Silcscreen and acrylic on canvas
380 × 570 cm
Courtesy Galerie Alain Gutharc, Paris

HELI REKULA / FINLAND

Here today, gone tomorrow, 1998
Video projection, colour, sound
Collection of the artist

LOIS RENNER / AUSTRIA

Objektive Standarte, 1999
C-print, acrylic, aluminium
180 × 225 cm

Atelier, 2001
C-print, plexiglass, aluminium
225 × 180 × 1 cm

Buchdruck, 2000
C-print, acrylic, aluminium
150 × 150 × 1 cm

Model Nr.8, 2000
Mixed media
250 × 200 × 230 cm

CHRISTIAN RIEBE / GERMANY

Die Piersonsche Anstal, 1998
Chalks, lacquers, acrylic, graphite
embroidery on fabrics and papers
178 × 310 × 5 cm

Reise nach Narvik, 1998-1999
Chalks, lacquers, acrylic, graphite
embroidery on fabrics and papers
117 × 401 × 4 cm

Schaubild Gartenbau, 1998-2001
Chalks, lacquers, acrylic, graphite
embroidery on fabrics and papers
170 × 400 × 4 cm

GUIA RIGVAVA / RUSSIA

We are friends, 2001
Video installation (video; 2 prints
on metal (ø 78 cm each, installation
made of rubber balloons)
Various dimensions
Collection of the artist

FRANCISCO RUIZ DE INFANTE / SPAIN

Esplicando colisiones (secundo intento), 2001
Video installation
Various dimensions
Ad hoc project
Courtesy Galeria Elba Benitez,
Madrid

ILKKA SARIOLA / FINLAND

The Fish, 1992
Video, sound
Collection of the artist

Ono and mato, 1998-1999
6 pencils on paper
100 × 150 cm each
Collection of the artist

HRAFNKELL SIGURDSSON / ICELAND

Untitled, 1999-2000
4 photographs
70 × 110 cm each

ANTONI SOCIAS / SPAIN

99 Cacahuetes y una madrina,
1990-2000
Installation mixed media (28 wooden,
aluminium and plexiglass cases
with inside photographs, various
dimensions between 30 × 7 × 60 cm
and 30 × 7 × 200 cm; 6 books; table)
Collection of the artist

RICKARD SOLLMAN / SWEDEN

Untitled, 1996
Installation, split firewood
210 × 400 × 400 cm

Position I, 2000
Oil on canvas
200 × 220 × 5 cm

Position II, 2000
Oil on canvas
200 × 220 × 5 cm

THE ICELANDIC LOVE CORPORATION / ICELAND

Hotel Paradise, 1998
Installation mixed media (mirrored
cube, 200 × 300 × 300 cm;
trampoline, 100 × 300 × 300)
Various dimensions

Diskló, 1998
Installation mixed media (disco-balls,
lights, music, posters in male
and female toilets)
Various dimensions

THORVALDUR THORSTEINSSON / ICELAND

The most real death, 2001
Video projection, colour, sound
Ad hoc project

GRAZIA TODERI / ITALY

Nontiscordardime, 1993
Video, 30 min., colour, sound
Collection Rosa Sandretto

MILICA TOMIĆ / SERBIA
I am Milica Tomić, 1998
Video projection, colour, sound
Courtesy Moderna Galerija Ljubljana,
Ljubljana

PATRICK TOSANI / FRANCE

M.V., 1992
C-print
188 × 158 cm
Courtesy Galerie Emmanuel Perrotin,
Paris

C.T., 1992
C-print
192 × 165 cm
Courtesy Galerie Emmanuel Perrotin,
Paris

M.T.D., 1992
C-print
176 × 158 cm
Courtesy Galerie Emmanuel Perrotin,
Paris

L.C., 1992
C-print
178 × 152 cm
Courtesy Galerie Emmanuel Perrotin,
Paris

M.V., 1992
C-print
199 × 183 cm
Courtesy Galerie Emmanuel Perrotin, Paris

PEDRO TUDELA / PORTUGAL

Target, 1999
Installation mixed media (5 prints on PVC banner, 150 × 170 cm each; gun shots on paper, audio CDs)
Various dimensions
Courtesy Fundação de Serralves, Porto

JAVIER VALLHONRAT / SPAIN

Lugares Intermedios. Chalet Suizo, 1998-1999
Transparent color, plexiglass, metal
100 × 265 × 10 cm
Courtesy Galeria Helga de Alvear, Madrid

Lugares Intermedios. Casa Vernacular, 1998-1999
transparent color, plexiglass, metal
100 × 265 × 10 cm
Courtesy Galeria Helga de Alvear, Madrid

JAN VAN IMSCHOOT / BELGIUM, FLEMISH COMMUNITY

Minuet for a sold skin, 1999
Oil on canvas
9 pieces, 75 × 65 cm each
Courtesy Sammlung Hauser und Wirth, Saint Gall

Intellectual Accident, 1998
Oil on canvas
100 × 80 cm

Réconstruction d'un exécution. Maiden flames and Virginity, 1997
Oil on canvas
120 × 100 cm
Courtesy Artesia Contemporary Art Collection

Réconstruction d'un exécution. Le Fusil Refusant, 1997
Oil on canvas
100 × 80 cm
Private collection, Antwerp

Réconstruction d'un exécution. Le teaureau héros, 1997
Oil on canvas
100 × 80 cm

Poltergeist, 1995
Oil on canvas
80 × 65 cm
Private collection

I hate the sea, I hate to see, 1996
Oil on canvas
105 × 80 cm

The heritage of an orphan, 1998
Oil on canvas
80 × 100 cm
Private collection

Weeping feet, crying up nails, 1999
Oil on canvas
75 × 65 cm
Private collection

Crying nails, 1999
Oil on canvas
75 × 65 cm
Private collection

GYULA VÁRNAI / HUNGARY

The Four Cardinal Points, 1996
Installation, wooden doors cut into cubes
360 × 160 × 10 cm
Collection of the artist

ANGEL VERGARA SANTIAGO / BELGIUM, FRENCH COMMUNITY

La cuccina della casa per l'arte e la rivoluzione contemporanea. La morale. La civiltà. Il soggetto, 2000
Video projection on oil on canvas
270 × 200 cm
Collection of the artist

GERT VERHOEVEN / BELGIUM, FLEMISH COMMUNITY

Sans titre, 2000
Camping table, chalk, lacquer, felt, pencils, wood, caoutchouc
90 × 156 × 58 cm
Courtesy Galerie Nelson, Paris

SUB, 2000
Camping table, chalk, lacquer, felt, pencils, wood, plasters, plexiglass
116 × 315 × 58 cm
Courtesy Galerie Nelson, Paris

SUB-SUB, 2000
Camping table, chalk, felt, plexiglass
106 × 317 × 58 cm
Courtesy Wilfried & Yannick Cooreman, Puurs, Belgium

Sans titre, 2000
Camping table, chalk, lacquer, felt, pencils, plexiglass
106 × 157 × 58 cm
Courtesy Galerie Nelson, Paris

GITTE VILLESEN / DENMARK

Bus stop and parties, 2000
Video installation (video, 20 min, colour, sound; 2 photocollages, 90 × 110 cm each)
Various dimensions
Collection of the artist

KATEŘINA VINCOUROVÁ / CZECH REPUBLIC

Call..., 1999
inflatable object (textile, PVC, ventilator, cloth, polyvinyl sheet)
120 × 500 × 450 cm

TAMÁS WALICZKY / HUNGARY

Time / Space (sculptures), 1996-2000
Video projection (3 videos, b/w)
Ad hoc project

GILLIAN WEARING / GREAT BRITAIN

Sixty minutes silence, 1996
Video projection, 60 min., colour, sound
Courtesy Maureen Paley Interim Art, London

VADIM ZAKHAROV / RUSSIA

CULT [...] CONTROL (control oneself), 2001
Installation mixed media (7 prints on wood, 240 × 130 × 10 cm each; laser lines and laser points; video)

ALICJA ŻEBROWSKA / POLAND

ONONE - A World After The World, 1995-1999
Video installation (video projection, 3.30 min., colour, sound; 7 c-prints, 100 × 100 cm each)

ARTUR ŻMIJEWSKI / POLAND

The game of Tag, 1999
Video projection
3.5 min. loop
Courtesy Galeria Foksal, Warsaw

REGOLAMENTO DELLA MOSTRA

a cura di Giorgio de Marchis

Il Comune di Milano si propone, tramite l'Assessorato alla Cultura e Musei (*allegato 1*), di organizzare in sede civica adeguata – PAC, Padiglione d'Arte Contemporanea e Palazzo della Triennale – dal 19 maggio al 16 settembre 2001 una mostra internazionale europea d'arte contemporanea, su consulenza di Giorgio de Marchis autore del progetto e del regolamento, denominata "Milano Europa 2000".
L'esposizione avvia l'attività del Museo del Presente, in corso di realizzazione all'interno dei gasometri AEM nel quartiere milanese della Bovisa.
L'ipotesi di cui la mostra vuole essere lo strumento di verifica è che l'arte di questa fine secolo in Europa, dal 1980 in poi nella attività delle ultime due generazioni di artisti, sia fortemente caratterizzata da una compresenza di generi e di linguaggi diversi, ognuno nel suo specifico mediale, dalla pittura, all'elettronica, alle più sofisticate tecnologie informatiche, alla fotografia, alla manipolazione di oggetti e materiali. Tali differenti aspetti in cui si manifesta la volontà artistica non appaiono in conflitto tra di loro, ma compongono un orizzonte di esperienze operative e conoscitive dentro il quale, senza indicazioni direzionali, è acuta la coscienza del presente sotto il cui livello giacciono anche, più o meno apparenti, sia la memoria del passato sia i semi del futuro.

Paesi invitati

Il Comune di Milano si propone di invitare alla mostra venti Paesi europei oltre l'Italia (*allegato 2*). Il criterio con cui è stata fatta la scelta dei Paesi da invitare ha tenuto conto della presenza e della attività, in ogni Paese, di componenti culturali specificamente concernenti l'arte contemporanea, non solo di artisti e di critici, ma anche di gallerie private, musei, istituzioni culturali, fondazioni, archivi, editori d'arte, riviste, librerie, biblioteche, spazi espositivi, spazi alternativi, fiere d'arte, scuole d'arte, associazioni artistiche, collezionisti.
Il Comune di Milano ha formalizzato l'invito ai Paesi attraverso i signori Consoli Generali stranieri a Milano per inoltro alle autorità nazionali competenti dei rispettivi Paesi, che accettando l'invito dovranno designare il Commissario nazionale per la scelta degli artisti e delle opere da destinare alla mostra.
Il Comune di Milano ha istituito una Segreteria Generale della mostra, per il coordinamento, presso la propria Direzione Centrale Cultura e Musei, Sport e Tempo Libero, dipendente dall'Assessorato alla Cultura e Musei. La funzione di Segretario Generale è assunta dal Direttore Centrale dottoressa Alessandra Mottola Molfino.
Il Comune di Milano si è riservato di designare il Commissario nazionale italiano per la partecipazione italiana, nella persona di uno studioso di specifica, solida e riconosciuta competenza nel campo dell'arte contemporanea e di vasta e provata esperienza realizzata nell'attività sia pubblica che professionale, con la facoltà di valersi delle consulenze che potrà ritenere opportune, pur restando interamente sua la responsabilità della scelta.

Selezione delle opere

I signori Commissari nazionali selezioneranno gli artisti e le opere da inviare alla mostra in piena e totale libertà, coerentemente al progetto e alle finalità della mostra secondo le indicazioni seguenti:
1. Ogni Paese partecipante alla mostra dovrà presentare da un minimo di cinque a un massimo di quindici artisti.
2. Gli artisti rappresentati dovranno essere nati dal 1950 in poi.
3. Le opere presentate dovranno essere state eseguite dal 1980 in poi.
4. Ogni artista potrà essere rappresentato con non più di tre opere, se si tratta di opere di tipologia e formato abituali e tradizionali, da considerarsi come un insieme non scindibile, e con una sola opera se si tratta di installazioni ambientali o richiedenti attrezzature speciali o di opere di misura eccedente i formati abituali tradizionali.

Ogni Commissario nazionale ha la piena facoltà e responsabilità di reperire le opere in prestito per la mostra presso collezioni pubbliche e private e presso gallerie di mercato, così come presso gli artisti stessi i quali, dunque, verranno considerati come prestatori delle proprie opere.
Ogni Commissario nazionale ha altresì la facoltà di destinare alla mostra installazioni create *ad hoc* su progetto dell'artista, e anche in questo caso l'artista verrà considerato un prestatore. Ogni Commissario nazionale può includere nella propria scelta anche opere di artisti di provenienza non nazionale, ma abitualmente residenti e operanti nel contesto nazionale del Paese.

Calendario

Il Comune di Milano si propone di riunire a Milano, con ospitalità a proprio carico, i Commissari nazionali nominati dalle autorità nazionali competenti per due incontri informativi prima dell'apertura della mostra.
Le schede tecniche e di catalogo delle partecipazioni nazionali, relative a artisti e opere (in lingua italiana o inglese o francese o tedesca) e il materiale iconografico dovranno pervenire alla Segreteria Generale sei mesi prima dell'apertura della mostra.
Le opere dovranno pervenire nella sede della mostra un mese prima dell'apertura della mostra.

Sedi espositive

PAC, Padiglione d'Arte Contemporanea, via Palestro 14, 20121 Milano.
Palazzo della Triennale, viale Alemagna 6, 20121 Milano.

Criteri espositivi

L'organizzazione degli spazi espositivi (1200 mq al PAC e 4200 mq al Palazzo della Triennale) sarà responsabilità dell'architetto incaricato dal Comune di Milano. La presentazione espositiva sarà responsabilità della Segreteria Organizzativa della mostra e del Commissario italiano. Il criterio espositivo non seguirà raggruppamenti nazionali, ma tenderà a delineare un percorso, una figura, una rete di relazioni data dall'insieme delle opere presenti.

Premio Milano - Museo del Presente

Per premi e acquisti di opere in mostra il Comune di Milano ha previsto uno stanziamento di 200.000 Euro: di questi, 150.000 destinati ad acquisti di opere per la collezione del costituendo Museo del Presente e 50.000 riservati al Premio Milano - Museo del Presente, premio unico e indivisibile per l'autore dell'opera che avrà riscosso il maggior numero di voti espressi dal pubblico e da una giuria, secondo le modalità di seguito descritte:
i visitatori potranno esprimere la loro preferenza per una sola opera, tramite postazioni collocate presso la Triennale e il PAC, con voto elettronico abbinato al biglietto di ingresso. Le votazioni si effettueranno nel periodo tra l'apertura della mostra e il giorno 11 settembre 2001. Le opere che avranno ricevuto il maggior numero di voti, venendo a costituire un gruppo di testa, saranno oggetto di una seconda votazione da parte di una giuria nominata dalla Giunta comunale e composta da milanesi, di nascita o di adozione, che nella loro professione abbiano riscosso successo e riconoscimento internazionali (*allegato 3*).
Il voto della giuria si sommerà alla pari a quello espresso dal pubblico e all'autore dell'opera più votata sarà aggiudicato il Premio Milano - Museo del Presente. La premiazione avverrà nel corso di una serata a inviti nella sede della mostra o in una sede di rappresentanza del Comune di Milano.

Altri premi
Altri premi potranno essere messi a disposizione da soggetti privati e pubblici italiani e stranieri per categorie settoriali.

Budget
Il Comune di Milano prenderà a proprio carico tutte le spese sul territorio italiano come segue:
1. Adeguamento e attrezzatura delle sedi della mostra, Palazzo della Triennale e Padiglione d'Arte Contemporanea, sia per quanto riguarda gli spazi espositivi sia per quanto riguarda i servizi.
2. Operazioni doganali in arrivo e in partenza, sballaggio e rimballaggio delle opere. La frontiera doganale è stabilita nelle sedi della mostra.
3. Allestimento della mostra ivi compresa la realizzazione di progetti e l'installazione di opere ambientali o richiedenti particolari attrezzature.
4. Traduzione e stampa del catalogo.
5. Pubblicità e stampa.
6. Gestione della mostra e dei servizi connessi.
7. Viaggio e ospitalità a Milano dei Commissari nazionali per due riunioni di lavoro (avvenute nei mesi di novembre 1999 e marzo 2000) e per l'inaugurazione della mostra nel maggio 2001.
8. Ospitalità a Milano degli artisti per l'inaugurazione della mostra
9. Ospitalità a Milano degli accompagnatori delle opere all'arrivo e alla partenza.
10. Spese della partecipazione italiana.
11. Trenta cataloghi in omaggio a ognuno dei paesi partecipanti (da distribuire a commissari, artisti, rappresentanze diplomatiche, Istituti di Cultura)
12. Premio Milano - Museo del Presente e relativa organizzazione.
13. Ospitalità a Milano ai finalisti del Premio Milano - Museo del Presente o ai loro rappresentanti.
14. Compensi per consulenze e incarichi straordinari.
15. Assicurazione da chiodo a chiodo.
16. Finanziamento fino ad un massimo di Lire 30 milioni a ogni Paese per la realizzazione di un'opera creata *ad hoc* per la mostra.

A carico dei Paesi stranieri partecipanti saranno
1. Spese di trasporto delle opere all'andata e al ritorno a e dalla sede della mostra, da intendersi anche come frontiera doganale.
2. Assicurazione da chiodo a chiodo per prestatori che non vogliano usufruire dell'assicurazione fornita dal Comune di Milano.
3. Spese di viaggio per eventuali accompagnatori delle opere imposti dai prestatori, e invitati a Milano dai Paesi partecipanti (autorità, giornalisti ecc.).
4. Curatela: scelta degli artisti e delle opere, schede tecniche e testi critici per il catalogo in lingua italiana o inglese o francese o tedesca, nonché materiale iconografico necessario alla realizzazione del catalogo e all'attività dell'ufficio stampa della mostra.

ALLEGATO 1

Assessore alla Cultura
Salvatore Carrubba

Consulente esterno
Giorgio de Marchis

Direttore Centrale
Alessandra Mottola Molfino
Assume le funzioni di Segretario Generale nella mostra "Milano Europa 2000"

Conservatore PAC Padiglione d'Arte Contemporanea
Lucia Matino
Assume le funzioni di Vice Segretario Generale nella mostra "Milano Europa 2000"

ALLEGATO 2
Paesi invitati

1. Austria
2. Belgio
3. Danimarca
4. Finlandia
5. Francia
6. Germania
7. Gran Bretagna
8. Islanda
9. Italia
10. Norvegia
11. Olanda
12. Polonia
13. Portogallo
14. Repubblica Ceca
15. Russia
16. Spagna
17. Svezia
18. Svizzera
19. Ungheria
20. Territori della ex Yugoslavia

ALLEGATO 3
Campi di attività nei quali saranno scelti i membri della giuria del Premio Città di Milano

1. Architettura
2. Disegno industriale (disegnatori e produttori, grafici pubblicitari, illustratori)
3. Moda
4. Danza
5. Teatro (registri, autori, attori, scenografi)
6. Lirica (cantanti, registi, scenografi)
7. Musica (compositori, esecutori, direttori d'orchestra, musicologi, cantanti leggeri)
8. Cinema (registi, attori)
9. Fotografia
10. Giornalismo
11. Letteratura
12. Editoria
13. Industria
14. Libero professionismo
15. Università, Istituzioni culturali, Accademie
16. Collezionismo
17. Arti visive (artisti superiori ai cinquant'anni, galleristi, esperti, critici, direttori di musei, restauratori)
18. Scienze
19. Altri

The regulations of the exhibition

by Giorgio de Marchis

The City of Milan intends to hold an international exhibition of contemporary European art entitled "Milano Europa 2000", based on an idea by Giorgio de Marchis, who wrote the regulations and acted as adviser to the exhibition. The City's Department of Culture and Museums (*appendix 1*), is responsible for organising the exhibition to be held at the PAC, Padiglione d'Arte Contemporanea, and at the Palazzo della Triennale from 19th May to 16th September 2001.

The exhibition represents the start of the activity of the Museo del Presente, currently being constructed inside the AEM (Milanese Gas and Electric Company) gasometers in the Milanese district of Bovisa.

The exhibition was devised as a tool to verify the hypothesis that art at the end of the century in Europe, produced by the last two generations of artists from 1980 onwards is heavily characterised by the simultaneous presence of different languages and genres, each in its own specific media, ranging from painting to electronics and the most sophisticated computer technology, photography and the manipulation of objects and materials. These different ways in which artistic intent manifests do not appear to be in conflict with each other, but form a panorama of action and knowledge, experiences in which, although they contain no indications of direction, there is an acute awareness of the present under which lies, apparent to varying degrees, both the memory of the past and the seeds of the future.

Countries invited

The City of Milan intends to invite twenty European countries to the exhibition (*appendix 2*) and of course Italy. The criterion employed for choosing countries to invite took account of the presence and activity of people specifically involved in contemporary art, not just artists and critics, but also private galleries, museums, cultural institutions, foundations, archives, art publishers, magazines, book shops, libraries, exhibition spaces, alternative spaces, art fairs, schools of art, artistic associations and collectors.

The City of Milan officially invited countries through their Consuls General in Milan, who were requested to forward the invitations to the appropriate authorities in their respective countries. On acceptance of invitations countries were required to appoint an international commissioner and to choose artists and works of art for the exhibition.

To co-ordinate the exhibition, the City of Milan set up a General Secretariat in its Department of Culture and Museums, Sport and Leisure under the Department of Culture and Museums. The Central Director of that Department, Alessandra Mottola Molfino, acted as the Secretary-General for the exhibition.

The choice of the national commissioner for Italy was reserved to the City of Milan, which selected an academic with solid, recognised and specific expertise in the field of contemporary art and with vast and proven experience acquired working in both the public and professional spheres. Although entirely responsible for the choices made, the commissioner is allowed to make use of outside advisers.

Selection of works

National commissioners are to select artists and works for the exhibition in full and total freedom, consistent with the designs and aims of the exhibition as follows:

1. Each country participating in the exhibition must present between a minimum of five and a maximum of fifteen artists.
2. The artists presented must have been born in or after 1950.
3. The works presented must have been produced in or after 1980.
4. Each artist may present no more than three works if the works are of a habitual and traditional type and format, to be considered as indivisible wholes, and only one work for installations or works that require special equipment or works that are larger than habitual traditional formats.

Each national commissioner is responsible for and has full power to obtain works on loan for the exhibition from public and private collections and from private galleries, as well as from the artists themselves, who in this case will be considered the lenders of their own works.

Each national commissioner is also authorised to commission installations specially for the exhibition from artists and in this case the artist will be considered the lender.

National commissioners may include among their selection artists that are not from their countries, but are habitually resident there and work in the country.

Calendar

The City of Milan intends to invite, at its expense, the national commissioners appointed by their respective national authorities, to two meetings in Milan for briefing before the opening of the exhibition.

The technical sheets and the catalogue of national exhibitors, containing artists and works (in the Italian, English, French, or German languages) and illustrative material must be sent to the General Secretariat six months before the opening of the exhibition.

The works themselves must arrive at the exhibition site one month before the opening of the exhibition.

Exhibition sites

PAC, Padiglione d'Arte Contemporanea, via Palestro 14, 20121 Milan.
Palazzo della Triennale, viale Alemagna 6, 20121 Milan.

Display criterion

The organisation of display areas (1.200 sq. m. at the PAC and 4.200 sq. m. at the Palazzo della Triennale) will be the responsibility of the architect appointed by the City of Milan. The Exhibition Organisation Office and the Italian commissioner will be responsible for the display layout. The criteria for deciding display layout will not be based on national groupings but will tend to create a sequence, a figure, or a network of relations given by the set of works present.

Premio Milano - Museo del Presente

The City of Milan has budgeted 200,000 euros for prizes and the purchase of works in the exhibition. Of this, 150,000 euros is to be used to acquire works for the new collection for the Museo del Presente and 50,000 euros is reserved for the Premio Milano - Museo del Presente, a single prize which may not be shared, for the creator of the work that receives the highest number of votes from the public and from a jury according to the following procedures:

visitors may express a preference for one work alone at voting stations located in the *Triennale* and in the PAC by voting electronically using entrance tickets; voting will take place in the period between the opening of the exhibition and 11th September 2001; the works that receive the highest number of votes will go onto a shortlist and will then be voted on a second time by a jury selected by the City Council and composed of people, Milanese either by birth or adoption, who have attained international success and recognition (*appendix 3*).

The vote of the jury will be added, with equal weight, to that of the public and the artist with the highest number of votes will be awarded the Premio Milano - Museo del Presente. The prize will be awarded at a special evening for guests to be held either at one of the exhibition sites or at an appropriate municipal venue.

Other prizes
Other prizes may be made available by public and private sector bodies either from Italy or abroad for specific categories.

Budget
The City of Milan will meet the costs of the following in Italy:
1. Preparation and fitting out of the exhibition sites, the Palazzo della Triennale and the Padiglione d'Arte Contemporanea, as concerns both display areas and services.
2. Incoming and outgoing customs procedures, unpacking and repacking of works. A customs frontier is to be set up at the exhibition sites.
3. Mounting of the exhibition, including the creation of projects and installations or works requiring particular equipment.
4. Translation and printing of the catalogue.
5. Advertising and printing.
6. Management of the exhibition and connected services.
7. Travel and hotel expenses in Milan for national commissioners at their two working meetings (that took place in November 1999 and March 2000) and for the inauguration of the exhibition in May 2001.
8. Hospitality in Milan for artists at the inauguration of the exhibition.
9. Hospitality in Milan for personnel accompanying works on arrival and departure.
10. Expenses for Italian participants.
11. Thirty free catalogues for each of the participating countries (to be distributed to commissioners, artists, consulates, cultural institutes).
12. Premio Milano - Museo del Presente award and relative organisation.
13. Hospitality in Milan for the finalists of the Premio Milano - Museo del Presente prize or their representatives.
14. Consulting fees and extraordinary services.
15. Wall-to-wall insurance.
16. Expenses of up to a maximum of 30 million Italian lire to each country for the creation of a work commissioned specially for the exhibition.

Costs to be met by the participating countries other than Italy
1. The cost of transporting the works to and from the exhibition sites, which will also be the customs frontiers.
2. Wall-to-wall insurance for those lenders who do not wish to use the insurance provided by the City of Milan.
3. Travel expenses for any persons selected by lenders to accompany works, or invited to Milan by participating countries (authorities, journalists, etc.).
4. Curatorship: selection of artists and works, technical sheets and critical texts for the catalogue in the Italian, English, French or German languages, as well as illustrative material required for producing the catalogue and for press office activity.

APPENDIX 1

Head of the Department of Culture
Salvatore Carrubba

Outside consultant
Giorgio de Marchis

Central Director
Alessandra Mottola Molfino
To act as Secretary-General for the exhibition "Milano Europa 2000"

Curator of the PAC, Padiglione d'Arte Contemporanea
Lucia Matino
To act as Deputy Secretary-General for the exhibition "Milano Europa 2000"

APPENDIX 2
Countries invited

1. Austria
2. Belgium
3. Denmark
4. Finland
5. France
6. Germany
7. Great Britain
8. Iceland
9. Italy
10. Norway
11. Holland
12. Poland
13. Portugal
14. The Czech Republic
15. Russia
16. Spain
17. Sweden
18. Switzerland
19. Hungary
20. Yugoslavia (Federal Republic of Yugoslavia)

APPENDIX 3
Fields of activity from which the members of the jury for the Premio Città di Milano will be chosen

1. Architecture
2. Industrial design (draughtsman and producers, advertising graphics artists and illustrators)
3. Fashion
4. Dance
5. Theatre (producers directors, and playwrights, actors, stage designers)
6. Opera (singers, producers, stage designers)
7. Music (composers, performers, orchestra conductors, musicologists, light music singers)
8. Cinema (directors, actors)
9. Photography
10. Journalism
11. Literature
12. Publishing
13. Industry
14. The professions
15. Universities, cultural institutions, academies
16. Collectors
17. Visual arts (artists over the age of 50, art gallery owners, experts, critics, museum directors, conservation experts)
18. Science
19. Other

Referenze fotografiche / Photo Credits

Igor Andželić (p. 313)
Norbert Artner (p. 378)
AVL (p. 52)
Delphine Bedel (p. 146)
Rolf Bier (p. 63)
Luca Borrelli (pp. 277, 294, 342)
Santi Caleca (pp. 34-35)
Philippe De Gobert (p. 117)
Marc Domage (pp. 176-177)
Laura Egges (pp. 114-115)
Patricia Garrido (p. 291)
Jaceh Gladyllowski (p. 37)
Hugo Glendinning (p. 208)
Alcino Goçalves (p. 88)
Tomaz Gregoric (p. 340)
Jeans Haaning (pp. 128-129)
Hana Hamplova (p. 150)
Béatrice Hatala (pp. 54-55)
Željko Jerman (p. 331)
Ivan Kafka (p. 151)
K. Kern (p. 378)
Gary Kirkham (p. 113)
Kleinefenn (p. 258)
Jenö Lévay (pp. 174-175)
Gunter Lepkowski (p. 217)
Rogério Lira (p. 341)
Bruno Manca (p. 310)
Dave Morgan, London (p. 105)
Morgunbladid, Einar Falur Ingólfsson (p. 351)
André Morin (pp. 246-247)
Wolfgang Mustain at Silverstone (p. 111)
Gerry Nitsch (p. 288)
Birk Pauwels, Ghent (p. 355)
Johnnie Shand-Kydd (p. 287)
Julia Schmid (p. 286)
Andrea Stappert (p. 306)
Daniela Steinfeid, Düsseldorf (p. 166)
Eva Svensson (pp. 196-197)
Peter Tahl (p. 212)
Petra Tihole (p. 210)
Oystein Thorvaldsen (pp. 40-41, 279)
Mester Tibor (pp. 118-119)
John Tormey (p. 335)
Marc Trivier (p. 304)
U.S. Color Labs (p. 239)
D.J. Wooldrik (p. 283)
Kwan Ho Yuh-Zwingmann (p. 167)
Raimund Zarkowski (p. 63)